LITERATHEK

Herausgegeben von Florian Radvan und Anne Steiner

Theodor Fontane

Effi Briest

Bearbeitet von Daniela A. Frickel
und Thomas Mayerhofer

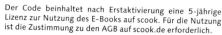

Literathek

Theodor Fontane   **Effi Briest**

Verlagsredaktion Katja Hohenstein
Bildrecherche Sabine Kaehne
Layout und technische Umsetzung Buchgestaltung+, Berlin
Umschlaggestaltung HOX designgroup, Kay Bach, Köln

Bildquelle Max Liebermann: Theodor Fontane (Kreidezeichnung, 1896)
akg-images (S. 6)

www.cornelsen.de

Dieses Werk berücksichtigt die Regeln der reformierten Rechtschreibung und
Zeichensetzung. Ausnahmen bilden Originaltexte, bei denen lizenzrechtliche Gründe
einer Änderung entgegenstehen.

1. Auflage, 2. Druck 2014

Alle Drucke dieser Auflage sind inhaltlich unverändert und
können im Unterricht nebeneinander verwendet werden.

Druck: Offizin Andersen Nexö Leipzig

ISBN 978-3-06-062921-3

 Inhalt gedruckt auf säurefreiem Papier aus nachhaltiger Forstwirtschaft.

Inhalt

Kurzbiografie

Theodor Fontane

»Personen von solcher Ausrüstung, wie die meine war, kein Vermögen, kein Wissen, keine Stellung, keine starken Nerven, das Leben zu zwingen – solche Menschen sind überhaupt keine richtigen Menschen, und wenn sie mit ihrem Talent und ihrem eingewickelten 50-Pfennig-Stück ihres Weges ziehen wollen (und das muss man ihnen schließlich gestatten), so sollen sie sich wenigstens nicht verheiraten. […] ein Apotheker, der anstatt von einer Apotheke von der Dichtkunst leben will, ist so ziemlich das Tollste, was es gibt« (Grawe/Nürnberger 2000, S. 22), schrieb Theodor Fontane im Alter von 73 Jahren an seine Frau. In dieser autobiografischen Reflexion steckt bereits Vieles, das den Werdegang des Schriftstellers kennzeichnet: Henri Theodor Fontane wurde als erstes von fünf Kindern des Apothekers Louis Henri Fontane (1796–1867) und seiner Frau Emilie Labry (1798–1869) am 30. Dezember 1819 in Neuruppin geboren. Ihre Vorfahren waren im 18. Jahrhundert aus Frankreich nach Preußen eingewandert, da sie dort als Hugenotten – französische Protestanten, die stark von der Lehre Johannes Calvins beeinflusst waren – verfolgt wurden.

Von beiden Elternteilen scheinen sich Charaktereigenschaften auf Fontane übertragen zu haben: der Fleiß und die Strebsamkeit der Mutter, die einer wohlhabenden Familie entstammte, sowie eine gewisse Unstetigkeit und nervliche Labilität, die schon seinen Vater kennzeichnete. Dieser wechselte häufig den Wohnort, eröffnete mal hier, mal dort eine Apotheke, sodass Theodors Kindheit von Orts- und Schulwechseln von Neuruppin nach Swinemünde und schließlich nach Berlin geprägt war.

Obwohl er insgesamt ein mittelmäßiger Schüler war, entwickelte er großes Interesse für Geschichte und für das Schreiben, was sich auch in einem seiner ersten Gedichte zeigt, das er als Elfjähriger für seinen Vater verfasste: »Lieber Vater,/ Du bist kein Kater/Doch von den Russen hörst du gern/ Wie sie den Polen den Weg versperrn.« (Ebd., S. 16 f.) Fontane bezog sich hierbei vermutlich auf den Russisch-Polnischen Krieg von 1794. Sein Berufswunsch lautete damals: Professor für Geschichte.

Doch es sollte anders kommen: Nach dem Besuch einer Gewerbeschule in Berlin trat er die Ausbildung zum Apotheker an. In dieser Zeit wendete er sich verstärkt der Literatur zu, trat literarischen Vereinen bei und lernte einflussreiche Persönlichkeiten des öffentlichen Lebens wie etwa Joseph von Eichendorff oder Theodor Storm kennen. Zeitgleich mit dem Abschluss seiner Ausbildung im Jahr 1839 wurden eine Novelle und einige Gedichte in der Zeitung *Berliner Figaro* veröffentlicht.

In den folgenden Jahren schwankte Fontane zwischen dem Apothekerberuf und seinen literarischen Ambitionen. Durch die Erkrankung an Tuberkulose war er zeitweise gesundheitlich stark beeinträchtigt. Dennoch nahm er verschiedene Anstellungen an, studierte Pharmazie und absolvierte den einjährigen Militärdienst. Auf einer Geburtstagsfeier seines Onkels traf er 1845 auf Georgina Emilie Carolina Rouanet, seine spätere Frau. Auf Grund fehlender finanzieller Mittel vergingen von der Verlobung bis zur Hochzeit 1850 jedoch fünf Jahre. Im Jahr 1848, in dem er die Fachprüfung zum Apotheker bestand, trennten sich seine Eltern.

Diese Phase seines Lebens war neben den persönlichen Unsicherheiten und Existenzkämpfen von politischen Auf- und Umbrüchen geprägt: der Zeit des Vormärz und der Revolution.

Fontane engagierte sich vor allem mit journalistischen Beiträgen gegen die reaktionären Entwicklungen in Preußen, unterhielt aber weiterhin auch den Kontakt zu konservativen Kreisen und zeigte so eine gewisse Zwiespältigkeit. Kritik an seiner ambivalenten politischen Haltung wies Fontane aber mit dem Hinweis auf sein Unabhängigkeitsgefühl ab: »Ich bin ganz einfach Fontane [...].« (Ebd., S. 60)

Um den Lebensunterhalt für seine Familie zu sichern – 1851 wurde sein erster Sohn geboren, es folgten sechs weitere Kinder, von denen drei früh verstarben –, nahm er entgegen seiner liberalen Tendenzen sogar eine Anstellung im Pressedienst des Preußischen Innenministeriums an. Dieses entsandte ihn als Berichterstatter und Berater für einige Jahre nach England. Er erkannte aber, dass es ihm von dort aus kaum möglich war, in Deutschland als Schriftsteller – so sein eigentliches Ziel – Fuß zu fassen, sodass er 1858 nach Berlin zurückkehrte.

In den nächsten Jahrzehnten arbeitete er überwiegend als Journalist und Redakteur bei verschiedenen Zeitungen. Auch unternahm er zahlreiche Reisen, etwa zu Kriegsschauplätzen nach Schleswig-Holstein und Dänemark sowie nach Süddeutschland und in die Schweiz und verfasste Kriegsdokumentationen. Vor allem machte er sich als Theaterkritiker bei der *Vossischen Zeitung* einen Namen.

Doch trotz seines steten Einsatzes und Fleißes blieb die finanzielle Lage der Familie angespannt und machte es sogar nötig, Staatsbeihilfen zu beantragen. Diese schwierigen Lebensbedingungen führten zudem zu Ehekrisen.

Während Fontanes literarische Arbeiten dieser Jahrzehnte überwiegend historische Stoffe behandeln, gelang ihm der literarische Durchbruch erst mit seinem Spätwerk und hier insbesondere mit den Erzähltexten, in denen er sich zeitgeschichtlichen Themen zuwandte. Von besonderer Bedeutung für diese literarische Entwicklung ist sicherlich Fontanes Leben in der stetig wachsenden und sich wandelnden Metropole Berlin, die im 19. Jahrhundert von der industriellen Revolution und den damit im Zusammenhang stehenden sozialen Entwicklungen und Problemen geprägt war.

Bereits in den Werken, die er in den 1880er Jahren schuf, wie u. a. *L'Adultera* (1882), *Cecile* (1887), *Irrungen, Wirrungen* (1888), *Stine* (1890) und *Frau Jenny Treibel* (1892), konzentrierte er sich wie später in *Effi Briest* (1895) auf die zeitgenössische Gesellschaft, auf die Themen Familie, Ehe und den preußischen Ehrenkodex – Bereiche, die er vor dem Hintergrund des Wandels hin zu einer modernen Gesellschaft in seinen Werken auf den Prüfstand stellte.

Es folgten größere Anerkennungen für sein literarisches Schaffen, wie eine erste Gesamtausgabe in zwölf Bänden (1890), eine Geldprämie von Kaiser Wilhelm (1891) und die Verleihung der Ehrendoktorwürde (1894) durch die Friedrich-Wilhelms-Universtät in Berlin. Weltruhm und finanzieller Erfolg stellten sich aber erst mit der Veröffentlichung des Romans *Effi Briest* ein, an dem er rund fünf Jahre intensiv gearbeitet hatte.

Adolf Kröner, dem Inhaber der Familienzeitschrift *Die Gartenlaube*, hatte er den Roman bereits 1890 angekündigt. Auf Grund langwieriger und akribischer Um- und Überarbeitungsprozesse erschien das Werk aber erst im Oktober 1894 (in Fortsetzungen bis März 1895) in der angesehenen Literaturzeitschrift *Deutsche Rundschau* als Vorabdruck.

Der Roman, der auf einen wahren Skandal aus Berliner Gesellschaftskreisen – die so genannte »Ardenne-Affäre« – zurückgeht, wurde im Herbst 1895 schließlich in Buchform veröffentlicht, erfuhr zahlreiche positive Besprechungen, die dem sensiblen Fontane »Herzensfreude« (Fontane 1993, S. 530) bereiteten, und erwies sich mit fünf Auflagen im ersten Jahr als Bestseller.

So erreichte Fontane erst am Ende seines Lebens die lang ersehnte und hart erarbeitete Anerkennung seiner Kunst. Seine literarische Produktivität erhielt sich über den Erfolg von *Effi Briest* hinaus bis zu seinem Tod. Fontane, der sich vor allem in seinem Spätwerk als aufmerksamer und weitsichtiger

Beobachter seiner Zeit erweist, der das Gesellschaftliche und Menschliche durchleuchtete, starb am 20. September 1898 im Alter von 78 Jahren an einem Herzinfarkt in seiner Berliner Wohnung.

Im 20. Jahrhundert hoben berühmte Schriftsteller wie Thomas Mann die Bedeutung von *Effi Briest* hervor. Auch die fünf Verfilmungen *Der Schritt vom Wege* (Gustav Gründgens, 1939), *Rosen im Herbst* (Rudolf Jugert, 1955), *Effi Briest* (Wolfgang Luderer, 1968), *Fontane Effi Briest* (Rainer Werner Fassbinder, 1974) und *Effi Briest* (Hermine Huntgeburth, 2008) zeugen von der starken Wirkung des Romans, die seinen Klassikerstatus begründet.

Literatur

Fontane, Theodor: Werke. Abt. I: Romane und Erzählungen in acht Bänden. Bd. 7: Effi Briest, Die Poggenpuhls, Mathilde Möhring. Bearb. von Gotthard Erler. Berlin: Aufbau Verlag 1993.

Grawe, Christiane/Nürnberger, Helmuth: Fontane-Handbuch. Tübingen: Alfred Kröner 2000.

Nürnberger, Helmuth: Theodor Fontane. Mit Selbstzeugnissen und Bilddokumenten. 27. Aufl. Reinbek bei Hamburg: Rowohlt 2007.

Ohff, Heinz: Theodor Fontane. Leben und Werk. Mit 26 Schwarzweiß-Fotos. München, Zürich: Piper 1995.

Theodor Fontane

Effi Briest

ERSTES KAPITEL

In Front des schon seit Kurfürst Georg Wilhelm von der Familie von Briest bewohnten Herrenhauses zu Hohen-Cremmen fiel heller Sonnenschein auf
5 die mittagsstille Dorfstraße, während nach der Park- und Gartenseite hin ein rechtwinklig angebauter Seitenflügel einen breiten Schatten erst auf einen weiß und grün quadrierten Fliesengang und dann über diesen hinaus auf ein großes, in seiner Mitte mit einer Sonnenuhr und an seinem
10 Rande mit Canna indica und Rhabarberstauden besetztes Rondell warf. Einige zwanzig Schritte weiter, in Richtung und Lage genau dem Seitenflügel entsprechend, lief eine, ganz in kleinblättrigem Efeu stehende, nur an einer Stelle von einer kleinen weiß gestrichenen Eisentür unterbroche-
15 ne Kirchhofsmauer, hinter der der Hohen-Cremmener Schindelturm mit seinem blitzenden, weil neuerdings erst wieder vergoldeten Wetterhahn aufragte. Fronthaus, Seitenflügel und Kirchhofsmauer bildeten ein einen kleinen Ziergarten umschließendes Hufeisen, an dessen offener
20 Seite man eines Teiches mit Wassersteg und angeketteltem Boot und dicht daneben einer Schaukel gewahr wurde, deren horizontal gelegtes Brett zu Häupten und Füßen an je zwei Stricken hing – die Pfosten der Balkenlage schon etwas schief stehend. Zwischen Teich und Rondell aber
25 und die Schaukel halb versteckend standen ein paar mächtige alte Platanen.
Auch die Front des Herrenhauses – eine mit Aloekübeln und ein paar Gartenstühlen besetzte Rampe – gewährte bei bewölktem Himmel einen angenehmen und zugleich
30 allerlei Zerstreuung bietenden Aufenthalt; an Tagen aber, wo die Sonne niederbrannte, wurde die Gartenseite ganz entschieden bevorzugt, besonders von Frau und Tochter des Hauses, die denn auch heute wieder auf dem im vollen Schatten liegenden Fliesengange saßen, in ihrem Rücken
35 ein paar offene, von wildem Wein umrankte Fenster, neben

Kurfürst G. Wilhelm (1595–1640): Kurfürst und Markgraf von Brandenburg, Herzog von Preußen

Canna indica: tropische Zierpflanze

Rondell: *hier* rundes Gartenbeet

Aloe vera: afrikanische immergrüne Zierpflanze

sich eine vorspringende kleine Treppe, deren vier Steinstufen vom Garten aus in das Hochparterre des Seitenflügels hinaufführten. Beide, Mutter und Tochter, waren fleißig bei der Arbeit, die der Herstellung eines aus Einzelquadraten zusammenzusetzenden Altarteppichs galt; ungezählte 5 Wollsträhnen und Seidendocken lagen auf einem großen, runden Tisch bunt durcheinander, dazwischen, noch vom Lunch her, ein paar Dessertteller und eine mit großen schönen Stachelbeeren gefüllte Majolikaschale. Rasch und sicher ging die Wollnadel der Damen hin und her, aber 10 während die Mutter kein Auge von der Arbeit ließ, legte die Tochter, die den Rufnamen Effi führte, von Zeit zu Zeit die Nadel nieder und erhob sich, um unter allerlei kunstgerechten Beugungen und Streckungen den ganzen Kursus der Heil- und Zimmergymnastik durchzumachen. Es war 15 ersichtlich, dass sie sich diesen absichtlich ein wenig ins Komische gezogenen Übungen mit ganz besonderer Liebe hingab, und wenn sie dann so dastand und langsam die Arme hebend, die Handflächen hoch über dem Kopf zusammenlegte, so sah auch wohl die Mama von ihrer Hand- 20 arbeit auf, aber immer nur flüchtig und verstohlen, weil sie nicht zeigen wollte, wie entzückend sie ihr eigenes Kind finde, zu welcher Regung mütterlichen Stolzes sie vollberechtigt war. Effi trug ein blau und weiß gestreiftes, halb kittelartiges Leinwandkleid, dem erst ein fest zusammen- 25 gezogener, bronzefarbener Ledergürtel die Taille gab; der Hals war frei, und über Schulter und Nacken fiel ein breiter Matrosenkragen. In allem, was sie tat, paarte sich Übermut und Grazie, während ihre lachenden braunen Augen eine große, natürliche Klugheit und viel Lebenslust und Her- 30 zensgüte verrieten. Man nannte sie die »Kleine«, was sie sich nur gefallen lassen musste, weil die schöne, schlanke Mama noch um eine Hand breit höher war.

Eben hatte sich Effi wieder erhoben, um abwechselnd nach links und rechts ihre turnerischen Drehungen zu ma- 35 chen, als die von ihrer Stickerei gerade wieder aufblickende Mama ihr zurief: »Effi, eigentlich hättest Du doch wohl Kunstreiterin werden müssen. Immer am Trapez, immer Tochter der Luft. Ich glaube beinah, dass Du so was möchtest.«

5 »Vielleicht, Mama. Aber wenn es so wäre, wer wäre schuld? Von wem hab' ich es? Doch nur von Dir. Oder meinst Du, von Papa? Da musst Du nun selber lachen. Und dann, warum steckst Du mich in diesen Hänger, in diesen Jungenskittel? Mitunter denk' ich, ich komme noch wieder in kurze
10 Kleider. Und wenn ich die erst wieder habe, dann knix' ich auch wieder wie ein Backfisch, und wenn dann die Rathenower herüberkommen, setze ich mich auf Oberst Goetzes Schoß und reite hopp, hopp. Warum auch nicht? Dreiviertel ist er Onkel und nur ein Viertel Kourmacher.
15 Du bist schuld. Warum kriege ich keine Staatskleider? Warum machst Du keine Dame aus mir?«

»Möchtest Du's?«

»Nein.« Und dabei lief sie auf die Mama zu und umarmte sie stürmisch und küsste sie.

20 »Nicht so wild, Effi, nicht so leidenschaftlich. Ich beunruhige mich immer, wenn ich Dich so sehe ...« Und die Mama schien ernstlich willens, in Äußerung ihrer Sorgen und Ängste fortzufahren. Aber sie kam nicht weit damit, weil in ebendiesem Augenblicke drei junge Mädchen aus der klei-
25 nen, in der Kirchhofsmauer angebrachten Eisentür in den Garten eintraten und einen Kiesweg entlang auf das Rondell und die Sonnenuhr zuschritten. Alle drei grüßten mit ihren Sonnenschirmen zu Effi herüber und eilten dann auf Frau von Briest zu, um dieser die Hand zu küssen. Diese tat
30 rasch ein paar Fragen und lud dann die Mädchen ein, ihnen oder doch wenigstens Effi auf eine halbe Stunde Gesellschaft zu leisten, »ich habe ohnehin noch zu tun, und junges Volk ist am liebsten unter sich. Gehabt Euch wohl.« Und dabei stieg sie die vom Garten in den Seitenflügel füh-
35 rende Steintreppe hinauf.

Und da war nun die Jugend wirklich allein.

Backfisch:
hier junges Mädchen

Rathenower:
Offiziere eines in Rathenow stationierten Husarenregiments

Kourmacher:
Verehrer

Hanse:
Handelsbund in
Norddeutschland
(12. bis 17. Jhd.)

Fritz Reuter:
Mundartdichter

Kantor:
hier Leiter des
Kirchenchors

Mining und
Lining:
Figurennamen
aus Fritz Reuters
Roman *Ut mine
Stromtid*
(1862–1864)

lymphatisch:
kränklich

blöd:
hier schwach-
sichtig

Husaren:
Reitertruppen

Engel Gabriel:
soll Maria die
Geburt Jesu
verkündet haben
(Lk 1, 26 ff.)

Zwei der jungen Mädchen – kleine, rundliche Persönchen, zu deren krausem, rotblondem Haar ihre Sommersprossen und ihre gute Laune ganz vorzüglich passten – waren Töchter des auf Hansa, Skandinavien und Fritz Reuter eingeschworenen Kantors Jahnke, der denn auch, unter An- 5
lehnung an seinen mecklenburgischen Landsmann und Lieblingsdichter und nach dem Vorbilde von Mining und Lining, seinen eigenen Zwillingen die Namen Bertha und Hertha gegeben hatte. Die dritte junge Dame war Hulda Niemeyer, Pastor Niemeyers einziges Kind; sie war damen- 10
hafter als die beiden anderen, dafür aber langweilig und eingebildet, eine lymphatische Blondine, mit etwas vorspringenden, blöden Augen, die trotzdem beständig nach was zu suchen schienen, weshalb denn auch Klitzing von den Husaren gesagt hatte: »Sieht sie nicht aus, als erwarte 15
sie jeden Augenblick den Engel Gabriel?« Effi fand, dass der etwas kritische Klitzing nur zu sehr recht habe, vermied es aber trotzdem, einen Unterschied zwischen den drei Freundinnen zu machen. Am wenigsten war ihr in diesem Augenblick danach zu Sinn, und während sie die Ar- 20
me auf den Tisch stemmte, sagte sie: »Diese langweilige Stickerei. Gott sei Dank, dass Ihr da seid.« »Aber deine Mama haben wir vertrieben«, sagte Hulda. »Nicht doch. Wie sie Euch schon sagte, sie wäre doch gegangen; sie erwartet nämlich Besuch, einen alten Freund aus ihren Mädchen- 25
tagen her, von dem ich Euch nachher erzählen muss, eine Liebesgeschichte mit Held und Heldin und zuletzt mit Entsagung. Ihr werdet Augen machen und Euch wundern. Übrigens habe ich Mamas alten Freund schon drüben in Schwantikow gesehen; er ist Landrat, gute Figur und sehr 30
männlich.«

»Das ist die Hauptsache«, sagte Hertha.

»Freilich ist das die Hauptsache, ›Weiber weiblich, Männer männlich‹ – das ist, wie Ihr wisst, einer von Papas Lieblingssätzen. Und nun helft mir erst Ordnung schaffen auf 35
dem Tisch hier, sonst gibt es wieder eine Strafpredigt.«

Im Nu waren die Docken in den Korb gepackt, und als alle wieder saßen, sagte Hulda:»Nun aber, Effi, nun ist es Zeit, nun die Liebesgeschichte mit Entsagung. Oder ist es nicht so schlimm?«

»Eine Geschichte mit Entsagung ist nie schlimm. Aber ehe Hertha nicht von den Stachelbeeren genommen, eh' kann ich nicht anfangen – sie lässt ja kein Auge davon. Übrigens nimm so viel Du willst, wir können ja hinterher neue pflücken; nur wirf die Schalen weit weg oder noch besser, lege sie hier auf die Zeitungsbeilage, wir machen dann eine Tüte daraus und schaffen alles beiseite. Mama kann es nicht leiden, wenn die Schlusen so überall herumliegen, und sagt immer, man könne dabei ausgleiten und ein Bein brechen.«

Schlusen: leere Schalen

»Glaub' ich nicht«, sagte Hertha, während sie den Stachelbeeren fleißig zusprach.

»Ich auch nicht«, bestätigte Effi.»Denkt doch 'mal nach, ich falle jeden Tag wenigstens zwei-, dreimal, und noch ist mir nichts gebrochen. Was ein richtiges Bein ist, das bricht nicht so leicht, meines gewiss nicht und Deines auch nicht, Hertha. Was meinst Du, Hulda?«

»Man soll sein Schicksal nicht versuchen; Hochmut kommt vor dem Fall.«

»Immer Gouvernante; Du bist doch die geborne alte Jungfer.«

Hochmut kommt vor dem Fall (Sprichwort): Warnung vor Überheblichkeit

Gouvernante: Erzieherin

»Und hoffe mich doch noch zu verheiraten. Und vielleicht eher als Du.«

»Meinetwegen. Denkst Du, dass ich darauf warte? Das fehlte noch. Übrigens, ich kriege schon einen und vielleicht bald. Da ist mir nicht bange. Neulich erst hat mir der kleine Ventivegni von drüben gesagt: Fräulein Effi, was gilt die Wette, wir sind hier noch in diesem Jahre zu Polterabend und Hochzeit.«

alte Jungfer: abwertende Bezeichnung für eine unverheiratet gebliebene Frau

»Und was sagtest Du da?«

»›Wohl möglich‹, sagte ich, ›wohl möglich; Hulda ist die Älteste und kann sich jeden Tag verheiraten.‹ Aber er wollte davon nichts wissen und sagte: ›Nein, bei einer anderen jungen Dame, die gerade so brünett ist, wie Fräulein Hulda blond ist.‹ Und dabei sah er mich ganz ernsthaft an ... Aber ich komme vom Hundertsten aufs Tausendste und vergesse die Geschichte.«

»Ja, Du brichst immer wieder ab; am Ende willst Du nicht.«

»O, ich will schon, aber freilich, ich breche immer wieder ab, weil es alles ein bisschen sonderbar ist, ja beinah romantisch.«

»Aber Du sagtest doch, er sei Landrat.«

»Allerdings, Landrat. Und er heißt Geert von Innstetten, Baron von Innstetten.«

Alle drei lachten.

pikiert: beleidigt

»Warum lacht ihr?«, sagte Effi pikiert. »Was soll das heißen?«

»Ach, Effi, wir wollen Dich ja nicht beleidigen, und auch den Baron nicht. Innstetten sagtest Du? Und Geert? So heißt doch hier kein Mensch. Freilich, die adeligen Namen haben oft so 'was Komisches.«

»Ja, meine Liebe, das haben sie. Dafür sind es eben Adelige. Die dürfen sich das gönnen, und je weiter zurück, ich meine der Zeit nach, desto mehr dürfen sie sich's gönnen. Aber davon versteht Ihr nichts, was Ihr mir nicht übel nehmen dürft. Wir bleiben doch gute Freunde. Geert von Innstetten also und Baron. Er ist gerade so alt wie Mama, auf den Tag.«

»Und wie alt ist denn eigentlich Deine Mama?« »Achtunddreißig.«

»Ein schönes Alter.«

»Ist es auch, namentlich wenn man noch so aussieht wie die Mama. Sie ist doch eigentlich eine schöne Frau, findet Ihr nicht auch? Und wie sie alles so weghat, immer so sicher und dabei so fein und nie unpassend wie Papa. Wenn ich ein junger Leutnant wäre, so würd' ich mich in die Mama verlieben.«

weghaben: Kenntnis von etwas haben

»Aber Effi, wie kannst Du nur so 'was sagen«, sagte Hulda.
»Das ist ja gegen das vierte Gebot.«

»Unsinn. Wie kann das gegen das vierte Gebot sein? Ich
glaube, Mama würde sich freuen, wenn sie wüsste, dass ich
5 so was gesagt habe.«

»Kann schon sein«, unterbrach hierauf Hertha. »Aber nun
endlich die Geschichte.«

»Nun, gib Dich zufrieden, ich fange schon an ... Also Baron
Innstetten! Als er noch keine zwanzig war, stand er drüben
10 bei den Rathenowern und verkehrte viel auf den Gütern
hier herum, und am liebsten war er in Schwantikow drüben bei meinem Großvater Belling. Natürlich war es nicht
des Großvaters wegen, dass er so oft drüben war, und
wenn die Mama davon erzählt, so kann jeder leicht sehen,
15 um wen es eigentlich war. Und ich glaube, es war auch ge-
genseitig.«

»Und wie kam es nachher?«

»Nun, es kam, wie's kommen musste, wie's immer kommt.
Er war ja noch viel zu jung, und als mein Papa sich einfand,
20 der schon Ritterschaftsrat war und Hohen-Cremmen hatte, da war kein langes Besinnen mehr, und sie nahm ihn
und wurde Frau von Briest ... Und das andere, was sonst
noch kam, nun, das wisst Ihr ... das andere bin ich.«

»Ja, das andere bist Du, Effi«, sagte Bertha. »Gott sei Dank;
25 wir hätten Dich nicht, wenn es anders gekommen wäre.
Und nun sage, was tat Innstetten, was wurde aus ihm? Das
Leben hat er sich nicht genommen, sonst könntet ihr ihn
heute nicht erwarten.«

»Nein, das Leben hat er sich nicht genommen. Aber ein
30 bisschen war es doch so 'was.«

»Hat er einen Versuch gemacht?«

»Auch das nicht. Aber er mochte doch nicht länger hier in
der Nähe bleiben, und das ganze Soldatenleben überhaupt
muss ihm damals wie verleidet gewesen sein. Es war ja
35 auch Friedenszeit. Kurz und gut, er nahm den Abschied
und fing an, Juristerei zu studieren, wie Papa sagt, mit ei-

viertes Gebot:
»Du sollst Deinen
Vater und Deine
Mutter ehren«
(2. Moses 20,12
und 2. Moses
19,20)

Wilhelm
Sebastian
von Belling
(1719–1779):
Reitergeneral
und Führer
der Schwarzen
Husaren

verleiden:
verderben

siebziger Krieg:
Deutsch-
Franz. Krieg
(1870/71)

das Kreuz:
»Eisernes Kreuz«,
Auszeichnung im
Deutsch-Franz.
Krieg

Fürst Otto von
Bismarck:
Kanzler des Deut-
schen Reiches
(1871–1890)

der Kaiser:
Wilhelm I.:
Deutscher Kaiser
ab 1871

Landrat:
Beamter, zustän-
dig für Landes-
verwaltung

nem ›wahren Biereifer‹; nur als der siebziger Krieg kam,
trat er wieder ein, aber bei den Perlebergern statt bei seinem alten Regiment, und hat auch das Kreuz. Natürlich,
denn er ist sehr schneidig. Und gleich nach dem Kriege saß
er wieder bei seinen Akten, und es heißt, Bismarck halte 5
große Stücke von ihm und auch der Kaiser, und so kam es
denn, dass er Landrat wurde, Landrat im Kessiner Kreise.«

»Was ist Kessin? Ich kenne hier kein Kessin.«

»Nein, hier in unserer Gegend liegt es nicht; es liegt eine
hübsche Strecke von hier fort, in Pommern, in Hinterpom- 10
mern sogar, was aber nichts sagen will, weil es ein Badeort
ist (alles da herum ist Badeort) und die Ferienreise, die
Baron Innstetten jetzt macht, ist eigentlich eine Vettern-
reise, oder doch etwas Ähnliches. Er will hier alte Freundschaft und Verwandtschaft wiedersehn.« 15

»Hat er denn hier Verwandte?«

»Ja und nein, wie man's nehmen will. Innstettens gibt es
hier nicht, gibt es, glaub' ich, überhaupt nicht mehr. Aber er
hat hier entfernte Vettern von der Mutter Seite her, und vor
allem hat er wohl Schwantikow und das Belling'sche Haus 20
wiedersehen wollen, an das ihn so viele Erinnerungen
knüpfen. Da war er denn vorgestern drüben, und heute
will er hier in Hohen-Cremmen sein.«

»Und was sagt Dein Vater dazu?«

»Gar nichts. Der ist nicht so. Und dann kennt er ja doch die 25
Mama. Er neckt sie bloß.«

In diesem Augenblick schlug es Mittag, und ehe es noch
ausgeschlagen, erschien Wilke, das alte Briestsche Haus-
und Familienfaktotum, um an Fräulein Effi zu bestellen:
Die gnädige Frau ließe bitten, dass das gnädige Fräulein zu 30
rechter Zeit auch Toilette mache; gleich nach eins würde
der Herr Baron wohl vorfahren. Und während Wilke dies
noch vermeldete, begann er auch schon auf dem Arbeits-
tisch der Damen abzuräumen und griff dabei zunächst
nach dem Zeitungsblatt, auf dem die Stachelbeerschalen 35
lagen.

Faktotum:
Person, die
verschiedene
Aufgaben über-
nimmt

Toilette machen:
hier sich zurecht
machen

»Nein, Wilke, nicht so; das mit den Schlusen, das ist unsere Sache … Hertha, Du musst nun die Tüte machen und einen Stein hineintun, dass alles besser versinken kann. Und dann wollen wir in einem langen Trauerzug aufbrechen und die Tüte auf offener See begraben.«

Wilke schmunzelte. Is doch ein Daus, unser Fräulein, so etwa gingen seine Gedanken; Effi aber, während sie die Tüte mitten auf die rasch zusammengeraffte Tischdecke legte, sagte: »Nun fassen wir alle vier an, jeder an einem Zipfel und singen was Trauriges.«

»Ja, das sagst Du wohl, Effi. Aber was sollen wir denn singen?«

»Irgendwas; es ist ganz gleich, es muss nur einen Reim auf ›u‹ haben; ›u‹ ist immer Trauervokal. Also singen wir:

Flut, Flut,
Mach alles wieder gut …«

Und während Effi diese Litanei feierlich anstimmte, setzten sich alle vier auf den Steg hin in Bewegung, stiegen in das dort angekettete Boot und ließen von diesem aus die mit einem Kiesel beschwerte Tüte langsam in den Teich niedergleiten.

»Hertha, nun ist Deine Schuld versenkt«, sagte Effi, »wobei mir übrigens einfällt, so vom Boot aus sollen früher auch arme, unglückliche Frauen versenkt worden sein, natürlich wegen Untreue.«

»Aber doch nicht hier.«

»Nein, nicht hier«, lachte Effi, »hier kommt so 'was nicht vor. Aber in Konstantinopel, und Du musst ja, wie mir eben einfällt, auch davon wissen, so gut wie ich, Du bist ja mit dabei gewesen, als uns Kandidat Holzapfel in der Geografiestunde davon erzählte.«

»Ja«, sagte Hulda, »der erzählte immer so was. Aber so 'was vergisst man doch wieder.«

»Ich nicht. Ich behalte so 'was.«

Daus:
hier Teufel

Litanei:
Bittgebet

Kandidat:
hier Lehramtsanwärter

Sie sprachen noch eine Weile so weiter, wobei sie sich ihrer gemeinschaftlichen Schulstunden und einer ganzen Reihe Holzapfelscher Unpassendheiten mit Empörung und Behagen erinnerten. Ja, man konnte sich nicht genug tun damit, bis Hulda mit einem Male sagte: »Nun aber ist es höchste Zeit, Effi; Du siehst ja aus, ja, wie sag' ich nur, Du siehst ja aus, wie wenn Du vom Kirschenpflücken kämst, alles zerknittert und zerknautscht; das Leinenzeug macht immer so viele Falten, und der große, weiße Klappkragen ... ja, wahrhaftig, jetzt hab' ich es, Du siehst aus wie ein Schiffsjunge.«

»Midshipman, wenn ich bitten darf. Etwas muss ich doch von meinem Adel haben. Übrigens Midshipman oder Schiffsjunge, Papa hat mir erst neulich wieder einen Mastbaum versprochen, hier dicht neben der Schaukel, mit Rahen und einer Strickleiter. Wahrhaftig, das sollte mir gefallen, und den Wimpel oben selbst anzumachen, das ließ' ich mir nicht nehmen. Und Du, Hulda, Du kämst dann von der anderen Seite her herauf, und oben in der Luft wollten wir Hurra rufen und uns einen Kuss geben. Alle Wetter, das sollte schmecken.«

»›Alle Wetter ...‹, wie das nun wieder klingt ... Du sprichst wirklich wie ein Midshipman. Ich werde mich aber hüten, Dir nachzuklettern, ich bin nicht so waghalsig. Jahnke hat ganz recht, wenn er immer sagt, Du hättest zu viel von dem Belling'schen in Dir, von Deiner Mama her. Ich bin bloß ein Pastorskind.«

»Ach, geh' mir. Stille Wasser sind tief. Weißt Du noch, wie Du damals, als Vetter Briest als Kadett hier war, aber doch schon groß genug, wie Du damals auf dem Scheunendach entlangrutschtest. Und warum? Nun, ich will es nicht verraten. Aber kommt, wir wollen uns schaukeln, auf jeder Seite zwei; reißen wird es ja wohl nicht, oder wenn Ihr nicht Lust habt, denn Ihr macht wieder lange Gesichter,

---

Midshipman:
unterer Offiziersrang bei der Marine

Rah:
Stange am Mastbaum zur Befestigung des Segels

Alle Wetter:
Ausruf des bewundernden Erstaunens

Kadett:
Offiziersanwärter

dann wollen wir Anschlag spielen. Eine Viertelstunde hab ich noch. Ich mag noch nicht hineingehen, und alles bloß, um einem Landrat guten Tag zu sagen, noch dazu einem Landrat aus Hinterpommern. Ältlich ist er auch, er könnte ja beinah' mein Vater sein, und wenn er wirklich in einer Seestadt wohnt, Kessin soll ja so 'was sein, nun, da muss ich ihm in diesem Matrosenkostüm eigentlich am besten gefallen und muss ihm beinah' wie eine große Aufmerksamkeit vorkommen. Fürsten, wenn sie wen empfangen, so viel weiß ich von meinem Papa her, legen auch immer die Uniform aus der Gegend des anderen an. Also nun nicht ängstlich ... rasch, rasch, ich fliege aus und neben der Bank hier ist frei.«

Anschlag: Etappe beim Versteckspiel

Hulda wollte noch ein paar Einschränkungen machen, aber Effi war schon den nächsten Kiesweg hinauf, links hin, rechts hin, bis sie mit einem Male verschwunden war.

»Effi, das gilt nicht; wo bist Du? Wir spielen nicht Versteck, wir spielen Anschlag«, unter diesen und ähnlichen Vorwürfen eilten die Freundinnen ihr nach, weit über das Rondell und die beiden seitwärts stehenden Platanen hinaus, bis die Verschwundene mit einem Male aus ihrem Versteck hervorbrach und mühelos, weil sie schon im Rücken ihrer Verfolger war, mit »eins, zwei, drei« den Freiplatz neben der Bank erreichte.

»Wo warst Du?«

»Hinter den Rhabarberstauden; die haben so große Blätter, noch größer als ein Feigenblatt ...«

»Pfui ...«

»Nein, pfui für Euch, weil Ihr verspielt habt. Hulda, mit ihren großen Augen, sah wieder nichts, immer ungeschickt.« Und dabei flog Effi von neuem über das Rondell hin, auf den Teich zu, vielleicht weil sie vorhatte, sich erst hinter einer dort aufwachsenden dichten Haselnusshecke zu verstecken, um dann, von dieser aus, mit einem weiten Umweg um Kirchhof und Fronthaus, wieder bis an den Seitenflügel und seinen Freiplatz zu kommen. Alles war gut berechnet; aber freilich, ehe sie noch halb um den Teich herum war, hörte sie schon vom Hause her ihren Namen rufen, und sah, während sie sich umwandte, die Mama, die, von der Steintreppe her, mit ihrem Taschentuch winkte. Noch einen Augenblick, und Effi stand vor ihr. 5

»Nun bist Du doch noch in Deinem Kittel, und der Besuch ist da. Nie hältst Du Zeit.«

»Ich halte schon Zeit, aber der Besuch hat nicht Zeit gehalten. Es ist noch nicht eins; noch lange nicht«, und sich nach den Zwillingen hin umwendend (Hulda war noch 10 weiter zurück), rief sie diesen zu: »Spielt nur weiter; ich bin gleich wieder da.«

Schon im nächsten Augenblick trat Effi mit der Mama in den großen Gartensaal, der fast den ganzen Raum des Seitenflügels füllte. 15

»Mama, Du darfst mich nicht schelten. Es ist wirklich erst halb. Warum kommt er so früh? Kavaliere kommen nicht zu spät, aber noch weniger zu früh.«
Frau von Briest war in sichtlicher Verlegenheit; Effi aber schmiegte sich liebkosend an sie und sagte:»Verzeih', ich 20 will mich nun eilen; Du weißt, ich kann auch rasch sein,

und in fünf Minuten ist Aschenpuddel in eine Prinzessin verwandelt. So lange kann er warten oder mit dem Papa plaudern.«
Und der Mama zunickend, wollte sie leichten Fußes eine 25

kleine eiserne Stiege hinauf, die aus dem Saal in den Oberstock hinaufführte. Frau von Briest aber, die unter Umständen auch unkonventionell sein konnte, hielt plötzlich die schon forteilende Effi zurück, warf einen Blick auf das jugendlich reizende Geschöpf, das, noch erhitzt von der Auf- 30 regung des Spiels, wie ein Bild frischesten Lebens vor ihr stand, und sagte beinahe vertraulich: »Es ist am Ende das Beste, Du bleibst, wie Du bist. Ja, bleibe so. Du siehst gerade sehr gut aus. Und wenn es auch nicht wäre, Du siehst so unvorbereitet aus, so gar nicht zurechtgemacht, und 35 darauf kommt es in diesem Augenblick an. Ich muss Dir nämlich sagen, meine süße Effi ...«, und sie nahm ihres Kindes beide Hände, »... ich muss Dir nämlich sagen ...«

»Aber Mama, was hast Du nur? Mir wird ja ganz angst und
5 bange.«

»... Ich muss Dir nämlich sagen, Effi, dass Baron Innstetten eben um Deine Hand angehalten hat.«

»Um meine Hand angehalten? Und im Ernst?«

»Es ist keine Sache, um einen Scherz daraus zu machen.
10 Du hast ihn vorgestern gesehen, und ich glaube, er hat Dir auch gut gefallen. Er ist freilich älter als Du, was alles in allem ein Glück ist, dazu ein Mann von Charakter, von Stellung und guten Sitten, und wenn Du nicht ›nein‹ sagst, was ich mir von meiner klugen Effi kaum denken kann, so
15 stehst Du mit zwanzig Jahren da, wo andere mit vierzig stehen. Du wirst Deine Mama weit überholen.«

Effi schwieg und suchte nach einer Antwort. Aber ehe sie diese finden konnte, hörte sie schon des Vaters Stimme von dem angrenzenden, noch im Fronthause gelegenen
20 Hinterzimmer her, und gleich danach überschritt Ritterschaftsrat von Briest, ein wohl konservierter Fünfziger von ausgesprochener Bonhommie, die Gartensalonschwelle – mit ihm Baron Innstetten, schlank, brünett und von militärischer Haltung.

25 Effi, als sie seiner ansichtig wurde, kam in ein nervöses Zittern; aber nicht auf lange, denn im selben Augenblicke fast, wo sich Innstetten unter freundlicher Verneigung ihr näherte, wurden an dem mittleren der weit offen stehenden und von wildem Wein halb überwachsenen Fenster die
30 rotblonden Köpfe der Zwillinge sichtbar, und Hertha, die Ausgelassenste, rief in den Saal hinein: »Effi, komm.«

Dann duckte sie sich, und beide Schwestern sprangen von der Banklehne, darauf sie gestanden, wieder in den Garten hinab, und man hörte nur noch ihr leises Kichern und
35 Lachen.

um eine Hand anhalten:
die Eltern der Braut um deren Einwilligung zur Hochzeit bitten

Ritterschaftsrat:
Vertreter adliger Grundbesitzer in preußischen Provinziallandtagen

wohlkonserviert:
hier gut erhalten

Bonhommie:
Gutmütigkeit, Biederkeit

brünett:
braunhaarig

DRITTES KAPITEL

Noch an demselben Tage hatte sich Baron Innstetten mit Effi Briest verlobt. Der joviale Brautvater, der sich nicht leicht in seiner Feierlichkeitsrolle zurechtfand, hatte bei dem Verlobungsmahl, das folgte, das junge Paar leben lassen, was auf Frau von Briest, die dabei der nun um kaum achtzehn Jahre zurückliegenden Zeit gedenken mochte, nicht ohne herzbeweglichen Eindruck geblieben war. Aber nicht auf lange; sie hatte es nicht sein können, nun war es statt ihrer die Tochter – alles in allem ebenso gut oder vielleicht noch besser. Denn mit Briest

ließ sich leben, trotzdem er ein wenig prosaisch war und dann und wann einen kleinen frivolen Zug hatte. Gegen Ende der Tafel, das Eis wurde schon herumgereicht, nahm der alte Ritterschaftsrat noch einmal das Wort, um in einer

zweiten Ansprache das allgemeine Familien-Du zu proponieren. Er umarmte dabei Innstetten und gab ihm einen Kuss auf die linke Backe. Hiermit war aber die Sache für ihn noch nicht abgeschlossen, vielmehr fuhr er fort, außer

dem »Du« zugleich intimere Namen und Titel für den Hausverkehr zu empfehlen, eine Art Gemütlichkeitsrangliste aufzustellen, natürlich unter Wahrung berechtigter, weil wohlerworbener Eigentümlichkeiten. Für seine Frau, so hieß es, würde der Fortbestand von »Mama« (denn es gäbe auch junge Mamas) wohl das Beste sein, während er für seine Person, unter Verzicht auf den Ehrentitel »Papa«, das einfache Briest entschieden bevorzugen müsse, schon weil es so hübsch kurz sei. Und was nun die Kinder angehe – bei welchem Wort er sich, Aug' in Auge mit dem nur etwa um ein Dutzend Jahre jüngeren Innstetten, einen Ruck geben musste – nun, so sei Effi eben Effi und Geert Geert. Geert, wenn er nicht irre, habe die Bedeutung von einem schlank aufgeschossenen Stamm, und Effi sei dann also der Efeu, der sich darum zu ranken habe. Das Brautpaar sah sich bei diesen Worten etwas verlegen an, Effi zugleich

mit einem Ausdruck kindlicher Heiterkeit, Frau von Briest
aber sagte:»Briest, sprich, was Du willst und formuliere
Deine Toaste nach Gefallen, nur poetische Bilder, wenn ich
Dich bitten darf, lass beiseite, das liegt jenseits Deiner

5 Sphäre.« Zurechtweisende Worte, die bei Briest mehr Zustimmung als Ablehnung gefunden hatten.»Es ist möglich,
dass Du recht hast, Luise.«

Gleich nach Aufhebung der Tafel beurlaubte sich Effi, um
einen Besuch drüben bei Pastors zu machen. Unterwegs

sich beurlauben:
hier sich zurück-
ziehen

10 sagte sie sich:»Ich glaube, Hulda wird sich ärgern. Nun bin
ich ihr doch zuvorgekommen – sie war immer zu eitel und
eingebildet.« Aber Effi traf es mit ihrer Erwartung nicht
ganz; Hulda, durchaus Haltung bewahrend, benahm sich
sehr gut und überließ die Bezeugung von Unmut und Är-
15 ger ihrer Mutter, der Frau Pastorin, die denn auch sehr sonderbare Bemerkungen machte.»Ja, ja, so geht es. Natürlich.
Wenn's die Mutter nicht sein konnte, muss es die Tochter
sein. Das kennt man. Alte Familien halten immer zusammen, und wo 'was is, kommt 'was dazu.« Der alte Niemeyer
20 kam in arge Verlegenheit über diese fortgesetzten spitzen
Redensarten ohne Bildung und Anstand und beklagte 'mal
wieder, eine Wirtschafterin geheiratet zu haben.

Von Pastors ging Effi natürlich auch zu Kantor Jahnkes; die
Zwillinge hatten schon nach ihr ausgeschaut und empfin-
25 gen sie im Vorgarten.

»Nun, Effi«, sagte Hertha, während alle drei zwischen den
rechts und links blühenden Studentenblumen auf und ab-
schritten, »nun, Effi, wie ist Dir eigentlich?«

»Wie mir ist? O, ganz gut. Wir nennen uns auch schon Du
30 und bei Vornamen. Er heißt nämlich Geert, was ich Euch,
wie mir einfällt, auch schon gesagt habe.«

»Ja, das hast Du. Mir ist aber doch so bange dabei. Ist es
denn auch der Richtige?«

»Gewiss ist es der Richtige. Das verstehst Du nicht, Hertha.
35 Jeder ist der Richtige. Natürlich muss er von Adel sein und
eine Stellung haben und gut aussehen.«

»Gott, Effi, wie Du nur sprichst. Sonst sprachst Du doch ganz anders.«

»Ja, sonst.«

»Und bist Du auch schon ganz glücklich?«

»Wenn man zwei Stunden verlobt ist, ist man immer ganz glücklich. Wenigstens denk' ich es mir so.«

»Und ist es Dir denn gar nicht, ja, wie sag' ich nur, ein bisschen genant?«

genant:
unangenehm

»Ja, ein bisschen genant ist es mir, aber doch nicht sehr. Und ich denke, ich werde darüber wegkommen.«

Nach diesem, im Pfarr- und Kantorhause gemachten Besuche, der keine halbe Stunde gedauert hatte, war Effi wieder nach drüben zurückgekehrt, wo man auf der Gartenveranda eben den Kaffee nehmen wollte. Schwiegervater und Schwiegersohn gingen auf dem Kieswege zwischen den zwei Platanen auf und ab. Briest sprach von dem Schwierigen einer landrätlichen Stellung; sie sei ihm verschiedentlich angetragen worden, aber er habe jedes Mal gedankt.

»So nach meinem eigenen Willen schalten und walten zu können, ist mir immer das Liebste gewesen, jedenfalls lieber – Pardon, Innstetten –, als so die Blicke beständig nach oben richten zu müssen. Man hat dann bloß immer Sinn und Merk für hohe und höchste Vorgesetzte. Das ist nichts für mich. Hier leb' ich so frei weg und freue mich über jedes grüne Blatt und über den wilden Wein, der da drüben in die Fenster wächst.«

Sinn und Merk
(Redensart):
Aufmerksamkeit

Er sprach noch mehr dergleichen, allerhand Antibeamtliches, und entschuldigte sich von Zeit zu Zeit mit einem kurzen, verschiedentlich wiederkehrenden »Pardon, Innstetten«. Dieser nickte mechanisch zustimmend, war aber eigentlich wenig bei der Sache, sah vielmehr, wie gebannt, immer aufs Neue nach dem drüben am Fenster rankenden wilden Wein hinüber, von dem Briest eben gesprochen, und während er dem nachhing, war es ihm, als säh' er wieder die rotblonden Mädchenköpfe zwischen den Weinranken und höre dabei den übermütigen Zuruf: »Effi, komm.«

Antibeamtliches:
gegen das
Beamtenwesen
Gerichtetes

Er glaubte nicht an Zeichen und Ähnliches, im Gegenteil, wies alles Abergläubische weit zurück. Aber er konnte trotzdem von den zwei Worten nicht los, und während Briest immer weiter perorierte, war es ihm beständig, als
5 wäre der kleine Hergang doch mehr als ein bloßer Zufall gewesen.

perorieren: laut und nachdrücklich sprechen

Innstetten, der nur einen kurzen Urlaub genommen, war schon am folgenden Tag wieder abgereist, nachdem er versprochen hatte, jeden Tag schreiben zu wollen. »Ja, das
10 musst Du«, hatte Effi gesagt, ein Wort, das ihr von Herzen kam, da sie seit Jahren nichts Schöneres kannte, als beispielsweise den Empfang vieler Geburtstagsbriefe. Jeder musste ihr zu diesem Tag schreiben. In den Brief eingestreute Wendungen, etwa wie »Gertrud und Klara senden
15 Dir mit mir ihre herzlichsten Glückwünsche«, waren verpönt; Gertrud und Klara, wenn sie Freundinnen sein wollten, hatten dafür zu sorgen, dass ein Brief mit selbstständiger Marke daläge, womöglich – denn ihr Geburtstag fiel noch in die Reisezeit – mit einer fremden, aus der Schweiz
20 oder Karlsbad.
Innstetten, wie versprochen, schrieb wirklich jeden Tag; was aber den Empfang seiner Briefe ganz besonders angenehm machte, war der Umstand, dass er allwöchentlich nur einmal einen ganz kleinen Antwortbrief erwartete.
25 Den erhielt er denn auch, voll reizend nichtigen und ihn jedes Mal entzückenden Inhalts. Was es von ernsteren Dingen zu besprechen gab, das verhandelte Frau von Briest mit ihrem Schwiegersohne: Festsetzungen wegen der Hochzeit, Ausstattungs- und Wirtschafts-Einrichtungsfra-
30 gen. Innstetten, schon an die drei Jahre im Amt, war in seinem Kessiner Hause nicht glänzend, aber doch sehr standesgemäß eingerichtet, und es empfahl sich, in der Korrespondenz mit ihm, ein Bild von allem, was da war, zu gewinnen, um nichts Unnützes anzuschaffen. Schließlich,
35 als Frau von Briest über all diese Dinge genugsam unter-

Korrespondenz: Briefwechsel

genugsam: genügend

richet war, wurde seitens Mutter und Tochter eine Reise nach Berlin beschlossen, um, wie Briest sich ausdrückte, den »trousseau« für Prinzessin Effi zusammenzukaufen. Effi freute sich sehr auf den Aufenthalt in Berlin, umso mehr, als der Vater dareingewilligt hatte, im Hotel du Nord 5 Wohnung zu nehmen. »Was es koste, könne ja von der Ausstattung abgezogen werden; Innstetten habe ohnehin alles.« Effi – ganz im Gegensatze zu der solche »Mesquinerien« ein für allemal sich verbittenden Mama – hatte dem Vater, ohne jede Sorge darum, ob er's scherz- oder ernst- 10 haft gemeint hatte, freudig zugestimmt und beschäftigte sich in ihren Gedanken viel, viel mehr mit dem Eindruck, den sie beide, Mutter und Tochter, bei ihrem Erscheinen an der Table d'Hôte machen würden, als mit Spinn und Mencke, Goschenhofer und ähnlichen Firmen, die vorläu- 15 fig notiert worden waren. Und diesen ihren heiteren Fantasien entsprach denn auch ihre Haltung, als die große Berliner Woche nun wirklich da war. Vetter Briest vom Alexander-Regiment, ein ungemein ausgelassener, junger Leutnant, der die »Fliegenden Blätter« hielt und über die 20 besten Witze Buch führte, stellte sich den Damen für jede dienstfreie Stunde zur Verfügung, und so saßen sie denn mit ihm bei Kranzler am Eckfenster oder zu statthafter Zeit auch wohl im Café Bauer und fuhren nachmittags in den Zoologischen Garten, um da die Giraffen zu sehen, 25 von denen Vetter Briest, der übrigens Dagobert hieß, mit Vorliebe behauptete: »Sie sähen aus wie adlige alte Jungfern.« Jeder Tag verlief programmmäßig, und am dritten oder vierten Tag gingen sie, wie vorgeschrieben, in die Nationalgalerie, weil Vetter Dagobert seiner Cousine die 30 »Insel der Seligen« zeigen wollte. »Fräulein Cousine stehe zwar auf dem Punkte, sich zu verheiraten, es sei aber doch vielleicht gut, die ›Insel der Seligen‹ schon vorher kennen gelernt zu haben.« Die Tante gab ihm einen Schlag mit dem Fächer, begleitete diesen Schlag aber mit einem so 35 gnädigen Blick, dass er keine Veranlassung hatte, den

---

Trousseau: edle Brautausstattung

Mesquinerien: Kleinlichkeiten

Table d'Hôte: gemeinsames Mittagsmenü im Hotel

Spinn und Mencke, Goschenhofer: vornehme Möbelhäuser

Alexander-Regiment: Preußisches Garde-Grenadier-Regiment, benannt nach Zar Alexander I.

Fliegende Blätter: humoristisches Wochenblatt

Kranzler: berühmtes Restaurant und Café in Berlin

Insel der Seligen: Gemälde von Arnold Böcklin (1878)

Ton zu ändern. Es waren himmlische Tage für alle drei, nicht zum wenigsten für den Vetter, der so wundervoll zu chaperonnieren und kleine Differenzen immer rasch auszugleichen verstand. An solchen Meinungsverschiedenhei-
5 ten zwischen Mutter und Tochter war nun, wie das so geht, all die Zeit über kein Mangel, aber sie traten glücklicherweise nie bei den zu machenden Einkäufen hervor. Ob man von einer Sache sechs oder drei Dutzend erstand, Effi war mit allem gleichmäßig einverstanden, und wenn dann
10 auf dem Heimweg von dem Preis der eben eingekauften Gegenstände gesprochen wurde, so verwechselte sie regelmäßig die Zahlen. Frau von Briest, sonst so kritisch, auch ihrem eigenen geliebten Kinde gegenüber, nahm dies anscheinend mangelnde Interesse nicht nur von der leichten
15 Seite, sondern erkannte sogar einen Vorzug darin. »Alle diese Dinge,« so sagte sie sich, »bedeuten Effi nicht viel. Effi ist anspruchslos; sie lebt in ihren Vorstellungen und Träumen, und wenn die Prinzessin Friedrich Karl vorüberfährt und sie von ihrem Wagen aus freundlich grüßt, so gilt
20 ihr das mehr als eine ganze Truhe voll Weißzeug.«
Das alles war auch richtig, aber doch nur halb. An dem Besitze mehr oder weniger alltäglicher Dinge lag Effi nicht viel, aber wenn sie mit der Mama die Linden hinauf- und hinunterging und nach Musterung der schönsten Schau-
25 fenster in den Demuth'schen Laden eintrat, um für die gleich nach der Hochzeit geplante italienische Reise allerlei Einkäufe zu machen, so zeigte sich ihr wahrer Charakter. Nur das Eleganteste gefiel ihr, und wenn sie das Beste nicht haben konnte, so verzichtete sie auf das Zweitbeste,
30 weil ihr dies Zweite nun nichts mehr bedeutete. Ja, sie konnte verzichten, darin hatte die Mama recht, und in diesem Verzichtenkönnen lag etwas von Anspruchslosigkeit; wenn es aber ausnahmsweise 'mal wirklich etwas zu besitzen galt, so musste dies immer 'was ganz Apartes sein. Und
35 *darin* war sie anspruchsvoll.

---

chaperonnieren: eine junge Dame zu ihrem Schutz begleiten

Differenzen: *hier* (Meinungs-) Verschiedenheiten

Prinzessin Maria Anna von Anhalt (1837–1906): Frau von Friedrich Karl von Preußen

die Linden: Unter den Linden, prachtvolle Straße in Berlin

Demuth'scher Laden: vornehmes Geschäft für Lederwaren und Reisezubehör

apart: geschmackvoll, ungewöhnlich

Vetter Dagobert war am Bahnhof, als die Damen ihre Rückreise nach Hohen-Cremmen antraten. Es waren glückliche Tage gewesen, vor allem auch darin, dass man nicht unter unbequemer und beinahe unstandesgemäßer Verwandtschaft gelitten hatte. »Für Tante Therese«, so hatte Effi gleich nach der Ankunft gesagt, »müssen wir diesmal inkognito bleiben. Es geht nicht, dass sie hier ins Hotel kommt. Entweder Hotel du Nord oder Tante Therese; beides zusammen passt nicht.« Die Mama hatte sich schließlich einverstanden damit erklärt, ja dem Liebling zur Besiegelung des Einverständnisses einen Kuss auf die Stirn gegeben.

Mit Vetter Dagobert war das natürlich etwas ganz anderes gewesen, der hatte nicht bloß den Gardepli, der hatte vor allem auch mit Hilfe jener eigentümlich guten Laune, wie sie bei den Alexanderoffizieren beinahe traditionell geworden, sowohl Mutter wie Tochter von Anfang an anzuregen und aufzuheitern gewusst, und diese gute Stimmung dauerte bis zuletzt. »Dagobert«, so hieß es noch beim Abschied, »Du kommst also zu meinem Polterabend, und natürlich mit Cortège. Denn nach den Aufführungen (aber kommt mir nicht mit Dienstmann oder Mausefallenhändler) ist Ball. Und Du musst bedenken, mein erster großer Ball ist vielleicht auch mein letzter. Unter sechs Kameraden – natürlich beste Tänzer – wird gar nicht angenommen. Und mit dem Frühzug könnt Ihr wieder zurück.« Der Vetter versprach alles, und so trennte man sich.

Gegen Mittag trafen beide Damen an ihrer havelländischen Bahnstation ein, mitten im Luch, und fuhren in einer halben Stunde nach Hohen-Cremmen hinüber. Briest war sehr froh, Frau und Tochter wieder zu Hause zu haben, und stellte Fragen über Fragen, deren Beantwortung er meist nicht abwartete. Stattdessen erging er sich in Mitteilung dessen, was er inzwischen erlebt. »Ihr habt mir da

Marginalien:

unstandesgemäß: nicht dem sozialen Stand entsprechend

inkognito: *hier* unerkannt

Gardepli: das Auftreten eines Gardeoffiziers

Cortège: Gefolge

Luch: Sumpf

sich ergehen: wortreiches Sprechen

vorhin von der Nationalgalerie gesprochen und von der
›Insel der Seligen‹ – nun, wir haben hier, während Ihr fort
wart, auch so 'was gehabt: unser Inspektor Pink und die
Gärtnersfrau. Natürlich habe ich Pink entlassen müssen,
5 übrigens ungern. Es ist sehr fatal, dass solche Geschichten
fast immer in die Erntezeit fallen. Und Pink war sonst ein
ungewöhnlich tüchtiger Mann, hier leider am unrechten
Fleck. Aber lassen wir das; Wilke wird schon unruhig.«

Bei Tische hörte Briest besser zu; das gute Einvernehmen
10 mit dem Vetter, von dem ihm viel erzählt wurde, hatte seinen Beifall, weniger das Verhalten gegen Tante Therese.
Man sah aber deutlich, dass er inmitten seiner Missbilli-
gung sich eigentlich darüber freute; denn ein kleiner Schabernack entsprach ganz seinem Geschmack, und Tante
15 Therese war wirklich eine lächerliche Figur. Er hob sein
Glas und stieß mit Frau und Tochter an. Auch als nach
Tisch einzelne der hübschesten Einkäufe vor ihm ausge-
packt und seiner Beurteilung unterbreitet wurden, verriet
er viel Interesse, das selbst noch anhielt, oder wenigstens
20 nicht ganz hinstarb, als er die Rechnung überflog. »Etwas
teuer, oder sagen wir lieber sehr teuer; indessen es tut
nichts. Es hat alles so viel Chic, ich möchte sagen so
viel Animierendes, dass ich deutlich fühle, wenn Du mir
solchen Koffer und solche Reisedecke zu Weihnachten
25 schenkst, so sind wir zu Ostern auch in Rom und machen
nach achtzehn Jahren unsere Hochzeitsreise. Was meinst
Du, Luise? Wollen wir nachexerzieren? Spät kommt Ihr,
doch Ihr kommt.«

Frau von Briest machte eine Handbewegung, wie wenn sie
30 sagen wollte: »Unverbesserlich«, und überließ ihn im Übrigen seiner eigenen Beschämung, die aber nicht groß war.

Ende August war da, der Hochzeitstag (3. Oktober) rückte
näher, und sowohl im Herrenhause wie in der Pfarre und
Schule war man unausgesetzt bei den Vorbereitungen zum
35 Polterabend. Jahnke, getreu seiner Fritz-Reuter-Passion,

Inspektor:
hier Gutsverwalter

fatal:
sehr unangenehm

Beifall:
hier Zustimmung

Schabernack:
Scherz

hinsterben:
hier aufhören

Animierendes:
Anregendes

nachexerzieren:
hier nachholen

Spät kommt
ihr […]:
Zitat aus
Friedrich Schillers
dramatischem
Gedicht
Die Piccolomini
(1799)

Polterabend:
Abend vor der
Hochzeit

plattdeutsch:
niederdeutscher
Dialekt

Käthchen von
Heilbronn
(1807/08):
historisches
Ritterschauspiel
von Heinrich von
Kleist

Wetter vom
Strahl:
Figur (Graf) in
Kleists Drama
Käthchen von
Heilbronn

Nutzanwendung:
hier Übertrag-
barkeit

Patronatsherr:
Schirmherr

Berolinismus:
umgangsprach-
licher berlineri-
scher Ausdruck

Uradel:
vor 1350
urkundlich
nachweisbares
Adels-
geschlecht

Hohenzollern:
bedeutende dt.
Dynastie

Sammetmieder:
eng anliegendes
Oberteil aus Samt

hatte sich's als etwas besonders »Sinniges« ausgedacht, Bertha und Hertha als Lining und Mining auftreten zu lassen, natürlich plattdeutsch, während Hulda das Käthchen von Heilbronn in der Holunderbaumszene darstellen sollte, Leutnant Engelbrecht von den Husaren als Wetter vom Strahl. Niemeyer, der sich den Vater der Idee nennen durfte, hatte keinen Augenblick gesäumt, auch die versäumte Nutzanwendung auf Innstetten und Effi hinzuzudichten. Er selbst war mit seiner Arbeit zufrieden und hörte, gleich nach der Leseprobe, von allen Beteiligten viel Freundliches darüber, freilich mit Ausnahme seines Patronatsherrn und alten Freundes Briest, der, als er die Mischung von Kleist und Niemeyer mit angehört hatte, lebhaft protestierte, wenn auch keineswegs aus literarischen Gründen. »Hoher Herr und immer wieder Hoher Herr – was soll das? Das leitet in die Irre, das verschiebt alles. Innstetten, unbestritten, ist ein famoses Menschenexemplar, Mann von Charakter und Schneid', aber die Briests – verzeih' den Berolinismus, Luise – die Briests sind schließlich auch nicht von schlechten Eltern. Wir sind doch nun 'mal eine historische Familie, lass mich hinzufügen Gott sei Dank, und die Innstettens sind es nicht; die Innstettens sind bloß alt, meinetwegen Uradel, aber was heißt Uradel? Ich will nicht, dass eine Briest oder doch mindestens eine Polterabendfigur, in der jeder das Widerspiel unserer Effi erkennen muss – ich will nicht, dass eine Briest mittelbar oder unmittelbar in einem fort von ›Hoher Herr‹ spricht. Da müsste denn doch Innstetten wenigstens ein verkappter Hohenzoller sein, es gibt ja dergleichen. Das ist er aber nicht, und so kann ich nur wiederholen, es verschiebt die Situation.«

Und wirklich, Briest hielt mit besonderer Zähigkeit eine ganze Zeit lang an dieser Anschauung fest. Erst nach der zweiten Probe, wo das »Käthchen«, schon halb im Kostüm, ein sehr eng anliegendes Sammetmieder trug, ließ er sich – der es auch sonst nicht an Huldigungen gegen Hulda fehlen ließ – zu der Bemerkung hinreißen, »das Käthchen liege sehr gut da,« welche Wendung einer Waffenstreckung ziemlich gleichkam oder doch zu solcher hinüberleitete. Dass alle diese Dinge vor Effi geheim gehalten wurden, braucht nicht erst gesagt zu werden. Bei mehr Neugier auf

5 Seiten dieser Letzteren wäre das nun freilich ganz unmöglich gewesen, aber Effi hatte so wenig Verlangen, in die Vorbereitungen und geplanten Überraschungen einzudringen, dass sie der Mama mit allem Nachdruck erklärte, »sie könne es abwarten,« und wenn diese dann zweifelte, so

10 schloss Effi mit der wiederholten Versicherung: Es wäre wirklich so; die Mama könne es glauben. Und warum auch nicht? Es sei ja doch alles nur Theateraufführung und hübscher und poetischer als »Aschenbrödel«, das sie noch am letzten Abend in Berlin gesehen hätte, hübscher und poeti-

15 scher könne es ja doch nicht sein. Da hätte sie wirklich selber mitspielen mögen, wenn auch nur, um dem lächerlichen Pensionslehrer einen Kreidestrich auf den Rücken zu machen. »Und wie reizend im letzten Akt ›Aschenbrödels Erwachen als Prinzessin‹ oder doch wenigstens als Gräfin;

20 wirklich, es war ganz wie ein Märchen.« In dieser Weise sprach sie oft, war meist ausgelassener als vordem und ärgerte sich bloß über das beständige Tuscheln und Geheimtun der Freundinnen. »Ich wollte, sie hätten sich weniger wichtig und wären mehr für mich da. Nachher bleiben sie

25 doch bloß stecken, und ich muss mich um sie ängstigen und mich schämen, dass es meine Freundinnen sind.« So gingen Effis Spottreden, und es war ganz unverkennbar, dass sie sich um Polterabend und Hochzeit nicht allzu sehr kümmerte. Frau von Briest hatte so ihre Gedanken darü-

30 ber, aber zu Sorgen kam es nicht, weil sich Effi, was doch ein gutes Zeichen war, ziemlich viel mit ihrer Zukunft beschäftigte und sich, fantasiereich wie sie war, viertelstundenlang in Schilderungen ihres Kessiner Lebens erging, Schilderungen, in denen sich nebenher und sehr zur Erhei-

35 terung der Mama eine merkwürdige Vorstellung von Hinterpommern aussprach oder vielleicht auch, mit kluger

Waffenstreckung: sich in einer (kriegerischen) Auseinandersetzung ergeben

Aschenbrödel: Märchenfigur, *hier* Lustspiel von Roderich Benedix

Berechnung, aussprechen sollte. Sie gefiel sich nämlich darin, Kessin als einen halbsibirischen Ort aufzufassen, wo Eis und Schnee nie recht aufhörten.

»Heute hat Goschenhofer das Letzte geschickt«, sagte Frau von Briest, als sie wie gewöhnlich in Front des Seiten- 5
flügels mit Effi am Arbeitstische saß, auf dem die Leinen- und Wäschevorräte beständig wuchsen, während der Zeitungen, die bloß Platz wegnahmen, immer weniger wurden. »Ich hoffe, Du hast nun alles, Effi. Wenn Du aber noch kleine Wünsche hegst, so musst Du sie jetzt ausspre- 10
chen, womöglich in dieser Stunde noch. Papa hat den Raps vorteilhaft verkauft und ist ungewöhnlich guter Laune.«

»Ungewöhnlich? Er ist immer in guter Laune.«

»In ungewöhnlich guter Laune«, wiederholte die Mama. »Und die muss benutzt werden. Sprich also. Mehrmals, als 15
wir noch in Berlin waren, war es mir, als ob Du doch nach dem einen oder anderen noch ein ganz besonderes Verlangen gehabt hättest.«

»Ja, liebe Mama, was soll ich da sagen. Eigentlich habe ich ja alles, was man braucht, ich meine, was man hier braucht. 20
Aber da mir's nun 'mal bestimmt ist, so hoch nördlich zu kommen ... ich bemerke, dass ich nichts dagegen habe, im Gegenteil, ich freue mich darauf, auf die Nordlichter und auf den helleren Glanz der Sterne ... da mir's nun 'mal so bestimmt ist, so hätte ich wohl gern einen Pelz gehabt.« 25

»Aber Effi, Kind, das ist doch alles bloß leere Torheit. Du kommst ja nicht nach Petersburg oder nach Archangel.«

»Nein; aber ich bin doch auf dem Wege dahin ...«

»Gewiss, Kind. Auf dem Wege dahin bist Du; aber was heißt das? Wenn Du von hier nach Nauen fährst, bist Du 30
auch auf dem Wege nach Russland. Im Übrigen, wenn Du's wünschst, so sollst Du einen Pelz haben. Nur das lass mich im Voraus sagen, ich rate Dir davon ab. Ein Pelz ist für älte- re Personen, selbst Deine alte Mama ist noch zu jung dafür, und wenn Du mit deinen siebzehn Jahren in Nerz oder 35

Marder auftrittst, so glauben die Kessiner, es sei eine Maskerade.«

Das war am 2. September, dass sie so sprachen, ein Gespräch, das sich wohl fortgesetzt hätte, wenn nicht gerade Sedantag gewesen wäre. So aber wurden sie durch Trommel- und Pfeifenklang unterbrochen, und Effi, die schon vorher von dem beabsichtigten Aufzuge gehört, aber es wieder vergessen hatte, stürzte mit einem Male von dem gemeinschaftlichen Arbeitstische fort und an Rondell und Teich vorüber auf einen kleinen, an die Kirchhofsmauer angebauten Balkon zu, zu dem sechs Stufen, nicht viel breiter als Leitersprossen, hinaufführten. Im Nu war sie oben, und richtig, da kam auch schon die ganze Schuljugend heran, Jahnke gravitätisch am rechten Flügel, während ein kleiner Tambourmajor, weit voran, an der Spitze des Zuges marschierte, mit einem Gesichtsausdruck, als ob ihm obläge, die Schlacht bei Sedan noch einmal zu schlagen. Effi winkte mit dem Taschentuch, und der Begrüßte versäumte nicht, mit seinem blanken Kugelstock zu salutieren.

Eine Woche später saßen Mutter und Tochter wieder am alten Fleck, auch wieder mit ihrer Arbeit beschäftigt. Es war ein wunderschöner Tag; der in einem zierlichen Beet um die Sonnenuhr herumstehende Heliotrop blühte noch, und die leise Brise, die ging, trug den Duft davon zu ihnen herüber.

»Ach, wie wohl ich mich fühle«, sagte Effi, »so wohl und so glücklich; ich kann mir den Himmel nicht schöner denken. Und am Ende, wer weiß, ob sie im Himmel so wundervollen Heliotrop haben.«

»Aber Effi, so darfst Du nicht sprechen; das hast Du von Deinem Vater, dem nichts heilig ist, und der neulich sogar sagte, Niemeyer sähe aus wie Lot. Unerhört. Und was soll es nur heißen? Erstlich weiß er nicht, wie Lot ausgesehen hat und zweitens ist es eine grenzenlose Rücksichtslosig-

Sedantag (2. September): Gedenktag im Deutschen Kaiserreich zur Kapitulation Napoleon III. im Deutsch-Franz. Krieg (1870/71)

gravitätisch: würdevoll

Tambourmajor: Anführer der Trommler bei Militärparaden

salutieren: militärische Ehrenbezeugung erweisen

Heliotrop: Zierstrauch mit violetten Blüten

Lot: biblische Gestalt aus dem Alten Testament, zeugt mit seinen zwei Töchtern Kinder

keit gegen Hulda. Ein Glück, dass Niemeyer nur die einzige Tochter hat, dadurch fällt es eigentlich in sich zusammen. In einem freilich hat er nur zu recht gehabt, in all' und jedem, was er über ›Lots Frau‹, unsere gute Frau Pastorin, sagte, die uns denn auch wirklich wieder mit ihrer Torheit und Anmaßung den ganzen Sedantag ruinierte. Wobei mir übrigens einfällt, dass wir, als Jahnke mit der Schule vorbeikam, in unserem Gespräche unterbrochen wurden – wenigstens kann ich mir nicht denken, dass der Pelz, von dem Du damals sprachst, Dein einziger Wunsch gewesen sein sollte. Lass mich also wissen, Schatz, was Du noch weiter auf dem Herzen hast.« »Nichts, Mama.«

»Wirklich nichts?«

»Nein, wirklich nichts; ganz im Ernste … Wenn es aber doch am Ende was sein sollte …«

»Nun …«

»… so müsst' es ein japanischer Bettschirm sein, schwarz und goldene Vögel darauf, alle mit einem langen Kranichschnabel … Und dann vielleicht noch eine Ampel für unser Schlafzimmer, mit rotem Schein.«

Frau von Briest schwieg.

»Nun siehst Du, Mama, Du schweigst und siehst aus, als ob ich etwas besonders Unpassendes gesagt hätte.«

»Nein, Effi, nichts Unpassendes. Und vor Deiner Mutter nun schon gewiss nicht. Denn ich kenne Dich ja. Du bist eine fantastische kleine Person, malst Dir mit Vorliebe Zukunftsbilder aus, und je farbenreicher sie sind, desto schöner und begehrlicher erscheinen sie Dir. Ich sah das so recht, als wir die Reisesachen kauften. Und nun denkst Du Dir's ganz wundervoll, einen Bettschirm mit allerhand fabelhaftem Getier zu haben, alles im Halblicht einer roten Ampel. Es kommt Dir vor wie ein Märchen, und Du möchtest eine Prinzessin sein.«

Effi nahm die Hand der Mama und küsste sie. »Ja, Mama, so bin ich.«

Lots Frau: erstarrt zu einer Salzsäule, als sie sich entgegen der Weisung der Engel verhält

Torheit: Dummheit

japanischer Bettschirm: Stoffwand

Ampel: schalenförmige Hängelampe

»Ja, so bist Du. Ich weiß es wohl. Aber meine liebe Effi, wir müssen vorsichtig im Leben sein, und zumal wir Frauen. Und wenn Du nun nach Kessin kommst, einem kleinen Ort, wo nachts kaum eine Laterne brennt, so lacht man über dergleichen. Und wenn man bloß lachte. Die, die Dir ungewogen sind, und solche gibt es immer, sprechen von schlechter Erziehung, und manche sagen auch wohl noch Schlimmeres.«

ungewogen: nicht freundlich gesinnt

»Also nichts Japanisches und auch keine Ampel. Aber ich bekenne Dir, ich hatte es mir so schön und poetisch gedacht, alles in einem roten Schimmer zu sehen.«

Frau von Briest war bewegt. Sie stand auf und küsste Effi. »Du bist ein Kind. Schön und poetisch. Das sind so Vorstellungen. Die Wirklichkeit ist anders, und oft ist es gut, dass es statt Licht und Schimmer ein Dunkel gibt.«

Effi schien antworten zu wollen, aber in diesem Augenblicke kam Wilke und brachte Briefe. Der eine war aus Kessin von Innstetten. »Ach, von Geert«, sagte Effi, und während sie den Brief beiseite steckte, fuhr sie in ruhigem Ton fort: »Aber das wirst Du doch gestatten, dass ich den Flügel schräg in die Stube stelle. Daran liegt mir mehr als an einem Kamin, den mir Geert versprochen hat. Und das Bild von Dir, das stell' ich dann auf eine Staffelei; ganz ohne Dich kann ich nicht sein. Ach, wie werd' ich mich nach Euch sehnen, vielleicht auf der Reise schon und dann in Kessin ganz gewiss. Es soll ja keine Garnison haben, nicht einmal einen Stabsarzt, und ein Glück, dass es wenigstens ein Badeort ist. Vetter Briest, und daran will ich mich aufrichten, dessen Mutter und Schwester immer nach Warnemünde gehen – nun, ich sehe doch wirklich nicht ein, warum der die lieben Verwandten nicht auch einmal nach Kessin hin dirigieren sollte. Dirigieren, das klingt ohnehin so nach Generalstab, worauf er, glaub' ich, ambiert. Und dann kommt er natürlich mit und wohnt bei uns. Übrigens haben die Kessiner, wie mir neulich erst wer erzählt hat, ein ziemlich großes Dampfschiff, das zweimal die Woche

ambieren: ehrgeizig sein

nach Schweden hinüberfährt. Und auf dem Schiff ist dann
Ball (sie haben da natürlich auch Musik) und er tanzt sehr
gut ...«

»Wer?«

»Nun, Dagobert.«

»Ich dachte, Du meintest Innstetten. Aber jedenfalls ist es
an der Zeit, endlich zu wissen, was er schreibt ... Du hast ja
den Brief noch in der Tasche.«

»Richtig. Den hätt' ich fast vergessen.« Und sie öffnete den
Brief und überflog ihn.

»Nun, Effi, kein Wort? Du strahlst nicht und lachst nicht
einmal. Und er schreibt doch immer so heiter und unterhaltlich und gar nicht väterlich weise.«

»Das würd' ich mir auch verbitten. Er hat sein Alter, und
ich habe meine Jugend. Und ich würde ihm mit dem Finger
drohen und ihm sagen: ›Geert, überlege, was besser ist.‹ «

»Und dann würde er Dir antworten: ›Was Du hast, Effi, das
ist das Bessere.‹ Denn er ist nicht nur ein Mann der feins-
ten Formen, er ist auch gerecht und verständig und weiß
recht gut, was Jugend bedeutet. Er sagt sich das immer und
stimmt sich auf das Jugendliche hin, und wenn er in der
Ehe so bleibt, so werdet Ihr eine Musterehe führen.«

»Ja, das glaube ich auch, Mama. Aber kannst Du Dir vorstellen, und ich schäme mich fast, es zu sagen, ich bin nicht
so sehr für das, was man eine Musterehe nennt.«

»Das sieht Dir ähnlich. Und nun sage mir, wofür bist Du
denn eigentlich?«

»Ich bin ... nun, ich bin für gleich und gleich und natürlich
auch für Zärtlichkeit und Liebe. Und wenn es Zärtlichkeit
und Liebe nicht sein können, weil Liebe, wie Papa sagt,
doch nur ein Papperlapapp ist (was ich aber nicht glaube),
nun, dann bin ich für Reichtum und ein vornehmes Haus,
ein ganz vornehmes, wo Prinz Friedrich Karl zur Jagd
kommt, auf Elchwild oder Auerhahn, oder wo der alte Kaiser vorfährt und für jede Dame, auch für die jungen, ein
gnädiges Wort hat. Und wenn wir dann in Berlin sind, dann

unterhaltlich:
unterhaltsam

verständig:
klug

Papperlapapp:
Ausruf
der Ablehnung
von dummem
Gerede
der alte Kaiser:
Wilhelm I.
(1797–1888)

bin ich für Hofball und Galaoper, immer dicht neben der
großen Mittelloge.«

»Sagst Du das so bloß aus Übermut und Laune?«

»Nein, Mama, das ist mein völliger Ernst. Liebe kommt zu-
5 erst, aber gleich hinterher kommt Glanz und Ehre, und
dann kommt Zerstreuung – ja, Zerstreuung, immer 'was
neues, immer 'was, dass ich lachen oder weinen muss. Was
ich nicht aushalten kann, ist Langeweile.«

»Wie bist Du da nur mit uns fertig geworden?«

10 »Ach, Mama, wie Du nur so 'was sagen kannst. Freilich,
wenn im Winter die liebe Verwandtschaft vorgefahren
kommt und sechs Stunden bleibt oder wohl auch noch
länger, und Tante Gundel und Tante Olga mich mustern
und mich naseweis finden – und Tante Gundel hat es mir
15 auch 'mal gesagt – ja, da macht sich's mitunter nicht sehr
hübsch, das muss ich zugeben. Aber sonst bin ich hier immer glücklich gewesen, so glücklich.«

Und während sie das sagte, warf sie sich heftig weinend
vor der Mama auf die Knie und küsste ihre beiden Hände!

20 »Steh auf, Effi. Das sind so Stimmungen, die über einen
kommen, wenn man so jung ist wie Du und vor der Hochzeit steht und vor dem Ungewissen. Aber nun lies mir den
Brief vor, wenn er nicht 'was ganz Besonderes enthält oder
vielleicht Geheimnisse.«

25 »Geheimnisse«, lachte Effi und sprang in plötzlich verän-
derter Stimmung wieder auf. »Geheimnisse! Ja, er nimmt
immer einen Anlauf, aber das meiste könnt' ich auf dem
Schulzenamt anschlagen lassen, da, wo immer die landrätlichen Verordnungen stehen. Nun, Geert ist ja auch Land-
30 rat.«

»Lies, lies.«

»›Liebe Effi! ...‹ So fängt es nämlich immer an, und manchmal nennt er mich auch seine ›kleine Eva‹.«

»Lies, lies ... Du sollst ja lesen.«

35 »Also: Liebe Effi! Je näher wir unsrem Hochzeitstage kommen, je sparsamer werden Deine Briefe. Wenn die Post

Mittelloge:
räumlich abge-
trennter Platz des
Kaisers im Fest-
spielhaus

naseweis:
neugierig

Schulzenamt:
Dienststelle des
Gemeindevor-
stehers

kommt, suche ich immer zuerst nach Deiner Handschrift, aber wie Du weißt (und ich hab' es ja auch nicht anders gewollt) in der Regel vergeblich. Im Hause sind jetzt die Handwerker, die die Zimmer, freilich nur wenige, für Dein Kommen herrichten sollen. Das Beste wird wohl erst geschehen, wenn wir auf der Reise sind. Tapezierer Madelung, der alles liefert, ist ein Original, von dem ich Dir mit nächstem erzähle, vor allem aber, wie glücklich ich bin über Dich, über meine süße, kleine Effi. Mir brennt hier der Boden unter den Füßen, und dabei wird es in unserer guten Stadt immer stiller und einsamer. Der letzte Badegast ist gestern abgereist; er badete zuletzt bei 9 Grad, und die Badewärter waren immer froh, wenn er wieder heil heraus war. Denn sie fürchteten einen Schlaganfall, was dann das Bad in Misskredit bringt, als ob die Wellen hier schlimmer wären als woanders. Ich juble, wenn ich denke, dass ich in vier Wochen schon mit Dir von der Piazzetta aus nach dem Lido fahre oder nach Murano hin, wo sie Glasperlen machen und schönen Schmuck. Und der schönste sei für Dich. Viele Grüße den Eltern und den zärtlichsten Kuss Dir von Deinem Geert.« Effi faltete den Brief wieder zusammen, um ihn in das Kuvert zu stecken.

»Das ist ein sehr hübscher Brief«, sagte Frau von Briest, »und dass er in allem das richtige Maß hält, das ist ein Vorzug mehr.«

»Ja, das rechte Maß, das hält er.«

»Meine liebe Effi, lass mich eine Frage tun; wünschtest Du, dass der Brief nicht das richtige Maß hielte, wünschtest Du, dass er zärtlicher wäre, vielleicht überschwänglich zärtlich?« »Nein, nein, Mama. Wahr und wahrhaftig nicht, das wünsche ich nicht. Da ist es doch besser so.«

»Da ist es doch besser so. Wie das nun wieder klingt. Du bist so sonderbar. Und dass Du vorhin weintest. Hast Du was auf Deinem Herzen? Noch ist es Zeit. Liebst Du Geert nicht?«

Piazetta:
Platz in Venedig

Lido di Venezia:
Seebad
bei Venedig

Murano:
auf einer
Laguneninsel
gelegene Vorstadt
von Venedig

Kuvert:
Briefumschlag

»Warum soll ich ihn nicht lieben? Ich liebe Hulda, und ich liebe Bertha, und ich liebe Hertha. Und ich liebe auch den alten Niemeyer. Und dass ich euch liebe, davon spreche ich gar nicht erst. Ich liebe alle, die's gut mit mir meinen und gütig gegen mich sind und mich verwöhnen. Und Geert wird mich auch wohl verwöhnen. Natürlich auf seine Art. Er will mir ja schon Schmuck schenken in Venedig. Er hat keine Ahnung davon, dass ich mir nichts aus Schmuck mache. Ich klettere lieber, und ich schaukle mich lieber, und am liebsten immer in der Furcht, dass es irgendwo reißen oder brechen und ich niederstürzen könnte. Den Kopf wird es ja nicht gleich kosten.«

»Und liebst Du vielleicht auch Deinen Vetter Briest?«

»Ja, sehr. Der erheitert mich immer.«

»Und hättest Du Vetter Briest heiraten mögen?«

»Heiraten? Um Gottes willen nicht. Er ist ja noch ein halber Junge. Geert ist ein Mann, ein schöner Mann, ein Mann, mit dem ich Staat machen kann und aus dem was wird in der Welt. Wo denkst Du hin, Mama.«

»Nun, das ist recht, Effi, das freut mich. Aber Du hast noch was auf der Seele.«

»Vielleicht.«

»Nun, sprich.«

»Sieh, Mama, dass er älter ist als ich, das schadet nichts, das ist vielleicht recht gut: Er ist ja doch nicht alt und ist gesund und frisch und so soldatisch und so schneidig. Und ich könnte beinah' sagen, ich wäre ganz und gar für ihn, wenn er nur ... ja, wenn er nur ein bisschen anders wäre.«

»Wie denn, Effi?«

»Ja, wie. Nun, Du darfst mich nicht auslachen. Es ist etwas, was ich erst ganz vor kurzem aufgehorcht habe, drüben im Pastorhause. Wir sprachen da von Innstetten, und mit einem Male zog der alte Niemeyer seine Stirn in Falten, aber in Respekts- und Bewunderungsfalten, und sagte: ›Ja, der Baron! Das ist ein Mann von Charakter, ein Mann von Prinzipien.‹«

Staat machen: in der Öffentlichkeit einen guten Eindruck machen

schneidig: *hier* sportlich

aufhorchen: zuhören

»Das ist er auch, Effi.«

»Gewiss. Und ich glaube, Niemeyer sagte nachher sogar, er sei auch ein Mann von Grundsätzen. Und das ist, glaub' ich, noch etwas mehr. Ach, und ich … ich habe keine. Sieh', Mama, da liegt etwas, was mich quält und ängstigt. Er ist so lieb und gut gegen mich und so nachsichtig, aber … ich fürchte mich vor ihm.«

FÜNFTES KAPITEL

Die Hohen-Cremmer Festtage lagen zurück; alles war abgereist, auch das junge Paar, noch am Abend des Hochzeitstages.

Der Polterabend hatte jeden zufrieden gestellt, besonders die Mitspielenden, und Hulda war dabei das Entzücken aller jungen Offiziere gewesen, sowohl der Rathenower Husaren wie der etwas kritischer gestimmten Kameraden vom Alexander-Regiment. Ja, alles war gut und glatt verlaufen, fast über Erwarten. Nur Bertha und Hertha hatten so heftig geschluchzt, dass Jahnkes plattdeutsche Verse so gut wie verloren gegangen waren. Aber auch das hatte wenig geschadet. Einige feine Kenner waren sogar der Meinung gewesen, »das sei das Wahre; Steckenbleiben und Schluchzen und Unverständlichkeit – in diesem Zeichen (und nun gar, wenn es so hübsche rotblonde Krausköpfe wären) werde immer am entschiedensten gesiegt.« Eines ganz besonderen Triumphes hatte sich Vetter Briest in seiner selbst gedichteten Rolle rühmen dürfen. Er war als Demuth'scher Kommis erschienen, der in Erfahrung gebracht, die junge Braut habe vor, gleich nach der Hochzeit nach Italien zu reisen, weshalb er einen Reisekoffer abliefern wolle. Dieser Koffer entpuppte sich natürlich als eine Riesenbonbonniere von Hövel. Bis um drei Uhr war getanzt worden, bei welcher Gelegenheit der sich mehr und mehr in eine höchste Champagnerstimmung hineinreden-

Kommis:
Verkäufer

Bonbonniere:
Behälter für
Bonbons oder
Pralinen

Hövel:
Schokoladen-
fabrik in Berlin

de alte Briest allerlei Bemerkungen über den an manchen Höfen immer noch üblichen Fackeltanz und die merkwürdige Sitte des Strumpfband-Austanzens gemacht hatte, Bemerkungen, die nicht abschließen wollten und sich immer
5 mehr steigernd, am Ende so weit gingen, dass ihnen durchaus ein Riegel vorgeschoben werden musste. »Nimm Dich zusammen, Briest«, war ihm in ziemlich ernstem Ton von seiner Frau zugeflüstert worden; »Du stehst hier nicht, um Zweideutigkeiten zu sagen, sondern um die Honneurs des
10 Hauses zu machen. Wir haben eben eine Hochzeit und nicht eine Jagdpartie.« Worauf Briest geantwortet, »er sähe darin keinen so großen Unterschied; übrigens sei er glücklich.«

Auch der Hochzeitstag selbst war gut verlaufen. Niemeyer
15 hatte vorzüglich gesprochen, und einer der alten Berliner Herren, der halb und halb zur Hofgesellschaft gehörte, hatte sich auf dem Rückwege von der Kirche zum Hochzeitshaus dahin geäußert, es sei doch merkwürdig, wie reich gesät in einem Staate, wie der unsrige, die Talente seien.
20 »Ich sehe darin einen Triumph unserer Schulen und vielleicht mehr noch unserer Philosophie. Wenn ich bedenke, dass dieser Niemeyer, ein alter Dorfpastor, der anfangs aussah wie ein Hospitalit ... ja, Freund, sagen Sie selbst, hat er nicht gesprochen wie ein Hofprediger? Dieser Takt und
25 diese Kunst der Antithese, ganz wie Kögel und an Gefühl ihm noch über. Kögel ist zu kalt. Freilich ein Mann in seiner Stellung muss kalt sein. Woran scheitert man denn im Leben überhaupt? Immer nur an der Wärme.« Der noch unverheiratete, aber wohl ebendeshalb zum viertenmale in
30 einem »Verhältnis« stehende Würdenträger, an den sich diese Worte gerichtet hatten, stimmte selbstverständlich zu. »Nur zu wahr, lieber Freund«, sagte er. »Zu viel Wärme! ... ganz vorzüglich ... Übrigens muss ich Ihnen nachher eine Geschichte erzählen.«
35 Der Tag nach der Hochzeit war ein heller Oktobertag. Die Morgensonne blinkte; trotzdem war es schon herbstlich

Fackeltanz:
aus der Antike
stammender
Hochzeitstanz

Strumpfband-
austanzen:
Hochzeitsbrauch

Honneurs des
Hauses:
sich als gast-
freundlicher
Hausherr geben

Hospitalit:
jemand, der in
einem Armenhaus
lebt

Antithese:
hier stilistisches
Mittel, das entge-
gengesetzte
Begriffe gegen-
überstellt

Rudolf Kögel
(1829–1896):
konservativer
Theologe und
Hofprediger in
Berlin

frisch, und Briest, der eben gemeinschaftlich mit seiner Frau das Frühstück genommen, erhob sich von seinem Platz und stellte sich, beide Hände auf dem Rücken, gegen das mehr und mehr verglimmende Kaminfeuer. Frau von Briest, eine Handarbeit in Händen, rückte gleichfalls näher an den Kamin und sagte zu Wilke, der gerade eintrat, um den Frühstückstisch abzuräumen: »Und nun, Wilke, wenn Sie drin im Saal, aber das geht vor, alles in Ordnung haben, dann sorgen Sie, dass die Torten nach drüben kommen, die Nusstorte zu Pastors und die Schüssel mit kleinen Kuchen zu Jahnkes. Und nehmen Sie sich mit den Gläsern in Acht. Ich meine die dünn geschliffenen.«

Briest war schon bei der dritten Zigarette, sah sehr wohl aus und erklärte, »nichts bekomme einem so gut wie eine Hochzeit, natürlich die eigene ausgenommen.«

»Ich weiß nicht, Briest, wie Du zu solcher Bemerkung kommst. Mir war ganz neu, dass Du darunter gelitten haben willst. Ich wüsste auch nicht warum.«

»Luise, Du bist eine Spielverderberin. Aber ich nehme nichts übel, auch nicht einmal so 'was. Im Übrigen, was wollen wir von uns sprechen, die wir nicht einmal eine Hochzeitsreise gemacht haben. Dein Vater war dagegen. Aber Effi macht nun eine Hochzeitsreise. Beneidenswert. Mit dem Zehn-Uhr-Zug ab. Sie müssen jetzt schon bei Regensburg sein, und ich nehme an, dass er ihr – selbstverständlich ohne auszusteigen – die Hauptkunstschätze der Walhalla herzählt. Innstetten ist ein vorzüglicher Kerl, aber er hat so 'was von einem Kunstfex, und Effi, Gott, unsere arme Effi, ist ein Naturkind. Ich fürchte, dass er sie mit seinem Kunstenthusiasmus etwas quälen wird.«

»Jeder quält seine Frau. Und Kunstenthusiasmus ist noch lange nicht das Schlimmste.«

»Nein, gewiss nicht; jedenfalls wollen wir darüber nicht streiten; es ist ein weites Feld. Und dann sind auch die Menschen so verschieden. Du, nun ja, Du hättest dazu ge-

Walhalla:
Ruhmeshalle bei
Regensburg

Kunstfex:
Kunstbegeisterter

taugt. Überhaupt hättest Du besser zu Innstetten gepasst als Effi. Schade, nun ist es zu spät.«

»Überaus galant, abgesehen davon, dass es nicht passt. Unter allen Umständen aber, was gewesen ist, ist gewesen. Jetzt ist er mein Schwiegersohn, und es kann zu nichts führen, immer auf Jugendlichkeiten zurückzuweisen.«

»Ich habe Dich nur in eine animierte Stimmung bringen wollen.«

»Sehr gütig. Übrigens nicht nötig. Ich bin in animierter Stimmung.«

»Und auch in guter?«

»Ich kann es fast sagen. Aber Du darfst sie nicht verderben. Nun, was hast Du noch? Ich sehe, dass Du 'was auf dem Herzen hast.«

»Gefiel Dir Effi? Gefiel Dir die ganze Geschichte? Sie war so sonderbar, halb wie ein Kind, und dann wieder sehr selbstbewusst und durchaus nicht so bescheiden, wie sie's solchem Manne gegenüber sein müsste. Das kann doch nur so zusammenhängen, dass sie noch nicht recht weiß, was sie an ihm hat. Oder ist es einfach, dass sie ihn nicht recht liebt? Das wäre schlimm. Denn bei all' seinen Vorzügen, er ist nicht der Mann, sich diese Liebe mit leichter Manier zu gewinnen.«

Frau von Briest schwieg und zählte die Stiche auf dem Kanevas. Endlich sagte sie:»Was Du da sagst, Briest, ist das Gescheiteste, was ich seit drei Tagen von Dir gehört habe, deine Rede bei Tisch mit eingerechnet. Ich habe auch so meine Bedenken gehabt. Aber ich glaube, wir können uns beruhigen.«

»Hat sie Dir ihr Herz ausgeschüttet?«

»So möcht' ich es nicht nennen. Sie hat wohl das Bedürfnis zu sprechen, aber sie hat nicht das Bedürfnis, sich so recht von Herzen auszusprechen, und macht vieles in sich selber ab; sie ist mitteilsam und verschlossen zugleich, beinah' versteckt; überhaupt ein ganz eigenes Gemisch.«

galant:
aufmerksam

animiert:
angeregt

Manier:
Art und Weise

Kanevas:
Netzgewebe für
Stickereien

»Ich bin ganz Deiner Meinung. Aber wenn sie Dir nichts gesagt hat, woher weißt Du's?«

»Ich sagte nur, sie habe mir nicht ihr Herz ausgeschüttet. Solche Generalbeichte, so alles von der Seele herunter, das liegt nicht in ihr. Es fuhr alles bloß ruckweis und plötzlich ⁵ aus ihr heraus, und dann war es wieder vorüber. Aber gerade weil es so ungewollt und wie von ungefähr aus ihrer Seele kam, deshalb war es mir so wichtig.«

»Und wann war es denn und bei welcher Gelegenheit?«

»Es werden jetzt gerade drei Wochen sein, und wir saßen ¹⁰ im Garten, mit allerhand Ausstattungsdingen, großen und kleinen, beschäftigt, als Wilke einen Brief von Innstetten brachte. Sie steckte ihn zu sich, und ich musste sie eine Viertelstunde später erst erinnern, dass sie ja einen Brief habe. Dann las sie ihn, aber verzog kaum eine Miene. Ich ¹⁵ bekenne Dir, dass mir bang' ums Herz dabei wurde, so bang', dass ich gern eine Gewissheit haben wollte, so viel, wie man in diesen Dingen haben kann.«

»Sehr wahr, sehr wahr.«

»Was meinst Du damit?« ²⁰

»Nun, ich meine nur ... Aber das ist ja ganz gleich. Sprich nur weiter; ich bin ganz Ohr.«

»Ich fragte also rundheraus, wie's stünde, und weil ich bei ihrem eigenen Charakter einen feierlichen Ton vermeiden und alles so leicht wie möglich, ja beinah' scherzhaft neh- ²⁵ men wollte, so warf ich die Frage hin, ob sie vielleicht den Vetter Briest, der ihr in Berlin sehr stark den Hof gemacht hatte, ob sie den vielleicht lieber heiraten würde ...«

»Und?«

»Da hättest Du sie sehen sollen. Ihre nächste Antwort war ³⁰ ein schnippisches Lachen. Der Vetter sei doch eigentlich nur ein großer Kadett in Leutnantsuniform. Und einen Kadetten könne sie nicht einmal lieben, geschweige heiraten. Und dann sprach sie von Innstetten, der ihr mit einem Male der Träger aller männlichen Tugenden war.« ³⁵

»Und wie erklärst Du Dir das?«

den Hof machen: um eine Frau werben

schnippisch: scharfzüngig

geschweige: schon gar nicht

»Ganz einfach. So geweckt und temperamentvoll und beinahe leidenschaftlich sie ist, oder vielleicht auch, weil sie es ist, sie gehört nicht zu denen, die so recht eigentlich auf Liebe gestellt sind, wenigstens nicht auf das, was den Namen ehrlich verdient. Sie redet zwar davon, sogar mit Nachdruck und einem gewissen Überzeugungston, aber doch nur, weil sie irgendwo gelesen hat, Liebe sei nun 'mal das Höchste, das Schönste, das Herrlichste. Vielleicht hat sie's auch bloß von der sentimentalen Person, der Hulda, gehört und spricht es ihr nach. Aber sie empfindet nicht viel dabei. Wohl möglich, dass es alles 'mal kommt, Gott verhüte es, aber noch ist es nicht da.«

»Und was ist da? Was hat sie?«

»Sie hat nach meinem und auch nach ihrem eigenen Zeugnis zweierlei: Vergnügungssucht und Ehrgeiz.«

»Nun, das kann passieren. Da bin ich beruhigt.«

»Ich nicht. Innstetten ist ein Karrieremacher – vom Streber will ich nicht sprechen, das ist er auch nicht, dazu ist er zu wirklich vornehm – also Karrieremacher, und das wird Effis Ehrgeiz befriedigen.«

»Nun also. Das ist doch gut.«

»Ja, das ist gut! Aber es ist erst die Hälfte. Ihr Ehrgeiz wird befriedigt werden, aber ob auch ihr Hang nach Spiel und Abenteuer? Ich bezweifle. Für die stündliche kleine Zerstreuung und Anregung, für alles, was die Langeweile bekämpft, diese Todfeindin einer geistreichen kleinen Person, dafür wird Innstetten sehr schlecht sorgen. Er wird sie nicht in einer geistigen Öde lassen, dazu ist er zu klug und zu weltmännisch, aber er wird sie auch nicht sonderlich amüsieren. Und was das Schlimmste ist, er wird sich nicht einmal recht mit der Frage beschäftigen, wie das wohl anzufangen sei. Das wird eine Weile so gehen, ohne viel Schaden anzurichten, aber zuletzt wird sie's merken, und dann wird es sie beleidigen. Und dann weiß ich nicht, was geschieht. Denn so weich und nachgiebig sie ist, sie hat auch 'was Rabiates und lässt es auf alles ankommen.«

Hang:
hier Vorliebe

Rabiates:
Heftiges

In diesem Augenblick trat Wilke vom Saal her ein und meldete, dass er alles nachgezählt und alles vollzählig gefunden habe; nur von den feinen Weingläsern sei eins zerbrochen, aber schon gestern, als das Hoch ausgebracht wurde – Fräulein Hulda habe mit Leutnant Nienkerken zu scharf angestoßen.

»Versteht sich, von alter Zeit her immer im Schlaf, und unterm Holunderbaum ist es natürlich nicht besser geworden. Eine alberne Person, und ich begreife Nienkerken nicht.«

»Ich begreife ihn vollkommen.«

»Er kann sie doch nicht heiraten.«

»Nein.«

»Also zu was?«

»Ein weites Feld, Luise.«

Dies war am Tage nach der Hochzeit. Drei Tage später kam eine kleine gekritzelte Karte aus München, die Namen alle nur mit zwei Buchstaben angedeutet. »Liebe Mama! Heute Vormittag die Pinakothek besucht. Geert wollte auch noch nach dem andern hinüber, das ich hier nicht nenne, weil ich wegen der Rechtschreibung in Zweifel bin, und fragen mag ich ihn nicht. Er ist übrigens engelsgut gegen mich und erklärt mir alles. Überhaupt alles sehr schön, aber anstrengend. In Italien wird es wohl nachlassen und besser werden. Wir wohnen in den ›Vier Jahreszeiten‹, was Geert veranlasste, mir zu sagen, ›draußen sei Herbst, aber er habe in mir den Frühling‹. Ich finde es sehr sinnig. Er ist überhaupt sehr aufmerksam. Freilich, ich muss es auch sein, namentlich wenn er 'was sagt oder erklärt. Er weiß übrigens alles so gut, dass er nicht einmal nachzuschlagen braucht. Mit Entzücken spricht er von Euch, namentlich von Mama. Hulda findet er etwas zierig; aber der alte Niemeyer hat es ihm ganz angetan. Tausend Grüße von Eurer ganz berauschten, aber auch etwas müden Effi.«

immer im Schlaf [...]: Anspielung auf das Schauspiel *Käthchen von Heilbronn* (1807/08) von Heinrich von Kleist

Pinakotek: Gemäldesammlung in München

nach dem andern hinüber: wahrscheinlich die Alte Pinakothek

zierig: sich unnatürlich verhalten

Solche Karten trafen nun täglich ein, aus Innsbruck, aus Verona, aus Vicenza, aus Padua, eine jede fing an: »Wir haben heute Vormittag die hiesige berühmte Galerie besucht«, oder, wenn es nicht die Galerie war, so war es eine
5 Arena oder irgendeine Kirche »Santa Maria« mit einem Zunamen. Aus Padua kam, zugleich mit der Karte, noch ein wirklicher Brief. »Gestern waren wir in Vicenza. Vicenza muss man sehn wegen des Palladio; Geert sagte mir, dass in ihm alles Moderne wurzele. Natürlich nur in Bezug
10 auf Baukunst. Hier in Padua (wo wir heute früh ankamen) sprach er im Hotelwagen etliche Male vor sich hin: ›Er liegt in Padua begraben‹, und war überrascht, als er von mir vernahm, dass ich diese Worte noch nie gehört hätte. Schließlich aber sagte er, es sei eigentlich ganz gut und ein Vorzug,
15 dass ich nichts davon wüsste. Er ist überhaupt sehr gerecht. Und vor allem ist er engelsgut gegen mich und gar nicht überheblich und auch gar nicht alt. Ich habe noch immer das Ziehen in den Füßen, und das Nachschlagen und das lange Stehen vor den Bildern strengt mich an.
20 Aber es muss ja sein. Ich freue mich sehr auf Venedig. Da bleiben wir fünf Tage, ja vielleicht eine ganze Woche. Geert hat mir schon von den Tauben auf dem Markusplatze vorgeschwärmt, und dass man sich da Tüten mit Erbsen kauft und dann die schönen Tiere damit füttert. Es soll Bilder
25 geben, die das darstellen, schöne blonde Mädchen, ›ein Typus wie Hulda‹, sagte er. Wobei mir denn auch die Jahnke'schen Mädchen einfallen. Ach, ich gäbe 'was drum, wenn ich mit ihnen auf unserm Hof auf einer Wagendeichsel sitzen und *unsere* Tauben füttern könnte. Die Pfauen-
30 taube mit dem starken Kropf dürft Ihr aber nicht schlachten, die will ich noch wiedersehen. Ach, es ist so schön hier. Es soll auch das Schönste sein. Eure glückliche, aber etwas müde Effi.«
Frau von Briest, als sie den Brief vorgelesen hatte, sagte:
35 »Das arme Kind. Sie hat Sehnsucht.«

hiesig:
hier befindlich

Galerie:
Kunstausstellung

Arena:
Kampf- oder
Vorführplatz

Andrea Palladio:
ital. Baumeister

»Er liegt in Padua
begraben«:
Mephisto-Zitat
aus *Faust I*
von Goethe
(1808, V. 2925)

Wagendeichsel:
Teil eines Wagens,
an den die Zug-
tiere gespannt
werden

Pfauentaube
[…]:
Taubenart mit
pfauenähnlichen
Schwanzfedern;
im Märchen:
Liebes- und
Fruchtbarkeits-
symbol

»Ja«, sagte Briest, »sie hat Sehnsucht. Diese verwünschte Reiserei ...«

»Warum sagst Du das jetzt? Du hättest es ja hindern können. Aber das ist so Deine Art, hinterher den Weisen zu spielen. Wenn das Kind in den Brunnen gefallen ist, decken die Ratsherren den Brunnen zu.«

»Ach, Luise, komme mir doch nicht mit solchen Geschichten. Effi ist unser Kind, aber seit dem 3. Oktober ist sie Baronin Innstetten. Und wenn ihr Mann, unser Herr Schwiegersohn, eine Hochzeitsreise machen und bei der Gelegenheit jede Galerie neu katalogisieren will, so kann ich ihn daran nicht hindern. Das ist eben das, was man sich verheiraten nennt.«

»Also jetzt gibst Du das zu. Mir gegenüber hast Du's immer bestritten, immer bestritten, dass die Frau in einer Zwangslage sei.«

»Ja, Luise, das hab' ich. Aber wozu das jetzt. Das ist wirklich ein zu weites Feld.«

SECHSTES KAPITEL

Mitte November – sie waren bis Capri und Sorrent gekommen – lief Innstettens Urlaub ab, und es entsprach seinem Charakter und seinen Gewohnheiten, genau Zeit und Stunde zu halten. Am 14. früh traf er denn auch mit dem Kurierzug in Berlin ein, wo Vetter Briest ihn und die Cousine begrüßte und vorschlug, die zwei bis zum Abgang des Stettiner Zuges noch zur Verfügung bleibenden Stunden zum Besuche des St. Privat-Panoramas zu benutzen und diesem Panoramabesuch ein kleines Gabelfrühstück folgen zu lassen. Beides wurde dankbar akzeptiert. Um Mittag war man wieder auf dem Bahnhof und nahm hier, nachdem, wie herkömmlich, die glücklicherweise nie ernst gemeinte Aufforderung, »doch auch 'mal herüberzukommen«, ebenso von Effi wie von Innstetten

---

Wenn das Kind [...] (Redensart): erst dann etwas unternehmen, wenn es zu spät ist

Capri und Sorrent: Urlaubsorte in Italien

Kurierzug: Schnellzug

St. Privat-Panorama: Bild von Emil Hünten (1881)

Gabelfrühstück: Zwischenmahlzeit

ausgesprochen worden war, unter herzlichem Hände-
schütteln Abschied voneinander. Noch als der Zug sich
schon in Bewegung setzte, grüßte Effi vom Koupee aus.
Dann machte sie sich's bequem und schloss die Augen; nur
5 von Zeit zu Zeit richtete sie sich wieder auf und reichte
Innstetten die Hand.

Es war eine angenehme Fahrt, und pünktlich erreichte der
Zug den Bahnhof Klein-Tantow, von dem aus eine Chaussee nach dem noch zwei Meilen entfernten Kessin hinü-
10 berführte. Bei Sommerzeit, namentlich während der Bade-
monate, benutzte man statt der Chaussee lieber den
Wasserweg und fuhr auf einem alten Raddampfer das
Flüsschen Kessine, dem Kessin selbst seinen Namen verdankte, hinunter; am 1. Oktober aber stellte der »Phönix«,
15 von dem seit lange vergeblich gewünscht wurde, dass er in
einer passagierfreien Stunde sich seines Namens entsin-
nen und verbrennen möge, regelmäßig seine Fahrten ein,
weshalb denn auch Innstetten bereits von Stettin aus an
seinen Kutscher Kruse telegrafiert hatte: »Fünf Uhr, Bahn-
20 hof Klein-Tantow. Bei gutem Wetter offener Wagen.«

Und nun war gutes Wetter, und Kruse hielt in offenem Ge-
fährt am Bahnhof und begrüßte die Ankommenden mit
dem vorschriftsmäßigen Anstand eines herrschaftlichen
Kutschers.

25 »Nun, Kruse, alles in Ordnung?«

»Zu Befehl, Herr Landrat.«

»Dann, Effi, bitte, steig' ein.« Und während Effi dem nachkam, und einer von den Bahnhofsleuten einen kleinen
Handkoffer vorn beim Kutscher unterbrachte, gab Innstet-
30 ten Weisung, den Rest des Gepäcks mit dem Omnibus
nachzuschicken. Gleich danach nahm auch er seinen
Platz, bat, sich populär machend, einen der Umstehenden
um Feuer und rief Kruse zu: »Nun vorwärts, Kruse.« Und
über die Schienen weg, die vielgleisig an der Übergangs-
35 stelle lagen, ging es in Schräglinie den Bahndamm hinunter und gleich danach an einem schon an der Chaussee

---

Koupee
Coupé:
Eisenbahnabteil

Meile:
nach preußischem
Maß ca. 7,5 km

Phönix:
Name des alten
Raddampfers

nachkommen:
etwas tun,
was von einem
erwartet wird

sich populär
machen:
sich volksnah
geben

gelegenen Gasthause vorüber, das den Namen »Zum Fürsten Bismarck« führte. Denn an ebendieser Stelle gabelte der Weg und zweigte, wie rechts nach Kessin, so links nach Varzin hin ab. Vor dem Gasthofe stand ein mittelgroßer breitschultriger Mann in Pelz und Pelzmütze, welch letztere er, als der Herr Landrat vorüberfuhr, mit vieler Würde vom Haupte nahm. »Wer war denn das?«, sagte Effi, die durch alles, was sie sah, aufs höchste interessiert und schon deshalb bei bester Laune war. »Er sah ja aus wie ein Starost, wobei ich freilich bekennen muss, nie einen Starosten gesehen zu haben.«

»Was auch nicht schadet, Effi. Du hast es trotzdem sehr gut getroffen. Er sieht wirklich aus wie ein Starost und ist auch so 'was. Er ist nämlich ein halber Pole, heißt Golchowski, und wenn wir hier Wahl haben oder eine Jagd, dann ist er obenauf. Eigentlich ein ganz unsicherer Passagier, dem ich nicht über den Weg traue, und der wohl viel auf dem Gewissen hat. Er spielt sich aber auf den Loyalen hin aus und wenn die Varziner Herrschaften hier vorüberkommen, möcht' er sich am liebsten vor den Wagen werfen. Ich weiß, dass er dem Fürsten auch widerlich ist. Aber was hilft's? Wir dürfen es nicht mit ihm verderben, weil wir ihn brauchen. Er hat hier die ganze Gegend in der Tasche und versteht die Wahlmache wie kein anderer, gilt auch für wohlhabend. Dabei leiht er auf Wucher, was sonst die Polen nicht tun; in der Regel das Gegenteil.«

»Er sah aber gut aus.«

»Ja, gut aussehen tut er. Gut aussehen tun die meisten hier. Ein hübscher Schlag Menschen. Aber das ist auch das Beste, was man von ihnen sagen kann. Eure märkischen Leute sehen unscheinbarer aus und verdrießlicher, und in ihrer Haltung sind sie weniger respektvoll, eigentlich gar nicht, aber ihr Ja ist Ja und Nein ist Nein, und man kann sich auf sie verlassen. Hier ist alles unsicher.«

»Warum sagst Du mir das? Ich muss nun doch hier mit ihnen leben.«

Varzin: Dorf in Hinterpommern

Starost: (polnischer) Gemeindevorsteher

obenauf sein: guter Laune sein

sich auf den Loyalen hin ausspielen: sich herrschaftstreu darstellen

dem Fürsten: gemeint ist Fürst Otto von Bismarck (1815–1898)

Wahlmache: Organisation eines Wahlkampfes

»Du nicht, Du wirst nicht viel von ihnen hören und sehen. Denn Stadt und Land hier sind sehr verschieden, und Du wirst nur unsere Städter kennen lernen, unsere guten Kessiner.«

5 »Unsere guten Kessiner. Ist es Spott, oder sind sie wirklich so gut?«

»Dass sie wirklich gut sind, will ich nicht gerade behaupten, aber sie sind doch anders als die andern; ja, sie haben gar keine Ähnlichkeit mit der Landbevölkerung hier.«

10 »Und wie kommt das?«

»Weil es eben ganz andere Menschen sind, ihrer Abstammung nach und ihren Beziehungen nach. Was Du hier landeinwärts findest, das sind so genannte Kaschuben, von denen Du vielleicht gehört hast, slavische Leute, die 15 hier schon tausend Jahre sitzen und wahrscheinlich noch viel länger. Alles aber, was hier an der Küste hin in den kleinen See- und Handelsstädten wohnt, das sind von weither Eingewanderte, die sich um das kaschubische Hinterland wenig kümmern, weil sie wenig davon haben und auf etwas ganz anderes angewiesen sind. Worauf sie angewiesen sind, das sind die Gegenden, mit denen sie Handel treiben und da sie das mit aller Welt tun und mit aller Welt in Verbindung stehen, so findest Du zwischen ihnen auch Menschen aus aller Welt Ecken und Enden. Auch in unserem 25 guten Kessin, trotzdem es eigentlich nur ein Nest ist.«

»Aber das ist ja entzückend, Geert. Du sprichst immer von Nest, und nun finde ich, wenn Du nicht übertrieben hast, eine ganz neue Welt hier. Allerlei Exotisches. Nicht wahr, so was Ähnliches meintest Du doch?« Er nickte.

30 »Eine ganz neue Welt, sag' ich, vielleicht einen Neger oder einen Türken oder vielleicht sogar einen Chinesen.«

»Auch einen Chinesen. Wie gut Du raten kannst. Es ist möglich, dass wir wirklich noch einen haben, aber jedenfalls haben wir einen gehabt; jetzt ist er tot und auf einem 35 kleinen eingegitterten Stück Erde begraben, dicht neben dem Kirchhof. Wenn Du nicht furchtsam bist, will ich Dir

Kaschube: Angehöriger eines westslawischen Stammes

exotisch: *hier* ausländisch

bei Gelegenheit 'mal sein Grab zeigen; es liegt zwischen den Dünen, bloß Strandhafer drum'rum und dann und wann ein paar Immortellen, und immer hört man das Meer. Es ist sehr schön und sehr schauerlich.«

»Ja, schauerlich, und ich möchte wohl mehr davon wissen. Aber doch lieber nicht, ich habe dann immer gleich Visionen und Träume und möchte doch nicht, wenn ich diese Nacht hoffentlich gut schlafe, gleich einen Chinesen an mein Bett treten sehen.«

»Das wird er auch nicht.«

»Das wird er auch nicht. Hör, das klingt ja sonderbar, als ob es doch möglich wäre. Du willst mir Kessin interessant machen, aber Du gehst darin ein bisschen weit. Und solche fremde Leute habt ihr viele in Kessin?«

»Sehr viele. Die ganze Stadt besteht aus solchen Fremden, aus Menschen, deren Eltern oder Großeltern noch ganz woanders saßen.«

»Höchst merkwürdig. Bitte, sage mir mehr davon. Aber nicht wieder was Gruseliges. Ein Chinese, find' ich, hat immer was Gruseliges.«

»Ja, das hat er«, lachte Geert. »Aber der Rest ist, Gott sei Dank, von ganz anderer Art, lauter manierliche Leute, vielleicht ein bisschen zu sehr Kaufmann, ein bisschen zu sehr auf ihren Vorteil bedacht und mit Wechseln von zweifelhaftem Wert immer bei der Hand. Ja, man muss sich vorsehen mit ihnen. Aber sonst ganz gemütlich. Und damit Du siehst, dass ich Dir nichts vorgemacht habe, will ich Dir nur so eine kleine Probe geben, so eine Art Register oder Personenverzeichnis.«

»Ja, Geert, das tu'.«

»Da haben wir beispielsweise keine fünfzig Schritt von uns, und unsere Gärten stoßen sogar zusammen, den Maschinen- und Baggermeister Macpherson, einen richtigen Schotten und Hochländer.«

»Und trägt sich auch noch so?«

manierlich:
anständig

sich tragen:
sich kleiden

»Nein, Gott sei Dank nicht, denn es ist ein verhutzeltes Männchen, auf das weder sein Clan noch Walter Scott besonders stolz sein würden. Und dann haben wir in demselben Haus, wo dieser Macpherson wohnt, auch noch einen
5 alten Wundarzt, Beza mit Namen, eigentlich bloß Barbier; der stammt aus Lissabon, gerade daher, wo auch der berühmte General de Meza herstammt, – Meza, Beza, Du hörst die Landesverwandtschaft heraus. Und dann haben wir flussaufwärts am Bollwerk – das ist nämlich der Quai,
10 wo die Schiffe liegen – einen Goldschmied namens Stedingk, der aus einer alten schwedischen Familie stammt; ja, ich glaube, es gibt sogar Reichsgrafen, die so heißen, und des Weiteren, und damit will ich dann vorläufig abschließen, haben wir den guten alten Doktor Hannemann,
15 der natürlich ein Däne ist und lange in Island war und sogar ein kleines Buch geschrieben hat über den letzten Ausbruch des Hekla oder Krabla.«

»Das ist ja aber großartig, Geert. Das ist ja wie sechs Romane, damit kann man ja gar nicht fertig werden. Es klingt
20 erst spießbürgerlich und ist doch hinterher ganz apart. Und dann müsst Ihr ja doch auch Menschen haben, schon weil es eine Seestadt ist, die nicht bloß Chirurgen oder Barbiere sind oder sonst dergleichen. Ihr müsst doch auch Kapitäne haben, irgendeinen Fliegenden Holländer oder
25 ...«

»Da hast Du ganz recht. Wir haben sogar einen Kapitän, der war Seeräuber unter den Schwarzflaggen.«

»Kenn' ich nicht. Was sind Schwarzflaggen?«

»Das sind Leute weit dahinten in Tonkin und an der Süd-
30 see ... Seit er aber wieder unter Menschen ist, hat er auch wieder die besten Formen und ist ganz unterhaltlich.«

»Ich würde mich aber doch vor ihm fürchten.«

»Was Du nicht nötig hast, zu keiner Zeit und auch dann nicht, wenn ich über Land bin oder zum Tee beim Fürsten,
35 denn zu allem andern, was wir haben, haben wir ja Gott sei Dank auch Rollo ...«

Clan:
Familie

Sir Walter Scott:
schottischer
Schriftsteller

Barbier:
Herrenfriseur

Christian Julius
de Meza
(1792–1865):
dänischer General

Bollwerk:
Uferbefestigung

Hekla oder Krabla
(gemeint ist
Krafla):
isländische
Vulkane

Fliegender
Holländer:
Sagengestalt
sowie Opern-
(Richard Wagner)
und Romanfigur
(Albert Brach-
vogel)

Schwarzflaggen:
Piraten, die bis
1886 in Tonkin
gegen Franzosen
kämpften

Tonkin:
nördlicher Teil
von Vietnam

»Rollo?«

»Ja, Rollo. Du denkst dabei, vorausgesetzt, dass Du bei Niemeyer oder Jahnke von dergleichen gehört hast, an den
Normannenherzog, und unserer hat auch so was. Es ist
aber bloß ein Neufundländer, ein wunderschönes Tier, das 5
mich liebt und Dich auch lieben wird. Denn Rollo ist ein
Kenner. Und solange Du den um Dich hast, so lange bist
Du sicher und kann nichts an Dich heran, kein Lebendiger
und kein Toter. Aber sieh' mal den Mond da drüben. Ist es
nicht schön?« 10

Effi, die, still in sich versunken, jedes Wort halb ängstlich,
halb begierig eingesogen hatte, richtete sich jetzt auf und
sah nach rechts hinüber, wo der Mond, unter weißem, aber
rasch hinschwindendem Gewölk, eben aufgegangen war.
Kupferfarben stand die große Scheibe hinter einem Erlen- 15
gehölz und warf ihr Licht auf eine breite Wasserfläche, die
die Kessine hier bildete. Oder vielleicht war es auch schon
ein Haff, an dem das Meer draußen seinen Anteil hatte.

Effi war wie benommen. »Ja, Du hast recht, Geert, wie
schön; aber es hat zugleich so 'was Unheimliches. In Italien 20
habe ich nie solchen Eindruck gehabt, auch nicht als wir
von Mestre nach Venedig hinüberfuhren. Da war auch
Wasser und Sumpf und Mondschein, und ich dachte, die
Brücke würde brechen; aber es war nicht so gespenstig.
Woran liegt es nur? Ist es doch das Nördliche?« 25

Innstetten lachte. »Wir sind hier fünfzehn Meilen nördlicher als in Hohen-Cremmen, und eh' der erste Eisbär
kommt, musst Du noch eine Weile warten. Ich glaube, Du
bist nervös von der langen Reise und dazu das St. Privat-
Panorama und die Geschichte von dem Chinesen.« 30

»Du hast mir ja gar keine erzählt.«

»Nein, ich hab' ihn nur eben genannt. Aber ein Chinese ist
schon an und für sich eine Geschichte ...«

»Ja«, lachte sie.

»Und jedenfalls hast Du's bald überstanden. Siehst Du 35
da vor Dir das kleine Haus mit dem Licht? Es ist eine

Rollo:
Isländer, der
einen Überfall der
Wikinger auf
Frankreich
anführte und sich
dann in der
Normandie
niederließ

Neufundländer:
große Hunderasse
mit dunklem Fell

Erlengehölz:
Gattung der
Birkengewächse

Haff:
Gewässer, das
z. B. durch einen
Küstenstreifen
vom Meer
abgetrennt ist

Mestre:
Stadt bei Venedig

Schmiede. Da biegt der Weg. Und wenn wir die Biegung gemacht haben, dann siehst Du schon den Turm von Kessin oder richtiger beide ...«

»Hat es denn zwei?«

5 »Ja, Kessin nimmt sich auf. Es hat jetzt auch eine katholische Kirche.«

sich aufnehmen: sich bessern

Eine halbe Stunde später hielt der Wagen an der ganz am entgegengesetzten Ende der Stadt gelegenen landrätlichen Wohnung, einem einfachen, etwas altmodischen Fach-
10 werkhaus, das mit seiner Front auf die nach den Seebädern hinausführende Hauptstraße, mit seinem Giebel aber auf ein zwischen der Stadt und den Dünen liegendes Wäldchen, das die »Plantage« hieß, herniederblickte.

Dies altmodische Fachwerkhaus war übrigens nur Innstet-
15 tens Privatwohnung, nicht das eigentliche Landratsamt, welches letztere, schräg gegenüber, an der anderen Seite der Straße lag.

Kruse hatte nicht nötig, durch einen dreimaligen Peit-schenknips die Ankunft zu vermelden; längst hatte man
20 von Tür und Fenstern aus nach den Herrschaften ausge-schaut, und ehe noch der Wagen heran war, waren bereits alle Hausinsassen auf dem die ganze Breite des Bürger-steigs einnehmenden Schwellstein versammelt, vorauf Rollo, der im selben Augenblick, wo der Wagen hielt, die-
25 sen zu umkreisen begann. Innstetten war zunächst seiner jungen Frau beim Aussteigen behilflich und ging dann, die-ser den Arm reichend, unter freundlichem Gruß an der Dienerschaft vorüber, die nun dem jungen Paare in den mit prächtigen alten Wandschränken umstandenen Haus-
30 flur folgte. Das Hausmädchen, eine hübsche, nicht mehr ganz jugendliche Person, der ihre stattliche Fülle fast eben-so gut kleidete, wie das zierliche Mützchen auf dem blon-den Haar, war der gnädigen Frau beim Ablegen von Muff und Mantel behilflich und bückte sich eben, um ihr auch
35 die mit Pelz gefütterten Gummistiefel auszuziehen. Aber

Peitschenknips: mit der Peitsche ausgelöster Knall

Muff: Kleidungsstück, um die Hände vor Kälte zu schützen

SECHSTES KAPITEL **61**

ehe sie noch dazu kommen konnte, sagte Innstetten: »Es wird das Beste sein, ich stelle Dir gleich hier unsere gesamte Hausgenossenschaft vor, mit Ausnahme der Frau Kruse, die sich – ich vermute sie wieder bei ihrem unvermeidlichen schwarzen Huhn – nicht gerne sehen lässt.« Alles lächelte. »Aber lassen wir Frau Kruse ... Dies hier ist mein alter Friedrich, der schon mit mir auf der Universität war ... Nicht wahr, Friedrich, gute Zeiten damals ... und dies hier ist Johanna, märkische Landsmännin von Dir, wenn Du, was aus Pasewalker Gegend stammt, noch für voll gelten lassen willst, und dies ist Christel, der wir mittags und abends unser leibliches Wohl anvertrauen, und die zu kochen versteht, das kann ich Dir versichern. Und dies hier ist Rollo. Nun, Rollo, wie geht's?«

Rollo schien nur auf diese spezielle Ansprache gewartet zu haben, denn im selben Augenblicke, wo er seinen Namen hörte, gab er einen Freudenblaff, richtete sich auf und legte die Pfoten auf seines Herrn Schulter.

»Schon gut, Rollo, schon gut. Aber sieh da, das ist die Frau; ich hab' ihr von Dir erzählt und ihr gesagt, dass du ein schönes Tier seiest und sie schützen würdest.« Und nun ließ Rollo ab und setzte sich vor Innstetten nieder, zugleich neugierig zu der jungen Frau aufblickend. Und als diese ihm die Hand hinhielt, umschmeichelte er sie.

Effi hatte während dieser Vorstellungsszene Zeit gefunden, sich umzuschauen. Sie war wie gebannt von allem, was sie sah und dabei geblendet von der Fülle von Licht. In der vorderen Flurhälfte brannten vier, fünf Wandleuchter, die Leuchten selbst sehr primitiv, von bloßem Weißblech, was aber den Glanz und die Helle nur noch steigerte. Zwei mit roten Schleiern bedeckte Astrallampen, Hochzeitsgeschenk von Niemeyer, standen auf einem zwischen zwei Eichenschränken angebrachten Klapptisch, in Front davon das Teezeug, dessen Lämpchen unter dem Kessel schon angezündet war. Aber noch viel, viel anderes und zum Teil sehr Sonderbares kam zu dem allen hinzu. Quer über den

Flur fort liefen drei, die Flurdecke in ebenso viele Felder teilende Balken; an dem vordersten hing ein Schiff mit vollen Segeln, hohem Hinterdeck und Kanonenluken, während weiterhin ein riesiger Fisch in der Luft zu schwimmen schien. Effi nahm ihren Schirm, den sie noch in Händen hielt, und stieß leis an das Ungetüm an, sodass es sich in eine langsam schaukelnde Bewegung setzte.

»Was ist das, Geert?« fragte sie.

»Das ist ein Haifisch.«

»Und ganz dahinten das, was aussieht wie eine große Zigarre vor einem Tabaksladen?«

»Das ist ein junges Krokodil. Aber das kannst Du Dir alles morgen viel besser und genauer ansehen; jetzt komm und lass uns eine Tasse Tee nehmen. Denn trotz aller Plaids und Decken wirst Du gefroren haben. Es war zuletzt empfindlich kalt.«

Plaid: wollene Reisedecke

Er bot nun Effi den Arm, und während sich die beiden Mädchen zurückzogen und nur Friedrich und Rollo folgten, trat man, nach links hin, in des Hausherrn Wohn- und Arbeitszimmer ein. Effi war hier ähnlich überrascht wie draußen im Flur; aber ehe sie sich darüber äußern konnte, schlug Innstetten eine Portiere zurück, hinter der ein zweites, etwas größeres Zimmer, mit Blick auf Hof und Garten, gelegen war. »Das, Effi, ist nun also Dein. Friedrich und Johanna haben es, so gut es ging, nach meinen Anordnungen herrichten müssen. Ich finde es ganz erträglich und würde mich freuen, wenn es Dir auch gefiele.«

Portiere: schwerer Türvorhang

Sie nahm ihren Arm aus dem seinigen und hob sich auf die Fußspitzen, um ihm einen herzlichen Kuss zu geben.

»Ich armes kleines Ding, wie Du mich verwöhnst. Dieser Flügel und dieser Teppich, ich glaube gar, es ist ein türkischer, und das Bassin mit den Fischchen und dazu der Blumentisch. Verwöhnung, wohin ich sehe.«

Bassin: Wasserbecken

»Ja, meine liebe Effi, das musst Du Dir nun schon gefallen lassen, dafür ist man jung und hübsch und liebenswürdig, was die Kessiner wohl auch schon erfahren haben werden,

Gott weiß woher. Denn an dem Blumentisch wenigstens bin ich unschuldig. Friedrich, wo kommt der Blumentisch her?«

»Apotheker Gieshübler ... Es liegt auch eine Karte bei.«

»Ah, Gieshübler, Alonzo Gieshübler«, sagte Innstetten und reichte lachend und in beinahe ausgelassener Laune die Karte mit dem etwas fremdartig klingenden Vornamen zu Effi hinüber. »Gieshübler, von dem hab' ich Dir zu erzählen vergessen – beiläufig, er führt auch den Doktortitel, hat's aber nicht gern, wenn man ihn dabei nennt, das ärgere, so meint er, die richtigen Doktors bloß, und darin wird er wohl recht haben. Nun, ich denke, Du wirst ihn kennen lernen, und zwar bald; er ist unsere beste Nummer hier, Schöngeist und Original und vor allem Seele von Mensch, was doch immer die Hauptsache bleibt. Aber lassen wir das alles und setzen uns und nehmen unsern Tee. Wo soll es sein? Hier bei Dir oder drin bei mir? Denn eine weitere Wahl gibt es nicht. Eng und klein ist meine Hütte.«

Besinnen:
Zögern

Sie setzte sich ohne Besinnen auf ein kleines Ecksofa. »Heute bleiben wir hier, heute bist Du bei mir zu Gast. Oder lieber so: den Tee regelmäßig bei mir, das Frühstück bei Dir; dann kommt jeder zu seinem Recht, und ich bin neugierig, wo mir's am besten gefallen wird.«

»Das ist eine Morgen- und Abendfrage.«

»Gewiss. Aber wie sie sich stellt, oder richtiger, wie wir uns dazu stellen, das ist es eben.«

Und sie lachte und schmiegte sich an ihn und wollte ihm die Hand küssen.

»Nein, Effi, um Himmels willen nicht, nicht so. Mir liegt nicht daran, die Respektsperson zu sein, das bin ich für die Kessiner. Für Dich bin ich ...«

»Nun was?«

»Ach lass. Ich werde mich hüten, es zu sagen.«

SIEBENTES KAPITEL

Es war schon heller Tag, als Effi am andern Morgen erwachte. Sie hatte Mühe, sich zurechtzufinden. Wo war sie? Richtig, in Kessin, im Hause des Landrats von Innstetten, und sie war seine Frau, Baronin Innstetten. Und sich aufrichtend, sah sie sich neugierig um; am Abend vorher war sie zu müde gewesen, um alles, was sie da halb fremdartig, halb altmodisch umgab, genauer in Augenschein zu nehmen. Zwei Säulen stützten den Deckenbalken, und grüne Vorhänge schlossen den alkovenartigen Schlafraum, in welchem die Betten standen, von dem Rest des Zimmers ab; nur in der Mitte fehlte der Vorhang oder war zurückgeschlagen, was ihr von ihrem Bette aus eine bequeme Orientierung gestattete. Da, zwischen den zwei Fenstern, stand der schmale, bis hoch hinauf reichende Trumeau, während rechts daneben, und schon an der Flurwand hin, der große schwarze Kachelofen aufragte, der noch (so viel hatte sie schon am Abend vorher bemerkt) nach alter Sitte von außen her geheizt wurde. Sie fühlte jetzt, wie seine Wärme herüberströmte.

Wie schön es doch war, im eigenen Hause zu sein; so viel Behagen hatte sie während der ganzen Reise nicht empfunden, nicht einmal in Sorrent.

Aber wo war Innstetten? Alles still um sie her, niemand da. Sie hörte nur den Ticktackschlag einer kleinen Pendule und dann und wann einen dumpfen Ton im Ofen, woraus sie schloss, dass vom Flur her ein paar neue Scheite nachgeschoben würden. Allmählich entsann sie sich auch, dass Geert, am Abend vorher, von einer elektrischen Klingel gesprochen hatte, nach der sie dann auch nicht lange mehr zu suchen brauchte; dicht neben ihrem Kissen war der kleine weiße Elfenbeinknopf, auf den sie nun leise drückte. Gleich danach erschien Johanna. »Gnädige Frau haben befohlen.«

Alkoven: Bettnische

Trumeau: schmaler, hoher Wandspiegel an einem Pfeiler zwischen zwei Fenstern

Pendule: Pendeluhr

»Ach, Johanna, ich glaube, ich habe mich verschlafen. Es muss schon spät sein.«

»Eben neun.«

»Und der Herr ...«, es wollt’ ihr nicht glücken, so ohne Weiteres von ihrem »Manne« zu sprechen ... »der Herr, er muss sehr leise gemacht haben; ich habe nichts gehört.« 5

»Das hat er gewiss. Und gnäd’ge Frau werden fest geschlafen haben. Nach der langen Reise ...«

»Ja, das hab’ ich. Und der Herr, ist er immer so früh auf?«

Immer, gnäd’ge Frau. Darin ist er streng; er kann das lange 10 Schlafen nicht leiden, und wenn er drüben in sein Zimmer tritt, da muss der Ofen warm sein, und der Kaffee darf auch nicht auf sich warten lassen.«

»Da hat er also schon gefrühstückt?«

»O, nicht doch, gnäd’ge Frau ... der gnäd’ge Herr...« 15

Effi fühlte, dass sie die Frage nicht hätte tun und die Vermutung, Innstetten könne nicht auf sie gewartet haben, lieber nicht hätte aussprechen sollen. Es lag ihr denn auch daran, diesen ihren Fehler so gut es ging wieder auszugleichen, und als sie sich erhoben und vor dem Trumeau Platz 20 genommen hatte, nahm sie das Gespräch wieder auf und sagte: »Der Herr hat übrigens ganz recht. Immer früh auf, das war auch Regel in meiner Eltern Hause. Wo die Leute den Morgen verschlafen, da gibt es den ganzen Tag keine Ordnung mehr. Aber der Herr wird es so streng mit mir 25 nicht nehmen; eine ganze Weile hab’ ich diese Nacht nicht schlafen können und habe mich sogar ein wenig geängstigt.«

»Was ich hören muss, gnäd’ge Frau! Was war es denn?«

»Es war über mir ein ganz sonderbarer Ton, nicht laut, 30 aber doch sehr eindringlich. Erst klang es, wie wenn lange Schleppenkleider über die Diele hinschleiften, und in meiner Erregung war es mir ein paar Mal, als ob ich kleine weiße Atlasschuhe sähe. Es war, als tanze man oben, aber ganz leise.« 35

Schleppenkleid:
langes, festliches
Kleid

Atlasschuhe:
Schuhe aus
Atlasseide
(seidiger Stoff)

Johanna, während das Gespräch so ging, sah über die Schulter der jungen Frau fort in den hohen, schmalen Spiegel hinein, um die Mienen Effis besser beobachten zu können. Dann sagte sie: »Ja, das ist oben im Saal. Früher hörten wir es in der Küche auch. Aber jetzt hören wir es nicht mehr; wir haben uns daran gewöhnt.«

»Ist es denn etwas Besonderes damit?«

»O Gott bewahre, nicht im Geringsten. Eine Weile wusste man nicht recht, woher es käme, und der Herr Prediger machte ein verlegenes Gesicht, trotzdem Doktor Gieshübler immer nur darüber lachte. Nun aber wissen wir, dass es die Gardinen sind. Der Saal ist etwas multrig und stockig und deshalb stehen immer die Fenster auf, wenn nicht gerade Sturm ist. Und da ist denn fast immer ein starker Zug oben und fegt die alten, weißen Gardinen, die außerdem viel zu lang sind, über die Dielen hin und her. Das klingt dann so wie seid'ne Kleider, oder auch wie Atlasschuhe, wie die gnäd'ge Frau eben bemerkten.«

»Natürlich ist es das. Aber ich begreife nur nicht, warum dann die Gardinen nicht abgenommen werden. Oder man könnte sie ja kürzer machen. Es ist ein so sonderbares Geräusch, das einem auf die Nerven fällt. Und nun, Johanna, bitte, geben Sie mir noch das kleine Tuch und tupfen Sie mir die Stirn. Oder nehmen Sie lieber den Rafraichisseur aus meiner Reisetasche ... Ach, das ist schön und erfrischt mich. Nun werde ich hinübergehen. Er ist doch noch da, oder war er schon aus?«

»Der gnäd'ge Herr war schon aus, ich glaube drüben auf dem Amt. Aber seit einer Viertelstunde ist er zurück. Ich werde Friedrich sagen, dass er das Frühstück bringt.«

Und damit verließ Johanna das Zimmer, während Effi noch einen Blick in den Spiegel tat und dann über den Flur fort, der bei der Tagesbeleuchtung viel von seinem Zauber vom Abend vorher eingebüßt hatte, bei Geert eintrat.

Dieser saß an seinem Schreibtisch, einem etwas schwerfälligen Cylinderbureau, das er aber, als Erbstück aus dem

multrig:
faulig

stockig:
modrig, fleckig

Rafraichisseur:
Parfümflacon mit Zerstäuber

Zylinderbüro:
Schreibtisch, bei dem die Platte durch ein Rollo verschließbar ist

elterlichen Hause, nicht missen mochte. Effi stand hinter ihm und umarmte und küsste ihn, noch eh' er sich von seinem Platz erheben konnte.

»Schon?«

»Schon, sagst Du. Natürlich um mich zu verspotten.« 5
Innstetten schüttelte den Kopf. »Wie werd' ich das?« Effi fand aber ein Gefallen daran, sich anzuklagen, und wollte von den Versicherungen ihres Mannes, dass sein »schon« ganz aufrichtig gemeint gewesen sei, nichts hören. »Du musst von der Reise her wissen, dass ich morgens nie habe 10 warten lassen. Im Laufe des Tages, nun ja, da ist es etwas anderes. Es ist wahr, ich bin nicht sehr pünktlich, aber ich bin keine Langschläferin. Darin, denk ich, haben mich die Eltern gut erzogen.«

»Darin? In allem, meine süße Effi.« 15

»Das sagst Du so, weil wir noch in den Flitterwochen sind, ... aber nein, wir sind ja schon heraus. Ums Himmels willen, Geert, daran habe ich noch gar nicht gedacht, wir sind ja schon über sechs Wochen verheiratet, sechs Wochen und einen Tag. Ja, das ist etwas anderes, da nehme ich es 20 nicht mehr als Schmeichelei, da nehme ich es als Wahrheit.«

Schmeichelei:
Kompliment

In diesem Augenblicke trat Friedrich ein und brachte den Kaffee. Der Frühstückstisch stand in Schräglinie vor einem kleinen rechtwinkligen Sofa, das gerade die eine Ecke des 25 Wohnzimmers ausfüllte. Hier setzten sich beide. »Der Kaffee ist ja vorzüglich«, sagte Effi, während sie zugleich das Zimmer und seine Einrichtung musterte. »Das ist noch Hotel-Kaffee oder wie der bei Bottegone, ... erinnerst Du Dich noch, in Florenz, mit dem Blick auf den Dom. Davon 30 muss ich der Mama schreiben, solchen Kaffee haben wir in Hohen-Cremmen nicht. Überhaupt, Geert, ich sehe nun erst, wie vornehm ich mich verheiratet habe. Bei uns konnte alles nur so gerade passieren.«

Bottegone:
Câfe in Florenz

»Torheit, Effi. Ich habe nie eine bessere Hausführung gese- 35
hen als bei Euch.«

Torheit:
Dummheit

68   SIEBENTES KAPITEL

»Und dann, wie Du wohnst. Als Papa sich den neuen Ge-
wehrschrank angeschafft und über seinem Schreibtisch
einen Büffelkopf und dicht darunter den alten Wrangel an-
gebracht hatte (er war nämlich 'mal Adjutant bei dem Al-
5 ten), da dacht' er Wunder, was er getan; aber wenn ich
mich hier umsehe, daneben ist unsere ganze Hohen-Cremmener Herrlichkeit ja bloß dürftig und alltäglich. Ich weiß
gar nicht, womit ich das alles vergleichen soll; schon
gestern Abend, als ich nur so flüchtig darüber hinsah, ka-
10 men mir allerhand Gedanken.« »Und welche, wenn ich fragen darf?«

»Ja, welche. Du darfst aber nicht d'rüber lachen. Ich habe
'mal ein Bilderbuch gehabt, wo ein persischer oder indi-
scher Fürst (denn er trug einen Turban) mit untergeschla-
15 genen Beinen auf einem roten Seidenkissen saß, und in
seinem Rücken war außerdem noch eine große rote Sei-
denrolle, die links und rechts ganz bauschig zum Vorschein
kam, und die Wand hinter dem indischen Fürsten starrte
von Schwertern und Dolchen und Parderfellen und Schil-
20 den und langen türkischen Flinten. Und sieh, ganz so sieht
es hier bei Dir aus, und wenn Du noch die Beine unter-
schlägst, ist die Ähnlichkeit vollkommen.«

»Effi, Du bist ein entzückendes, liebes Geschöpf. Du weißt
gar nicht, wie sehr ich's finde und wie gern ich Dir in jedem
25 Augenblick zeigen möchte, dass ich's finde.«

»Nun, dazu ist ja noch vollauf Zeit; ich bin ja erst siebzehn
und habe noch nicht vor, zu sterben.«

»Wenigstens nicht vor mir. Freilich, wenn ich dann stürbe,
nähme ich Dich am liebsten mit. Ich will Dich keinem an-
30 dern lassen; was meinst Du dazu?«

»Das muss ich mir doch noch überlegen. Oder lieber, lassen wir's überhaupt. Ich spreche nicht gern von Tod, ich
bin für Leben. Und nun sage mir, wie leben wir hier? Du
hast mir unterwegs allerlei Sonderbares von Stadt und
35 Land erzählt, aber wie wir selber hier leben werden, davon
kein Wort. Dass hier alles anders ist, als in Hohen-Crem-

Friedrich Heinrich
Ernst Graf von
Wrangel
(1784–1877):
preußischer
Generalfeld-
marschall

Adjutant:
Offizier, Gehilfe
eines Truppen-
kommandeurs

dem Alten:
gemeint ist Fried-
rich von Wrangel

Parder:
Leopard

Schild:
hier Schutzwaffe

men und Schwantikow, das seh' ich wohl, aber wir müssen doch in dem 'guten Kessin', wie Du's immer nennst, auch etwas wie Umgang und Gesellschaft haben können. Habt Ihr denn Leute von Familie in der Stadt?«

»Nein, meine liebe Effi; nach dieser Seite hin gehst Du großen Enttäuschungen entgegen. In der Nähe haben wir ein paar Adlige, die Du kennen lernen wirst, aber hier in der Stadt ist gar nichts.«

»Gar nichts? Das kann ich nicht glauben. Ihr seid doch bis zu dreitausend Menschen, und unter dreitausend Menschen muss es doch außer so kleinen Leuten wie Barbier Beza (so hieß er ja wohl) doch auch noch eine Elite geben, Honoratioren oder dergleichen.«

Innstetten lachte. »Ja, Honoratioren, die gibt es. Aber bei Licht besehen ist es nicht viel damit. Natürlich haben wir einen Prediger und einen Amtsrichter und einen Rektor und einen Lotsenkommandeur, und von solchen beamteten Leuten findet sich schließlich wohl ein ganzes Dutzend zusammen, aber die meisten davon: gute Menschen und schlechte Musikanten. Und was dann noch bleibt, das sind bloß Konsuln.«

»Bloß Konsuln. Ich bitte Dich, Geert, wie kannst Du nur sagen ›bloß Konsuln‹. Das ist doch etwas sehr Hohes und Großes, und ich möcht beinah' sagen Furchtbares. Konsuln, das sind doch die mit dem Rutenbündel, draus, glaub' ich, ein Beil heraussah.«

»Nicht ganz, Effi. Die heißen Liktoren.«

»Richtig, die heißen Liktoren. Aber Konsuln ist doch auch etwas sehr Vornehmes und Hochgesetzliches. Brutus war doch ein Konsul.«

»Ja, Brutus war ein Konsul. Aber unsere sind ihm nicht sehr ähnlich und begnügen sich damit, mit Zucker und Kaffee zu handeln oder eine Kiste mit Apfelsinen aufzubrechen und verkaufen Dir dann das Stück pro zehn Pfennige.«

»Nicht möglich.«

Honoratioren: angesehene Bürger eines Ortes

Lotsenkommandeur: Vorgesetzter der Lotsen (erfahrene Kapitäne)

Konsul: Vermittler bei internationalen Handelsgeschäften

Liktor: Amtsdiener

Lucius Iunius Brutus († 509 v. Chr.): erster Konsul der römischen Republik

»Sogar gewiss. Es sind kleine, pfiffige Kaufleute, die, wenn fremdländische Schiffe hier einlaufen und in irgendeiner Geschäftsfrage nicht recht aus noch ein wissen, dann mit ihrem Rate zur Hand sind, und wenn sie diesen Rat gege-
5 ben und irgendeinem holländischen oder portugiesischen Schiff einen Dienst geleistet haben, so werden sie zuletzt zu beglaubigten Vertretern solcher fremder Staaten, und gerade so viele Botschafter und Gesandte, wie wir in Berlin haben, so viele Konsuln haben wir auch in Kessin, und
10 wenn irgendein Festtag ist, und es gibt hier viele Festtage, dann werden alle Wimpel gehisst, und haben wir gerad' eine grelle Morgensonne, so siehst Du an solchem Tage ganz Europa von unsern Dächern flaggen und das Sternenbanner und den chinesischen Drachen dazu.«
15 »Du bist in einer spöttischen Laune, Geert, und magst auch wohl recht haben. Aber ich, für meine kleine Person, muss Dir gestehen, dass ich dies alles entzückend finde und dass unsere havelländischen Städte daneben verschwinden. Wenn sie da Kaisers Geburtstag feiern, so
20 flaggt es immer bloß schwarz und weiß und allenfalls ein bisschen rot dazwischen, aber das kann sich doch nicht vergleichen mit der Welt von Flaggen, von der Du sprichst. Überhaupt, wie ich Dir schon sagte, ich finde immer wieder und wieder, es hat alles so was Fremdländisches hier,
25 und ich habe noch nichts gehört und gesehen, was mich nicht in eine gewisse Verwunderung gesetzt hätte, gleich gestern Abend das merkwürdige Schiff draußen im Flur und dahinter der Haifisch und das Krokodil und hier Dein eigenes Zimmer. Alles so orientalisch, und ich muss es wie-
30 derholen, alles wie bei einem indischen Fürsten ...«
»Meinetwegen. Ich gratuliere, Fürstin ...«
»Und dann oben der Saal mit seinen langen Gardinen, die über die Diele hinfegen.«
»Aber was weißt Du denn von dem Saal, Effi?«
35 »Nichts, als was ich Dir eben gesagt habe. Wohl eine Stunde lang, als ich in der Nacht aufwachte, war es mir, als ob

Sternenbanner:
Fahne der USA

chinesischer
Drache:
Fahne des
chinesischen
Kaiserreichs

Kaisers
Geburtstag:
Wilhelm I.
(* 22.3.1797)

schwarz und
weiß [...] rot:
schwarz und
weiß: preußische
Landesfarben;
schwarz, weiß,
rot: Farben der
damaligen
dt. Nationalflagge

ich Schuhe auf der Erde schleifen hörte, und als würde getanzt und fast auch wie Musik. Aber alles ganz leise. Und das hab' ich dann heute früh an Johanna erzählt, bloß um mich zu entschuldigen, dass ich hinterher so lange geschlafen. Und da sagte sie mir, das sei von den langen Gardinen oben im Saal. Ich denke, wir machen kurzen Prozess damit und schneiden die Gardinen etwas ab oder schließen wenigstens die Fenster; es wird ohnehin bald stürmisch genug werden. Mitte November ist ja die Zeit.«

Innstetten sah in einer kleinen Verlegenheit vor sich hin und schien schwankend, ob er auf all das antworten solle. Schließlich entschied er sich für Schweigen. »Du hast ganz recht, Effi, wir wollen die langen Gardinen oben kürzer machen. Aber es eilt nicht damit, umso weniger, als es nicht sicher ist, ob es hilft. Es kann auch was anderes sein, im Rauchfang oder der Wurm im Holz oder ein Iltis. Wir haben nämlich hier Iltisse. Jedenfalls aber, eh' wir Änderungen vornehmen, musst Du Dich in unserem Hauswesen erst umsehen, natürlich unter meiner Führung; in einer Viertelstunde zwingen wir's. Und dann machst Du Toilette, nur ein ganz klein wenig, denn eigentlich bist Du so am reizendsten, – Toilette für unseren Freund Gieshübler; es ist jetzt zehn vorüber, und ich müsste mich sehr in ihm irren, wenn er nicht um elf oder doch spätestens um die Mittagsstunde hier antreten und Dir seinen Respekt devotest zu Füßen legen sollte. Das ist nämlich die Sprache, d'rin er sich ergeht. Übrigens, wie ich Dir schon sagte, ein kapitaler Mann, der Dein Freund werden wird, wenn ich ihn und Dich recht kenne.«

ACHTES KAPITEL

Elf war es längst vorüber; aber Gieshübler hatte sich noch immer nicht sehen lassen. »Ich kann nicht länger warten«, hatte Geert gesagt, den der

Dienst abrief. »Wenn Gieshübler noch erscheint, so sei möglichst entgegenkommend, dann wird es vorzüglich gehen; er darf nicht verlegen werden; ist er befangen, so kann er kein Wort finden oder sagt die sonderbarsten Dinge;

befangen: verlegen

5 weißt Du ihn aber in Zutrauen und gute Laune zu bringen, dann redet er wie ein Buch. Nun, Du wirst es schon machen. Erwarte mich nicht vor drei; es gibt drüben allerlei zu tun. Und das mit dem Saal oben wollen wir noch überlegen; es wird aber wohl am besten sein, wir lassen es beim

10 Alten.«

Damit ging Innstetten und ließ seine junge Frau allein. Diese saß, etwas zurückgelehnt, in einem lauschigen Winkel am Fenster und stützte sich, während sie hinaussah, mit ihrem linken Arm auf ein kleines Seitenbrett, das aus dem

15 Cylinderbureau herausgezogen war. Die Straße war die Hauptverkehrsstraße nach dem Strande hin, weshalb denn auch in Sommerzeit ein reges Leben hier herrschte, jetzt aber, um Mitte November, war alles leer und still, und nur ein paar arme Kinder, deren Eltern in etlichen ganz am

20 äußersten Rand der »Plantage« gelegenen Strohdachhäusern wohnten, klappten in ihren Holzpantinen an dem Innstetten'schen Hause vorüber. Effi empfand aber nichts

Holzpantinen: Holzschuhe

von dieser Einsamkeit, denn ihre Fantasie war noch immer bei den wunderlichen Dingen, die sie, kurz vorher, wäh-

25 rend ihrer Umschau haltenden Musterung im Hause gese-

Musterung: *hier* eingehende Betrachtung

hen hatte. Diese Musterung hatte mit der Küche begonnen, deren Herd eine moderne Konstruktion aufwies, während an der Decke hin, und zwar bis in die Mädchenstube hinein, ein elektrischer Draht lief, – beides vor kur-

30 zem erst hergerichtet. Effi war erfreut gewesen, als ihr Innstetten davon erzählt hatte, dann aber waren sie von der Küche wieder in den Flur zurück- und von diesem in den Hof hinausgetreten, der in seiner ersten Hälfte nicht viel mehr als ein, zwischen zwei Seitenflügeln hinlaufender

35 ziemlich schmaler Gang war. In diesen Flügeln war alles untergebracht, was sonst noch zu Haushalt und Wirt-

Rollkammer:
dort wird Wäsche
geplättet

Wagenremise:
Garage

Verschlag:
kleiner Raum aus
Brettern

einlogieren:
unterbringen

schaftsführung gehörte, rechts Mädchenstube, Bedienten-
stube, Rollkammer, links eine zwischen Pferdestall und
Wagenremise gelegene, von der Familie Kruse bewohnte
Kutscherwohnung. Über dieser, in einem Verschlage, waren die Hühner einlogiert, und eine Dachklappe über dem
Pferdestall bildete den Aus- und Einschlupf für die Tauben.
All dies hatte sich Effi mit vielem Interesse angesehen, aber
dies Interesse sah sich doch weit überholt, als sie, nach ihrer Rückkehr vom Hof ins Vorderhaus, unter Innstettens
Führung die nach oben führende Treppe hinaufgestiegen
war. Diese war schief, baufällig, dunkel; der Flur dagegen,
auf den sie mündete, wirkte beinah' heiter, weil er viel Licht
und einen guten landschaftlichen Ausblick hatte: nach der
einen Seite hin, über die Dächer des Stadtrandes und die
»Plantage« fort, auf eine hoch auf einer Düne stehende
holländische Windmühle, nach der anderen Seite hin auf
die Kessine, die hier, unmittelbar vor ihrer Einmündung,
ziemlich breit war und einen stattlichen Eindruck machte.
Diesem Eindruck konnte man sich unmöglich entziehen,
und Effi hatte denn auch nicht gesäumt, ihrer Freude lebhaften Ausdruck zu geben. »Ja, sehr schön, sehr male-
risch«, hatte Innstetten, ohne weiter darauf einzugehen,
geantwortet, und dann eine mit ihren Flügeln etwas schief
hängende Doppeltür geöffnet, die nach rechts hin in den so
genannten Saal führte. Dieser lief durch die ganze Etage;
Vorder- und Hinterfenster standen auf, und die mehr er-
wähnten langen Gardinen bewegten sich in dem starken
Luftzuge hin und her. In der Mitte der einen Längswand
sprang ein Kamin vor mit einer großen Steinplatte, während an der Wand gegenüber ein paar blecherne Leuchter
hingen, jeder mit zwei Lichtöffnungen, ganz so wie unten
im Flur, aber alles stumpf und ungepflegt. Effi war einigermaßen enttäuscht, sprach es auch aus und erklärte, statt
des öden und ärmlichen Saals doch lieber die Zimmer an
der gegenüberliegenden Flurseite sehen zu wollen. »Da ist
nun eigentlich vollends nichts«, hatte Innstetten geant-

wortet, aber doch die Türen geöffnet. Es befanden sich hier
vier einfenstrige Zimmer, alle gelb getüncht, gerade wie der
Saal, und ebenfalls ganz leer. Nur in einem standen drei
Binsenstühle, die durchgesessen waren, und an die Lehne
5 des einen war ein kleines, nur einen halben Finger langes
Bildchen geklebt, das einen Chinesen darstellte, blauer
Rock mit gelben Pluderhosen und einen flachen Hut auf
dem Kopf. Effi sah es und sagte: »Was soll der Chinese?«
Innstetten selber schien von dem Bildchen überrascht und
10 versicherte, dass er es nicht wisse. »Das hat Christel ange-
klebt oder Johanna. Spielerei. Du kannst sehen, es ist aus
einer Fibel herausgeschnitten.« Effi fand es auch und war
nur verwundert, dass Innstetten alles so ernsthaft nahm,
als ob es doch etwas sei. Dann hatte sie noch einmal einen
15 Blick in den Saal getan und sich dabei dahin geäußert, wie
es doch eigentlich schade sei, dass das alles leer stehe.
»Wir haben unten ja nur drei Zimmer, und wenn uns wer
besucht, so wissen wir nicht aus, noch ein. Meinst Du
nicht, dass man aus dem Saal zwei hübsche Fremdenzim-
20 mer machen könnte? Das wäre so was für die Mama; nach
hinten heraus könnte sie schlafen und hätte den Blick auf
den Fluss und die beiden Molen, und vorn hätte sie die
Stadt und die holländische Windmühle. In Hohen-Cremmen haben wir noch immer bloß eine Bockmühle. Nun
25 sage, was meinst Du dazu? Nächsten Mai wird doch die
Mama wohl kommen.«
Innstetten war mit allem einverstanden gewesen und hatte
nur zum Schluss gesagt: »Alles ganz gut. Aber es ist doch
am Ende besser, wir logieren die Mama drüben ein, auf
30 dem Landratsamt; die ganze erste Etage steht da leer, gerade so wie hier, und sie ist da noch mehr für sich.«

Das war so das Resultat des ersten Umgangs im Hause gewesen; dann hatte Effi drüben ihre Toilette gemacht, nicht
ganz so schnell, wie Innstetten angenommen, und nun saß
35 sie in ihres Gatten Zimmer und beschäftigte sich in ihren

getüncht:
mit weißer Kalk-
farbe gestrichen

Binsenstühle:
Stühle aus
Pflanzenfasern

Pluderhosen:
weite, bauschige
Hose mit Bünd-
chen an Knien
oder Fesseln

Mole:
Hafendamm

Bockmühle:
auf einem Holz-
bock befestigte
Windmühle

logieren:
unterbringen

Gedanken abwechselnd mit dem kleinen Chinesen oben und mit Gieshübler, der noch immer nicht kam. Vor einer Viertelstunde war freilich ein kleiner, schiefschultriger und fast schon so gut wie verwachsener Herr in einem kurzen eleganten Pelzrock und einem hohen sehr glatt gebürste- 5 ten Zylinder an der andern Seite der Straße vorbeigegangen und hatte nach ihrem Fenster hinübergesehen. Aber das konnte Gieshübler wohl nicht gewesen sein! Nein, die-

Distinguiertes: Vornehmes

ser schiefschultrige Herr, der zugleich etwas so Distin- guiertes hatte, das musste der Herr Gerichtspräsident ge- 10 wesen sein, und sie entsann sich auch wirklich, in einer Gesellschaft bei Tante Therese, mal einen solchen gesehen zu haben, bis ihr mit einem Male einfiel, dass Kessin bloß einen Amtsrichter habe.

Während sie diesen Betrachtungen noch nachhing, wurde 15 der Gegenstand derselben, der augenscheinlich erst eine Morgen- oder vielleicht auch eine Ermutigungspromenade

Promenade: *hier* Spaziergang

um die Plantage herum gemacht hatte, wieder sichtbar, und eine Minute später erschien Friedrich, um Apotheker Gieshübler anzumelden. 20

»Ich lasse sehr bitten.«

Der armen jungen Frau schlug das Herz, weil es das erste Mal war, dass sie sich als Hausfrau und noch dazu als erste Frau der Stadt zu zeigen hatte.

Friedrich half Gieshübler den Pelzrock ablegen und öffnete 25 dann wieder die Tür.

Effi reichte dem verlegen Eintretenden die Hand, die dieser

Ungestüm: Überschwang

mit einem gewissen Ungestüm küsste. Die junge Frau schien sofort einen großen Eindruck auf ihn gemacht zu haben. 30

»Mein Mann hat mir bereits gesagt ... Aber ich empfange Sie hier in meines Mannes Zimmer, ... er ist drüben auf dem Amt und kann jeden Augenblick zurück sein ... Darf ich Sie bitten, bei mir eintreten zu wollen?«

Fauteuil: Ohrensessel

Gieshübler folgte der voranschreitenden Effi ins Neben- 35 zimmer, wo diese auf einen der Fauteuils wies, während sie sich selbst ins Sofa setzte. »Dass ich Ihnen sagen könnte, welche Freude Sie mir gestern durch die schönen Blumen und Ihre Karte gemacht haben. Ich hörte sofort auf, mich hier als eine Fremde zu fühlen, und als ich dies Innstetten aussprach, sagte er mir, wir würden überhaupt gute Freunde sein.«

»Sagte er so? Der gute Herr Landrat. Ja, der Herr Landrat und Sie, meine gnädigste Frau, da sind, das bitte ich sagen zu dürfen, zwei liebe Menschen zueinandergekommen. Denn wie Ihr Herr Gemahl ist, das weiß ich, und wie Sie sind, meine gnädigste Frau, das sehe ich.«

»Wenn Sie nur nicht mit zu freundlichen Augen sehen. Ich bin so sehr jung. Und Jugend ...«

»Ach, meine gnädigste Frau, sagen Sie nichts gegen die Jugend. Die Jugend, auch in ihren Fehlern ist sie noch schön und liebenswürdig, und das Alter, auch in seinen Tugenden taugt es nicht viel. Persönlich kann ich in dieser Frage freilich nicht mitsprechen, vom Alter wohl, aber von der Jugend nicht, denn ich bin eigentlich nie jung gewesen. Personen meines Schlages sind nie jung. Ich darf wohl sagen, das ist das Traurigste von der Sache. Man hat keinen rechten Mut, man hat kein Vertrauen zu sich selbst, man wagt kaum, eine Dame zum Tanz aufzufordern, weil man ihr eine Verlegenheit ersparen will, und so gehen die Jahre hin, und man wird alt, und das Leben war arm und leer.«

Effi gab ihm die Hand. »Ach, Sie dürfen so was nicht sagen. Wir Frauen sind gar nicht so schlecht.«

»O, nein, gewiss nicht ...«

»Und wenn ich mir so zurückrufe«, fuhr Effi fort, »was ich alles erlebt habe ... viel ist es nicht, denn ich bin wenig herausgekommen und habe fast immer auf dem Lande gelebt ... aber wenn ich es mir zurückrufe, so finde ich doch, dass wir immer das lieben, was liebenswert ist. Und dann sehe ich doch auch gleich, dass Sie anders sind als andere, dafür haben wir Frauen ein scharfes Auge. Vielleicht ist es auch der Name, der in Ihrem Falle mitwirkt. Das war im-

meines Schlages: wie ich

mer eine Lieblingsbehauptung unseres alten Pastors Niemeyer; der Name, so liebte er zu sagen, besonders der Taufname, habe was geheimnisvoll Bestimmendes, und Alonzo Gieshübler, so mein' ich, schließt eine ganz neue Welt vor einem auf, ja, fast möcht' ich sagen dürfen, Alonzo ist ein romantischer Name, ein Preziosa-Name.«

Gieshübler lächelte mit einem ganz ungemeinen Behagen und fand den Mut, seinen für seine Verhältnisse viel zu hohen Zylinder, den er bis dahin in der Hand gedreht hatte, beiseitezustellen. »Ja, meine gnädigste Frau, da treffen Sie's.«

»Oh, ich verstehe. Ich habe von den Konsuln gehört, deren Kessin so viele haben soll, und in dem Hause des spanischen Konsuls hat Ihr Herr Vater mutmaßlich die Tochter eines seemännischen Capitanos kennen gelernt, wie ich annehme irgendeine schöne Andalusierin. Andalusierinnen sind immer schön.«

»Ganz wie Sie vermuten, meine Gnädigste. Und meine Mutter war wirklich eine schöne Frau, so schlecht es mir persönlich zusteht, die Beweisführung zu übernehmen. Aber als Ihr Herr Gemahl vor drei Jahren hierherkam, lebte sie noch und hatte noch ganz die Feueraugen. Er wird es mir bestätigen. Ich persönlich bin mehr ins Gieshübler'sche geschlagen, Leute von wenig Exterieur, aber sonst leidlich im Stande. Wir sitzen hier schon in der vierten Generation, volle hundert Jahre, und wenn es einen Apothekeradel gäbe ...«

»So würden Sie ihn beanspruchen dürfen. Und ich meinerseits nehme ihn für bewiesen an und sogar für bewiesen ohne jede Einschränkung. Uns, aus den alten Familien, wird das am leichtesten, weil wir, so wenigstens bin ich von meinem Vater und auch von meiner Mutter her erzogen, jede gute Gesinnung, sie komme, woher sie wolle, mit Freudigkeit gelten lassen. Ich bin eine geborene Briest und stamme von dem Briest ab, der am Tag vor der Fehrbelliner Schlacht den Überfall von Rathenow ausführte, wovon Sie vielleicht einmal gehört haben ...«

»O, gewiss, meine Gnädigste, das ist ja meine Spezialität.«

»Eine Briest also. Und mein Vater, da reichen keine hundert Male, dass er zu mir gesagt hat: Effi (so heiße ich nämlich) Effi *hier* sitzt es, bloß hier, und als Froben das Pferd tauschte, da war er von Adel, und als Luther sagte, ›hier stehe ich‹, da war er erst recht von Adel. Und ich denke, Herr Gieshübler, Innstetten hatte ganz recht, als er mir versicherte, wir würden gute Freundschaft halten.«

Gieshübler hätte nun am liebsten gleich eine Liebeserklärung gemacht und gebeten, dass er als Cid oder irgendsonst ein Campeador für sie kämpfen und sterben könne. Da dies alles aber nicht ging und sein Herz es nicht mehr aushalten konnte, so stand er auf, suchte nach seinem Hut, den er auch glücklicherweise gleich fand, und zog sich, nach wiederholtem Handkuss, rasch zurück, ohne weiter ein Wort gesagt zu haben.

NEUNTES KAPITEL

So war Effis erster Tag in Kessin gewesen. Innstetten gab ihr noch eine halbe Woche Zeit, sich einzurichten und die verschiedensten Briefe nach Hohen-Cremmen zu schreiben, an die Mama, an Hulda und die Zwillinge; dann aber hatten die Stadtbesuche begonnen, die zum Teil (es regnete gerade so, dass man sich diese Ungewöhnlichkeit schon gestatten konnte) in einer geschlossenen Kutsche gemacht wurden. Als man damit fertig war, kam der Landadel an die Reihe. Das dauerte länger, da sich, bei den meist großen Entfernungen, an jedem Tag nur eine Visite machen ließ. Zuerst war man bei den Borckes in Rothenmoor, dann ging es nach Morgnitz, Dabergotz und Kroschentin, wo man bei den Ahlemanns, den Jatzkows und den Grasenabbs den pflichtschuldigen Besuch

---

Überfall von Rathenow: Gefecht zwischen Brandenburg-Preußen und Schweden

Emanuel von Froben (1640–1675): soll den Großen Kurfürsten in der Fehrbelliner Schlacht durch den Tausch der Pferde gerettet haben

»hier stehe ich«: »ich kann nicht anders«, Ausspruch Luthers zur Erklärung seiner »ketzerischen Schriften«

El Cid (1043–1099): spanischer Nationalheld

Campeador: Kämpfer, Beiname von El Cid

Visite: *hier* Besuch

abstattete. Noch ein paar andere folgten, unter denen auch der alte Baron von Güldenklee auf Papenhagen war. Der Eindruck, den Effi empfing, war überall derselbe: mittelmäßige Menschen, von meist zweifelhafter Liebenswürdigkeit, die, während sie vorgaben, über Bismarck und die Kronprinzessin zu sprechen, eigentlich nur Effis Toilette musterten, die von einigen als zu prätentiös für eine so jugendliche Dame, von andern als zuwenig dezent für eine Dame von gesellschaftlicher Stellung befunden wurde. Man merke doch an allem die Berliner Schule: Sinn für Äußerliches und eine merkwürdige Verlegenheit und Unsicherheit bei Berührung großer Fragen. In Rothenmoor bei den Borckes und dann auch bei den Familien in Morgnitz und Dabergotz war sie für »rationalistisch angekränkelt«, bei den Grasenabbs in Kroschentin aber rundweg für eine »Atheistin« erklärt worden. Allerdings hatte die alte Frau von Grasenabb, eine Süddeutsche (geborene Stiefel von Stiefelstein), einen schwachen Versuch gemacht, Effi wenigstens für den Deismus zu retten; Sidonie von Grasenabb aber, eine dreiundvierzigjährige alte Jungfer, war barsch dazwischengefahren:»Ich sage Dir, Mutter, einfach Atheistin, kein Zoll breit weniger, und dabei bleibt es«, worauf die Alte, die sich vor ihrer eigenen Tochter fürchtete, klüglich geschwiegen hatte.

Die ganze Tournee hatte so ziemlich zwei Wochen gedauert, und es war am 2. Dezember, als man, zu schon später Stunde, von dem letzten dieser Besuche nach Kessin zurückkehrte. Dieser letzte Besuch hatte den Güldenklees auf Papenhagen gegolten, bei welcher Gelegenheit Innstetten dem Schicksal nicht entgangen war, mit dem alten Güldenklee politisieren zu müssen. »Ja, teuerster Landrat, wenn ich so den Wechsel der Zeiten bedenke! Heute vor einem Menschenalter oder ungefähr so lange, ja, da war auch ein 2. Dezember, und der gute Louis und Napoleons-Neffe – *wenn* er so 'was war und nicht eigentlich ganz woanders herstammte, – der kartätschte damals auf die Pari-

Kronprinzessin: Viktoria (1866–1929): Tochter des preußischen Kronprinzen Friedrich Wilhelm

prätentiös: wichtigtuerisch

rationalistisch: der Vernunft verpflichtetes Denken

Deismus: Vorstellung, dass Gott nach der Erschaffung der Welt keinen Einfluss mehr ausübt

2. Dezember: Tag, an dem Napoleon sich zum Kaiser Frankreichs ernannte

Charles Louis Napoléon Bonaparte (1769–1821): Kaiser der Franzosen

kartätschen: mit einem Bleikugelgewehr schießen

ser Kanaille. Na, *das* mag ihm verziehen sein, für so 'was war er der rechte Mann, und ich halte zu dem Satze: ›Jeder hat es geradeso gut und so schlecht, wie er's verdient.‹ Aber dass er nachher alle Schätzung verlor und anno 70 so mir nichts dir nichts auch mit *uns* anbinden wollte, sehen Sie, Baron, das war, ja wie sag' ich, das war eine Insolenz. Es ist ihm aber auch heimgezahlt worden. Unser Alter da oben lässt sich nicht spotten, *der* steht zu uns.«

»Ja«, sagte Innstetten, der klug genug war, auf solche Philistereien anscheinend ernsthaft einzugehen, »der Held und Eroberer von Saarbrücken wusste nicht, was er tat. Aber Sie dürfen nicht zu streng mit ihm persönlich abrechnen. Wer ist am Ende Herr in seinem Hause? Niemand. Ich richte mich auch schon darauf ein, die Zügel der Regierung in andere Hände zu legen, und Louis Napoleon, nun, der war vollends ein Stück Wachs in den Händen seiner katholischen Frau, oder sagen wir lieber, seiner jesuitischen Frau.«

»Wachs in den Händen seiner Frau, die ihm dann eine Nase drehte. Natürlich, Innstetten, das war er. Aber damit wollen Sie diese Puppe doch nicht etwa retten? Er ist und bleibt gerichtet. An und für sich ist es übrigens noch gar nicht 'mal erwiesen«, und sein Blick suchte bei diesen Worten etwas ängstlich nach dem Auge seiner Ehehälfte, »ob nicht Frauenherrschaft eigentlich als ein Vorzug gelten kann; nur freilich, die Frau muss danach sein. Aber wer war diese Frau? Sie war überhaupt keine Frau, im günstigsten Fall war sie eine Dame, das sagt alles; ›Dame‹ hat beinah immer einen Beigeschmack. Diese Eugenie – über deren Verhältnis zu dem jüdischen Bankier ich hier gern hingehe, denn ich hasse Tugendhochmut – hatte 'was vom Café chantant, und wenn die Stadt, in der sie lebte, das Babel war, so war sie das Weib von Babel. Ich mag mich nicht deutlicher ausdrücken, denn ich weiß«, und er verneigte sich gegen Effi, »was ich deutschen Frauen schuldig

---

Kanaille:
hier Anhänger der Republikaner

anno 70:
im Jahre 1870

mit jemandem anbinden:
Streit suchen

Unser Alter:
Bismarck

Philistereien:
spießbürgerliches Benehmen

Held und Eroberer:
Anspielung auf Besetzung Saarbrückens durch Frankreich 1870

Jesuit:
hier Mensch, der sich unaufrichtig verhält

Eugenie:
Napoleons Frau; sie soll ein Verhältnis mit Baron Rothschild (jüdischer Bankier) gehabt haben

Café chantant:
hier niveaulose Unterhaltung

Babel:
Anspielung auf die biblische Allegorie der Hure Babylon

bin. Um Vergebung, meine Gnädigste, dass ich diese Dinge vor Ihren Ohren überhaupt berührt habe.«

So war die Unterhaltung gegangen, nachdem man vorher von Wahl, Nobiling und Raps gesprochen hatte, und nun saßen Innstetten und Effi wieder daheim und plauderten noch eine halbe Stunde. Die beiden Mädchen im Hause waren schon zu Bett, denn es war nah' an Mitternacht.

Karl Eduard Nobiling: schoss 1878 auf Wilhelm I. und verwundete ihn schwer

Saffian: feines Ziegenleder

Innstetten, in kurzem Hausrock und Saffianschuhen, ging auf und ab; Effi war noch in ihrer Gesellschaftstoilette; Fächer und Handschuhe lagen neben ihr.

»Ja«, sagte Innstetten, während er sein Auf-und-Abschreiten im Zimmer unterbrach, »diesen Tag müssten wir nun wohl eigentlich feiern, und ich weiß nur noch nicht womit. Soll ich Dir einen Siegesmarsch vorspielen oder den Haifisch draußen in Bewegung setzen oder Dich im Triumph über den Flur tragen? Etwas muss doch geschehen, denn Du musst wissen, das war nun heute die letzte Visite.«

»Gott sei Dank, war sie's«, sagte Effi. »Aber das Gefühl, dass wir nun Ruhe haben, ist, denk' ich, gerade Feier genug. Nur einen Kuss könntest Du mir geben. Aber daran denkst Du nicht. Auf dem ganzen weiten Wege nicht gerührt, frostig wie ein Schneemann. Und immer nur die Zigarre.«

»Lass, ich werde mich schon bessern und will vorläufig nur wissen, wie stehst Du zu dieser ganzen Umgangs- und Verkehrsfrage? Fühlst Du Dich zu dem einen oder andern hingezogen? Haben die Borckes die Grasenabbs geschlagen, oder umgekehrt, oder hältst Du's mit dem alten Güldenklee? Was er da über die Eugenie sagte, machte doch einen sehr edlen und reinen Eindruck.«

medisant: sarkastisch

»Ei, sieh, Herr von Innstetten, auch medisant! Ich lerne Sie von einer ganz neuen Seite kennen.«

»Und wenn's unser Adel nicht tut«, fuhr Innstetten fort, ohne sich stören zu lassen, »wie stehst Du zu den Kessiner Stadthonoratioren? Wie stehst Du zur Ressource? Daran hängt doch am Ende Leben und Sterben. Ich habe Dich da neulich mit unserem reserveleutnantlichen Amtsrichter

Ressource: *hier* geschlossene Gesellschaft

sprechen sehen, einem zierlichen Männchen, mit dem sich vielleicht durchkommen ließe, wenn er nur endlich von der Vorstellung los könnte, die Wiedereroberung von Le Bourget durch sein Erscheinen in der Flanke zu Stande
5 gebracht zu haben. Und seine Frau! Sie gilt als die beste Bostonspielerin und hat auch die hübschesten Anlegemarken. Also nochmals, Effi, wie wird es werden in Kessin? Wirst Du Dich einleben? Wirst Du populär werden und mir die Majorität sichern, wenn ich in den Reichstag will?
10 Oder bist Du für Einsiedlertum, für Abschluss von der Kessiner Menschheit, so Stadt wie Land?«

»Ich werde mich wohl für Einsiedlertum entschließen, wenn mich die Mohrenapotheke nicht herausreißt. Bei Sidonie werd ich dadurch freilich noch etwas tiefer sinken,
15 aber darauf muss ich es ankommen lassen; dieser Kampf muss eben gekämpft werden. Ich steh' und falle mit Gieshübler. Es klingt etwas komisch, aber er ist wirklich der Einzige, mit dem sich ein Wort reden lässt, der einzige richtige Mensch hier.«
20 »Das ist er«, sagte Innstetten. »Wie gut Du zu wählen verstehst.«

»Hätte ich sonst *Dich?*« sagte Effi und hängte sich an seinen Arm.

Das war am 2. Dezember. Eine Woche später war Bismarck
25 in Varzin, und nun wusste Innstetten, dass bis Weihnachten, und vielleicht noch darüber hinaus, an ruhige Tage für ihn gar nicht mehr zu denken sei. Der Fürst hatte noch von Versailles her eine Vorliebe für ihn und lud ihn, wenn Besuch da war, häufig zu Tisch, aber auch allein, denn der ju-
30 gendliche, durch Haltung und Klugheit gleich ausgezeichnete Landrat stand ebenso in Gunst bei der Fürstin.

Zum 14. erfolgte die erste Einladung. Es lag Schnee, weshalb Innstetten die fast zweistündige Fahrt bis an den Bahnhof, von wo noch eine Stunde Eisenbahn war, im
35 Schlitten zu machen vorhatte. »Warte nicht auf mich, Effi.

Wiedereroberung von Le Bourget: 1870 schwer umkämpfter Ort, von Preußen zurückerobert

Flanke: seitlicher Teil einer militärischen Schlachtordnung

Boston: *hier* amerikan. Kartenspiel

Anlegemarken: Spielmarken

Majorität: Mehrheit

von Versailles her: Hauptquartier der dt. Armee im Deutsch-Franz. Krieg (1870/71)

in der Gunst von jmd. stehen: von jmd. geachtet werden

die Fürstin: Johanna von Bismarck

Vor Mitternacht kann ich nicht zurück sein; wahrscheinlich wird es zwei oder noch später. Ich störe dich aber nicht. Gehab dich wohl, und auf Wiedersehen morgen früh.« Und damit stieg er ein, und die beiden isabellfarbenen Graditzer jagten im Fluge durch die Stadt hin und dann landeinwärts auf den Bahnhof zu.

Das war die erste lange Trennung, fast auf zwölf Stunden. Arme Effi. Wie sollte sie den Abend verbringen? Früh zu Bett, das war gefährlich, dann wachte sie auf und konnte nicht wieder einschlafen und horchte auf alles. Nein, erst recht müde werden und dann ein fester Schlaf, das war das Beste. Sie schrieb einen Brief an die Mama und ging dann zu Frau Kruse, deren gemütskranker Zustand – sie hatte das schwarze Huhn oft bis in die Nacht hinein auf ihrem Schoß – ihr Teilnahme einflößte. Die Freundlichkeit indessen, die sich darin aussprach, wurde von der in ihrer überheizten Stube sitzenden und nur still und stumm vor sich hinbrütenden Frau keinen Augenblick erwidert, weshalb Effi, als sie wahrnahm, dass ihr Besuch mehr als Störung wie als Freude empfunden wurde, wieder ging und nur noch fragte, ob die Kranke etwas haben wolle. Diese lehnte aber alles ab.

Inzwischen war es Abend geworden, und die Lampe brannte schon. Effi stellte sich ans Fenster ihres Zimmers und sah auf das Wäldchen hinaus, auf dessen Zweigen der glitzernde Schnee lag. Sie war von dem Bilde ganz in Anspruch genommen und kümmerte sich nicht um das, was hinter ihr in dem Zimmer vorging. Als sie sich wieder umsah, bemerkte sie, dass Friedrich still und geräuschlos ein Kuvert gelegt und ein Kabarett auf den Sofatisch gestellt hatte. »Ja so, Abendbrot … Da werd' ich mich nun wohl setzen müssen.« Aber es wollte nicht schmecken, und so stand sie wieder auf und las den an die Mama geschriebenen Brief noch einmal durch. Hatte sie schon vorher ein Gefühl der Einsamkeit gehabt, so jetzt doppelt. Was hätte sie darum gegeben, wenn die beiden Jahnke'schen Rot-

---

Marginalien:

Gehab dich wohl: leb wohl

isabellfarben: braungelb

Graditzer: Pferd aus dem Staatsgestüt Graditz

Teilnahme: *hier* Mitgefühl

Kuvert: Gedeck

Kabarett: Speiseplatte mit kleinen Schüsseln

köpfe jetzt eingetreten wären oder selbst Hulda. Die war freilich immer so sentimental und beschäftigte sich meist nur mit ihren Triumphen, aber so zweifelhaft und anfecht-bar diese Triumphe waren, sie hätte sich in diesem Augen-blicke doch gern davon erzählen lassen. Schließlich klappte sie den Flügel auf, um zu spielen; aber es ging nicht. »Nein, dabei werd' ich vollends melancholisch; lieber lesen.« Und so suchte sie nach einem Buche. Das erste, was ihr zu Händen kam, war ein dickes, rotes Reisehandbuch, alter Jahrgang, vielleicht schon aus Innstettens Leutnants-tagen her. »Ja, darin will ich lesen; es gibt nichts Beruhi-genderes als solche Bücher. Das Gefährliche sind bloß im-mer die Karten; aber vor diesem Augenpulver, das ich hasse, werd' ich mich schon hüten.« Und so schlug sie denn auf gut Glück auf: Seite 153. Nebenan hörte sie das Ticktack der Uhr und draußen Rollo, der, seit es dunkel war, seinen Platz in der Remise aufgegeben und sich, wie jeden Abend, so auch heute wieder, auf die große geflochtene Matte, die vor dem Schlafzimmer lag, ausgestreckt hatte. Das Bewusstsein seiner Nähe minderte das Gefühl ihrer Verlassenheit, ja, sie kam fast in Stimmung, und so begann sie denn auch unverzüglich zu lesen. Auf der gerade vor ihr aufgeschlagenen Seite war von der »Eremitage«, dem bekannten markgräflichen Lustschloss in der Nähe von Bayreuth, die Rede; das lockte sie, Bayreuth, Richard Wagner, und so las sie denn: »Unter den Bildern in der Ere-mitage nennen wir noch eins, das nicht durch seine Schön-heit, wohl aber durch sein Alter und durch die Person, die es darstellt, ein Interesse beansprucht. Es ist dies ein stark nachgedunkeltes Frauenporträt, kleiner Kopf, mit herben, etwas unheimlichen Gesichtszügen und einer Halskrause, die den Kopf zu tragen scheint. Einige meinen, es sei eine alte Markgräfin aus dem Ende des fünfzehnten Jahrhun-derts, andere sind der Ansicht, es sei die Gräfin von Orla-münde; darin aber sind beide einig, dass es das Bildnis der Dame sei, die seither in der Geschichte der Hohenzollern

anfechtbar: kritisierbar

Augenpulver: schwer zu entzif-fernde Schrift

Eremitage: Lustschloss

Richard Wagner (1813–1883): berühmter deut-scher Komponist, Schriftsteller und Dirigent

Gräfin von Orlamünde: Sagenfigur, die ihre Kinder für eine Liebschaft ermorden ließ

»weiße Frau«:
Gräfin von
Orlamünde

unter dem Namen der ›weißen Frau‹ eine gewisse Berühmtheit erlangt hat.«

»Das hab' ich gut getroffen«, sagte Effi, während sie das Buch beiseiteschob; »ich will mir die Nerven beruhigen, und das Erste, was ich lese, ist die Geschichte von der wei- 5
ßen Frau, vor der ich mich gefürchtet habe, so lang' ich denken kann. Aber da nun das Gruseln 'mal da ist, will ich doch auch zu Ende lesen.«

Und sie schlug wieder auf und las weiter: ... Ebendies alte Porträt (dessen *Original* in der Hohenzollern'schen Famili- 10
engeschichte solche Rolle spielt) spielt als *Bild* auch eine Rolle in der Spezialgeschichte des Schlosses Eremitage, was wohl damit zusammenhängt, dass es an einer dem Fremden unsichtbaren Tapetentür hängt, hinter der sich

Souterrain:
Unter- oder
Kellergeschoss

eine vom Souterrain her hinaufführende Treppe befindet. 15
Es heißt, dass, als Napoleon hier übernachtete, die ›weiße Frau‹ aus dem Rahmen herausgetreten und auf sein Bett zugeschritten sei. Der Kaiser, entsetzt auffahrend, habe nach seinem Adjutanten gerufen und bis an sein Lebens-

maudit château:
verwunschenes
Schloss

ende mit Entrüstung von diesem ›maudit château‹ gespro- 20
chen.

»Ich muss es aufgeben, mich durch Lektüre beruhigen zu wollen«, sagte Effi. »Lese ich weiter, so komm ich gewiss noch nach einem Kellergewölbe, wo der Teufel auf einem

Kellergewölbe
[...]:
Anspielung auf
den Faust-Stoff:
Faust reitet
auf Grund einer
Wette auf einem
Fass aus einem
Weinkeller in
Leipzig

Weinfass davongeritten ist. Es gibt, glaub' ich, in Deutsch- 25
land viel dergleichen, und in einem Reisehandbuch muss es sich natürlich alles zusammenfinden. Ich will also lieber wieder die Augen schließen und mir, so gut es geht, meinen Polterabend vorstellen: die Zwillinge, wie sie vor Tränen nicht weiterkonnten, und dazu den Vetter Briest, der, 30
als sich alles verlegen anblickte, mit erstaunlicher Würde behauptete, solche Tränen öffneten einem das Paradies. Er war wirklich charmant und immer so übermütig ... Und nun ich! Und gerade hier. Ach, ich tauge doch gar nicht für eine große Dame. Die Mama, ja, die hätte hierher gepasst, 35
die hätte, wie's einer Landrätin zukommt, den Ton angege-

ben, und Sidonie Grasenabb wäre ganz Huldigung gegen sie gewesen und hätte sich über ihren Glauben oder Unglauben nicht groß beunruhigt. Aber ich ... ich bin ein Kind und werd' es auch wohl bleiben. Einmal hab ich gehört, das sei ein Glück. Aber ich weiß doch nicht, ob das wahr ist. Man muss doch immer dahin passen, wohin man nun 'mal gestellt ist.«

In diesem Augenblicke kam Friedrich, um den Tisch abzuräumen. »Wie spät ist es, Friedrich?«

»Es geht auf neun, gnäd'ge Frau.«

»Nun, das lässt sich hören. Schicken Sie mir Johanna.«

»Gnäd'ge Frau haben befohlen.«

»Ja, Johanna. Ich will zu Bett gehen. Es ist eigentlich noch früh. Aber ich bin so allein. Bitte, tun Sie den Brief erst ein, und wenn Sie wieder da sind, nun, dann wird es wohl Zeit sein. Und wenn auch nicht.«

Effi nahm die Lampe und ging in ihr Schlafzimmer hinüber. Richtig, auf der Binsenmatte lag Rollo. Als er Effi kommen sah, erhob er sich, um den Platz frei zu geben, und strich mit seinem Behang an ihrer Hand hin. Dann legte er sich wieder nieder.

Johanna war inzwischen nach dem Landratsamt hinübergegangen, um da den Brief einzustecken. Sie hatte sich drüben nicht sonderlich beeilt, vielmehr vorgezogen, mit der Frau Paaschen, des Amtsdieners Frau, ein Gespräch zu führen. Natürlich über die junge Frau.

»Wie ist sie denn?« fragte die Paaschen.

»Sehr jung ist sie.«

»Nun, das ist kein Unglück, eher umgekehrt. Die Jungen, und das ist eben das Gute, stehen immer bloß vorm Spiegel und zupfen und stecken sich 'was vor und sehen nicht viel und hören nicht viel und sind noch nicht so, dass sie draußen immer die Lichtstümpfe zählen und einem nicht gönnen, dass man einen Kuss kriegt, bloß weil sie selber keinen mehr kriegt.«

Huldigung:
Lob und
Anerkennung

Binsenmatte:
Matte aus einer
Pflanzenfaser

Behang:
hier Ohr des
Hundes

sich was
vorstecken:
anprobieren

Lichtstumpf:
Lichter

»Ja«, sagte Johanna, »so war meine vorige Madam, und ganz ohne Not. Aber davon hat unsere Gnäd'ge nichts.«

»Ist er denn sehr zärtlich?«

»Oh, sehr. Das können Sie doch wohl denken.«

»Aber dass er sie so allein lässt ...« 5

»Ja, liebe Paaschen, Sie dürfen nicht vergessen ... der Fürst. Und dann, er ist ja doch am Ende Landrat. Und vielleicht will er auch noch höher.«

»Gewiss will er. Und er wird auch noch. Er hat so 'was. Paaschen sagt es auch immer, und der kennt seine Leute.« 10 Während dieses Ganges drüben nach dem Amt hinüber war wohl eine Viertelstunde vergangen, und als Johanna wieder zurück war, saß Effi schon vor dem Trumeau und wartete.

»Sie sind lange geblieben, Johanna.« 15

»Ja, gnäd'ge Frau ... Gnäd'ge Frau wollen entschuldigen ... Ich traf drüben die Frau Paaschen, und da hab' ich mich ein wenig verweilt. Es ist so still hier. Man ist immer froh, wenn man einen Menschen trifft, mit dem man ein Wort sprechen kann. Christel ist eine sehr gute Person, aber sie 20 spricht nicht, und Friedrich ist so dusig und auch so vorsichtig und will mit der Sprache nie recht heraus. Gewiss, man muss auch schweigen können, und die Paaschen, die so neugierig und so ganz gewöhnlich ist, ist eigentlich gar nicht nach meinem Geschmack; aber man hat es doch 25 gern, wenn man 'mal 'was hört und sieht.«

Effi seufzte. »Ja, Johanna, das ist auch das Beste ...«

»Gnäd'ge Frau haben so schönes Haar, so lang und so seidenweich.«

»Ja, es ist sehr weich. Aber das ist nicht gut, Johanna. Wie 30 das Haar ist, ist der Charakter.«

»Gewiss, gnäd'ge Frau. Und ein weicher Charakter ist doch besser als ein harter. Ich habe auch weiches Haar.«

»Ja, Johanna. Und Sie haben auch blondes. Das haben die Männer am liebsten.« 35

verweilen: sich an einem Ort eine Zeit lang aufhalten

dusig: dumm, trüb

»Ach, das ist doch sehr verschieden, gnäd'ge Frau. Manche sind doch auch für das Schwarze.«

»Freilich«, lachte Effi, »das habe ich auch schon gefunden. Es wird wohl an 'was anderem liegen. Aber die, die blond sind, die haben auch immer einen weißen Teint, Sie auch, Johanna, und ich möchte mich wohl verwetten, dass Sie viel Nachstellung haben. Ich bin noch sehr jung, aber das weiß ich doch auch. Und dann habe ich eine Freundin, die war auch so blond, ganz flachsblond, noch blonder als Sie, und war eine Predigertochter ...«

»Ja, denn ...«

»Aber ich bitte Sie, Johanna, was meinen Sie mit ›ja denn‹? Das klingt ja ganz anzüglich und sonderbar, und Sie werden doch nichts gegen Predigerstöchter haben ... Es war ein sehr hübsches Mädchen, was selbst unsere Offiziere – wir hatten nämlich Offiziere, noch dazu rote Husaren – auch immer fanden, und verstand sich dabei sehr gut auf Toilette, schwarzes Sammetmieder und eine Blume, Rose oder auch Heliotrop, und wenn sie nicht so vorstehende große Augen gehabt hätte ... ach, die hätten Sie sehen sollen, Johanna, wenigstens so groß (und Effi zog unter Lachen an ihrem rechten Augenlid), so wäre sie geradezu eine Schönheit gewesen. Sie hieß Hulda, Hulda Niemeyer, und wir waren nicht einmal so ganz intim; aber wenn ich sie jetzt hierhätte, und sie da säße, da in der kleinen Sofaecke, so wollte ich bis Mitternacht mit ihr plaudern oder noch länger. Ich habe solche Sehnsucht und ...« und dabei zog sie Johannas Kopf dicht an sich heran,» ... ich habe solche Angst.«

»Ach, das gibt sich, gnäd'ge Frau, die hatten wir alle.« »Die hattet Ihr alle? Was soll das heißen, Johanna?«

»... Und wenn die gnäd'ge Frau wirklich solche Angst haben, so kann ich mir ja ein Lager hier machen. Ich nehme die Strohmatte und kehre einen Stuhl um, dass ich eine Kopflehne habe, und dann schlafe ich hier bis morgen früh oder bis der gnäd'ge Herr wieder da ist.«

»Er will mich nicht stören. Das hat er mir eigens versprochen.«

»Oder ich setze mich bloß in die Sofaecke.«

»Ja, das ginge vielleicht. Aber nein, es geht auch nicht. Der Herr darf nicht wissen, dass ich mich ängstige, das liebt er nicht. Er will immer, dass ich tapfer und entschlossen bin, so wie er. Und das kann ich nicht; ich war immer etwas anfällig … Aber freilich, ich sehe wohl ein, ich muss mich bezwingen und ihm in solchen Stücken und überhaupt zu Willen sein … Und dann habe ich ja auch Rollo. Der liegt ja vor der Türschwelle.«

Johanna nickte zu jedem Wort und zündete dann das Licht an, das auf Effis Nachttisch stand. Dann nahm sie die Lampe. »Befehlen gnäd'ge Frau noch etwas?«

»Nein, Johanna. Die Läden sind doch fest geschlossen?«

»Bloß angelegt, gnäd'ge Frau. Es ist sonst so dunkel und so stickig.«

»Gut, gut.«

Und nun entfernte sich Johanna; Effi aber ging auf ihr Bett zu und wickelte sich in ihre Decken.

Sie ließ das Licht brennen, weil sie gewillt war, nicht gleich einzuschlafen, vielmehr vorhatte, wie vorhin ihren Polterabend, so jetzt ihre Hochzeitsreise zu rekapitulieren und alles an sich vorüberziehen zu lassen. Aber es kam anders, wie sie gedacht, und als sie bis Verona war und nach dem Hause der Julia Capulet suchte, fielen ihr schon die Augen zu. Das Stümpfchen Licht in dem kleinen Silberleuchter brannte allmählich nieder, und nun flackerte es noch einmal auf und erlosch.

Effi schlief eine Weile ganz fest. Aber mit einem Male fuhr sie mit einem lauten Schrei aus ihrem Schlafe auf, ja, sie hörte selber noch den Aufschrei und auch, wie Rollo draußen anschlug; – »wau, wau« klang es den Flur entlang, dumpf und selber beinah ängstlich. Ihr war, als ob ihr das Herz stillstände; sie konnte nicht rufen, und in diesem Augenblicke huschte 'was an ihr vorbei, und die nach dem

rekapitulieren:
hier sich erinnern

Julia Capulet:
weibl. Hauptfigur
in William
Shakespeares
Tragödie *Romeo
und Julia* (1597)

Flur hinausführende Tür sprang auf. Aber eben dieser Moment höchster Angst war auch der ihrer Befreiung, denn, statt etwas Schrecklichem, kam jetzt Rollo auf sie zu, suchte mit seinem Kopf nach ihrer Hand und legte sich, als er diese gefunden, auf den vor ihrem Bett ausgebreiteten Teppich nieder. Effi selber aber hatte mit der anderen Hand dreimal auf den Knopf der Klingel gedrückt, und keine halbe Minute, so war Johanna da, barfüßig, den Rock über dem Arm und ein großes kariertes Tuch über Kopf und Schulter geschlagen.

»Gott sei Dank, Johanna, dass Sie da sind.«

»Was war denn, gnäd'ge Frau? Gnäd'ge Frau haben geträumt.«

»Ja, geträumt. Es muss so 'was gewesen sein ... aber es war doch auch noch 'was anderes.«

»Was denn, gnäd'ge Frau?«

»Ich schlief ganz fest, und mit einem Male fuhr ich auf und schrie ... vielleicht, dass es ein Albdruck war ... Albdruck ist in unserer Familie, mein Papa hat es auch und ängstigt uns damit, und nur die Mama sagt immer, er solle sich nicht so gehen lassen; aber das ist leicht gesagt ... Ich fuhr also auf aus dem Schlaf und schrie, und als ich mich umsah, so gut es eben ging in dem Dunkel, da strich 'was an meinem Bett vorbei, gerade da, wo Sie jetzt stehen, Johanna, und dann war es weg. Und wenn ich mich recht frage, was es war ...«

»Nun, was denn, gnäd'ge Frau?«

»Und wenn ich mich recht frage ... ich mag es nicht sagen, Johanna ... aber ich glaube, der Chinese.«

»Der von oben?« Und Johanna versuchte zu lachen, »unser kleiner Chinese, den wir an die Stuhllehne geklebt haben, Christel und ich? Ach, gnäd'ge Frau haben geträumt, und wenn Sie schon wach waren, so war es doch alles noch aus dem Traum.«

»Ich würd' es glauben. Aber es war genau derselbe Augenblick, wo Rollo draußen anschlug, der muss es also auch gesehen haben, und dann flog die Tür auf, und das gute,

Alpdruck: Alptraum

treue Tier sprang auf mich los, als ob es mich zu retten käme. Ach, meine liebe Johanna, es war entsetzlich. Und ich so allein, und so jung. Ach, wenn ich doch wen hierhätte, bei dem ich weinen könnte. Aber so weit von Hause ... Ach, von Hause ...«

»Der Herr kann jede Stunde kommen.«

»Nein, er soll nicht kommen; er soll mich so nicht sehen. Er würde mich vielleicht auslachen, und das könnt' ich ihm nie verzeihen. Denn es war so furchtbar, Johanna ... Sie müssen nun hierbleiben ... Aber lassen Sie Christel schlafen und Friedrich auch. Es soll keiner wissen.«

»Oder vielleicht kann ich auch die Frau Kruse holen; die schläft doch nicht, die sitzt die ganze Nacht da.«

»Nein, nein, die ist selber so 'was. Das mit dem schwarzen Huhn, das ist auch so 'was; die darf nicht kommen. Nein, Johanna, Sie bleiben allein hier. Und wie gut, dass Sie die Läden nur angelegt. Stoßen Sie sie auf, recht laut, dass ich einen Ton höre, einen menschlichen Ton, ... ich muss es so nennen, wenn es auch sonderbar klingt ... und dann machen Sie das Fenster ein wenig auf, dass ich Luft und Licht habe.«

Johanna tat, wie ihr geheißen, und Effi fiel in ihre Kissen zurück und bald danach in einen lethargischen Schlaf.

lethargisch:
tief, stumpf

ZEHNTES KAPITEL

Innstetten war erst sechs Uhr früh von Varzin zurückgekommen und hatte sich, Rollos Liebkosungen abwehrend, so leise wie möglich in sein Zimmer zurückgezogen. Er machte sich's hier bequem und duldete nur, dass ihn Friedrich mit einer Reisedecke zudeckte.

»Wecke mich um neun!«

Und um diese Stunde war er denn auch geweckt worden. Er stand rasch auf und sagte: »Bringe das Frühstück!«

»Die gnädige Frau schläft noch.«

»Aber es ist ja schon spät. Ist etwas passiert?«

»Ich weiß es nicht; ich weiß nur, Johanna hat die Nacht über im Zimmer der gnädigen Frau schlafen müssen.«

»Nun, dann schicke Johanna.«

Diese kam denn auch. Sie hatte denselben rosigen Teint wie immer, schien sich also die Vorgänge der Nacht nicht sonderlich zu Gemüte genommen zu haben.

»Was ist das mit der gnäd'gen Frau? Friedrich sagt mir, es sei 'was passiert und Sie hätten drüben geschlafen.«

»Ja, Herr Baron. Gnäd'ge Frau klingelte dreimal ganz rasch hintereinander, dass ich gleich dachte, es bedeutet 'was. Und so war es auch. Sie hat wohl geträumt oder vielleicht war es auch das andere.«

»Welches andere?«

»Ach, der gnäd'ge Herr wissen ja.«

»Ich weiß nichts. Jedenfalls muss ein Ende damit gemacht werden. Und wie fanden Sie die Frau?«

»Sie war wie außer sich und hielt das Halsband von Rollo, der neben dem Bett der gnäd'gen Frau stand, fest umklammert. Und das Tier ängstigte sich auch.«

»Und was hatte sie geträumt oder, meinetwegen auch, was hatte sie gehört oder gesehen? Was sagte sie?«

»Es sei so hingeschlichen, dicht an ihr vorbei.«

»Was? Wer?«

»Der von oben. Der aus dem Saal oder aus der kleinen Kammer.«

»Unsinn, sag' ich. Immer wieder das alberne Zeug; ich mag davon nicht mehr hören. Und dann blieben Sie bei der Frau?«

»Ja, gnäd'ger Herr. Ich machte mir ein Lager an der Erde dicht neben ihr. Und ich musste ihre Hand halten, und dann schlief sie ein.«

»Und sie schläft noch?«

»Ganz fest.«

»Das ist mir ängstlich, Johanna. Man kann sich gesund schlafen, aber auch krank. Wir müssen sie wecken, natür-

zu Gemüte nehmen: hier sich Sorgen machen

lich vorsichtig, dass sie nicht wieder erschrickt. Und Friedrich soll das Frühstück nicht bringen; ich will warten, bis die gnäd'ge Frau da ist. Und machen Sie's geschickt.«

Eine halbe Stunde später kam Effi. Sie sah reizend aus, ganz blass, und stützte sich auf Johanna. Als sie aber Innstetten ansichtig wurde, stürzte sie auf ihn zu und umarmte und küsste ihn. Und dabei liefen ihr die Tränen übers Gesicht. »Ach, Geert, Gott sei Dank, dass Du da bist. Nun ist alles wieder gut. Du darfst nicht wieder fort, Du darfst mich nicht wieder allein lassen.«

»Meine liebe Effi ... stellen Sie hin, Friedrich, ich werde schon alles zurechtmachen ... meine liebe Effi, ich lasse Dich ja nicht allein aus Rücksichtslosigkeit oder Laune, sondern weil es so sein muss; ich habe keine Wahl, ich bin ein Mann im Dienst, ich kann zum Fürsten oder auch zur Fürstin nicht sagen: Durchlaucht, ich kann nicht kommen, meine Frau ist so allein, oder meine Frau fürchtet sich. Wenn ich das sagte, würden wir in einem ziemlich komischen Licht dastehen, ich gewiss und Du auch. Aber nimm erst eine Tasse Kaffee.«

Effi trank, was sie sichtlich belebte. Dann ergriff sie wieder ihres Mannes Hand und sagte: »Du sollst recht haben; ich sehe ein, das geht nicht. Und dann wollen wir ja auch höher hinauf. Ich sage wir, denn ich bin eigentlich begieriger danach als Du ...«

»So sind alle Frauen«, lachte Innstetten.

»Also abgemacht; Du nimmst die Einladungen an nach wie vor, und ich bleibe hier und warte auf meinen ›hohen Herrn‹, wobei mir Hulda, unterm Holunderbaum einfällt. Wie's ihr wohl gehen mag?«

»Damen, wie Hulda geht es immer gut. Aber was wolltest Du noch sagen?«

»Ich wollte sagen, ich bleibe hier und auch allein, wenn es sein muss. Aber nicht in diesem Hause. Lass uns die Wohnung wechseln. Es gibt so hübsche Häuser am Bollwerk,

ansichtig werden: sehen

Durchlaucht: Anrede für Angehörige des höheren Adels im Rang von Fürsten

eins zwischen Konsul Martens und Konsul Grützmacher und eins am Markt, gerade gegenüber von Gieshübler; warum können wir da nicht wohnen? Warum gerade hier? Ich habe, wenn wir Freunde und Verwandte zum Besuch hatten, oft gehört, dass in Berlin Familien ausziehen wegen Klavierspiel oder wegen Schwaben oder wegen einer unfreundlichen Portiersfrau; wenn das um solcher Kleinigkeiten willen geschieht ...«

»Kleinigkeiten? Portiersfrau? Das sage nicht ...«

»Wenn das um solcher Dinge willen möglich ist, so muss es doch auch hier möglich sein, wo Du Landrat bist und die Leute Dir zu Willen sind und viele selbst zu Dank verpflichtet. Gieshübler würde uns gewiss dabei behilflich sein, wenn auch nur um meinetwegen, denn er wird Mitleid mit mir haben. Und nun sage, Geert, wollen wir dies verwunschene Haus aufgeben, dies Haus mit dem ...«

»... Chinesen, willst Du sagen. Du siehst, Effi, man kann das furchtbare Wort aussprechen, ohne dass er erscheint. Was Du da gesehen hast oder was da, wie Du meinst, an Deinem Bette vorüberschlich, das war der kleine Chinese, den die Mädchen oben an die Stuhllehne geklebt haben; ich wette, dass er einen blauen Rock anhatte und einen ganz flachen Deckelhut mit einem blanken Knopf oben.«
Sie nickte.

»Nun, siehst Du, Traum, Sinnestäuschung. Und dann wird Dir Johanna wohl gestern Abend 'was erzählt haben, von der Hochzeit hier oben ...«

»Nein.«

»Desto besser.«

»Kein Wort hat sie mir erzählt. Aber ich sehe doch aus dem allen, dass es hier etwas Sonderbares gibt. Und dann das Krokodil; es ist alles so unheimlich hier.«

»Den ersten Abend, als Du das Krokodil sahst, fandest Du's märchenhaft ...«

»Ja, damals ...«

Schwaben:
Mottenlarve

Portiersfrau:
Pförtnerin

»... Und dann, Effi, kann ich hier nicht gut fort, auch wenn es möglich wäre, das Haus zu verkaufen oder einen Tausch zu machen. Es ist damit ganz wie mit einer Absage nach Varzin hin. Ich kann hier in der Stadt die Leute nicht sagen lassen, Landrat Innstetten verkauft sein Haus, weil seine Frau den aufgeklebten kleinen Chinesen als Spuk an ihrem Bett gesehen hat. Dann bin ich verloren, Effi. Von solcher Lächerlichkeit kann man sich nie wieder erholen.«

»Ja, Geert, bist Du denn so sicher, dass es so 'was nicht gibt?«

»Will ich nicht behaupten. Es ist eine Sache, die man glauben und noch besser nicht glauben kann. Aber angenommen, es gäbe dergleichen, was schadet es? Dass in der Luft Bacillen herumfliegen, von denen Du gehört haben wirst, ist viel schlimmer und gefährlicher als diese ganze Geistertummellage. Vorausgesetzt, dass sie sich tummeln, dass so 'was wirklich existiert. Und dann bin ich überrascht, solcher Furcht und Abneigung gerade bei Dir zu begegnen, bei einer Briest. Das ist ja, wie wenn Du aus einem kleinen Bürgerhause stammtest. Spuk ist ein Vorzug, wie Stammbaum und dergleichen, und ich kenne Familien, die sich ebenso gern ihr Wappen nehmen ließen als ihre ›weiße Frau‹, die natürlich auch eine schwarze sein kann.«

Effi schwieg.

»Nun, Effi. Keine Antwort?«

»Was soll ich antworten? Ich habe Dir nachgegeben und mich willig gezeigt, aber ich finde doch, dass Du deinerseits teilnahmsvoller sein könntest. Wenn Du wüsstest, wie mir gerade danach verlangt. Ich habe sehr gelitten, wirklich sehr, und als ich Dich sah, da dacht' ich, nun würd' ich frei werden von meiner Angst. Aber Du sagst mir bloß, dass Du nicht Lust hättest, Dich lächerlich zu machen, nicht vor dem Fürsten und auch nicht vor der Stadt. Das ist ein geringer Trost. Ich finde es wenig und umso weniger, als Du Dir schließlich auch noch widersprichst, und nicht bloß persönlich an diese Dinge zu glauben scheinst, son-

Geister-
tummelage:
Geisterbewe-
gungen

dern auch noch einen adligen Spukstolz von mir forderst. Nun, den hab' ich nicht. Und wenn Du von Familien sprichst, denen ihr Spuk so viel wert sei wie ihr Wappen, so ist das Geschmackssache; mir gilt mein Wappen mehr. Gott sei Dank haben wir Briests keinen Spuk. Die Briests waren immer sehr gute Leute, und damit hängt es wohl zusammen.«

Der Streit hätte wohl noch angedauert und vielleicht zu einer ersten ernstlichen Verstimmung geführt, wenn Friedrich nicht eingetreten wäre, um der gnädigen Frau einen Brief zu übergeben. »Von Herrn Gieshübler. Der Bote wartet auf Antwort.«

Aller Unmut auf Effis Antlitz war sofort verschwunden; schon bloß Gieshüblers Namen zu hören, tat Effi wohl, und ihr Wohlgefühl steigerte sich, als sie jetzt den Brief musterte. Zunächst war es gar kein Brief, sondern ein Billett, die Adresse »Frau Baronin von Innstetten, geb. von Briest« in wundervoller Kanzleihandschrift, und statt des Siegels ein aufgeklebtes rundes Bildchen, eine Lyra, darin ein Stab steckte. Dieser Stab konnte aber auch ein Pfeil sein. Sie reichte das Billett ihrem Manne, der es ebenfalls bewunderte.

»Nun lies aber.«

Und nun löste Effi die Oblate und las: »Hochverehrteste Frau, gnädigste Frau Baronin! Gestatten Sie mir, meinem respektvollsten Vormittagsgruß eine ganz gehorsamste Bitte hinzufügen zu dürfen. Mit dem Mittagszuge wird eine vieljährige liebe Freundin von mir, eine Tochter unserer guten Stadt Kessin, Fräulein Marietta Trippelli, hier eintreffen und bis morgen früh unter uns weilen. Am 17. will sie in Petersburg sein, um daselbst bis Mitte Januar zu konzertieren. Fürst Kotschukoff öffnet ihr auch diesmal wieder sein gastliches Haus. In ihrer immer gleichen Güte gegen mich hat die Trippelli mir zugesagt, den heutigen Abend bei mir zubringen und einige Lieder ganz nach meiner Wahl (denn

Billett: Briefchen

Kanzleihandschrift: in Behörden früher übliche Frakturschrift

Lyra: antikes harfenähnliches Zupfinstrument

Oblate: Siegelblättchen

konzertieren: ein Konzert geben

sie kennt keine Schwierigkeiten) vortragen zu wollen. Könnten sich Frau Baronin dazu verstehen, diesem Musikabende beizuwohnen? Sieben Uhr. Ihr Herr Gemahl, auf dessen Erscheinen ich mit Sicherheit rechne, wird meine gehorsamste Bitte unterstützen. Anwesend nur Pastor Lindequist (der begleitet) und natürlich die verwitwete Frau Pastorin Trippel. In vorzüglicher Ergebenheit A. Gieshübler.«

»Nun –« sagte Innstetten, »ja oder nein?«

»Natürlich ja. Das wird mich herausreißen. Und dann kann ich doch meinem lieben Gieshübler nicht gleich bei seiner ersten Einladung einen Korb geben.«

»Einverstanden. Also Friedrich, sagen Sie Mirambo, der doch wohl das Billett gebracht haben wird, wir würden die Ehre haben.«

Friedrich ging. Als er fort war, fragte Effi: »Wer ist Mirambo?«

»Der echte Mirambo ist Räuberhauptmann in Afrika ... Tanganjika-See, wenn Deine Geografie so weit reicht ... unserer aber ist bloß Gieshüblers Kohlenprovisor und Faktotum und wird heute Abend in Frack und baumwollenen Handschuhen sehr wahrscheinlich aufwarten.«

Es war ganz ersichtlich, dass der kleine Zwischenfall auf Effi günstig eingewirkt und ihr ein gut Teil ihrer Leichtlebigkeit zurückgegeben hatte, Innstetten aber wollte das Seine tun, diese Rekonvaleszenz zu steigern. »Ich freue mich, dass Du ja gesagt hast und so rasch und ohne Besinnen, und nun möcht' ich Dir noch einen Vorschlag machen, um Dich ganz wieder in Ordnung zu bringen. Ich sehe wohl, es schleicht Dir von der Nacht her etwas nach, das zu meiner Effi nicht passt, das durchaus wieder fort muss, und dazu gibt es nichts Besseres als frische Luft. Das Wetter ist prachtvoll, frisch und milde zugleich, kaum dass ein Lüftchen geht; was meinst Du, wenn wir eine Spazierfahrt machten, aber eine lange, nicht bloß so durch die Plantage hin, und natürlich im Schlitten und das Geläut

die Ehre haben: *hier* so freundlich sein

Mirambo: afrikanischer Rebellenführer

Kohlenprovisor: *hier* scherzhafte Bezeichnung für den Apothekengehilfen

aufwarten: bewirten

Rekonvaleszenz: Genesungszeit

Plantage: bepflanzte Gartenanlage

auf und die weißen Schneedecken, und wenn wir dann um vier zurück sind, dann ruhst Du Dich aus, und um sieben sind wir bei Gieshübler und hören die Trippelli.«

Effi nahm seine Hand. »Wie gut Du bist, Geert, und wie nachsichtig. Denn ich muss Dir ja kindisch oder doch wenigstens sehr kindlich vorgekommen sein; erst das mit meiner Angst und dann hinterher, dass ich Dir einen Hausverkauf, und was noch schlimmer ist, das mit dem Fürsten ansinne. Du sollst ihm den Stuhl vor die Tür setzen – es ist zum Lachen. Denn schließlich ist er doch der Mann, der über uns entscheidet. Auch über mich. Du glaubst gar nicht, wie ehrgeizig ich bin. Ich habe Dich eigentlich bloß aus Ehrgeiz geheiratet. Aber Du musst nicht solch ernstes Gesicht dabei machen. Ich liebe Dich ja ... wie heißt es doch, wenn man einen Zweig abbricht und die Blätter abreißt? Von Herzen mit Schmerzen, über alle Maßen.«

Und sie lachte hell auf. »Und nun sage mir«, fuhr sie fort, als Innstetten noch immer schwieg, »wo soll es hingehen?« »Ich habe mir gedacht, nach der Bahnstation, aber auf einem Umwege, und dann auf der Chaussee zurück. Und auf der Station essen wir oder noch besser bei Golchowski, in dem Gasthofe ›Zum Fürsten Bismarck‹, dran wir, wenn Du Dich vielleicht erinnerst, am Tage unserer Ankunft vorüberkamen. Solch Vorsprechen wirkt immer gut, und ich habe dann mit dem Starosten von Effis Gnaden ein Wahlgespräch, und wenn er auch persönlich nicht viel taugt, seine Wirtschaft hält er in Ordnung und seine Küche noch besser. Auf Essen und Trinken verstehen sich die Leute hier.«

Es war gegen elf, dass sie dies Gespräch führten. Um zwölf hielt Kruse mit dem Schlitten vor der Tür, und Effi stieg ein. Johanna wollte Fußsack und Pelze bringen, aber Effi hatte nach allem, was noch auf ihr lag, so sehr das Bedürfnis nach frischer Luft, dass sie alles zurückwies und nur eine doppelte Decke nahm. Innstetten aber sagte zu Kruse: »Kruse, wir wollen nun also nach dem Bahnhof, wo wir

ansinnen: erbitten

Von Herzen mit Schmerzen [...]: Kinderspiel, bei dem Blüten einer Blume abgezupft werden, um die zukünftige Liebe vorauszusagen

Chaussee: ausgebaute Landstraße

zwei beide heute früh schon 'mal waren. Die Leute werden sich wundern, aber es schadet nichts. Ich denke, wir fahren hier an der Plantage entlang und dann links auf den Kroschentiner Kirchturm zu. Lassen Sie die Pferde laufen. Um eins müssen wir am Bahnhof sein.«

Und so ging die Fahrt. Über den weißen Dächern der Stadt stand der Rauch, denn die Luftbewegung war gering. Auch Utpatels Mühle drehte sich nur langsam, und im Fluge fuhren sie daran vorüber, dicht am Kirchhofe hin, dessen Berberitzensträucher über das Gitter hinauswuchsen und mit ihren Spitzen Effi streiften, sodass der Schnee auf ihre Reisedecke fiel. Auf der anderen Seite des Wegs war ein eingefriedeter Platz, nicht viel größer als ein Gartenbeet, und innerhalb nichts sichtbar als eine junge Kiefer, die mitten daraus hervorragte.

»Liegt da auch wer begraben?« fragte Effi.

»Ja: der Chinese.«

Effi fuhr zusammen; es war ihr wie ein Stich. Aber sie hatte doch Kraft genug, sich zu beherrschen, und fragte mit anscheinender Ruhe:

»Unserer?«

»Ja, unserer. Auf dem Gemeindekirchhof war er natürlich nicht unterzubringen, und da hat denn Kapitän Thomsen, der so 'was wie sein Freund war, diese Stelle gekauft und ihn hier begraben lassen. Es ist auch ein Stein da mit Inschrift. Alles natürlich vor meiner Zeit. Aber es wird noch immer davon gesprochen.«

»Also ist es doch 'was damit. Eine Geschichte. Du sagtest schon heute früh so 'was. Und es wird am Ende das beste sein, ich höre, was es ist. So lang' ich es nicht weiß, bin ich, trotz aller guten Vorsätze, doch immer ein Opfer meiner Vorstellungen. Erzähle mir das Wirkliche. Die Wirklichkeit kann mich nicht so quälen wie meine Fantasie.«

»Bravo, Effi. Ich wollte nicht davon sprechen. Aber nun macht es sich so von selbst, und das ist gut. Übrigens ist es eigentlich gar nichts.«

»Mir gleich; gar nichts oder viel oder wenig. Fange nur an.«

»Ja, das ist leicht gesagt. Der Anfang ist immer das schwerste, auch bei Geschichten. Nun, ich denke, ich beginne mit Kapitän Thomsen.«

»Gut, gut.«

»Also Thomsen, den ich Dir schon genannt habe, war viele Jahre lang ein so genannter Chinafahrer, immer mit Reisfracht zwischen Shanghai und Singapore, und mochte wohl schon sechzig sein, als er hier ankam. Ich weiß nicht, ob er hier geboren war oder ob er andere Beziehungen hier hatte. Kurz und gut, er war nun da und verkaufte sein Schiff, einen alten Kasten, draus er nicht viel herausschlug, und kaufte sich ein Haus, dasselbe, drin wir jetzt wohnen. Denn er war draußen in der Welt ein vermögender Mann geworden. Und von daher schreibt sich auch das Krokodil und der Haifisch und natürlich auch das Schiff ... Also Thomsen war nun da, ein sehr adretter Mann (so wenigstens hat man mir gesagt) und wohlgelitten. Auch beim Bürgermeister Kirstein, vor allem bei dem damaligen Pastor in Kessin, einem Berliner, der kurz vor Thomsen auch hierhergekommen war und viel Anfeindung hatte.«

»Glaub' ich. Ich merke das auch; sie sind hier so streng und selbstgerecht. Ich glaube, das ist pommersch.«

»Ja und nein, je nachdem. Es gibt auch Gegenden, wo sie gar nicht streng sind und wo's drunter und drüber geht ... Aber sieh' nur, Effi, da haben wir gerade den Kroschentiner Kirchturm dicht vor uns. Wollen wir nicht den Bahnhof aufgeben und lieber bei der alten Frau von Grasenabb vorfahren? Sidonie, wenn ich recht berichtet bin, ist nicht zu Hause. Wir könnten es also wagen ...«

»Ich bitte Dich, Geert, wo denkst Du hin? Es ist ja himmlisch, so hinzufliegen, und ich fühle ordentlich, wie mir so frei wird und wie alle Angst von mir abfällt. Und nun soll ich das alles aufgeben, bloß um den alten Leuten eine Stippvisite zu machen und ihnen sehr wahrscheinlich eine Verlegenheit zu schaffen. Um Gottes Willen nicht. Und

adrett:
anständig

wohlgelitten:
beliebt

Anfeindung
haben:
angegriffen
werden

Stippvisite:
Kurzbesuch

dann will ich vor allem auch die Geschichte hören. Also wir waren bei Kapitän Thomsen, den ich mir als einen Dänen oder Engländer denke, sehr sauber, mit weißen Vatermördern und ganz weißer Wäsche ...«

»Ganz richtig. So soll er gewesen sein. Und mit ihm war ei- 5 ne junge Person von etwa zwanzig, von der einige sagen, sie sei seine Nichte gewesen, aber die meisten sagen, seine Enkelin, was übrigens den Jahren nach kaum möglich. Und außer der Enkelin oder der Nichte war da auch noch ein Chinese, derselbe, der da zwischen den Dünen liegt und an 10 dessen Grab wir eben vorübergekommen sind.«

»Gut, gut.«

»Also dieser Chinese war Diener bei Thomsen, und Thomsen hielt so große Stücke auf ihn, dass er eigentlich mehr Freund als Diener war. Und das ging so Jahr und Tag. Da 15 mit einem Male hieß es, Thomsens Enkelin, die, glaub' ich, Nina hieß, solle sich, nach des Alten Wunsche, verheiraten, auch mit einem Kapitän. Und richtig, so war es auch. Es gab eine große Hochzeit im Hause, der Berliner Pastor tat sie zusammen, und Müller Utpatel, der ein Konventikler 20 war, und Gieshübler, dem man in der Stadt in kirchlichen Dingen auch nicht recht traute, waren geladen, und vor allem viele Kapitäne mit ihren Frauen und Töchtern. Und wie man sich denken kann, es ging hoch her. Am Abend aber war Tanz, und die Braut tanzte mit jedem und zuletzt 25 auch mit dem Chinesen. Da mit einem Mal hieß es, sie sei fort, die Braut nämlich. Und sie war auch wirklich fort, irgendwohin, und niemand weiß, was da vorgefallen. Und nach vierzehn Tagen starb der Chinese; Thomsen kaufte die Stelle, die ich Dir gezeigt habe, und da wurd' er begra- 30 ben. Der Berliner Pastor aber soll gesagt haben, man hätte ihn auch ruhig auf dem christlichen Kirchhof begraben können, denn der Chinese sei ein sehr guter Mensch gewesen und gerade so gut wie die anderen. Wen er mit den ›anderen‹ eigentlich gemeint hat, sagte mir Gieshübler, das 35 wisse man nicht recht.«

»Aber ich bin in dieser Sache doch ganz und gar gegen den Pastor; so 'was darf man nicht aussprechen, weil es gewagt und unpassend ist. Das würde selbst Niemeyer nicht gesagt haben.«

»Und ist auch dem armen Pastor, der übrigens Trippel hieß, sehr verdacht worden, sodass es eigentlich ein Glück war, dass er drüber hin starb, sonst hätte er seine Stelle verloren. Denn die Stadt, trotzdem sie ihn gewählt, war doch auch gegen ihn, gerade so wie Du, und das Konsistorium natürlich erst recht.«

»Trippel, sagst Du? Dann hängt er am Ende mit der Frau Pastor Trippel zusammen, die wir heute Abend sehen sollen?«

»Natürlich hängt er mit der zusammen. Er war ihr Mann und ist der Vater von der Trippelli.«

Effi lachte. »Von der Trippelli! Nun sehe ich erst klar in allem. Dass sie in Kessin geboren, schrieb ja schon Gieshübler; aber ich dachte, sie sei die Tochter von einem italienischen Konsul. Wir haben ja so viele fremdländische Namen hier. Und nun ist sie gut deutsch und stammt von Trippel. Ist sie denn so vorzüglich, dass sie wagen konnte, sich so zu italienisieren?«

»Dem Mutigen gehört die Welt. Übrigens ist sie ganz tüchtig. Sie war ein paar Jahre lang in Paris bei der berühmten Viardot, wo sie auch den russischen Fürsten kennen lernte, denn die russischen Fürsten sind sehr aufgeklärt, über kleine Standesvorurteile weg, und Kotschukoff und Gieshübler – den sie übrigens ›Onkel‹ nennt, und man kann fast von ihm sagen, er sei der geborne Onkel –, diese beiden sind es recht eigentlich, die die kleine Marie Trippel zu dem gemacht haben, was sie jetzt ist. Gieshübler war es, durch den sie nach Paris kam, und Kotschukoff hat sie dann in die Trippelli transponiert.«

»Ach, Geert, wie reizend ist das alles, und welch Alltagsleben habe ich doch in Hohen-Cremmen geführt! Nie was Apartes.«

---

verdenken: übel nehmen

Konsistorium: *hier* oberste Verwaltungsbehörde einer evangelischen Landeskirche

italienisieren: sich italienisch machen

Pauline Viardot-Garcia (1821–1910): berühmte französische Opernsängerin und Pianistin

aufgeklärt sein: der Philosophie der Aufklärung anhängen

transponieren: *hier* umbenennen

Innstetten nahm ihre Hand und sagte: »So darfst Du nicht sprechen, Effi. Spuk, dazu kann man sich stellen, wie man will. Aber hüte Dich vor dem Aparten oder was man so das Aparte nennt. Was Dir so verlockend erscheint – und ich rechne auch ein Leben dahin, wie's die Trippelli führt –, das bezahlt man in der Regel mit seinem Glück. Ich weiß wohl, wie sehr Du Dein Hohen-Cremmen liebst und daran hängst, aber Du spottest doch auch oft darüber und hast keine Ahnung davon, was stille Tage, wie die Hohen-Cremmner, bedeuten.«

»Doch, doch«, sagte sie. »Ich weiß es wohl. Ich höre nur gern einmal von etwas anderem, und dann wandelt mich die Lust an, mit dabei zu sein. Aber Du hast ganz recht. Und eigentlich hab' ich doch eine Sehnsucht nach Ruh' und Frieden.«

Innstetten drohte ihr mit dem Finger. »Meine einzig liebe Effi, das denkst Du Dir nun auch wieder so aus. Immer Fantasien, 'mal so, 'mal so.«

ELFTES KAPITEL

Die Fahrt verlief ganz wie geplant. Um ein Uhr hielt der Schlitten unten am Bahndamm vor dem Gasthause »Zum Fürsten Bismarck«, und Golchowski, glücklich, den Landrat bei sich zu sehen, war beflissen, ein vorzügliches Dejeuner herzurichten. Als zuletzt das Dessert und der Ungarwein aufgetragen wurden, rief Innstetten den von Zeit zu Zeit erscheinenden und nach der Ordnung sehenden Wirt heran und bat ihn, sich mit an den Tisch zu setzen und ihnen 'was zu erzählen. Dazu war Golchowski denn auch der rechte Mann; auf zwei Meilen in der Runde wurde kein Ei gelegt, von dem er nicht wusste. Das zeigte sich auch heute wieder. Sidonie Grasenabb, Innstetten hatte recht vermutet, war, wie vorige Weihnachten, so auch diesmal wieder auf vier Wochen zu »Hofpredi-

beflissen:
eifrig bemüht

Dejeuner:
(zweites)
Frühstück

Ungarwein:
Dessertwein

auf zwei Meilen
in der Runde:
im Umkreis von
zwei Meilen

gers« gereist; Frau von Palleske, so hieß es weiter, habe ihre Jungfer wegen einer fatalen Geschichte Knall und Fall entlassen müssen, und mit dem alten Fraude steh' es schlecht – es werde zwar in Kurs gesetzt, er sei bloß ausgeglitten, aber es sei ein Schlaganfall gewesen, und der Sohn, der in Lissa bei den Husaren stehe, werde jede Stunde erwartet. Nach diesem Geplänkel war man dann, zu Ernsthafterem übergehend, auf Varzin gekommen. »Ja«, sagte Golchowski, »wenn man sich den Fürsten so als Papiermüller denkt! Es ist doch alles sehr merkwürdig; eigentlich kann er die Schreiberei nicht leiden, und das bedruckte Papier erst recht nicht, und nun legt er doch selber eine Papiermühle an.«

in Kurs setzen: *hier* in Umlauf bringen

ausgleiten: ausrutschen

Papiermüller: Bismarck war Betreiber einer Papierfabrik

»Schon recht, lieber Golchowski«, sagte Innstetten, »aber aus solchen Widersprüchen kommt man im Leben nicht heraus. Und da hilft auch kein Fürst und keine Größe.«

»Nein, nein, da hilft keine Größe.«

Wahrscheinlich, dass sich dies Gespräch über den Fürsten noch fortgesetzt hätte, wenn nicht in ebendiesem Augenblicke die von der Bahn her herüberklingende Signalglocke einen bald eintreffenden Zug angemeldet hätte. Innstetten sah nach der Uhr.

»Welcher Zug ist das, Golchowski?«

»Das ist der Danziger Schnellzug; er hält hier nicht, aber ich gehe doch immer hinauf und zähle die Wagen, und mitunter steht auch einer am Fenster, den ich kenne. Hier, gleich hinter meinem Hofe, führt eine Treppe den Damm hinauf, Wärterhaus 417 ...«

»Oh, das wollen wir uns zu Nutze machen«, sagte Effi. »Ich sehe so gern Züge ...«

»Dann ist es die höchste Zeit, gnäd'ge Frau.«

Und so machten sich denn alle drei auf den Weg und stellten sich, als sie oben waren, in einem neben dem Wärterhaus gelegenen Gartenstreifen auf, der jetzt freilich unter Schnee lag, aber doch eine frei geschaufelte Stelle hatte. Der Bahnwärter stand schon da, die Fahne in der Hand.

Und jetzt jagte der Zug über das Bahnhofsgeleise hin und im nächsten Augenblick an dem Häuschen und an dem Gartenstreifen vorüber. Effi war so erregt, dass sie nichts sah und nur dem letzten Wagen, auf dessen Höhe ein Bremser saß, ganz wie benommen nachblickte. 5

»Sechs Uhr fünfzig ist er in Berlin«, sagte Innstetten, »und noch eine Stunde später, so können ihn die Hohen-Cremmner, wenn der Wind so steht, in der Ferne vorbeiklappern hören. Möchtest Du mit, Effi?«

Sie sagte nichts. Als er aber zu ihr hinüberblickte, sah er, 10 dass eine Träne in ihrem Auge stand.

Effi war, als der Zug vorbeijagte, von einer herzlichen Sehnsucht erfasst worden. So gut es ihr ging, sie fühlte sich trotzdem wie in einer fremden Welt. Wenn sie sich eben noch an dem einen oder andern entzückt hatte, so kam ihr 15 doch gleich nachher zum Bewusstsein, was ihr fehlte. Da drüben lag Varzin, und da nach der anderen Seite hin blitzte der Kroschentiner Kirchturm auf, und weithin der Morgenitzer, und da saßen die Grasenabbs und die Borckes, *nicht* die Bellings und *nicht* die Briests. »Ja, *die!*« Innstetten 20 hatte ganz recht gehabt mit dem raschen Wechsel ihrer Stimmung, und sie sah jetzt wieder alles, was zurücklag, wie in einer Verklärung. Aber so gewiss sie voll Sehnsucht dem Zuge nachgesehen, sie war doch andererseits viel zu beweglichen Gemüts, um lange dabei zu verweilen und 25 schon auf der Heimfahrt, als der rote Ball der niedergehenden Sonne seinen Schimmer über den Schnee ausgoss, fühlte sie sich wieder freier; alles erschien ihr schön und frisch, und als sie, nach Kessin zurückgekehrt, fast mit dem Glockenschlage sieben in den Gieshübler'schen Flur eintrat, war ihr nicht bloß behaglich, sondern beinah übermütig zu Sinn, wozu die das Haus durchziehende Baldrian- und Veilchenwurzel-Luft das ihrige beitragen mochte.

Pünktlich waren Innstetten und Frau erschienen, aber trotz dieser Pünktlichkeit immer noch hinter den anderen 35

Verklärung: *hier* Beschönigung

Baldrian- und Veilchenwurzel-Luft: Duft von Öl von Heilpflanzen mit beruhigender Wirkung

Geladenen zurückgeblieben; Pastor Lindequist, die alte
Frau Trippel und die Trippelli selbst waren schon da. Gieshübler – im blauen Frack mit mattgoldenen Knöpfen, dazu
Pincenez an einem breiten, schwarzen Bande, das wie ein
Ordensband auf der blendend weißen Piquéweste lag –,
Gieshübler konnte seiner Erregung nur mit Mühe Herr
werden.»Darf ich die Herrschaften miteinander bekannt
machen: Baron und Baronin Innstetten, Frau Pastor Trippel, Fräulein Marietta Trippelli.« Pastor Lindequist, den alle kannten, stand lächelnd beiseite.

Die Trippelli, Anfang der Dreißig, stark, männlich und von
ausgesprochen humoristischem Typus, hatte bis zu dem
Momente der Vorstellung den Sofa-Ehrenplatz innegehabt.
Nach der Vorstellung aber sagte sie, während sie auf einen
in der Nähe stehenden Stuhl mit hoher Lehne zuschritt:
»Ich bitte Sie nunmehr, gnäd'ge Frau, die Bürden und
Fährlichkeiten Ihres Amtes auf sich nehmen zu wollen.
Denn von ›Fährlichkeiten‹« – und sie wies auf das Sofa –
»wird sich in diesem Falle wohl sprechen lassen. Ich habe
Gieshübler schon vor Jahr und Tag darauf aufmerksam ge-
macht, aber leider vergeblich; so gut er ist, so eigensinnig
ist er auch.«

»Aber Marietta ...«

»Dies Sofa nämlich, dessen Geburt um wenigstens fünfzig
Jahre zurückliegt, ist noch nach einem altmodischen Ver-
senkungsprinzip gebaut, und wer sich ihm anvertraut,
ohne vorher einen Kissenturm untergeschoben zu haben,
sinkt ins Bodenlose, jedenfalls aber gerade tief genug, um
die Knie wie ein Monument aufragen zu lassen.« All dies
wurde seitens der Trippelli mit ebenso viel Bonhommie
wie Sicherheit hingesprochen, in einem Tone, der ausdrücken sollte: »Du bist die Baronin Innstetten, ich bin die
Trippelli.«

Gieshübler liebte seine Künstlerfreundin enthusiastisch
und dachte hoch von ihren Talenten; aber all seine Begeisterung konnte ihn doch nicht blind gegen die Tatsache ma-

Pincenez:
bügellose Brille,

Piquéweste:
Frackweste aus
Baumwollstoff,
die wie gesteppt
aussieht

Fährlichkeit:
Gefährlichkeit

chen, dass ihr von gesellschaftlicher Feinheit nur ein bescheidenes Maß zuteilgeworden war. Und diese Feinheit war gerade das, was er persönlich kultivierte. »Liebe Marietta«, nahm er das Wort, »Sie haben eine so reizend heitere Behandlung solcher Fragen; aber was mein Sofa betrifft, so haben Sie wirklich unrecht, und jeder Sachverständige mag zwischen uns entscheiden. Selbst ein Mann wie Fürst Kotschukoff ...«

»Ach, ich bitte Sie, Gieshübler, lassen Sie doch *den*. Immer Kotschukoff. Sie werden mich bei der gnäd'gen Frau hier noch in den Verdacht bringen, als ob ich bei diesem Fürsten – der übrigens nur zu den Kleineren zählt und nicht mehr als tausend Seelen hat, das heißt *hatte* (früher, wo die Rechnung noch nach Seelen ging) –, als ob ich stolz wäre, seine tausendundeinste Seele zu sein. Nein, es liegt wirklich anders; ›immer freiweg‹, Sie kennen meine Devise, Gieshübler. Kotschukoff ist ein guter Kamerad und mein Freund, aber von Kunst und ähnlichen Sachen versteht er gar nichts, von Musik gewiss nicht, wiewohl er Messen und Oratorien komponiert – die meisten russischen Fürsten, wenn sie Kunst treiben, fallen ein bisschen nach der geistlichen oder orthodoxen Seite hin –, und zu den vielen Dingen, von denen er nichts versteht, gehören auch unbedingt Einrichtungs- und Tapezierfragen. Er ist gerade vornehm genug, um sich alles als schön aufreden zu lassen, was bunt aussieht und viel Geld kostet.«

Innstetten amüsierte sich, und Pastor Lindequist war in einem allersichtlichsten Behagen. Die gute alte Trippel aber geriet über den ungenierten Ton ihrer Tochter aus einer Verlegenheit in die andere, während Gieshübler es für angezeigt hielt, eine so schwierig werdende Unterhaltung zu coupieren. Dazu waren etliche Gesangspiecen das beste. Dass Marietta Lieder von anfechtbarem Inhalt wählen würde, war nicht anzunehmen, und selbst wenn dies sein sollte, so war ihre Vortragskunst so groß, dass der Inhalt dadurch geadelt wurde. »Liebe Marietta«, nahm er also

---

das Wort, »ich habe unser kleines Mahl zu acht Uhr bestellt. Wir hätten also noch drei Viertelstunden, wenn Sie
nicht vielleicht vorziehen, während Tisch ein heitres Lied
zu singen oder vielleicht erst, wenn wir von Tisch aufgestanden sind ...«

»Ich bitte Sie, Gieshübler! Sie, der Mann der Ästhetik. Es
gibt nichts Unästhetischeres, als einen Gesangsvortrag mit
vollem Magen. Außerdem – und ich weiß, Sie sind ein
Mann der ausgesuchten Küche, ja Gourmand –, außerdem
schmeckt es besser, wenn man die Sache hinter sich hat.
Erst Kunst und dann Nusseis, das ist die richtige Reihenfolge.«

»Also ich darf Ihnen die Noten bringen, Marietta?«

»Noten bringen. Ja, was heißt das, Gieshübler? Wie ich Sie
kenne, werden Sie ganze Schränke voll Noten haben, und
ich kann Ihnen doch nicht den ganzen Bock und Bote vorspielen. Noten! Was für Noten, Gieshübler, darauf kommt
es an. Und dann, dass es richtig liegt, Altstimme ...«

»Nun, ich werde schon bringen.«

Und er machte sich an einem Schranke zu schaffen, ein
Fach nach dem andern herausziehend, während die Trippelli ihren Stuhl weiter links um den Tisch herum schob,
sodass sie nun dicht neben Effi saß.

»Ich bin neugierig, was er bringen wird«, sagte sie. Effi geriet dabei in eine kleine Verlegenheit.

»Ich möchte annehmen«, antwortete sie befangen, »etwas
von Gluck, etwas ausgesprochen Dramatisches ... Überhaupt, mein gnädigstes Fräulein, wenn ich mir die Bemerkung erlauben darf, ich bin überrascht, zu hören, dass Sie
lediglich Konzertsängerin sind. Ich dächte, dass Sie, wie
wenige, für die Bühne berufen sein müssten. Ihre Erscheinung, Ihre Kraft, Ihr Organ ... ich habe noch so wenig derart kennen gelernt, immer nur auf kurzen Besuchen in Berlin ... und dann war ich noch ein halbes Kind. Aber ich
dächte, Orpheus oder Chrimhild oder die Vestalin.«

Ästhetik:
Lehre vom
Schönen in der
Natur und Kunst

Gourmand:
hier Schlemmer

Bock und Bote:
Musikalienhand-
lung in Berlin

Christoph
Willibald Gluck
(1714–1787):
dt. Opern-
komponist

Orpheus:
Figur aus der
Oper *Orpheus
und Euridike* von
C. W. Gluck

Chrimhild:
Figur aus
der Oper
Die Nibelungen
von H. L. E. Dorn

Vestalin:
Oper von Gasparo
Spontini

Die Trippelli wiegte den Kopf und sah in Abgründe, kam aber zu keiner Entgegnung, weil eben jetzt Gieshübler wieder erschien und ein halbes Dutzend Notenhefte vorlegte, die seine Freundin in rascher Reihenfolge durch die Hand gleiten ließ. »›Erkönig‹ ... ah, bah; ›Bächlein, lass' dein Rauschen sein ...‹ Aber Gieshübler, ich bitte Sie, Sie sind ein Murmeltier, Sie haben sieben Jahre lang geschlafen ... Und hier Loewe'sche Balladen; auch nicht gerade das Neueste.

›Glocken von Speyer‹ ... Ach, dies ewige Bim Bam, das beinah' einer Kulissenreißerei gleichkommt, ist geschmacklos und abgestanden. Aber hier, ›Ritter Olaf‹ ... nun das geht.«
Und sie stand auf, und während der Pastor begleitete, sang sie den Olaf mit großer Sicherheit und Bravour und erntete allgemeinen Beifall.

Es wurde dann noch ähnlich Romantisches gefunden, einiges aus dem Fliegenden Holländer und aus Zampa, dann der Heideknabe, lauter Sachen, die sie mit ebenso viel Virtuosität wie Seelenruhe vortrug, während Effi von Text und Komposition wie benommen war.

Als die Trippelli mit dem Heideknaben fertig war, sagte sie: »Nun ist es genug«, eine Erklärung, die so bestimmt von ihr abgegeben wurde, dass weder Gieshübler noch ein anderer den Mut hatte, mit weiteren Bitten in sie zu dringen. Am wenigsten Effi. Diese sagte nur, als Gieshüblers Freundin wieder neben ihr saß: »Dass ich Ihnen doch sagen könnte, mein gnädigstes Fräulein, wie dankbar ich Ihnen bin! Alles so schön, so sicher, so gewandt. Aber eines, wenn Sie mir verzeihen, bewundere ich fast noch mehr, das ist die Ruhe, womit Sie diese Sachen vorzutragen wissen. Ich bin so leicht Eindrücken hingegeben, und wenn ich die kleinste Gespenstergeschichte höre, so zittere ich und kann mich kaum wieder zurechtfinden. Und Sie tragen das so mächtig und erschütternd vor und sind selbst ganz heiter und guter Dinge.«

Erkönig; Bächlein [...]: Gedichte, vertont von Franz Schubert

Loewe'sche Balladen: Musikstücke von Carl Loewe (1796–1869)

Glocken von Speyer: Gedicht, vertont von Carl Loewe (1838)

Ritter Olaf: *Herr Oluf,* Gedicht, vertont von Carl Loewe (1821)

Fliegender Holländer: Oper von Richard Wagner (1843)

Zampa oder die Marmorbraut: Oper von Louis Hérold (1832)

Heideknabe: Gedicht von Friedrich Hebbel (1844)

Virtuosität: künstlerisches Können

»Ja, meine gnädigste Frau, das ist in der Kunst nicht anders. Und nun gar erst auf dem Theater, vor dem ich übrigens glücklicherweise bewahrt geblieben bin. Denn so gewiss ich mich persönlich gegen seine Versuchungen gefeit fühle – es verdirbt den Ruf, also das Beste, was man hat. Im Übrigen stumpft man ab, wie mir Kolleginnen hundertfach versichert haben. Da wird vergiftet und erstochen, und der toten Julia flüstert Romeo einen Kalauer ins Ohr oder wohl auch eine Malice, oder er drückt ihr einen kleinen Liebesbrief in die Hand.«

»Es ist mir unbegreiflich. Und um bei dem stehen zu bleiben, was ich Ihnen diesen Abend verdanke, beispielsweise bei dem Gespenstischen im Olaf, ich versichere Ihnen, wenn ich einen ängstlichen Traum habe, oder wenn ich glaube, über mir hörte ich ein leises Tanzen oder Musizieren, während doch niemand da ist, oder es schleicht wer an meinem Bette vorbei, so bin ich außer mir und kann es tagelang nicht vergessen.«

»Ja, meine gnädige Frau, was Sie da schildern und beschreiben, das ist auch etwas anderes, das ist ja wirklich oder kann wenigstens etwas Wirkliches sein. Ein Gespenst, das durch die Ballade geht, da graule ich mich gar nicht, aber ein Gespenst, das durch meine Stube geht, ist mir, geradeso wie andern, sehr unangenehm. Darin empfinden wir also ganz gleich.«

»Haben Sie denn dergleichen auch einmal erlebt?«

»Gewiss. Und noch dazu bei Kotschukoff. Und ich habe mir auch ausbedungen, dass ich diesmal anders schlafe, vielleicht mit der englischen Gouvernante zusammen. Das ist nämlich eine Quäkerin, und da ist man sicher.«

»Und Sie halten dergleichen für möglich?«

»Meine gnädigste Frau, wenn man so alt ist wie ich und viel 'rumgestoßen wurde und in Russland war und sogar auch ein halbes Jahr in Rumänien, da hält man alles für möglich. Es gibt so viel schlechte Menschen, und das ande-

gefeit sein: vor etwas geschützt sein

Kalauer: auf einem Wortspiel beruhender Witz

Malice: Bosheit

graulen: gruseln

ausbedingen: bestehen auf

Quäkerin: Angehörige der Quäker-Sekte, bekannt für Frömmigkeit, Sittenstrenge und soziales Engagement

re findet sich dann auch, das gehört dann sozusagen mit dazu.«

Effi horchte auf.

»Ich bin«, fuhr die Trippelli fort, »aus einer sehr aufgeklärten Familie (bloß mit Mutter war es immer nicht so recht), und doch sagte mir mein Vater, als das mit dem Psychografen aufkam: ›Höre, Marie, das ist 'was.‹ Und er hat recht gehabt, es ist auch 'was damit. Überhaupt, man ist links und rechts umlauert, hinten und vorn. Sie werden das noch kennen lernen.«

In diesem Augenblicke trat Gieshübler heran und bot Effi den Arm, Innstetten führte Marietta, dann folgte Pastor Lindequist und die verwitwete Trippel. So ging man zu Tisch.

ZWÖLFTES KAPITEL

Es war spät, als man aufbrach. Schon bald nach zehn hatte Effi zu Gieshübler gesagt: »Es sei nun wohl Zeit; Fräulein Trippelli, die den Zug nicht versäumen dürfe, müsse ja schon um sechs von Kessin aufbrechen,« die daneben stehende Trippelli aber, die diese Worte gehört, hatte mit der ihr eigenen ungenierten Beredsamkeit gegen solche zarte Rücksichtnahme protestiert. »Ach, meine gnädigste Frau, Sie glauben, dass unsereins einen regelmäßigen Schlaf braucht, das trifft aber nicht zu; was wir regelmäßig brauchen, heißt Beifall und hohe Preise. Ja, lachen Sie nur. Außerdem (so 'was lernt man) kann ich auch im Coupé schlafen, in jeder Situation und sogar auf der linken Seite, und brauche nicht einmal das Kleid aufzumachen. Freilich bin ich auch nie eingepresst; Brust und Lunge müssen immer frei sein und vor allem das Herz. Ja, meine gnädigste Frau, das ist die Hauptsache. Und dann das Kapitel Schlaf überhaupt – die Menge tut es nicht, was entscheidet, ist die Qualität; ein guter Nicker von fünf

Psychograf: Buchstabenzeige-apparat, der Botschaften von Geistern sichtbar machen soll

Nicker: kurzer Schlaf im Sitzen

Minuten ist besser als fünf Stunden unruhige ›Rumdreherei‹, 'mal links, 'mal rechts. Übrigens schläft man in Russland wundervoll, trotz des starken Tees. Es muss die Luft machen oder das späte Diner oder weil man so verwöhnt wird. Sorgen gibt es in Russland nicht; darin – im Geldpunkt sind beide gleich – ist Russland noch besser als Amerika.«

Nach dieser Erklärung der Trippelli hatte Effi von allen Mahnungen zum Aufbruch Abstand genommen, und so war Mitternacht herangekommen. Man trennte sich heiter und herzlich und mit einer gewissen Vertraulichkeit. Der Weg von der Mohrenapotheke bis zur landrätlichen Wohnung war ziemlich weit; er kürzte sich aber dadurch, dass Pastor Lindequist bat, Innstetten und Frau eine Strecke begleiten zu dürfen; ein Spaziergang unterm Sternenhimmel sei das Beste, um über Gieshüblers Rheinwein hinwegzukommen. Unterwegs wurde man natürlich nicht müde, die verschiedensten Trippelliana heranzuziehen; Effi begann mit dem, was ihr in Erinnerung geblieben, und gleich nach ihr kam der Pastor an die Reihe. Dieser, ein Ironikus, hatte die Trippelli, wie nach vielem sehr Weltlichen, so schließlich auch nach ihrer kirchlichen Richtung gefragt und dabei von ihr in Erfahrung gebracht, dass sie nur eine Richtung kenne, die orthodoxe. Ihr Vater sei freilich ein Rationalist gewesen, fast schon ein Freigeist, weshalb er auch den Chinesen am liebsten auf dem Gemeindekirchhof gehabt hätte; sie ihrerseits sei aber ganz entgegengesetzter Ansicht, trotzdem sie persönlich des großen Vorzugs genieße, gar nichts zu glauben. Aber sie sei sich in ihrem entschiedenen Nichtglauben doch auch jeden Augenblick bewusst, dass das ein Spezialluxus sei, den man sich nur als Privatperson gestatten könne. Staatlich höre der Spaß auf, und wenn ihr das Kultusministerium oder gar ein Konsistorialregiment unterstünde, so würde sie mit unnachsichtiger Strenge vorgehen. »Ich fühle so 'was von einem Torquemada in mir.«

Trippelliana: Sammelbezeichnung für Aussagen von Marietta Trippelli

Ironikus: spottender Mensch

Rationalist: vernunftgläubiger Mensch

Freigeist: unabhängiger Denker

Thomas de Torquemada (1420–1498): spanischer oberster Richter bei Ketzerprozessen, bekannt für brutale Urteile

Innstetten war sehr erheitert und erzählte seinerseits, dass er etwas so Heikles, wie das Dogmatische, geflissentlich vermieden, aber dafür das Moralische desto mehr in den Vordergrund gestellt habe. Hauptthema sei das Verführerische gewesen, das beständige Gefährdetsein, das in allem öffentlichen Auftreten liege, worauf die Trippelli leichthin und nur mit Betonung der zweiten Satzhälfte geantwortet habe: »Ja, beständig gefährdet; am meisten die Stimme.«

Unter solchem Geplauder war, ehe man sich trennte, der Trippelli-Abend noch einmal an ihnen vorübergezogen, und erst drei Tage später hatte sich Gieshüblers Freundin durch ein von Petersburg aus an Effi gerichtetes Telegramm noch einmal in Erinnerung gebracht. Es lautete: Madame la Baronne d'Innstetten, née de Briest. Bien arrivée. Prince K. à la gare. Plus épris de moi que jamais. Mille fois merci de votre bon accueil. Compliments empressés à Monsieur le Baron. Marietta Trippelli.

Innstetten war entzückt und gab diesem Entzücken lebhafteren Ausdruck, als Effi begreifen konnte.

»Ich verstehe dich nicht, Geert.«

»Weil Du die Trippelli nicht verstehst. Mich entzückt die Echtheit; alles da, bis auf das Pünktchen überm i.«

»Du nimmst also alles als eine Komödie?«

»Aber als was sonst? Alles berechnet für dort und für hier, für Kotschukoff und für Gieshübler. Gieshübler wird wohl eine Stiftung machen, vielleicht auch bloß ein Legat für die Trippelli.«

Die musikalische Soiree bei Gieshübler hatte Mitte Dezember stattgefunden, gleich danach begannen die Vorbereitungen für Weihnachten, und Effi, die sonst schwer über diese Tage hingekommen wäre, segnete es, dass sie selber einen Hausstand hatte, dessen Ansprüche befriedigt werden mussten. Es galt nachsinnen, fragen, anschaffen, und das alles ließ trübe Gedanken nicht aufkommen. Am Tage vor Heiligabend trafen Geschenke von den Eltern aus Hohen-Cremmen ein, und mit in die Kiste waren allerhand

---

Marginalien:

das Dogmatische: verbindlicher religiöser Glaubenssatz

geflissentlich: absichtlich

Telegramm: Frau Baronin von Instetten, geb. von Briest. Gut angekommen. Fürst K. auf dem Bahnhof. Entzückter von mir denn je. Tausend Dank für Ihre gute Aufnahme. Verbindliche Empfehlungen an den Herrn Baron. Marietta Trippelli

Legat: Vermächtnis

Soiree: Abendgesellschaft

nachsinnen: nachdenken

Kleinigkeiten aus dem Kantorhause gepackt: wunderschö-
ne Reinetten von einem Baum, den Effi und Jahnke vor
mehreren Jahren gemeinschaftlich okuliert hatten, und dazu braune Puls- und Kniewärmer von Bertha und Hertha.
Hulda schrieb nur wenige Zeilen, weil sie, wie sie sich entschuldigte, für X. noch eine Reisedecke zu stricken habe.
»Was einfach nicht wahr ist«, sagte Effi. »Ich wette, X. existiert gar nicht. Dass sie nicht davon lassen kann, sich mit
Anbetern zu umgeben, die nicht da sind!« Und so kam Heiligabend heran. Innstetten selbst baute auf für seine junge
Frau, der Baum brannte, und ein kleiner Engel schwebte
oben in Lüften. Auch eine Krippe war da mit hübschen
Transparenten und Inschriften, deren eine sich in leiser
Andeutung auf ein dem Innstetten'schen Hause für nächstes Jahr bevorstehendes Ereignis bezog. Effi las es und errötete. Dann ging sie auf Innstetten zu, um ihm zu danken,
aber eh' sie dies konnte, flog, nach altpommerschem Weih-
nachtsbrauch, ein Julklapp in den Hausflur: eine große Kiste, drin eine Welt von Dingen steckte. Zuletzt fand man die
Hauptsache, ein zierliches, mit allerlei japanischen Bildchen überklebtes Morsellenkästchen, dessen eigentlichem
Inhalt auch noch ein Zettelchen beigegeben war. Es hieß
da:

> Drei Könige kamen zum Heiligenchrist,
> Mohrenkönig einer gewesen ist; –
> Ein Mohrenapothekerlein
> Erscheinet heute mit Spezerein,
> Doch statt Weihrauch und Myrrhen, die nicht zur Stelle,
> Bringt er Pistazien- und Mandel-Morselle.

Effi las es zwei-, dreimal und freute sich darüber. »Die Huldigungen eines guten Menschen haben doch etwas besonders Wohltuendes. Meinst Du nicht auch, Geert?« »Gewiss
meine ich das. Es ist eigentlich das Einzige, was einem
Freude macht oder wenigstens Freude machen sollte.
Denn jeder steckt noch so nebenher in allerhand dummem
Zeuge drin. Ich auch. Aber freilich, man ist, wie man ist.«

Reinetten:
Apfelsorte

okulieren:
veredeln

Julklapp:
nordeuropäischer
Weihnachts-
brauch, bei dem
Geschenke ins
Zimmer geworfen
werden

Morsellen:
Süßigkeit u. a.
aus Schokolade
und Mandeln

Spezerein:
Delikatessen

Der erste Feiertag war Kirchtag, am zweiten war man bei
Borckes draußen, alles zugegen, mit Ausnahme von Grasenabbs, die nicht kommen wollten, »weil Sidonie nicht da
sei,« was man als Entschuldigung allseitig ziemlich sonderbar fand. Einige tuschelten sogar: »Umgekehrt; gerade 5
deshalb hätten sie kommen sollen.« Am Silvester war
Ressourcenball, auf dem Effi nicht fehlen durfte und auch
nicht wollte, denn der Ball gab ihr Gelegenheit, endlich einmal die ganze Stadtflora beisammen zu sehen. Johanna
hatte mit den Vorbereitungen zum Ballstaate für ihre 10
Gnäd'ge vollauf zu tun, Gieshübler, der, wie alles, so auch
ein Treibhaus hatte, schickte Kamelien, und Innstetten, so
knapp bemessen die Zeit für ihn war, fuhr am Nachmittage
noch über Land nach Papenhagen, wo drei Scheunen ab-
gebrannt waren. 15

Es war ganz still im Hause. Christel, beschäftigungslos,
hatte sich schläfrig eine Fußbank an den Herd gerückt, und
Effi zog sich in ihr Schlafzimmer zurück, wo sie sich, zwischen Spiegel und Sofa, an einen kleinen, eigens zu diesem
Zweck zurechtgemachten Schreibtisch setzte, um von hier 20
aus an die Mama zu schreiben, der sie für Weihnachtsbrief
und Weihnachtsgeschenke bis dahin bloß in einer Karte
gedankt, sonst aber seit Wochen keine Nachricht gegeben
hatte.

Kessin, 31. Dezember. Meine liebe Mama! Das wird nun 25
wohl ein langer Schreibebrief werden, denn ich habe – die
Karte rechnet nicht – lange nichts von mir hören lassen.
Als ich das letzte Mal schrieb, steckte ich noch in den
Weihnachtsvorbereitungen, jetzt liegen die Weihnachts-
tage schon zurück. Innstetten und mein guter Freund 30
Gieshübler hatten alles aufgeboten, mir den Heiligen
Abend so angenehm wie möglich zu machen, aber ich fühl-
te mich doch ein wenig einsam und bangte mich nach
Euch. Überhaupt, so viel Ursache ich habe, zu danken und
froh und glücklich zu sein, ich kann ein Gefühl des Allein- 35
seins nicht ganz loswerden, und wenn ich mich früher,

zugegen:
anwesend

Ressourcenball:
Ball einer
geschlossenen
Gesellschaft

Stadtflora:
hier Stadt-
menschen

Kamelien:
ostasiatische
Zierpflanze

aufbieten:
einsetzen

vielleicht mehr als nötig, über Huldas ewige Gefühlsträne moquiert habe, so werde ich jetzt dafür bestraft und habe selber mit dieser Träne zu kämpfen. Denn Innstetten darf es nicht sehen. Ich bin aber sicher, dass das alles besser werden wird, wenn unser Hausstand sich mehr belebt, und das wird der Fall sein, meine liebe Mama. Was ich neulich andeutete, das ist nun Gewissheit, und Innstetten bezeugt mir täglich seine Freude darüber. Wie glücklich ich selber im Hinblick darauf bin, brauche ich nicht erst zu versichern, schon weil ich dann Leben und Zerstreuung um mich her haben werde oder, wie Geert sich ausdrückt, ein »liebes Spielzeug«. Mit diesem Worte wird er wohl recht haben, aber er sollte es lieber nicht gebrauchen, weil es mir immer einen kleinen Stich gibt und mich daran erinnert, wie jung ich bin, und dass ich noch halb in die Kinderstube gehöre. Diese Vorstellung verlässt mich nicht (Geert meint, es sei krankhaft), und bringt es zu Wege, dass das, was mein höchstes Glück sein sollte, doch fast noch mehr eine beständige Verlegenheit für mich ist. Ja, meine liebe Mama, als die guten Flemming'schen Damen sich neulich nach allem Möglichen erkundigten, war mir zu Mut, als stünd' ich schlecht vorbereitet in einem Examen, und ich glaube auch, dass ich recht dumm geantwortet habe. Verdrießlich war ich auch. Denn manches, was wie Teilnahme aussieht, ist doch bloß Neugier und wirkt umso zudringlicher, als ich ja noch lange, bis in den Sommer hinein, auf das frohe Ereignis zu warten habe. Ich denke, die ersten Julitage. Dann musst Du kommen oder noch besser, sobald ich einigermaßen wieder bei Wege bin, komme ich, nehme hier Urlaub und mache mich auf nach Hohen-Cremmen. Ach, wie ich mich darauf freue und auf die havelländische Luft – hier ist es fast immer rau und kalt – und dann jeden Tag eine Fahrt ins Luch, alles rot und gelb, und ich sehe schon, wie das Kind die Hände danach streckt, denn es wird doch wohl fühlen, dass es eigentlich da zu Hause ist. Aber das schreibe ich nur Dir. Innstetten darf nicht davon wissen,

mokieren: sich lustig machen

und auch Dir gegenüber muss ich mich wie entschuldigen, dass ich mit dem Kinde nach Hohen-Cremmen will und mich heute schon anmelde, statt Dich, meine liebe Mama, dringend und herzlich nach Kessin hin einzuladen, das ja doch jeden Sommer fünfzehnhundert Badegäste hat und Schiffe mit allen möglichen Flaggen und sogar ein Dünenhotel. Aber dass ich so wenig Gastlichkeit zeige, das macht nicht, dass ich ungastlich wäre, so sehr bin ich nicht aus der Art geschlagen, das macht einfach unser landrätliches Haus, das, so viel Hübsches und Apartes es hat, doch eigentlich gar kein richtiges Haus ist, sondern nur eine Wohnung für zwei Menschen, und auch das kaum, denn wir haben nicht einmal ein Esszimmer, was doch genant ist, wenn ein paar Personen zu Besuch sich einstellen. Wir haben freilich noch Räumlichkeiten im ersten Stock, einen großen Saal und vier kleine Zimmer, aber sie haben alle etwas wenig Einladendes, und ich würde sie Rumpelkammern nennen, wenn sich etwas Gerümpel darin vorfände; sie sind aber ganz leer, ein paar Binsenstühle abgerechnet, und machen, das Mindeste zu sagen, einen sehr sonderbaren Eindruck. Nun wirst Du wohl meinen, das alles sei ja leicht zu ändern. Aber es ist nicht zu ändern; denn das Haus, das wir bewohnen, ist … ist ein Spukhaus; da ist es heraus. Ich beschwöre Dich übrigens, mir auf diese meine Mitteilung nicht zu antworten, denn ich zeige Innstetten immer Eure Briefe, und er wäre außer sich, wenn er erführe, dass ich Dir das geschrieben. Ich hätte es auch nicht getan, und zwar umso weniger, als ich seit vielen Wochen in Ruhe geblieben bin und aufgehört habe, mich zu ängstigen; aber Johanna sagt mir, es käme immer 'mal wieder, namentlich wenn wer Neues im Hause erschiene. Und ich kann Dich doch einer solchen Gefahr oder, wenn das zu viel gesagt ist, einer solchen eigentümlichen und unbequemen Störung nicht aussetzen! Mit der Sache selber will ich Dich heute nicht behelligen, jedenfalls nicht ausführlich. Es ist eine Geschichte von einem alten Kapitän, einem so genannten Chinafahrer, und seiner Enkelin, die mit einem hiesigen jungen Kapitän eine kurze Zeit verlobt war und an ihrem Hochzeitstage plötzlich verschwand. Das möchte hingeh'n. Aber was wichtiger ist, ein junger Chinese, den ihr Vater aus China mit zurückgebracht hatte und der erst der Diener und dann der Freund des Alten war, der starb kurze Zeit danach und ist an einer einsamen Stelle neben dem Kirchhof begraben worden. Ich bin neulich da vorübergefahren, wandte mich aber rasch ab und sah nach der andern Seite, weil ich glaube, ich hätte ihn sonst auf dem Grabe sitzen sehen. Denn ach, meine liebe Mama, ich habe ihn einmal wirklich gesehen, oder es ist mir wenigstens so vorgekommen, als ich fest schlief und Innstetten auf Besuch beim Fürsten war. Es war schrecklich; ich möchte so 'was nicht wieder erleben. Und in ein solches Haus, so hübsch es sonst ist (es ist sonderbarerweise gemütlich und unheimlich zugleich), kann ich Dich doch nicht gut einladen. Und Innstetten, trotzdem ich ihm schließlich in vielen Stücken zustimmte, hat sich dabei, so viel möcht' ich sagen dürfen, auch nicht ganz richtig benommen. Er verlangte von mir, ich solle das alles als alten Weiberunsinn ansehn und darüber lachen, aber mit einem Mal schien er doch auch wieder selber daran zu glauben und stellte mir zugleich die sonderbare Zumutung, einen solchen Hausspuk als etwas Vornehmes und Altadliges anzusehen. Das kann ich aber nicht und will es auch nicht. Er ist in diesem Punkte, so gütig er sonst ist, nicht gütig und nachsichtig genug gegen mich. Denn dass es etwas damit ist, das weiß ich von Johanna und weiß es auch von unserer Frau Kruse. Das ist nämlich unsere Kutscherfrau, die mit einem schwarzen Huhn beständig in einer überheizten Stube sitzt. Dies allein schon ist ängstlich genug. Und nun weißt Du, warum ich kommen will, wenn es erst so weit ist. Ach, wäre es nur erst so weit. Es sind so viele Gründe, warum ich es wünsche. Heute Abend haben wir Silvesterball, und Gieshübler – der einzig nette Mensch hier, trotzdem er

hingehen:
hier akzeptabel sein

eine hohe Schulter hat, oder eigentlich schon etwas mehr
–, Gieshübler hat mir Kamelien geschickt. Ich werde doch
vielleicht tanzen. Unser Arzt sagt, es würde mir nichts
schaden, im Gegenteil. Und Innstetten, was mich fast über-
raschte, hat auch eingewilligt. Und nun grüße und küsse
Papa und all' die andern Lieben. Glückauf zum neuen Jahr.
Deine Effi.

DREIZEHNTES KAPITEL

Der Silvesterball hatte bis an den frü-
hen Morgen gedauert, und Effi war ausgiebig bewundert
worden, freilich nicht ganz so anstandslos wie das Ka-
melienbukett, von dem man wusste, dass es aus dem Gieshübler'schen Treibhause kam. Im Übrigen blieb auch nach
dem Silvesterball alles beim Alten, kaum dass Versuche gesellschaftlicher Annäherung gemacht worden wären, und
so kam es denn, dass der Winter als recht lange dauernd
empfunden wurde. Besuche seitens der benachbarten
Adelsfamilien fanden nur selten statt, und dem pflichtschuldigen Gegenbesuche ging in einem halben Trauerton
jedes Mal die Bemerkung voraus: »Ja, Geert, wenn es
durchaus sein muss, aber ich vergehe vor Langerweile.«
Worte, denen Innstetten nur immer zustimmte. Was an
solchen Besuchsnachmittagen über Familie, Kinder, auch
Landwirtschaft gesagt wurde, mochte gehen; wenn dann
aber die kirchlichen Fragen an die Reihe kamen und die
mitanwesenden Pastoren wie kleine Päpste behandelt
wurden oder sich auch wohl selbst als solche ansahen,
dann riss Effi der Faden der Geduld, und sie dachte mit
Wehmut an Niemeyer, der immer zurückhaltend und anspruchslos war, trotzdem es bei jeder größeren Feierlichkeit
hieß, er habe das Zeug, an den »Dom« berufen zu werden.
Mit den Borckes, den Flemmings, den Grasenabbs, so
freundlich die Familien, von Sidonie Grasenabb abgesehen,

anstandslos:
bereitwillig

Bukett:
Strauß

Dom:
Berliner Dom,
Hauptkirche
des preußischen
Protestantismus
und Hofkirche
des Kaisers

gesinnt waren – es wollte mit allen nicht so recht gehen, und es hätte mit Freude, Zerstreuung und auch nur leidlichem Sich-behaglich-Fühlen manchmal recht schlimm gestanden, wenn Gieshübler nicht gewesen wäre. Der sorgte für Effi wie eine kleine Vorsehung, und sie wusste es ihm auch Dank. Natürlich war er, neben allem andern, auch ein eifriger und aufmerksamer Zeitungsleser, ganz zu geschweigen, dass er an der Spitze des Journalzirkels stand, und so verging denn fast kein Tag, wo nicht Mirambo ein großes, weißes Kuvert gebracht hätte mit allerhand Blättern und Zeitungen, in denen die betreffenden Stellen angestrichen waren, meist eine kleine, feine Bleistiftlinie, mitunter aber auch dick mit Blaustift und ein Ausrufungs- oder Fragezeichen daneben. Und dabei ließ er es nicht bewenden; er schickte auch Feigen und Datteln, Schokoladentafeln in Satineepapier und ein rotes Bändchen drum, und wenn etwas besonders Schönes in seinem Treibhaus blühte, so brachte er es selbst und hatte dann eine glückliche Plauderstunde mit der ihm so sympathischen jungen Frau, für die er alle schönen Liebesgefühle durch- und nebeneinander hatte, die des Vaters und Onkels, des Lehrers und Verehrers. Effi war gerührt von dem allen und schrieb öfters darüber nach Hohen-Cremmen, sodass die Mama sie mit ihrer »Liebe zum Alchimisten« zu necken begann; aber diese wohlgemeinten Neckereien verfehlten ihren Zweck, ja berührten sie beinahe schmerzlich, weil ihr, wenn auch unklar, dabei zum Bewusstsein kam, was ihr in ihrer Ehe eigentlich fehlte: Huldigungen, Anregungen, kleine Aufmerksamkeiten. Innstetten war lieb und gut, aber ein Liebhaber war er nicht. Er hatte das Gefühl, Effi zu lieben, und das gute Gewissen, dass es so sei, ließ ihn von besonderen Anstrengungen absehen. Es war fast zur Regel geworden, dass er sich, wenn Friedrich die Lampe brachte, aus seiner Frau Zimmer in sein eigenes zurückzog. »Ich habe da noch eine verzwickte Geschichte zu erledigen.« Und damit ging er. Die Portiere blieb freilich zurückgeschlagen, sodass Effi

Vorsehung: höhere Macht, die das Schicksal der Menschen lenkt

Journalzirkel: Kreis von Zeitungslesern

Satineepapier: feines, seidigglänzendes Buntpapier

Alchimist: »Goldmacher« im Mittelalter

Huldigung: Anerkennung

das Blättern in dem Aktenstück oder das Kritzeln seiner
Feder hören konnte, aber das war auch alles. Rollo kam
dann wohl und legte sich vor sie hin auf den Kaminteppich, als ob er sagen wolle:»Muss nur 'mal wieder nach Dir
sehen; ein anderer tut's doch nicht.« Und dann beugte sie 5
sich nieder und sagte leise:»Ja, Rollo, wir sind allein.« Um
neun erschien dann Innstetten wieder zum Tee, meist die
Zeitung in der Hand, sprach vom Fürsten, der wieder viel
Ärger habe, zumal über diesen Eugen Richter, dessen Haltung und Sprache ganz unqualifizierbar seien, und ging 10
dann die Ernennungen und Ordensverleihungen durch,
von denen er die meisten beanstandete. Zuletzt sprach er
von den Wahlen, und dass es ein Glück sei, einem Kreise
vorzustehen, in dem es noch Respekt gäbe. War er damit
durch, so bat er Effi, dass sie 'was spiele, aus Lohengrin 15
oder aus der Walküre, denn er war ein Wagner-Schwärmer.
Was ihn zu diesem hinübergeführt hatte, war ungewiss;
einige sagten, seine Nerven, denn so nüchtern er schien,
eigentlich war er nervös; andere schoben es auf Wagners
Stellung zur Judenfrage. Wahrscheinlich hatten beide 20
recht. Um zehn war Innstetten dann abgespannt und erging sich in ein paar wohlgemeinten, aber etwas müden
Zärtlichkeiten, die sich Effi gefallen ließ, ohne sie recht zu
erwidern.

So verging der Winter, der April kam, und in dem Garten 25
hinter dem Hof begann es zu grünen, worüber sich Effi
freute; sie konnte gar nicht abwarten, dass der Sommer
komme mit seinen Spaziergängen am Strand und seinen
Badegästen. Wenn sie so zurückblickte, der Trippelli-
Abend bei Gieshübler und dann der Silvesterball, ja, das 30
ging, das war etwas Hübsches gewesen; aber die Monate,
die dann gefolgt waren, die hatten doch viel zu wünschen
übrig gelassen, und vor allem waren sie so monoton gewesen, dass sie sogar 'mal an die Mama geschrieben hatte:
»Kannst Du Dir denken, Mama, dass ich mich mit unsrem 35

Eugen Richter
(1838–1906):
linksliberaler
Politiker, Gegner
Bismarcks

unqualifizierbar:
nicht gebildet

Lohengrin
(1850) und
Walküre (1870):
Opern von
Richard Wagner

Wagners Stellung
zur Judenfrage:
Richard Wagner
war u. a. für seine
judenfeindlichen
Schriften bekannt
(*Das Judentum in
der Musik*, 1852)

Spuk beinah' ausgesöhnt habe? Natürlich die schreckliche Nacht, wo Geert drüben beim Fürsten war, die möcht' ich nicht noch einmal durchmachen, nein, gewiss nicht; aber immer das Alleinsein und so gar nichts erleben, das hat doch auch sein Schweres, und wenn ich dann in der Nacht aufwache, dann horche ich mitunter hinauf, ob ich nicht die Schuhe schleifen höre, und wenn alles still bleibt, so bin ich fast wie enttäuscht und sage mir: Wenn es doch nur wiederkäme, nur nicht zu arg und nicht zu nah.«

Das war im Februar, dass Effi so schrieb, und nun war beinahe Mai. Drüben in der Plantage belebte sich's schon wieder, und man hörte die Finken schlagen. Und in derselben Woche war es auch, dass die Störche kamen, und einer schwebte langsam über ihr Haus hin und ließ sich dann auf einer Scheune nieder, die neben Utpatels Mühle stand. Das war seine alte Raststätte. Auch über dies Ereignis berichtete Effi, die jetzt überhaupt häufiger nach Hohen-Cremmen schrieb, und es war in demselben Brief, dass es am Schlusse hieß: »Etwas, meine liebe Mama, hätte ich beinah' vergessen: den neuen Landwehrbezirkskommandeur, den wir nun schon beinah' vier Wochen hier haben. Ja, haben wir ihn wirklich? Das ist die Frage, und eine Frage von Wichtigkeit dazu, so sehr Du darüber lachen wirst und auch lachen musst, weil Du den gesellschaftlichen Notstand nicht kennst, in dem wir uns nach wie vor befinden. Oder wenigstens ich, die ich mich mit dem Adel hier nicht gut zurechtfinden kann. Vielleicht meine Schuld. Aber das ist gleich. Tatsache bleibt: Notstand, und deshalb sah ich, durch all' diese Winterwochen hin, dem neuen Bezirkskommandeur wie einem Trost- und Rettungsbringer entgegen. Sein Vorgänger war ein Gräuel, von schlechten Manieren und noch schlechteren Sitten, und zum Überfluss auch noch immer schlecht bei Kasse. Wir haben all' die Zeit über unter ihm gelitten, Innstetten noch mehr als ich, und als wir Anfang April hörten, Major von Crampas sei da, das ist nämlich der Name des Neuen, da fielen wir uns

Landwehrbezirks-kommandeur:
Befehlshaber
einer Reserve-
truppe

Gräuel:
etwas Grauen
erregendes

in die Arme, als könne uns nichts Schlimmes mehr in diesem lieben Kessin passieren. Aber, wie schon kurz erwähnt, es scheint, trotzdem er da ist, wieder nichts werden zu wollen. Crampas ist verheiratet, zwei Kinder von zehn und acht Jahren, die Frau ein Jahr älter als er, also sagen wir fünfundvierzig. Das würde nun an und für sich nicht viel schaden, warum soll ich mich nicht mit einer mütterlichen Freundin wundervoll unterhalten können? Die Trippelli war auch nahe an Dreißig, und es ging ganz gut. Aber mit der Frau von Crampas, übrigens keine Geborene, kann es nichts werden. Sie ist immer verstimmt, beinahe melancholisch (ähnlich wie unsere Frau Kruse, an die sie mich überhaupt erinnert), und das alles aus Eifersucht. Er, Crampas, soll nämlich ein Mann vieler Verhältnisse sein, ein Damenmann, etwas, was mir immer lächerlich ist und mir auch in diesem Falle lächerlich sein würde, wenn er nicht, um ebensolcher Dinge willen, ein Duell mit einem Kameraden gehabt hätte. Der linke Arm wurde ihm dicht unter der Schulter zerschmettert, und man sieht es sofort, trotzdem die Operation, wie mir Innstetten erzählt (ich glaube, sie nennen es Resektion, damals noch von Wilms ausgeführt), als ein Meisterstück der Kunst gerühmt wurde. Beide, Herr und Frau von Crampas, waren vor vierzehn Tagen bei uns, um uns ihren Besuch zu machen; es war eine sehr peinliche Situation, denn Frau von Crampas beobachtete ihren Mann so, dass er in eine halbe und ich in eine ganze Verlegenheit kam. Dass er selbst sehr anders sein kann, ausgelassen und übermütig, davon überzeugte ich mich, als er vor drei Tagen mit Innstetten allein war und ich, von meinem Zimmer her, dem Gang ihrer Unterhaltung folgen konnte. Nachher sprach auch ich ihn. Vollkommener Kavalier, ungewöhnlich gewandt. Innstetten war während des Krieges in derselben Brigade mit ihm, und sie haben sich im Norden von Paris bei Graf Gröben öfter gesehen. Ja, meine liebe Mama, das wäre nun also etwas gewesen, um in Kessin ein neues Leben beginnen zu

keine Geborene:
keine Adlige

Resektion:
operative Entfernung kranker Körperteile

Robert Friedrich Wilms
(1824–1894):
Berliner Arzt und Chirurg

Brigade:
Heereseinheit

Graf von Gröben
(1788–1876):
Generalmajor im Deutsch-Franz. Krieg

können; er, der Major, hat auch nicht die pommerschen Vorurteile, trotzdem er in Schwedisch-Pommern zu Hause sein soll. Aber die Frau! Ohne sie geht es natürlich nicht, und mit ihr erst recht nicht.«

Schwedisch-Pommern: Usedom und Swinemünde im Besitz Schwedens von 1740 bis 1815

Effi hatte ganz recht gehabt, und es kam wirklich zu keiner weiteren Annäherung mit dem Crampas'schen Paare. Man sah sich 'mal bei der Borcke'schen Familie draußen, ein andermal ganz flüchtig auf dem Bahnhof und wenige Tage später auf einer Boots- und Vergnügungsfahrt, die nach einem am Breitling gelegenen großen Buchen- und Eichenwalde, der »der Schnatermann« hieß, gemacht wurde; es kam aber über kurze Begrüßungen nicht hinaus, und Effi war froh, als Anfang Juni die Saison sich ankündigte. Freilich fehlte es noch an Badegästen, die vor Johanni überhaupt nur in Einzelexemplaren einzutreffen pflegten, aber schon die Vorbereitungen waren eine Zerstreuung. In der Plantage wurden Karussell und Scheibenstände hergerichtet, die Schiffersleute kalfaterten und strichen ihre Boote, jede kleine Wohnung erhielt neue Gardinen, die Zimmer, die feucht lagen, also den Schwamm unter der Diele hatten, wurden ausgeschwefelt und dann gelüftet.

Breitling: Breitlingsee bei Warnemünde

Johanni(stag): 24. Juni, Gedenktag der Geburt Johannes des Täufers

Scheibenstand: Schießstand

kalfatern: Fugen abdichten

Schwamm: Pilzbefall in Behausungen

ausschwefeln: Desinfektion mit schwefeliger Säure

Auch in Effis eigener Wohnung, freilich um eines anderen Ankömmlings als der Badegäste willen, war alles in einer gewissen Erregung; selbst Frau Kruse wollte mittun, so gut es ging. Aber davor erschrak Effi lebhaft und sagte: »Geert, dass nur die Frau Kruse nichts anfasst; da kann nichts werden, und ich ängstige mich schon gerade genug.«

Innstetten versprach auch alles, Kristel und Johanna hätten ja Zeit genug, und um seiner jungen Frau Gedanken überhaupt in eine andere Richtung zu bringen, ließ er das Thema der Vorbereitungen ganz fallen und fragte stattdessen, ob sie schon bemerkt habe, dass drüben ein Badegast eingezogen sei, nicht gerade der erste, aber doch einer der ersten.

»Ein Herr?«

»Nein, eine Dame, die schon früher hier war, jedes Mal in derselben Wohnung. Und sie kommt immer so früh, weil sie's nicht leiden kann, wenn alles schon so voll ist.«

»Das kann ich ihr nicht verdenken. Und wer ist es denn?«

»Die verwitwete Registrator Rode.«

»Sonderbar. Ich habe mir Registratorwitwen immer arm gedacht.«

»Ja«, lachte Innstetten, »das ist die Regel. Aber hier hast Du eine Ausnahme. Jedenfalls hat sie mehr als ihre Witwenpension. Sie kommt immer mit viel Gepäck, unendlich viel mehr, als sie gebraucht, und scheint überhaupt eine ganz eigene Frau, wunderlich, kränklich und namentlich schwach auf den Füßen. Sie misstraut sich deshalb auch und hat immer eine ältliche Dienerin um sich, die kräftig genug ist, sie zu schützen oder sie zu tragen, wenn ihr 'was passiert. Diesmal hat sie eine neue. Aber doch auch wieder eine ganz ramassierte Person, ähnlich wie die Trippelli, nur noch stärker.«

»Oh, die hab' ich schon gesehen. Gute braune Augen, die einen treu und zuversichtlich ansehen. Aber ein klein bisschen dumm.«

»Richtig, das ist sie.«

Das war Mitte Juni, dass Innstetten und Effi dies Gespräch hatten. Von da ab brachte jeder Tag Zuzug, und nach dem Bollwerk hin spazieren gehen, um daselbst die Ankunft des Dampfschiffes abzuwarten, wurde, wie immer um diese Zeit, eine Art Tagesbeschäftigung für die Kessiner. Effi freilich, weil Innstetten sie nicht begleiten konnte, musste darauf verzichten, aber sie hatte doch wenigstens die Freude, die nach dem Strand und dem Strandhotel hinausführende, sonst so menschenleere Straße sich beleben zu sehen, und war denn auch, um immer wieder Zeuge davon zu sein, viel mehr als sonst in ihrem Schlafzimmer, von dessen Fenstern aus sich alles am besten beobachten ließ. Johanna stand dann neben ihr und gab Antwort auf ziemlich alles, was sie wissen wollte; denn da die meisten alljährlich wiederkehrende Gäste waren, so konnte das Mädchen nicht bloß die Namen nennen, sondern mitunter auch eine Geschichte dazu geben.

Das alles war unterhaltlich und erheiternd für Effi. Gerade am Johannistag aber traf es sich, dass kurz vor elf Uhr vormittags, wo sonst der Verkehr vom Dampfschiff her am buntesten vorüberflutete, statt der mit Ehepaaren, Kindern und Reisekoffern besetzten Droschken aus der Mitte der Stadt her ein schwarz verhangener Wagen (dem sich zwei Trauerkutschen anschlossen) die zur Plantage führende Straße herunterkam und vor dem der landrätlichen Wohnung gegenüber gelegenen Hause hielt. Die verwitwete Frau Registrator Rode war nämlich drei Tage vorher gestorben, und nach Eintreffen der in aller Kürze benachrichtigten Berliner Verwandten, war seitens ebendieser beschlossen worden, die Tote nicht nach Berlin hin überzuführen, sondern auf dem Kessiner Dünenkirchhof begraben zu wollen. Effi stand am Fenster und sah neugierig auf die sonderbar feierliche Szene, die sich drüben abspielte. Die zum Begräbnis von Berlin her Eingetroffenen waren zwei Neffen mit ihren Frauen, alle gegen vierzig, etwas mehr oder weniger, und von beneidenswert gesunder Gesichtsfarbe. Die Neffen, in gut sitzenden Fracks, konnten passieren, und die nüchterne Geschäftsmäßigkeit, die sich in ihrem gesamten Tun ausdrückte, war im Grunde mehr kleidsam als störend. Aber die beiden Frauen! Sie waren ganz ersichtlich bemüht, den Kessinern zu zeigen, was eigentlich Trauer sei, und trugen denn auch lange, bis an die Erde reichende schwarze Kreppschleier, die zugleich ihr Gesicht verhüllten. Und nun wurde der Sarg, auf dem einige Kränze und sogar ein Palmwedel lagen, auf den Wagen gestellt, und die beiden Ehepaare setzten sich in die Kutschen. In die erste – gemeinschaftlich mit dem einen der beiden leidtragenden Paare – stieg auch Lindequist, hinter der zweiten Kutsche aber ging die Hauswirtin, und neben dieser die stattliche Person, die die Verstorbene zur Aus-

Droschke:
Pferdekutsche

passieren:
hier akzeptabel
sein

Krepp:
gekräuseltes
Gewebe mit rauer
Oberfläche

hülfe mit nach Kessin gebracht hatte. Letztere war sehr aufgeregt und schien durchaus ehrlich darin, wenn dies Aufgeregtsein auch vielleicht nicht gerade Trauer war; der sehr heftig schluchzenden Hauswirtin aber, einer Witwe, sah man dagegen fast allzu deutlich an, dass sie sich beständig die Möglichkeit eines Extrageschenkes berechnete, trotzdem sie in der bevorzugten und von anderen Wirtinnen auch sehr beneideten Lage war, die für den ganzen Sommer vermietete Wohnung noch einmal vermieten zu können.

Effi, als der Zug sich in Bewegung setzte, ging in ihren hinter dem Hofe gelegenen Garten, um hier, zwischen den Buchsbaumbeeten, den Eindruck des Lieb- und Leblosen, den die ganze Szene drüben auf sie gemacht hatte, wieder loszuwerden. Als dies aber nicht glücken wollte, kam ihr die Lust, statt ihrer eintönigen Gartenpromenade lieber einen weiteren Spaziergang zu machen, und zwar umso mehr, als ihr der Arzt gesagt hatte, viel Bewegung im Freien sei das Beste, was sie, bei dem, was ihr bevorstände, tun könne. Johanna, die mit im Garten war, brachte ihr denn auch Umhang, Hut und Entoutcas, und mit einem freundlichen »Guten Tag« trat Effi aus dem Hause heraus und ging auf das Wäldchen zu, neben dessen breitem chaussierten Mittelweg ein schmalerer Fußsteig auf die Dünen und das am Strand gelegene Hotel zulief. Unterwegs standen Bänke, von denen sie jede benutzte, denn das Gehen griff sie an, und umso mehr, als inzwischen die heiße Mittagsstunde herangekommen war. Aber wenn sie saß und von ihrem bequemen Platz aus die Wagen und die Damen in Toilette beobachtete, die da hinausfuhren, so belebte sie sich wieder. Denn Heiteres sehen, war ihr wie Lebensluft. Als das Wäldchen aufhörte, kam freilich noch eine allerschlimmste Wegstelle, Sand und wieder Sand und nirgends eine Spur von Schatten; aber glücklicherweise waren hier Bohlen und Bretter gelegt, und so kam sie, wenn auch erhitzt und müde, doch in guter Laune bei dem Strandhotel

Entoutcas:
Schirm
»für alle Fälle«:
Sonnen- und
Regenschirm

chaussiert:
asphaltiert

an. Drinnen im Saal wurde schon gegessen, aber hier draußen um sie her war alles still und leer, was ihr in diesem
Augenblicke denn auch das Liebste war. Sie ließ sich ein
Glas Sherry und eine Flasche Biliner Wasser bringen und
sah auf das Meer hinaus, das im hellen Sonnenlichte
schimmerte, während es am Ufer in kleinen Wellen bran-
dete. »Da drüben liegt Bornholm und dahinter Wisby, wovon mir Jahnke vor Zeiten immer Wunderdinge vor-
schwärmte. Wisby ging ihm fast noch über Lübeck und
Wullenweber. Und hinter Wisby kommt Stockholm, wo
das Stockholmer Blutbad war, und dann kommen die großen Ströme und dann das Nordkap, und dann die Mitter-
nachtssonne.« Und im Augenblick erfasste sie eine Sehnsucht, das alles zu sehen. Aber dann gedachte sie wieder
dessen, was ihr so nahe bevorstand, und sie erschrak fast.
»Es ist eine Sünde, dass ich so leichtsinnig bin und solche
Gedanken habe und mich wegträume, während ich doch
an das Nächste denken müsste. Vielleicht bestraft es sich
auch noch, und alles stirbt hin, das Kind und ich. Und der
Wagen und die zwei Kutschen, die halten dann nicht drüben vor dem Hause, die halten dann bei uns ... Nein, nein,
ich mag hier nicht sterben, ich will hier nicht begraben
sein, ich will nach Hohen-Cremmen. Und Lindequist, so
gut er ist – aber Niemeyer ist mir lieber; er hat mich getauft
und eingesegnet und getraut, und Niemeyer soll mich auch
begraben.« Und dabei fiel eine Träne auf ihre Hand. Dann
aber lachte sie wieder. »Ich lebe ja noch und bin erst siebzehn, und Niemeyer ist siebenundfünfzig.«

In dem Esssaal hörte sie das Geklapper des Geschirrs. Aber
mit einem Male war es ihr, als ob die Stühle geschoben
würden; vielleicht stand man schon auf, und sie wollte jede
Begegnung vermeiden. So erhob sie sich auch ihrerseits
rasch wieder von ihrem Platz, um auf einem Umweg nach
der Stadt zurückzukehren. Dieser Umweg führte sie dicht
an dem Dünenkirchhof vorüber, und weil der Torweg des
Kirchhofs gerade offen stand, trat sie ein. Alles blühte hier,

Biliner Wasser:
natronhaltiges
Heilwasser aus
Bilin

Stockholmer
Blutbad:
1520 durch
König Christian II.
veranlasste
Hinrichtungen,
um Unabhängig-
keitsbestrebun-
gen zu verhindern

Schmetterlinge flogen über die Gräber hin, und hoch in den Lüften standen ein paar Möwen. Es war so still und schön, und sie hätte hier gleich bei den ersten Gräbern verweilen mögen; aber weil die Sonne mit jedem Augenblick heißer niederbrannte, ging sie höher hinauf, auf einen schattigen Gang zu, den Hängeweiden und etliche an den Gräbern stehende Traureschen bildeten. Als sie bis an das Ende dieses Ganges gekommen, sah sie zur Rechten einen frisch aufgeworfenen Sandhügel, mit vier, fünf Kränzen darauf, und dicht daneben eine schon außerhalb der Baumreihe stehende Bank, darauf die gute, robuste Person saß, die, an der Seite der Hauswirtin dem Sarge der verwitweten Registratorin als letzte Leidtragende gefolgt war. Effi erkannte sie sofort wieder und war in ihrem Herzen bewegt, die gute, treue Person, denn dafür musste sie sie halten, in sengender Sonnenhitze hier vorzufinden. Seit dem Begräbnis waren wohl an zwei Stunden vergangen.

»Es ist eine heiße Stelle, die Sie sich da ausgesucht haben«, sagte Effi, »viel zu heiß. Und wenn ein Unglück kommen soll, dann haben Sie den Sonnenstich.«

»Das wär' auch das Beste.«

»Wie das?« – »Dann wär' ich aus der Welt.«

»Ich meine, das darf man nicht sagen, auch wenn man unglücklich ist oder wenn einem wer gestorben ist, den man lieb hatte. Sie hatten sie wohl sehr lieb?«

»Ich? *Die?* I, Gott bewahre.«

»Sie sind aber doch sehr traurig. Das muss doch einen Grund haben.«

»Den hat es auch, gnädigste Frau.«

»Kennen Sie mich?«

»Ja. Sie sind die Frau Landrätin von drüben. Und ich habe mit der Alten immer von Ihnen gesprochen. Zuletzt konnte sie nicht mehr, weil sie keine rechte Luft mehr hatte, denn es saß ihr hier und wird wohl Wasser gewesen sein; aber solange sie noch reden konnte, redete sie immerzu. Es war 'ne richtige Berlin'sche ...«

robust: kräftig

sengend: brennend

Berlin'sche: Berlinerin

»Gute Frau?«

»Nein; wenn ich das sagen wollte, müsst' ich lügen. Da liegt sie nun, und man soll von einem Toten nichts Schlimmes sagen, und erst recht nicht, wenn er so kaum seine Ruhe hat. Na, die wird sie ja wohl haben! Aber sie taugte nichts und war zänkisch und geizig, und für mich hat sie auch nicht gesorgt. Und die Verwandtschaft, die da gestern von Berlin gekommen ... gezankt haben sie sich bis in die sinkende Nacht ... na, die taugt auch nichts, die taugt erst recht nichts. Lauter schlechtes Volk, happig und gierig und hartherzig, und haben mir barsch und unfreundlich und mit allerlei Redensarten meinen Lohn ausgezahlt, bloß weil sie mussten und weil es bloß noch sechs Tage sind bis zum Vierteljahrsersten. Sonst hätte ich nichts gekriegt, oder bloß halb oder bloß ein Viertel. Nichts aus freien Stücken. Und einen eingerissenen Fünfmarkschein haben sie mir gegeben, dass ich nach Berlin zurückreisen kann; na, es reicht so gerade für die vierte Klasse, und ich werde wohl auf meinem Koffer sitzen müssen. Aber ich will auch gar nicht; ich will hier sitzen bleiben und warten, bis ich sterbe ... Gott, ich dachte nun 'mal Ruhe zu haben und hätte auch ausgehalten bei der Alten. Und nun ist es wieder nichts und soll mich wieder 'rumstoßen lassen. Und kattolsch bin ich auch noch. Ach, ich hab' es satt und läg' am liebsten, wo die Alte liegt, und sie könnte meinetwegen weiter leben ... Sie hätte gerne noch weiter gelebt; solche Menschenschikanierer, die nich 'mal Luft haben, die leben immer am liebsten.«

Rollo, der Effi begleitet hatte, hatte sich mittlerweile vor die Person hingesetzt, die Zunge weit heraus, und sah sie an. Als sie jetzt schwieg, erhob er sich, ging einen Schritt vor und legte seinen Kopf auf ihre Knie.

Mit einem Male war die Person wie verwandelt. »Gott, das bedeutet mir 'was. Das is ja 'ne Kreatur, die mich leiden kann, die mich freundlich ansieht und ihren Kopf auf meine Knie legt. Gott, das ist lange her, dass ich so 'was gehabt

happig:
gefräßig

vierte Klasse:
billigstes Eisenbahnabteil, in dem auch Gepäck transportiert wird

kattolsch:
katholisch

Menschenschikanierer:
jemand, der anderen Menschen das Leben schwer macht

Kreatur:
hier Tier

habe. Nu, mein Alterchen, wie heißt du denn? Du bist ja ein Prachtkerl.«

»Rollo«, sagte Effi.

»Rollo; das ist sonderbar. Aber der Name tut nichts. Ich habe auch einen sonderbaren Namen, das heißt Vornamen. Und einen andern hat unsereins ja nicht.«

»Wie heißen Sie denn?«

»Ich heiße Roswitha.«

»Ja, das ist selten, das ist ja ...«

»Ja, ganz recht, gnädige Frau, das ist ein kattolscher Name. Und das kommt auch noch dazu, dass ich eine Kattolsche bin. Aus'm Eichsfeld. Und das Kattolsche, das macht es einem immer noch schwerer und saurer. Viele wollen keine Kattolsche, weil sie so viel in die Kirche rennen. ›Immer in die Beichte; und die Hauptsache sagen sie doch nich‹ – Gott, wie oft hab' ich das hören müssen, erst als ich in Giebichenstein im Dienst war und dann in Berlin. Ich bin aber eine schlechte Katholikin und bin ganz davon abgekommen, und vielleicht geht es mir deshalb so schlecht; ja, man darf nich von seinem Glauben lassen und muss alles ordentlich mitmachen.«

Eichsfeld: katholisch geprägter Landstrich in einem eher protestantischen Gebiet

sauer: *hier* bitter, leidvoll

»Roswitha«, wiederholte Effi den Namen und setzte sich zu ihr auf die Bank. »Was haben Sie nun vor?«

»Ach, gnäd'ge Frau, was soll ich vor haben. Ich habe gar nichts vor. Wahr und wahrhaftig, ich möchte hier sitzen bleiben und warten, bis ich tot umfalle. Das wär' mir das Liebste. Und dann würden die Leute noch denken, ich hätte die Alte so geliebt wie ein treuer Hund, und hätte von ihrem Grab nicht weggewollt und wäre da gestorben. Aber das ist falsch, für solche Alte stirbt man nicht; ich will bloß sterben, weil ich nicht leben kann.«

»Ich will Sie 'was fragen, Roswitha. Sind Sie, was man so ›kinderlieb‹ nennt? Waren Sie schon 'mal bei kleinen Kindern?«

»Gewiss war ich. Das ist ja mein Bestes und Schönstes. Solche alte Berlin'sche – Gott verzeih' mir die Sünde, denn sie ist nun tot und steht vor Gottes Thron und kann mich da verklagen –, solche Alte, wie die da, ja, das ist schrecklich, was man da alles tun muss, und steht einem hier vor Brust und Magen, aber solch' kleines, liebes Ding, solch' Dingelchen wie 'ne Puppe, das einen mit seinen Guckäugelchen ansieht, ja, das ist 'was, da geht einem das Herz auf. Als ich in Halle war, da war ich Amme bei der Frau Salzdirektorin, und in Giebichenstein, wo ich nachher hinkam, da hab' ich Zwillinge mit der Flasche großgezogen; ja, gnäd'ge Frau, das versteh' ich, da drin bin ich wie zu Hause.«

»Nun, wissen Sie was, Roswitha, Sie sind eine gute, treue Person, das seh' ich Ihnen an, ein bisschen gradezu, aber das schadet nichts, das sind mitunter die Besten, und ich habe gleich ein Zutrauen zu Ihnen gefasst. Wollen Sie mit zu mir kommen? Mir ist, als hätte Gott Sie mir geschickt. Ich erwarte nun bald ein Kleines, Gott gebe mir seine Hülfe dazu, und wenn das Kind da ist, dann muss es gepflegt und abgewartet werden und vielleicht auch gepäppelt. Man kann das ja nicht wissen, wiewohl ich es anders wünsche. Was meinen Sie, wollen Sie mit zu mir kommen? Ich kann mir nicht denken, dass ich mich in Ihnen irre.«

Roswitha war aufgesprungen und hatte die Hand der jungen Frau ergriffen und küsste sie mit Ungestüm. »Ach, es ist doch ein Gott im Himmel, und wenn die Not am größten ist, ist die Hülfe am nächsten. Sie sollen sehn, gnäd'ge Frau, es geht; ich bin eine ordentliche Person und habe gute Zeugnisse. Das können Sie sehn, wenn ich Ihnen mein Buch bringe. Gleich den ersten Tag, als ich die gnäd'ge Frau sah, da dacht' ich: ›Ja, wenn Du 'mal solchen Dienst hättest.‹ Und nun soll ich ihn haben. O Du lieber Gott, o Du heil'ge Jungfrau Maria, wer mir das gesagt hätte, wie wir die Alte hier unter der Erde hatten, und die Verwandten machten, dass sie wieder fortkamen und mich hier sitzen ließen.«

Amme:
Frau, die ein fremdes Kind stillt; Kinderfrau

Salzdirektorin:
Frau des Direktors einer Salzsiederei

gradezu:
direkt

abwarten:
hier pflegen

Gesindebuch:
hierin stellt der Dienstherr dem oder der Angestellten ein Zeugnis aus

»Ja, unverhofft kommt oft, Roswitha, und mitunter auch im Guten. Und nun wollen wir gehen. Rollo wird schon ungeduldig und läuft immer auf das Tor zu.«

Roswitha war gleich bereit, trat aber noch einmal an das Grab, brummelte 'was vor sich hin und machte ein Kreuz. Und dann gingen sie den schattigen Gang hinunter und wieder auf das Kirchhofstor zu.

Drüben lag die eingegitterte Stelle, deren weißer Stein in der Nachmittagssonne blinkte und blitzte. Effi konnte jetzt ruhiger hinsehen. Eine Weile noch führte der Weg zwischen Dünen hin, bis sie, dicht vor Utpatels Mühle, den Außenrand des Wäldchens erreichte. Da bog sie links ein, und unter Benutzung einer schräg laufenden Allee, die die »Reeperbahn« hieß, ging sie mit Roswitha auf die landrätliche Wohnung zu.

Reeperbahn: Straße, auf der Seile (Reepe) gedreht wurden

VIERZEHNTES KAPITEL

Keine Viertelstunde, so war die Wohnung erreicht. Als beide hier in den kühlen Flur traten, war Roswitha beim Anblick all des Sonderbaren, das da umher hing, wie befangen; Effi aber ließ sie nicht zu weiteren Betrachtungen kommen und sagte: »Roswitha, nun gehen Sie da hinein. Das ist das Zimmer, wo wir schlafen. Ich will erst zu meinem Manne nach dem Landratsamt hinüber – das große Haus da neben dem kleinen, in dem Sie gewohnt haben – und will ihm sagen, dass ich Sie zur Pflege haben möchte bei dem Kinde. Er wird wohl mit allem einverstanden sein, aber ich muss doch erst seine Zustimmung haben. Und wenn ich die habe, dann müssen wir ihn ausquartieren, und Sie schlafen mit mir in dem Alkoven. Ich denke, wir werden uns schon vertragen.«

ausquartieren: an einen anderen Ort verlegen

Innstetten, als er erfuhr, um was sich's handle, sagte rasch und in guter Laune: »Das hast Du recht gemacht, Effi, und wenn ihr Gesindebuch nicht zu schlimme Sachen sagt, so nehmen wir sie auf ihr gutes Gesicht hin. Es ist doch, Gott sei Dank, selten, dass einen das täuscht.«

Effi war sehr glücklich, so wenig Schwierigkeiten zu begegnen, und sagte: »Nun wird es gehen. Ich fürchte mich jetzt nicht mehr.«

»Um was, Effi?«

»Ach, du weißt ja … Aber Einbildungen sind das Schlimmste, mitunter schlimmer als alles.«

Roswitha zog in selbiger Stunde noch mit ihren paar Habseligkeiten in das landrätliche Haus hinüber und richtete sich in dem kleinen Alkoven ein. Als der Tag um war, ging sie früh zu Bett und schlief, ermüdet wie sie war, gleich ein. Am andern Morgen erkundigte sich Effi – die seit einiger Zeit (denn es war gerade Vollmond) wieder in Ängsten lebte –, wie Roswitha geschlafen und ob sie nichts gehört habe.

»Was?« fragte diese.

»Oh, nichts. Ich meine nur so; so 'was, wie wenn ein Besen fegt oder wie wenn einer über die Diele schlittert.«

Roswitha lachte, was auf ihre junge Herrin einen besonders guten Eindruck machte. Effi war fest protestantisch erzogen und würde sehr erschrocken gewesen sein, wenn man an und in ihr 'was Katholisches entdeckt hätte; trotzdem glaubte sie, dass der Katholizismus uns gegen solche Dinge »wie da oben« besser schütze; ja, diese Betrachtung hatte bei dem Plane, Roswitha ins Haus zu nehmen, ganz erheblich mitgewirkt.

Man lebte sich schnell ein, denn Effi hatte ganz den liebenswürdigen Zug der meisten märkischen Landfräulein, sich gern allerlei kleine Geschichten erzählen zu lassen, und die verstorbene Frau Registratorin und ihr Geiz und ihre Neffen und deren Frauen boten einen unerschöpflichen Stoff. Auch Johanna hörte dabei gerne zu.

Diese, wenn Effi bei den drastischen Stellen oft laut lachte, lächelte freilich und verwunderte sich im Stillen, dass die gnädige Frau an all dem dummen Zeug so viel Gefallen finde; diese Verwunderung aber, die mit einem starken Überlegenheitsgefühl Hand in Hand ging, war doch auch wieder ein Glück und sorgte dafür, dass keine Rangstreitigkeiten aufkommen konnten. Roswitha war einfach die komische Figur, und Neid gegen sie zu hegen wäre für Johanna nichts anderes gewesen, wie wenn sie Rollo um seine Freundschaftsstellung beneidet hätte.

So verging eine Woche, plauderhaft und beinahe gemütlich, weil Effi dem, was ihr persönlich bevorstand, ungeängstigter als früher entgegensah. Auch glaubte sie nicht, dass es so nahe sei. Den neunten Tag aber war es mit dem Plaudern und den Gemütlichkeiten vorbei; da gab es ein Laufen und Rennen, Innstetten selbst kam ganz aus seiner gewohnten Reserve heraus, und am Morgen des 3. Juli stand neben Effis Bett eine Wiege. Doktor Hannemann patschelte der jungen Frau die Hand und sagte: »Wir haben heute den Tag von Königgrätz; schade, dass es ein Mädchen ist. Aber das andere kann ja nachkommen, und die Preußen haben viele Siegestage.« Roswitha mochte wohl Ähnliches denken, freute sich indessen vorläufig ganz uneingeschränkt über das, was da war, und nannte das Kind ohne Weiteres »Lütt-Annie«, was der jungen Mutter als ein Zeichen galt. Es müsse doch wohl eine Eingebung gewesen sein, dass Roswitha gerade auf diesen Namen gekommen sei. Selbst Innstetten wusste nichts dagegen zu sagen, und so wurde schon von Klein-Annie gesprochen, lange bevor der Tauftag da war. Effi, die von Mitte August an bei den Eltern in Hohen-Cremmen sein wollte, hätte die Taufe gern bis dahin verschoben. Aber es ließ sich nicht tun; Innstetten konnte nicht Urlaub nehmen, und so wurde denn der 15. August, trotzdem es der Napoleonstag war (was denn auch von Seiten einiger Familien beanstandet wurde), für diesen Taufakt festgesetzt, natürlich in der Kirche. Das sich anschließende Festmahl, weil das landrätliche Haus keinen Saal hatte, fand in dem großen Ressour-

Reserve:
hier Zurückhaltung

patscheln:
tätscheln

Tag von
Königgrätz:
Gedenktag zur
Schlacht von
Königgrätz im
Deutsch-Österreichischen Krieg
am 3. Juli 1866

lütt:
klein

Napoleonstag:
15. August,
Geburtstag von
Napoleon I.
(1769–1821)

cen-Hotel am Bollwerk statt, und der gesamte Nachbaradel war geladen und auch erschienen. Pastor Lindequist ließ Mutter und Kind in einem liebenswürdigen und allseitig bewunderten Toaste leben, bei welcher Gelegenheit Sidonie von Grasenabb zu ihrem Nachbar, einem adligen Assessor von der strengen Richtung, bemerkte: »Ja, seine Kasualreden, das geht. Aber seine Predigten kann er vor Gott und Menschen nicht verantworten; er ist ein Halber, einer von denen, die verworfen sind, weil sie lau sind. Ich mag das Bibelwort hier nicht wörtlich zitieren.« Gleich danach nahm auch der alte Herr von Borcke das Wort, um Innstetten leben zu lassen. »Meine Herrschaften, es sind schwere Zeiten, in denen wir leben, Auflehnung, Trotz, Indisziplin, wohin wir blicken. Aber so lange wir noch Männer haben, und ich darf hinzusetzen, Frauen und Mütter (und hier verbeugte er sich mit einer eleganten Handbewegung gegen Effi) ... so lange wir noch Männer haben wie Baron Innstetten, den ich stolz bin meinen Freund nennen zu dürfen, so lange geht es noch, so lange hält unser altes Preußen noch. Ja, meine Freunde, Pommern und Brandenburg, damit zwingen wir's und zertreten dem Drachen der Revolution das giftige Haupt. Fest und treu, so siegen wir. Die Katholiken, unsere Brüder, die wir, auch wenn wir sie bekämpfen, achten müssen, haben den Felsen Petri, wir aber haben den Rocher de bronce. Baron Innstetten, er lebe hoch!« Innstetten dankte ganz kurz. Effi sagte zu dem neben ihr sitzenden Major von Crampas: Das mit dem Felsen Petri sei wahrscheinlich eine Huldigung gegen Roswitha gewesen; sie werde nachher an den alten Justizrat Gadebusch herantreten und ihn fragen, ob er nicht ihrer Meinung sei. Crampas nahm diese Bemerkung unerklärlicherweise für Ernst und riet von einer Anfrage bei dem Justizrat ab, was Effi ungemein erheiterte. »Ich habe Sie doch für einen besseren Seelenleser gehalten.« »Ach, meine Gnädigste, bei schönen, jungen Frauen, die noch nicht achtzehn sind, scheitert alle Lesekunst.«

Assessor: Anwärter auf höhere Beamtenlaufbahn

Kasualreden: Reden zu kirchlichen Anlässen

verworfen sein: verdammt sein

lau: unentschlossen

das Bibelwort: »Weil du aber lau bist und weder warm noch kalt, werde ich dich ausspeien aus meinem Munde.« (Offb. 3,16)

Felsen Petri: »Du bist Petrus und auf diesen Felsen will ich bauen meine Gemeinde […]« (Matth. 16,18)

Rocher de bronce: Sinnbild für unerschütterbare Festigkeit

»Sie verderben sich vollends, Major. Sie können mich eine Großmutter nennen, aber Anspielungen darauf, dass ich noch nicht achtzehn bin, das kann Ihnen nie verziehen werden.«

Als man von Tisch aufgestanden war, kam der Spätnachmittags-Dampfer die Kessine herunter und legte an der Landungsbrücke, gegenüber dem Hotel, an. Effi saß mit Crampas und Gieshübler beim Kaffee, alle Fenster auf, und sah dem Schauspiel drüben zu. »Morgen früh um neun führt mich dasselbe Schiff den Fluss hinauf, und zu Mittag bin ich in Berlin, und am Abend bin ich in Hohen-Cremmen, und Roswitha geht neben mir und hält das Kind auf dem Arme. Hoffentlich schreit es nicht. Ach, wie mir schon heute zu Mute ist! Lieber Gieshübler, sind Sie auch 'mal so froh gewesen, Ihr elterliches Haus wiederzusehen?«

»Ja, ich kenne das auch, gnädigste Frau. Nur bloß ich brachte kein Anniechen mit, weil ich keins hatte.«

»Kommt noch«, sagte Crampas. »Stoßen Sie an, Gieshübler; Sie sind der einzige vernünftige Mensch hier.«

»Aber, Herr Major, wir haben ja bloß noch den Kognak.«

»Desto besser.«

Kognak:
Branntwein

FÜNFZEHNTES KAPITEL

Mitte August war Effi abgereist, Ende September war sie wieder in Kessin. Manchmal in den zwischenliegenden sechs Wochen hatte sie's zurückverlangt; als sie aber wieder da war und in den dunklen Flur eintrat, auf den nur von der Treppenstiege her ein etwas fahles Licht fiel, wurde ihr mit einem Mal wieder bang, und sie sagte leise: »Solch fahles, gelbes Licht gibt es in Hohen-Cremmen gar nicht.«

Ja, ein paarmal, während ihrer Hohen-Cremmer Tage hatte sie Sehnsucht nach dem »verwunschenen Hause« gehabt, alles in allem aber war ihr doch das Leben daheim voller

Glück und Zufriedenheit gewesen. Mit Hulda freilich, die's nicht verwinden konnte, noch immer auf Mann oder Bräutigam warten zu müssen, hatte sie sich nicht recht stellen können, desto besser dagegen mit den Zwillingen, und mehr als einmal, wenn sie mit ihnen Ball oder Krocket gespielt hatte, war ihr's ganz aus dem Sinn gekommen, überhaupt verheiratet zu sein. Das waren dann glückliche Viertelstunden gewesen. Am liebsten aber hatte sie wie früher auf dem durch die Luft fliegenden Schaukelbrett gestanden, und in dem Gefühle: ›Jetzt stürz' ich‹ etwas eigentümlich Prickelndes, einen Schauer süßer Gefahr empfunden. Sprang sie dann schließlich von der Schaukel ab, so begleitete sie die beiden Mädchen bis an die Bank vor dem Schulhause und erzählte, wenn sie da saßen, dem alsbald hinzukommenden Jahnke von ihrem Leben in Kessin, das halb hanseatisch und halb skandinavisch und jedenfalls sehr anders als in Schwantikow und Hohen-Cremmen sei. Das waren so die täglichen kleinen Zerstreuungen, an die sich gelegentlich auch Fahrten in das sommerliche Luch schlossen, meist im Jagdwagen; allem voran aber standen für Effi doch die Plaudereien, die sie beinahe jeden Morgen mit der Mama hatte. Sie saßen dann oben in der luftigen, großen Stube, Roswitha wiegte das Kind und sang in einem thüringischen Platt allerlei Wiegenlieder, die niemand recht verstand, vielleicht sie selber nicht; Effi und Frau von Briest aber rückten ans offene Fenster und sahen, während sie sprachen, auf den Park hinunter, auf die Sonnenuhr oder auf die Libellen, die beinahe regungslos über dem Teich standen, oder auch auf den Fliesengang, wo Herr von Briest neben dem Treppenvorbau saß und die Zeitungen las. Immer wenn er umschlug, nahm er zuvor den Kneifer ab und grüßte zu Frau und Tochter hinauf. Kam dann das letzte Blatt an die Reihe, das in der Regel der »Anzeiger fürs Havelland« war, so ging Effi hinunter, um sich entweder zu ihm zu setzen oder um mit ihm durch Garten und Park zu schlendern. Einmal, bei solcher Gelegenheit, traten

sich mit jmd. recht stellen: mit jmd. auskommen

Krocket: englisches Rasenspiel

Platt: Sammelbegriff für niederdt. Mundarten

Kneifer: bügellose Brille

Anzeiger fürs Havelland: Lokalzeitung

Schlacht von
Waterloo:
Sieg preußischer
und englischer
Truppen über
Napoleon I. in
den Befreiungs-
kriegen am
18. Juni 1815

Gebhard von
Blücher, Arthur
Wellesley Herzog
von Wellington:
preuß. und engl.
Truppenführer in
der Schlacht von
Waterloo

dito:
gleichfalls

Buchsbaum-
rabatte:
schmales Beet mit
Ziersträuchern

sie, von dem Kieswege her, an ein kleines, zur Seite stehendes Denkmal heran, das schon Briests Großvater zur Erinnerung an die Schlacht von Waterloo hatte aufrichten lassen, eine verrostete Pyramide mit einem gegossenen Blücher in Front und einem dito Wellington auf der Rückseite.

»Hast Du nun solche Spaziergänge auch in Kessin«, sagte Briest, »und begleitet Dich Innstetten auch und erzählt Dir allerlei?«

»Nein, Papa, solche Spaziergänge habe ich nicht. Das ist ausgeschlossen, denn wir haben bloß einen kleinen Garten hinter dem Haus, der eigentlich kaum ein Garten ist, bloß ein paar Buchsbaumrabatten und Gemüsebeete mit drei, vier Obstbäumen drin. Innstetten hat keinen Sinn dafür und denkt wohl auch, nicht sehr lange mehr in Kessin zu bleiben.«

»Aber Kind, Du musst doch Bewegung haben und frische Luft, daran bist Du doch gewöhnt.«

»Hab' ich auch. Unser Haus liegt an einem Wäldchen, das sie die Plantage nennen. Und da geh' ich denn viel spazieren und Rollo mit mir.«

»Immer Rollo«, lachte Briest. »Wenn man's nicht anders wüsste, so sollte man beinah' glauben, Rollo sei Dir mehr ans Herz gewachsen als Mann und Kind.«

»Ach, Papa, das wäre ja schrecklich, wenn's auch freilich – so viel muss ich zugeben – eine Zeit gegeben hat, wo's ohne Rollo gar nicht gegangen wäre. Das war damals ... nun, Du weißt schon ... Da hat er mich so gut wie gerettet oder ich habe mir's wenigstens eingebildet, und seitdem ist er mein guter Freund und mein ganz besonderer Verlass. Aber er ist doch bloß ein Hund. Und erst kommen doch natürlich die Menschen.«

darüber sind die
Akten noch nicht
geschlossen:
ist noch nicht
endgültig
entschieden

»Ja, das sagt man immer, aber ich habe da doch so meine Zweifel. Das mit der Kreatur, damit hat's doch seine eigene Bewandtnis, und was da das Richtige ist, darüber sind die Akten noch nicht geschlossen. Glaube mir, Effi, das ist auch ein weites Feld. Wenn ich mir so denke, da verunglückt einer auf dem Wasser oder gar auf dem schülbrigen Eis, und solch ein Hund, sagen wir, so einer wie Dein Rollo, ist dabei, ja, der ruht nicht eher, als bis er den Verunglückten wieder an Land hat. Und wenn der Verunglückte schon tot ist, dann legt er sich neben den Toten hin und blafft und winselt so lange, bis wer kommt, und wenn keiner kommt, dann bleibt er bei dem Toten liegen, bis er selber tot ist. Und das tut solch' Tier immer. Und nun nimm dagegen die Menschheit! Gott, vergib mir die Sünde, aber mitunter ist mir's doch, als ob die Kreatur besser wäre als der Mensch.«

schülbrig: brüchig

»Aber, Papa, wenn ich das Innstetten wiedererzählte ...«

»Nein, das tu' lieber nicht, Effi ...«

»Rollo würde mich ja natürlich retten, aber Innstetten würde mich auch retten. Er ist ja ein Mann von Ehre.«

»Das ist er.«

»Und liebt mich.«

»Versteht sich, versteht sich. Und wo Liebe ist, da ist auch Gegenliebe. Das ist nun 'mal so. Mich wundert nur, dass er nicht 'mal Urlaub genommen hat und 'rübergeflitzt ist. Wenn man eine so junge Frau hat ...«

Effi errötete, weil sie gerade so dachte. Sie mochte es aber nicht einräumen. »Innstetten ist so gewissenhaft und will, glaub' ich, gut angeschrieben sein und hat so seine Pläne für die Zukunft; Kessin ist doch bloß eine Station. Und dann am Ende, ich lauf' ihm ja nicht fort. Er hat mich ja. Wenn man zu zärtlich ist ... und dazu der Unterschied der Jahre ... da lächeln die Leute bloß.«

angeschrieben: angesehen

»Ja, das tun sie, Effi. Aber darauf muss man's ankommen lassen. Übrigens sage nichts darüber, auch nicht zu Mama. Es ist so schwer, was man tun und lassen soll. Das ist auch ein weites Feld.«

Gespräche wie diese waren während Effis Besuch im elterlichen Hause mehr als einmal geführt worden, hatten aber glücklicherweise nicht lange nachgewirkt, und ebenso war auch der etwas melancholische Eindruck rasch verflogen, den das erste Wiederbetreten ihres Kessiner Hauses auf Effi gemacht hatte. Innstetten zeigte sich voll kleiner Aufmerksamkeiten, und als der Tee genommen und alle Stadt- und Liebesgeschichten in heiterster Stimmung durchgesprochen waren, hängte sich Effi zärtlich an seinen Arm, um drüben ihre Plaudereien mit ihm fortzusetzen und noch einige Anekdoten von der Trippelli zu hören, die neuerdings wieder mit Gieshübler in einer lebhaften Korrespondenz gestanden hatte, was immer gleichbedeutend mit einer neuen Belastung ihres nie ausgeglichenen Kontos war. Effi war bei diesem Gespräch sehr ausgelassen, fühlte sich ganz als junge Frau und war froh, die nach der Gesindestube hin ausquartierte Roswitha auf unbestimmte Zeit los zu sein.

Am anderen Morgen sagte sie:»Das Wetter ist schön und mild und ich hoffe, die Veranda nach der Plantage hinaus ist noch in gutem Stande, und wir können uns ins Freie setzen und da das Frühstück nehmen. In unsere Zimmer kommen wir ohnehin noch früh genug, und der Kessiner Winter ist wirklich um vier Wochen zu lang.«

Innstetten war sehr einverstanden. Die Veranda, von der Effi gesprochen, und die vielleicht richtiger ein Zelt genannt worden wäre, war schon im Sommer hergerichtet worden, drei, vier Wochen vor Effis Abreise nach Hohen-Cremmen, und bestand aus einem großen, gedielten Podium, vorn offen, mit einer mächtigen Marquise zu Häupten, während links und rechts breite Leinwandvorhänge waren, die sich mit Hülfe von Ringen an einer Eisenstange hin und her schieben ließen. Es war ein reizender Platz, den ganzen Sommer über von allen Badegästen, die hier vorübermussten, bewundert.

Effi hatte sich in einen Schaukelstuhl gelehnt und sagte, während sie das Kaffeebrett von der Seite her ihrem Manne zuschob:»Geert, Du könntest heute den liebenswürdigen Wirt machen; ich für mein Teil find' es so schön in diesem Schaukelstuhl, dass ich nicht aufstehen mag. Also strenge Dich an, und wenn Du Dich recht freust, mich wieder hierzuhaben, so werd' ich mich auch zu revanchieren wissen.« Und dabei zupfte sie die weiße Damastdecke zurecht und legte ihre Hand darauf, die Innstetten nahm und küsste.

»Wie bist Du nur eigentlich ohne mich fertig geworden?«

»Schlecht genug, Effi.«

»Das sagst Du so hin und machst ein betrübtes Gesicht, und ist doch eigentlich alles nicht wahr.«

»Aber Effi ...

»Was ich Dir beweisen will. Denn wenn Du ein bisschen Sehnsucht nach Deinem Kinde gehabt hättest – von mir selber will ich nicht sprechen, was ist man am Ende solchem hohen Herrn, der so lange Jahre Junggeselle war und es nicht eilig hatte ...«

»Nun?«

»Ja, Geert, wenn Du nur ein bisschen Sehnsucht gehabt hättest, so hättest Du mich nicht sechs Wochen mutterwindallein in Hohen-Cremmen sitzen lassen wie eine Witwe, und nichts da als Niemeyer und Jahnke und 'mal die Schwantikower. Und von den Rathenowern ist niemand gekommen, als ob sie sich vor mir gefürchtet hätten oder als ob ich zu alt geworden sei.«

»Ach, Effi, wie Du nur sprichst. Weißt Du, dass Du eine kleine Kokette bist?«

»Gott sei Dank, dass Du das sagst. Das ist für Euch das Beste, was man sein kann. Und Du bist nichts anderes als die anderen, wenn Du auch so feierlich und ehrsam tust. Ich weiß es recht gut, Geert ... Eigentlich bist Du ...«

»Nun, was?«

»Nun, ich will es lieber nicht sagen. Aber ich kenne Dich recht gut; Du bist eigentlich, wie der Schwantikower Onkel 'mal sagte, ein Zärtlichkeitsmensch und unterm Liebesstern geboren, und Onkel Belling hatte ganz recht, als er

Damastdecke:
Decke aus seidigem Gewebe

Kokette:
eitle Frau, die auf Männer Eindruck machen will

Liebesstern:
gemeint ist der Planet Venus, der in der Astrologie für Liebe und Schönheit steht

das sagte. Du willst es bloß nicht zeigen und denkst, es schickt sich nicht und verdirbt einem die Karriere. Hab' ich's getroffen?«

Innstetten lachte. »Ein bisschen getroffen hast Du's. Weißt Du was, Effi, Du kommst mir ganz anders vor. Bis Anniechen da war, warst Du ein Kind. Aber mit einem Mal ...«

»Nun?«

»Mit einem Mal bist Du wie vertauscht. Aber es steht Dir, Du gefällst mir sehr, Effi. Weißt Du was?«

»Nun?«

»Du hast 'was Verführerisches.«

»Ach, mein einziger Geert, das ist ja herrlich, was Du da sagst; nun wird mir erst recht wohl ums Herz ... Gib mir noch eine halbe Tasse ... Weißt Du denn, dass ich mir das immer gewünscht habe. Wir müssen verführerisch sein, sonst sind wir gar nichts ...«

»Hast Du das aus Dir?«

»Ich könnt' es wohl auch aus mir haben. Aber ich hab' es von Niemeyer ...«

»Von Niemeyer! O du himmlischer Vater, ist das ein Pastor. Nein, solche gibt es hier nicht. Aber wie kam denn der dazu? Das ist ja, als ob es irgendein Don Juan oder Herzensbrecher gesprochen hätte.«

»Ja, wer weiß«, lachte Effi ... »Aber kommt da nicht Crampas? Und vom Strand her. Er wird doch nicht gebadet haben? Am 27. September ...«

»Er macht öfter solche Sachen. Reine Renommisterei.«

Derweilen war Crampas bis in nächste Nähe gekommen und grüßte.

»Guten Morgen«, rief Innstetten ihm zu. »Nur näher, nur näher.«

Crampas trat heran. Er war in Zivil und küsste der in ihrem Schaukelstuhl sich weiter wiegenden Effi die Hand. »Entschuldigen Sie mich, Major, dass ich so schlecht die Honneurs des Hauses mache; aber die Veranda ist kein Haus und zehn Uhr früh ist eigentlich gar keine Zeit. Da wird man formlos oder, wenn Sie wollen, intim. Und nun setzen Sie sich, und geben Sie Rechenschaft von Ihrem Tun. Denn an Ihrem Haar (ich wünschte Ihnen, dass es mehr wäre) sieht man deutlich, dass Sie gebadet haben.«

Er nickte.

»Unverantwortlich«, sagte Innstetten, halb ernst-, halb scherzhaft. »Da haben Sie nun selber vor vier Wochen die Geschichte mit dem Bankier Heinersdorf erlebt, der auch dachte, das Meer und der grandiose Wellenschlag würden ihn um seiner Million willen respektieren. Aber die Götter sind eifersüchtig untereinander, und Neptun stellte sich ohne Weiteres gegen Pluto oder doch wenigstens gegen Heinersdorf.«

Crampas lachte.

»Ja, eine Million Mark! Lieber Innstetten, wenn ich die hätte, da hätt' ich es am Ende nicht gewagt; denn so schön das Wetter ist, das Wasser hatte nur neun Grad. Aber unsereins mit seiner Million Unterbilanz, gestatten Sie mir diese kleine Renommage, unsereins kann sich so 'was ohne Furcht vor der Götter Eifersucht erlauben. Und dann muss einen das Sprichwort trösten: ›Wer für den Strick geboren ist, kann im Wasser nicht umkommen.‹«

»Aber, Major, Sie werden sich doch nicht etwas so Urprosaisches, ich möchte beinah' sagen, an den Hals reden wollen. Allerdings glauben manche, dass ... ich meine das, wovon Sie eben gesprochen haben ... dass ihn jeder mehr oder weniger verdiene. Trotzdem, Major ... für einen Major ...«

»Ist es keine herkömmliche Todesart. Zugegeben, meine Gnädigste. Nicht herkömmlich und in meinem Falle auch nicht einmal sehr wahrscheinlich – also alles bloß Zitat oder noch richtiger façon de parler. Und doch steckt etwas aufrichtig Gemeintes dahinter, wenn ich da eben sagte, die See werde mir nichts anhaben. Es steht mir nämlich fest, dass ich einen richtigen und hoffentlich ehrlichen Solda-

Günther Schulz von Heinersdorf: mehrfacher Millionär

Neptun: römischer Meeresgott

Pluto: griech. Gott des Reichtums; Beiname von Hades, Gott der Unterwelt

Unterbilanz: Geldmangel

Renommage: Angeberei

Urprosaisches: sehr Sachliches

façon de parler: bloße Redensart

tentod sterben werde. Zunächst bloß Zigeunerprophezei-

Resonanz: Reaktion

ung, aber mit Resonanz im eigenen Gewissen.«

Innstetten lachte. »Das wird seine Schwierigkeiten haben,

Großtürken/ chinesischer Drachen: Anspielung auf den Russisch-Türkischen Krieg und den Chinesisch-Japanischen Krieg

Crampas, wenn Sie nicht vorhaben, beim Großtürken oder unterm chinesischen Drachen Dienste zu nehmen. Da schlägt man sich jetzt herum. Hier ist die Geschichte, glauben Sie mir, auf dreißig Jahre vorbei, und wer seinen Soldatentod sterben will ...«

»... Der muss sich erst bei Bismarck einen Krieg bestellen. Weiß ich alles, Innstetten. Aber das ist doch für Sie eine Kleinigkeit. Jetzt haben wir Ende September; in zehn Wochen spätestens ist der Fürst wieder in Varzin, und da er

liking: Sympathie

ein liking für Sie hat – mit der volkstümlicheren Wendung will ich zurückhalten, um nicht direkt vor Ihren Pistolen-

um nicht [...]: eine Beleidigung führte unter Offizieren häufig zum Duell

lauf zu kommen –, so werden Sie einem alten Kameraden von Vionville her doch wohl ein bisschen Krieg besorgen

Vionville: Schlacht bei Vionville im Deutsch-Franz. Krieg (1870/71)

können. Der Fürst ist auch nur ein Mensch, und Zureden hilft.«

Effi hatte während dieses Gesprächs einige Brotkügelchen gedreht, würfelte damit und legte sie zu Figuren zusammen, um so anzuzeigen, dass ihr ein Wechsel des Themas wünschenswert wäre. Trotzdem schien Innstetten auf Crampas' scherzhafte Bemerkungen antworten zu wollen, was denn Effi bestimmte, lieber direkt einzugreifen. »Ich sehe nicht ein, Major, warum wir uns mit Ihrer Todesart beschäftigen sollen; das Leben ist uns näher und zunächst auch eine viel ernstere Sache.«

Crampas nickte.

»Das ist recht, dass Sie mir recht geben. Wie soll man hier leben? *Das* ist vorläufig die Frage, *das* ist wichtiger als alles andere. Gieshübler hat mir darüber geschrieben, und wenn es nicht indiskret und eitel wäre, denn es steht noch allerlei nebenher darin, so zeigte ich Ihnen den Brief ... Innstetten braucht ihn nicht zu lesen, der hat keinen Sinn für derglei-

wie gestochen: fein säuberlich

chen ... beiläufig eine Handschrift wie gestochen und Ausdrucksformen, als wäre unser Freund statt am Kessiner

Alten-Markt an einem altfranzösischen Hofe erzogen worden. Und dass er verwachsen ist und weiße Jabots trägt wie kein anderer Mensch mehr – ich weiß nur nicht, wo er die Plätterin hernimmt –, das passt alles so vorzüglich.

5 Nun, also Gieshübler hat mir von Plänen für die Ressourcenabende geschrieben und von einem Entrepreneur, namens Crampas. Sehen Sie, Major, das gefällt mir besser als der Soldatentod oder gar der andere.«

»Mir persönlich nicht minder. Und es muss ein Prachtwinter werden, wenn wir uns der Unterstützung der gnädigen Frau versichert halten dürften. Die Trippelli kommt ...«

»Die Trippelli? Dann bin ich überflüssig.«

»Mitnichten, gnädigste Frau. Die Trippelli kann nicht von Sonntag bis wieder Sonntag singen, es wäre zu viel für sie und für uns; Abwechslung ist des Lebens Reiz, eine Wahrheit, die freilich jede glückliche Ehe zu widerlegen scheint.«

»Wenn es glückliche Ehen gibt, die meinige ausgenommen ...«, und sie reichte Innstetten die Hand.

»Abwechslung also«, fuhr Crampas fort. »Und diese für uns und unsere Ressource zu gewinnen, deren Vizevorstand zu sein ich zurzeit die Ehre habe, dazu braucht es aller bewährten Kräfte. Wenn wir uns zusammentun, so müssen wir das ganze Nest auf den Kopf stellen. Die Theaterstücke sind schon ausgesucht: Krieg im Frieden, Monsieur Herkules, Jugendliebe von Wildbrandt, vielleicht auch Euphrosyne von Gensichen. Sie die Euphrosyne, ich der alte Goethe. Sie sollen staunen, wie gut ich den Dichterfürsten tragiere ... wenn ›tragieren‹ das richtige Wort ist.«

»Kein Zweifel. Hab' ich doch inzwischen aus dem Briefe meines alchimistischen Geheimkorrespondenten erfahren, dass Sie, neben vielem anderen, gelegentlich auch Dichter sind. Anfangs habe ich mich gewundert ...«

»Denn Sie haben es mir nicht angesehen.«

Jabot:
Rüschenkragen, der einen Hemdverschluss verdeckt

Plätterin:
Büglerin

Entrepreneur:
hier Veranstalter

Vizevorstand:
2. Vorstandsvorsitzender

Krieg im Frieden (1881): Lustspiel von Gustav Moser und Franz von Schönthan

Monsieur Herkules (1863): Posse von Georg Friedrich Belly

Jugendliebe (1877): Lustspiel von Adolf Wilbrandt

Euphrosyne (1877): Schauspiel von Otto Franz Gensichen

tragieren:
eine Rolle tragisch spielen

»Nein. Aber seit ich weiß, dass Sie bei neun Grad baden, bin ich anderen Sinnes geworden ... neun Grad Ostsee, das geht über den kastalischen Quell ...«

»Dessen Temperatur unbekannt ist.«

»Nicht für mich; wenigstens wird mich niemand widerlegen. Aber nun muss ich aufstehen. Da kommt ja Roswitha mit Lütt-Annie.«

Und sie erhob sich rasch und ging auf Roswitha zu, nahm ihr das Kind aus dem Arm und hielt es stolz und glücklich in die Höhe.

SECHZEHNTES KAPITEL

Die Tage waren schön und blieben es bis in den Oktober hinein. Eine Folge davon war, dass die halb zeltartige Veranda draußen zu ihrem Rechte kam, so sehr, dass sich wenigstens die Vormittagsstunden regelmäßig darin abspielten. Gegen elf kam dann wohl der Major, um sich zunächst nach dem Befinden der gnädigen Frau zu erkundigen und mit ihr ein wenig zu medisieren, was er wundervoll verstand, danach aber mit Innstetten einen Ausritt zu verabreden, oft landeinwärts, die Kessine hinauf bis an den Breitling, noch häufiger auf die Molen zu. Effi, wenn die Herren fort waren, spielte mit dem Kind oder durchblätterte die von Gieshübler nach wie vor ihr zugeschickten Zeitungen und Journale, schrieb auch wohl einen Brief an die Mama oder sagte: »Roswitha, wir wollen mit Annie spazieren fahren«, und dann spannte sich Roswitha vor den Korbwagen und fuhr, während Effi hinterherging, ein paar hundert Schritt in das Wäldchen hinein, auf eine Stelle zu, wo Kastanien ausgestreut lagen, die man nun auflas, um sie dem Kinde als Spielzeug zu geben. In die Stadt kam Effi wenig; es war niemand recht da, mit dem sie hätte plaudern können, nachdem ein Versuch, mit der Frau von Crampas auf einen Umgangsfuß zu kommen, aufs

Randglossen:

kastalischer Quell: hl. Quelle bei Delphi; Quelle der Inspiration

medisieren: lästern, tratschen

Korbwagen: Kinderwagen aus Korbgeflecht

auf einen Umgangsfuß kommen: *hier* einen Kontakt herstellen

Neue gescheitert war. Die Majorin war und blieb menschenscheu.

Das ging so wochenlang, bis Effi plötzlich den Wunsch äußerte, mit ausreiten zu dürfen; sie habe nun 'mal die Passion, und es sei doch zu viel verlangt, bloß um des Geredes der Kessiner willen, auf etwas zu verzichten, das einem so viel wert sei. Der Major fand die Sache kapital und Innstetten, dem es augenscheinlich weniger passte – so wenig, dass er immer wieder hervorhob, es werde sich kein Damenpferd finden lassen –, Innstetten musste nachgeben, als Crampas versicherte, »das solle seine Sorge sein.« Und richtig, was man wünschte, fand sich auch, und Effi war selig, am Strand hinjagen zu können, jetzt wo »Damenbad« und »Herrenbad« keine scheidenden Schreckensworte mehr waren. Meist war auch Rollo mit von der Partie, und weil es sich ein paar Mal ereignet hatte, dass man am Strande zu rasten oder auch eine Strecke Wegs zu Fuß zu machen wünschte, so kam man überein, sich von entsprechender Dienerschaft begleiten zu lassen, zu welchem Behufe des Majors Bursche, ein alter Treptower Ulan, der Knut hieß, und Innstettens Kutscher Kruse zu Reitknechten umgewandelt wurden, allerdings ziemlich unvollkommen, indem sie, zu Effis Leidwesen, in eine Fantasie-Livree gesteckt wurden, darin der eigentliche Beruf beider noch nachspukte.

Mitte Oktober war schon heran, als man, so herausstaffiert, zum ersten Mal in voller Kavalkade aufbrach, in Front Innstetten und Crampas, Effi zwischen ihnen, dann Kruse und Knut und zuletzt Rollo, der aber bald, weil ihm das Nachtrotten missfiel, allen vorauf war. Als man das jetzt öde Strandhotel passiert und bald danach, sich rechts haltend, auf dem von einer mäßigen Brandung überschäumten Strandwege den diesseitigen Molendamm erreicht hatte, verspürte man Lust, abzusteigen und einen Spaziergang bis an den Kopf der Mole zu machen. Effi war die Erste aus dem Sattel. Zwischen den beiden Steindämmen floss die

kapital:
außerordentlich

Damenpferd:
ruhiges Pferd

Behufe:
Zweck

Ulan:
Angehöriger einer
militärischen
Reitertruppe

Livree:
uniformartige
Dienstbekleidung

Kavalkade:
feierlicher Reiter-
aufzug

Kessine breit und ruhig dem Meere zu, das wie eine sonnenbeschienene Fläche, darauf nur hier und da eine leichte Welle kräuselte, vor ihnen lag.

Effi war noch nie hier draußen gewesen, denn als sie vorigen November in Kessin eintraf, war schon Sturmzeit, und als der Sommer kam, war sie nicht mehr im stande, weite Gänge zu machen. Sie war jetzt entzückt, fand alles groß und herrlich, erging sich in kränkenden Vergleichen zwischen dem Luch und dem Meer und ergriff, so oft die Gelegenheit dazu sich bot, ein Stück angeschwemmtes Holz, um es nach links hin in die See oder nach rechts hin in die Kessine zu werfen. Rollo war immer glücklich, im Dienste seiner Herrin sich nachstürzen zu können; mit einem Mal aber wurde seine Aufmerksamkeit nach einer ganz anderen Seite hin abgezogen, und sich vorsichtig, ja beinahe ängstlich vorwärtsschleichend, sprang er plötzlich auf einen in Front sichtbar werdenden Gegenstand zu, freilich vergeblich, denn im selben Augenblicke glitt von einem sonnenbeschienenen und mit grünem Tang überwachsenen Stein eine Robbe glatt und geräuschlos in das nur etwa fünf Schritt entfernte Meer hinunter. Eine kurze Weile noch sah man den Kopf, dann tauchte auch dieser unter.

Alle waren erregt, und Crampas fantasierte von Robbenjagd und dass man das nächste Mal die Büchse mitnehmen müsse, »denn die Dinger haben ein festes Fell«.

Büchse:
Jagdgewehr

»Geht nicht«, sagte Innstetten; »Hafenpolizei.«

»Wenn ich so 'was höre«, lachte der Major. »Hafenpolizei! Die drei Behörden, die wir hier haben, werden doch wohl untereinander die Augen zudrücken können. Muss denn alles so furchtbar gesetzlich sein? Alle Gesetzlichkeiten sind langweilig.«

Effi klatschte in die Hände.

»Ja, Crampas, Sie kleidet das, und Effi, wie Sie sehen, klatscht Ihnen Beifall. Natürlich; die Weiber schreien sofort nach einem Schutzmann, aber von Gesetz wollen sie nichts wissen.«

»Das ist so Frauenrecht von alter Zeit her, und wir werden's nicht ändern, Innstetten.«

»Nein«, lachte dieser, »und ich will es auch nicht. Auf Mohrenwäsche lasse ich mich nicht ein. Aber einer wie Sie, Crampas, der unter der Fahne der Disziplin groß geworden ist und recht gut weiß, dass es ohne Zucht und Ordnung nicht geht, ein Mann wie Sie, der sollte doch eigentlich so 'was nicht reden, auch nicht einmal im Spaß. Indessen, ich weiß schon, Sie haben einen himmlischen Kehrmichnichtdrang und denken, der Himmel wird nicht gleich einstürzen. Nein, gleich nicht. Aber 'mal kommt es.«

Crampas wurde einen Augenblick verlegen, weil er glaubte, das alles sei mit einer gewissen Absicht gesprochen, was aber nicht der Fall war. Innstetten hielt nur einen seiner kleinen moralischen Vorträge, zu denen er überhaupt hinneigte. »Da lob' ich mir Gieshübler«, sagte er einlenkend, »immer Kavalier und dabei doch Grundsätze.«

Der Major hatte sich mittlerweile wieder zurechtgefunden und sagte in seinem alten Ton: »Ja, Gieshübler; der beste Kerl von der Welt und, wenn möglich, noch bessere Grundsätze. Aber am Ende woher? warum? Weil er einen ›Verdruss‹ hat. Wer gerade gewachsen ist, ist für Leichtsinn. Überhaupt ohne Leichtsinn ist das ganze Leben keinen Schuss Pulver wert.«

»Nun hören Sie, Crampas, gerade so viel kommt mitunter dabei heraus.« Und dabei sah er auf des Majors linken, etwas verkürzten Arm.

Effi hatte von diesem Gespräche wenig gehört. Sie war dicht an die Stelle getreten, wo die Robbe gelegen, und Rollo stand neben ihr. Dann sahen beide, von dem Stein weg, auf das Meer und warteten, ob die »Seejungfrau« noch einmal sichtbar werden würde.

Ende Oktober begann die Wahlkampagne, was Innstetten hinderte, sich ferner an den Ausflügen zu beteiligen und auch Crampas und Effi hätten jetzt um der lieben Kessiner

Mohrenwäsche: Versuch, einen Schuldigen durch scheinbare Beweise »reinzuwaschen«

Zucht: Erziehung, Disziplin

Kehr-mich-nicht-Drang: hier Sorglosigkeit

Verdruss: hier der Buckel

Seejungfrau: gemeint ist die Robbe

willen wohl verzichten müssen, wenn nicht Knut und Kruse als eine Art Ehrengarde gewesen wären. So kam es, dass sich die Spazierritte bis in den November hinein fortsetzten.

Ein Wetterumschlag war freilich eingetreten, ein andauernder Nordwest trieb Wolkenmassen heran, und das Meer schäumte mächtig, aber Regen und Kälte fehlten noch, und so waren diese Ausflüge bei grauem Himmel und lärmender Brandung fast noch schöner, als sie vorher bei Sonnenschein und stiller See gewesen waren. Rollo jagte vorauf, dann und wann von der Gischt überspritzt, und der Schleier von Effis Reithut flatterte im Winde. Dabei zu sprechen war fast unmöglich; wenn man dann aber, vom Meere fort, in die Schutz gebenden Dünen oder noch besser in den weiter zurückgelegenen Kiefernwald einlenkte, so wurd' es still, Effis Schleier flatterte nicht mehr, und die Enge des Wegs zwang die beiden Reiter dicht nebeneinander. Das war dann die Zeit, wo man – schon um der Knorren und Wurzeln willen im Schritt reitend – die Gespräche, die der Brandungslärm unterbrochen hatte, wieder aufnehmen konnte. Crampas, ein guter Causeur, erzählte dann Kriegs- und Regimentsgeschichten, auch Anekdoten und kleine Charakterzüge von Innstetten, »der mit seinem Ernst und seiner Zugeknöpftheit in den übermütigen Kreis der Kameraden nie recht hineingepasst habe, sodass er eigentlich immer mehr respektiert als geliebt worden sei.«

»Das kann ich mir denken«, sagte Effi, »ein Glück nur, dass der Respekt die Hauptsache ist.«

»Ja, zu seiner Zeit. Aber er passt doch nicht immer. Und zu dem allen kam noch eine mystische Richtung, die mitunter Anstoß gab, einmal weil Soldaten überhaupt nicht sehr für derlei Dinge sind, und dann weil wir die Vorstellung unterhielten, vielleicht mit Unrecht, dass er doch nicht ganz so dazu stände, wie er's uns einreden wollte.«

Gischt: wild aufschäumendes Wasser

Knorren: Baumstumpf

Causeur: Plauderer

mystisch: geheimnisvoll

»Mystische Richtung?« sagte Effi. »Ja, Major, was verstehen Sie darunter? Er kann doch keine Konventikel abgehalten und den Propheten gespielt haben. Auch nicht einmal den aus der Oper ... ich habe seinen Namen vergessen.«

»Nein, so weit ging er nicht. Aber es ist vielleicht besser, davon abzubrechen. Ich möchte nicht hinter seinem Rücken etwas sagen, was falsch ausgelegt werden könnte. Zudem sind es Dinge, die sich sehr gut auch in seiner Gegenwart verhandeln lassen. Dinge, die nur, man mag wollen oder nicht, zu ʼwas Sonderbarem aufgebauscht werden, wenn er nicht dabei ist und nicht jeden Augenblick eingreifen und uns widerlegen oder meinetwegen auch auslachen kann.«

»Aber das ist ja grausam, Major. Wie können Sie meine Neugier so auf die Folter spannen. Erst ist es ʼwas, und dann ist es wieder nichts. Und Mystik! Ist er denn ein Geisterseher?«

»Ein Geisterseher! Das will ich nicht gerade sagen. Aber er hatte eine Vorliebe, uns Spukgeschichten zu erzählen. Und wenn er uns dann in große Aufregung versetzt und manchen auch wohl geängstigt hatte, dann war es mit einem Male wieder, als habe sich über alle die Leichtgläubigen bloß moquieren wollen. Und kurz und gut, einmal kam es, dass ich ihm auf den Kopf zusagte: ›Ach was, Innstetten, das ist ja alles bloß Komödie. Mich täuschen Sie nicht. Sie treiben Ihr Spiel mit uns. Eigentlich glauben Sieʼs grad so wenig wie wir, aber Sie wollen sich interessant machen und haben eine Vorstellung davon, dass Ungewöhnlichkeiten nach oben hin besser empfehlen. In höheren Karrieren will man keine Alltagsmenschen. Und da Sie so ʼwas vorhaben, so haben Sie sich ʼwas Apartes ausgesucht und sind bei der Gelegenheit auf den Spuk gefallen.‹ «

Effi sagte kein Wort, was dem Major zuletzt bedrücklich wurde. »Sie schweigen, gnädigste Frau.«

»Ja.«

Konventikel: geheime Zusammenkunft einer Sekte

den aus der Oper: Anspielung auf *Der Prophet* (1849): Oper von Giacomo Meyerbeer

Mystik: Form der Religiosität, bei der durch rituelle Praktiken eine Verbindung mit dem Göttlichen gesucht wird

Geisterseher: Person, die mit einem Verstorbenen in Verbindung tritt

»Darf ich fragen, warum? Hab' ich Anstoß gegeben? Oder finden Sie's unritterlich, einen abwesenden Freund, ich muss das trotz aller Verwahrungen einräumen, ein klein wenig zu hecheln? Aber da tun Sie mir trotz alledem Unrecht. Das alles soll ganz ungeniert seine Fortsetzung vor seinen Ohren haben, und ich will ihm dabei jedes Wort wiederholen, was ich jetzt eben gesagt habe.«

»Glaub' es.« Und nun brach Effi ihr Schweigen und erzählte, was sie alles in ihrem Hause erlebt und wie sonderbar sich Innstetten damals dazu gestellt habe. »Er sagte nicht ja und nicht nein, und ich bin nicht klug aus ihm geworden.«

»Also ganz der Alte«, lachte Crampas. »So war er damals auch schon, als wir in Liancourt und dann später in Beauvais mit ihm in Quartier lagen. Er wohnte da in einem alten bischöflichen Palast – beiläufig, was Sie vielleicht interessieren wird, war es ein Bischof von Beauvais, glücklicherweise ›Cochon‹ mit Namen, der die Jungfrau von Orleans zum Feuertod verurteilte –, und da verging denn kein Tag, das heißt keine Nacht, wo Innstetten nicht Unglaubliches erlebt hatte. Freilich immer nur so halb. Es konnte auch nichts sein. Und nach diesem Prinzip arbeitet er noch, wie ich sehe.«

»Gut, gut. Und nun ein ernstes Wort, Crampas, auf das ich mir eine ernste Antwort erbitte: Wie erklären Sie sich dies alles?«

»Ja, meine gnädigste Frau ...«

»Keine Ausweichungen, Major. Dies alles ist sehr wichtig für mich. Er ist Ihr Freund, und ich bin Ihre Freundin. Ich will wissen, wie hängt dies zusammen? Was denkt er sich dabei?«

»Ja, meine gnädigste Frau, Gott sieht ins Herz, aber ein Major vom Landwehrbezirks-Kommando, der sieht in gar nichts. Wie soll ich solche psychologischen Rätsel lösen? Ich bin ein einfacher Mann.«

»Ach, Crampas, reden Sie nicht so töricht. Ich bin zu jung, um eine große Menschenkennerin zu sein; aber ich müsste noch vor der Einsegnung und beinah' vor der Taufe stehen, um Sie für einen einfachen Mann zu halten. Sie sind das Gegenteil davon, Sie sind gefährlich ...«

Einsegnung: Konfirmation

»Das Schmeichelhafteste, was einem guten Vierziger mit einem a. D. auf der Karte gesagt werden kann. Und nun also, was sich Innstetten dabei denkt ...«

a. D.: Abkürzung für außer Dienst

Effi nickte.

»Ja, wenn ich durchaus sprechen soll, er denkt sich dabei, dass ein Mann wie Landrat Baron Innstetten, der jeden Tag Ministerial-Direktor oder dergleichen werden kann (denn glauben Sie mir, er ist hoch hinaus), dass ein Mann wie Baron Innstetten nicht in einem gewöhnlichen Hause wohnen kann, nicht in einer solchen Kate, wie die landrätliche Wohnung, ich bitte um Vergebung, gnädigste Frau, doch eigentlich ist. Da hilft er denn nach. Ein Spukhaus ist nie 'was Gewöhnliches ... Das ist das Eine.«

Ministerial-direktor: ranghöchster Beamter eines Ministeriums

Kate: kleines, ärmliches Bauernhaus

»Das Eine? Mein Gott, haben Sie noch etwas?« »Ja.«

»Nun denn, ich bin ganz Ohr. Aber wenn es sein kann, lassen Sie's was Gutes sein.«

»Dessen bin ich nicht ganz sicher. Es ist etwas Heikles, beinah Gewagtes, und ganz besonders vor Ihren Ohren, gnädigste Frau.«

»Das macht mich nur um so neugieriger.«

»Gut denn. Also Innstetten, meine gnädigste Frau, hat außer seinem brennenden Verlangen, es koste, was es wolle, ja, wenn es sein muss, unter Heranziehung eines Spuks, seine Karriere zu machen, noch eine zweite Passion: er operiert nämlich immer erzieherisch, ist der geborene Pädagog, und hätte, links Basedow und rechts Pestalozzi (aber doch kirchlicher als beide), eigentlich nach Schnepfenthal oder Bunzlau hingepasst.«

operieren: arbeiten

Johann Basedow (1724–1790) und Johann Pestalozzi (1746–1827): bedeutende deutsche Pädagogen

Schnepfenthal oder Bunzlau: bekannt durch ihre Erziehungs-anstalten

»Und will er mich auch erziehen? Erziehen durch Spuk?«

»Erziehen ist vielleicht nicht das richtige Wort. Aber doch erziehen auf einem Umweg.«

»Ich verstehe Sie nicht.«

»Eine junge Frau ist eine junge Frau, und ein Landrat ist ein Landrat. Er kutschiert oft im Kreise umher, und dann ist das Haus allein und unbewohnt. Aber solch Spuk ist wie ein Cherub mit dem Schwert ...«

»Ah, da sind wir wieder aus dem Wald heraus«, sagte Effi.

»Und da ist Utpatels Mühle. Wir müssen nur noch an dem Kirchhof vorüber.«

Gleich danach passierten sie den Hohlweg zwischen dem Kirchhof und der eingegitterten Stelle, und Effi sah nach dem Stein und der Tanne hinüber, wo der Chinese lag.

Cherub [...]: Fabelwesen mit Tierkörper und Menschenkopf, das das Paradies nach der Vertreibung von Adam und Eva bewacht (Mose 3,24)

SIEBZEHNTES KAPITEL

Es schlug zwei Uhr, als man zurück war. Crampas verabschiedete sich und ritt in die Stadt hinein, bis er vor seiner am Marktplatz gelegenen Wohnung hielt. Effi ihrerseits kleidete sich um und versuchte zu schlafen; es wollte aber nicht glücken, denn ihre Verstimmung war noch größer als ihre Müdigkeit. Dass Innstetten sich seinen Spuk parat hielt, um ein nicht ganz gewöhnliches Haus zu bewohnen, das mochte hingehen, das stimmte zu seinem Hange, sich von der großen Menge zu unterscheiden; aber das andere, dass er den Spuk als Erziehungsmittel brauchte, das war doch arg und beinahe beleidigend. Und »Erziehungsmittel«, darüber war sie sich klar, sagte nur die kleinere Hälfte; was Crampas gemeint hatte, war viel, viel mehr, war eine Art Angelapparat aus Kalkül. Es fehlte jede Herzensgüte darin und grenzte schon fast an Grausamkeit. Das Blut stieg ihr zu Kopf, und sie ballte ihre kleine Hand und wollte Pläne schmieden; aber mit einem Male musste sie wieder lachen. »Ich Kindskopf! Wer bürgt mir denn dafür, dass Crampas recht hat! Crampas ist unterhaltlich, weil er medisant ist, aber er ist unzuverlässig und ein

Kalkül: Berechnung

bloßer Haselant, der schließlich Innstetten nicht das Wasser reicht.«

Haselant:
Angeber

In diesem Augenblick fuhr Innstetten vor, der heute früher zurückkam als gewöhnlich. Effi sprang auf, um ihn schon im Flur zu begrüßen, und war umso zärtlicher, je mehr sie das Gefühl hatte, etwas gutmachen zu müssen. Aber ganz konnte sie das, was Crampas gesagt hatte, doch nicht verwinden, und inmitten ihrer Zärtlichkeiten, und während sie mit anscheinendem Interesse zuhörte, klang es in ihr immer wieder: »also Spuk aus Berechnung, Spuk, um dich in Ordnung zu halten.«

verwinden:
überwinden

Zuletzt indessen vergaß sie's und ließ sich unbefangen von ihm erzählen.

Inzwischen war Mitte November herangekommen, und der bis zum Sturm sich steigernde Nordwester stand anderthalb Tage lang so hart auf die Molen, dass die mehr und mehr zurückgestaute Kessine das Bollwerk überstieg und in die Straßen trat. Aber nachdem sich's ausgetobt, legte sich das Unwetter, und es kamen noch ein paar sonnige Spätherbsttage.

»Wer weiß, wie lange sie dauern«, sagte Effi zu Crampas, und so beschloss man, am nächsten Vormittag noch einmal auszureiten; auch Innstetten, der einen freien Tag hatte, wollte mit. Es sollte zunächst wieder bis an die Mole gehen; da wollte man dann absteigen, ein wenig am Strande promenieren und schließlich im Schutz der Dünen, wo's windstill war, ein Frühstück nehmen.

promenieren:
spazieren gehen

Um die festgesetzte Stunde ritt Crampas vor dem landrätlichen Hause vor; Kruse hielt schon das Pferd der gnädigen Frau, die sich rasch in den Sattel hob und noch im Aufsteigen Innstetten entschuldigte, der nun doch verhindert sei: letzte Nacht wieder großes Feuer in Morgenitz – das dritte seit drei Wochen, also angelegt –, da habe er hingemusst, sehr zu seinem Leidwesen, denn er habe sich auf diesen

Ausritt, der wohl der letzte in diesem Herbste sein werde, wirklich gefreut.

Crampas sprach sein Bedauern aus, vielleicht nur, um 'was zu sagen, vielleicht aber auch aufrichtig, denn so rücksichtslos er im Punkte chevaleresker Liebesabenteuer war, so sehr war er auch wieder guter Kamerad. Natürlich, alles ganz oberflächlich. Einem Freunde helfen und fünf Minuten später ihn betrügen, das waren Dinge, die sich mit seinem Ehrbegriff sehr wohl vertrugen. Er tat das eine und das andere mit unglaublicher Bonhommie.

chevaleresk: ritterlich

Der Ritt ging wie gewöhnlich durch die Plantage hin. Rollo war wieder vorauf, dann kamen Crampas und Effi, dann Kruse.

Knut fehlte.

»Wo haben Sie Knut gelassen?«

»Er hat einen Ziegenpeter.«

Ziegenpeter: Mumps, fieberhafte Infektionskrankheit

»Merkwürdig«, lachte Effi. »Eigentlich sah er schon immer so aus.«

»Sehr richtig. Aber Sie sollten ihn jetzt sehen! Oder doch lieber nicht. Ziegenpeter ist ansteckend, schon bloß durch Anblick.«

»Glaub' ich nicht.«

»Junge Frauen glauben vieles nicht.«

»Und dann glauben sie wieder vieles, was sie besser nicht glaubten.«

»An meine Adresse?«

»Nein.«

»Schade.«

»Wie dies ›schade‹ Sie kleidet. Ich glaube wirklich, Major, Sie hielten es für ganz in Ordnung, wenn ich Ihnen eine Liebeserklärung machte.«

»So weit will ich nicht gehen. Aber ich möchte den sehen, der sich dergleichen nicht wünschte. Gedanken und Wünsche sind zollfrei.«

»Das fragt sich. Und dann ist doch immer noch ein Unterschied zwischen Gedanken und Wünschen. Gedanken sind in der Regel etwas, das noch im Hintergrund liegt, Wünsche aber liegen meist schon auf der Lippe.«

»Nur nicht gerade *diesen* Vergleich.«

»Ach, Crampas, Sie sind ... Sie sind ...«

»Ein Narr.«

»Nein. Auch darin übertreiben Sie wieder. Aber Sie sind etwas anderes. In Hohen-Cremmen sagten wir immer, und ich mit, das Eitelste, was es gäbe, das sei ein Husarenfähnrich von achtzehn ...«

»Und jetzt?«

»Und jetzt sag' ich, das Eitelste, was es gibt, ist ein Landwehr-Bezirksmajor von zweiundvierzig.«

»... Wobei die zwei Jahre, die Sie mir gnädigst erlassen, alles wiedergutmachen, – küss' die Hand.«

»Ja, küss' die Hand. Das ist so recht das Wort, das für Sie passt. Das ist wienerisch. Und die Wiener, die hab' ich kennen gelernt, in Karlsbad, vor vier Jahren, wo sie mir vierzehnjährigem Dinge den Hof machten. Was ich da alles gehört habe!«

»Gewiss nicht mehr, als recht war.«

»Wenn das zuträfe, wäre das, was mir schmeicheln soll, ziemlich ungezogen ... Aber sehen Sie da die Bojen, wie die schwimmen und tanzen. Die kleinen roten Fahnen sind eingezogen. Immer wenn ich diesen Sommer die paar Mal, wo ich mich bis an den Strand hinauswagte, die roten Fahnen sah, sagt' ich mir: Da liegt Vineta, da muss es liegen, das sind die Turmspitzen ...«

»Das macht, weil Sie das Heine'sche Gedicht kennen.«

»Welches?«

»Nun, das von Vineta.«

»Nein, das kenne ich nicht; ich kenne überhaupt nur wenig. Leider.«

»Und haben doch Gieshübler und den Journalzirkel! Übrigens hat Heine dem Gedicht einen anderen Namen gegeben, ich glaube ›Seegespenst‹ oder so ähnlich. Aber Vineta hat er gemeint. Und er selber – verzeihen Sie, wenn ich

Vineta:
eine der Sage nach untergegangene Stadt auf der Ostseeinsel Wollin

Heine:
Heinrich Heine (1797–1856), dt. Schriftsteller

Ihnen so ohne Weiteres den Inhalt hier wiedergebe –, der Dichter also, während er die Stelle passiert, liegt auf einem Schiffsdeck und sieht hinunter und sieht da schmale, mittelalterliche Straßen und trippelnde Frauen in Kapotthüten, und alle haben ein Gesangbuch in Händen und wollen zur Kirche, und alle Glocken läuten. Und als er das hört, da fasst ihn eine Sehnsucht, auch mit in die Kirche zu gehen, wenn auch bloß um der Kapotthüte willen, und vor Verlangen schreit er auf und will sich hinunterstürzen. Aber im selben Augenblicke packt ihn der Kapitän am Bein und ruft ihm zu: Doktor, sind Sie des Teufels?«

»Das ist ja allerliebst. Das möcht' ich lesen. Ist es lang?«

»Nein, es ist eigentlich kurz, etwas länger als ›Du hast Diamanten und Perlen‹ oder ›Deine weichen Lilienfinger‹ ...«, und er berührte leise ihre Hand. »Aber lang oder kurz, welche Schilderungskraft, welche Anschaulichkeit! Er ist mein Lieblingsdichter, und ich kann ihn auswendig, sowenig ich mir sonst, trotz gelegentlich eigener Versündigungen, aus der Dichterei mache. Bei Heine liegt es aber anders: Alles ist Leben, und vor allem versteht er sich auf die Liebe, die doch die Hauptsache bleibt. Er ist übrigens nicht einseitig darin ...«

»Wie meinen Sie das?«

»Ich meine, er ist nicht bloß für die Liebe ...«

»Nun, wenn er diese Einseitigkeit auch hätte, das wäre am Ende noch nicht das Schlimmste. Wofür ist er denn sonst noch?«

»Er ist auch sehr für das Romantische, was freilich gleich nach der Liebe kommt und nach Meinung einiger sogar damit zusammenfällt. Was ich aber nicht glaube. Denn in seinen späteren Gedichten, die man denn auch die ›romantischen‹ genannt hat, oder eigentlich hat er es selber getan, in diesen romantischen Dichtungen wird in einem fort hingerichtet, allerdings vielfach aus Liebe. Aber doch meist aus anderen gröberen Motiven, wohin ich in erster Reihe die Politik, die fast immer gröblich ist, rechne.

Karl Stuart zum Beispiel trägt in einer dieser Romanzen seinen Kopf unterm Arm, und noch fataler ist die Geschichte vom Vitzliputzli ...«

»Von wem?«

»Vom Vitzliputzli. Vitzliputzli ist nämlich ein mexikanischer Gott, und als die Mexikaner zwanzig oder dreißig Spanier gefangen genommen hatten, mussten diese zwanzig oder dreißig dem Vitzliputzli geopfert werden. Das war da nicht anders, Landessitte, Kultus, und ging auch alles im Handumdrehen, Bauch auf, Herz 'raus ...«

»Nein, Crampas, so dürfen Sie nicht weiter sprechen. Das ist indecent und degoutant zugleich. Und das alles so ziemlich in demselben Augenblicke, wo wir frühstücken wollen.«

»Ich für meine Person sehe mich dadurch unbeeinflusst und stelle meinen Appetit überhaupt nur in Abhängigkeit vom Menu.«

Während dieser Worte waren sie, ganz wie's das Programm wollte, vom Strand her bis an eine schon halb im Schutz der Dünen aufgeschlagene Bank, mit einem äußerst primitiven Tisch davor, gekommen, zwei Pfosten mit einem Brett darüber. Kruse, der vorausgeritten, hatte hier bereits serviert; Teebrötchen und Aufschnitt von kaltem Braten, dazu Rotwein und neben der Flasche zwei hübsche, zierliche Trinkgläser, klein und mit Goldrand, wie man sie in Badeorten kauft oder von Glashütten als Erinnerung mitbringt.

Und nun stieg man ab. Kruse, der die Zügel seines eigenen Pferdes um eine Krüppelkiefer geschlungen hatte, ging mit den beiden anderen Pferden auf und ab, während sich Crampas und Effi, die durch eine schmale Dünenöffnung einen freien Blick auf Strand und Mole hatten, vor dem gedeckten Tisch niederließen.

Über das von den Sturmtagen her noch bewegte Meer goss die schon halb winterliche Novembersonne ihr fahles Licht aus, und die Brandung ging hoch. Dann und wann kam ein

Karl Stuart: Charles I. (1600–1649): König von England, der im Englischen Bürgerkrieg enthauptet wurde

Romanzen: Anspielung auf die Gedichte *Karl I* und *Vitzliputzli* aus dem Band *Romanzero* (1851) von Heine

Vitzliputzli: eigentl. Huitzilopochtli: aztekischer Kriegs- und Sonnengott

indecent: unanständig

degoutant: abstoßend

aufgeschlagen: aufgestellt

Windzug und trieb den Schaum bis dicht an sie heran. Strandhafer stand umher, und das helle Gelb der Immortellen hob sich, trotz der Farbenverwandtschaft, von dem gelben Sande, darauf sie wuchsen, scharf ab. Effi machte die Wirtin. »Es tut mir leid, Major, Ihnen diese Brötchen in einem Korbdeckel präsentieren zu müssen ...«

»Ein Korbdeckel ist kein Korb ...«

»... Indessen Kruse hat es so gewollt. Und da bist Du ja auch, Rollo. Auf Dich ist unser Vorrat aber nicht eingerichtet. Was machen wir mit Rollo?«

»Ich denke, wir geben ihm alles; ich meinerseits schon aus Dankbarkeit. Denn sehen Sie, teuerste Effi ...«

Effi sah ihn an.

»Denn sehen Sie, gnädigste Frau, Rollo erinnert mich wieder an das, was ich Ihnen noch als Fortsetzung oder Seitenstück zum Vitzliputzli erzählen wollte, – nur viel pikanter, weil Liebesgeschichte. Haben Sie 'mal von einem gewissen Pedro dem Grausamen gehört?«

»So dunkel.«

»Eine Art Blaubartskönig.«

»Das ist gut. Von so einem hört man immer am liebsten, und ich weiß noch, dass wir von meiner Freundin Hulda Niemeyer, deren Namen Sie ja kennen, immer behaupteten, sie wisse nichts von Geschichte, mit Ausnahme der sechs Frauen von Heinrich dem Achten, diesem englischen Blaubart, wenn das Wort für ihn reicht. Und wirklich, diese sechs kannte sie auswendig. Und dabei hätten Sie hören sollen, wie sie die Namen aussprach, namentlich den von der Mutter der Elisabeth, – so schrecklich verlegen, als wäre sie nun an der Reihe ... Aber nun bitte, die Geschichte von Don Pedro ...«

»Nun also, an Don Pedros Hofe war ein schöner, schwarzer spanischer Ritter, der das Kreuz von Kalatrava – was ungefähr so viel bedeutet wie Schwarzer Adler und pour le mérite zusammen genommen – auf seiner Brust trug. Dies Kreuz gehörte mit dazu, das mussten sie immer tragen,

Korb:
Anspielung auf
die Redensart
»einen Korb
geben«

pikant:
anstößig,
anrüchig

Pedro der
Grausame
(1320–1367):
kastilischer König

König Blaubart:
Märchenfigur

Heinrich VIII.
(1491–1547):
engl. König

Elisabeth:
Anna Boleyn
(1501–1536),
zweite Frau von
Heinrich VIII.,
wegen des
Vorwurfs der
Untreue
hingerichtet

Kreuz von
Kalatrava:
Ordenszeichen
eines spanischen
Ritterordens

Schwarzer Adler:
höchster preußischer Orden

pour-le-mérite:
preußische
Auszeichnung für
besondere
Verdienste

und dieser Kalatrava-Ritter, den die Königin natürlich heimlich liebte ...«

»Warum natürlich?«

»Weil wir in Spanien sind.«

»Ach so.«

»Und dieser Kalatrava-Ritter, sag ich, hatte einen wunderschönen Hund, einen Neufundländer, wiewohl es die noch gar nicht gab, denn es war grade hundert Jahre vor der Entdeckung von Amerika. Einen wunderschönen Hund also, sagen wir wie Rollo ...«

Rollo schlug an, als er seinen Namen hörte, und wedelte mit dem Schweif.

»Das ging so manchen Tag. Aber das mit der heimlichen Liebe, die wohl nicht ganz heimlich blieb, das wurde dem Könige doch zu viel, und weil er den schönen Kalatrava-Ritter überhaupt nicht recht leiden mochte – denn er war nicht bloß grausam, er war auch ein Neidhammel, oder wenn das Wort für einen König und noch mehr für meine liebenswürdige Zuhörerin, Frau Effi, nicht recht passen sollte, wenigstens ein Neidling –, so beschloss er, den Kalatrava-Ritter für die heimliche Liebe heimlich hinrichten zu lassen.«

Neidhammel: neidischer Mensch

»Kann ich ihm nicht verdenken.«

»Ich weiß doch nicht, meine Gnädigste. Hören Sie nur weiter. Etwas geht schon, aber es war zu viel, der König, find' ich, ging um ein Erkleckliches zu weit. Er heuchelte nämlich, dass er dem Ritter wegen seiner Kriegs- und Heldentaten ein Fest veranstalten wolle, und da gab es denn eine lange, lange Tafel, und alle Granden des Reichs saßen an dieser Tafel, und in der Mitte saß der König, und ihm gegenüber war der Platz für den, dem dies alles galt, also für den Kalatrava-Ritter, für den an diesem Tage zu Feiernden. Und weil der, trotzdem man schon eine ganze Weile seiner gewartet hatte, noch immer nicht kommen wollte, so musste schließlich die Festlichkeit ohne ihn begonnen

erklecklich: erheblich

Granden: Angehörige des spanischen Hochadels

werden, und es blieb ein leerer Platz – ein leerer Platz gerade gegenüber dem König.«

»Und nun?«

»Und nun denken Sie, meine gnädigste Frau, wie der König, dieser Pedro, sich eben erheben will, um gleißnerisch sein Bedauern auszusprechen, dass sein ›lieber Gast‹ noch immer fehle, da hört man auf der Treppe draußen einen Aufschrei der entsetzten Dienerschaften, und ehe noch irgendwer weiß, was geschehen ist, jagt etwas an der langen Festtafel entlang, und nun springt es auf den Stuhl und setzt ein abgeschlagenes Haupt auf den leer gebliebenen Platz, und über eben dieses Haupt hinweg starrt Rollo auf sein Gegenüber, den König. Rollo hatte seinen Herrn auf seinem letzten Gange begleitet, und im selben Augenblicke, wo das Beil fiel, hatte das treue Tier das fallende Haupt gepackt, und da war er nun, unser Freund Rollo, an der langen Festetafel und verklagte den königlichen Mörder.«

Effi war ganz still geworden. Endlich sagte sie: »Crampas, das ist in seiner Art sehr schön, und weil es sehr schön ist, will ich es Ihnen verzeihen. Aber Sie könnten doch Bess'res und zugleich mir Lieberes tun, wenn Sie mir andere Geschichten erzählten. Auch von Heine. Heine wird doch nicht bloß von Vitzliputzli und Don Pedro und Ihrem Rollo – denn meiner hätte so 'was nicht getan – gedichtet haben. Komm, Rollo! Armes Tier, ich kann dich gar nicht mehr ansehen, ohne an den Kalatrava-Ritter zu denken, den die Königin heimlich liebte ... Rufen Sie, bitte, Kruse, dass er die Sachen hier wieder in die Halfter steckt, und wenn wir zurückreiten, müssen Sie mir 'was anderes erzählen, ganz 'was anderes.«

Kruse kam. Als er aber die Gläser nehmen wollte, sagte Crampas: »Kruse, das eine Glas, das da, das lassen Sie stehen. Das werde ich selber nehmen.«

»Zu Befehl, Herr Major.«

Effi, die dies mit angehört hatte, schüttelte den Kopf. Dann lachte sie. »Crampas, was fällt Ihnen nur eigentlich ein?

Kruse ist dumm genug, über die Sache nicht weiter nachzudenken, und wenn er darüber nachdenkt, so findet er glücklicherweise nichts. Aber das berechtigt Sie doch nicht, dies Glas ... dies Dreißigpfennig-Glas aus der Josefinenhütte ...«

Josefinenhütte: Glashütte im Riesengebirge

»Dass Sie so spöttisch den Preis nennen, lässt mich seinen Wert um so tiefer empfinden.«

»Immer derselbe. Sie haben so viel von einem Humoristen, aber doch von ganz sonderbarer Art. Wenn ich Sie recht verstehe, so haben Sie vor – es ist zum Lachen, und ich geniere mich fast, es auszusprechen –, so haben Sie vor, sich vor der Zeit auf den König von Thule hin auszuspielen.«

König von Thule: Anspielung auf Ballade in *Faust I* von Goethe (1808)

auszuspielen: auf etwas anspielen

Er nickte mit einem Anflug von Schelmerei.

»Nun denn, meinetwegen. Jeder trägt seine Kappe; Sie wissen, welche. Nur das muss ich Ihnen doch sagen dürfen, die Rolle, die Sie mir dabei zudiktieren, ist mir zu wenig schmeichelhaft. Ich mag nicht als Reimwort auf Ihren König von Thule herumlaufen. Behalten Sie das Glas, aber bitte, ziehen Sie nicht Schlüsse daraus, die mich kompromittieren. Ich werde Innstetten davon erzählen.«

Kappe: *hier* Narrenkappe

zudiktieren: aufzwingen

kompromittieren: vorführen, bloßstellen

»Das werden Sie nicht tun, meine gnädigste Frau.« »Warum nicht?«

»Innstetten ist nicht der Mann, solche Dinge *so* zu sehen, wie sie gesehen sein wollen.«

Sie sah ihn einen Augenblick scharf an. Dann aber schlug sie verwirrt und fast verlegen die Augen nieder.

ACHTZEHNTES KAPITEL

Effi war unzufrieden mit sich und freute sich, dass es nunmehr feststand, diese gemeinschaftlichen Ausflüge für die ganze Winterdauer auf sich beruhen zu lassen. Überlegte sie, was während all' dieser Wochen und Tage gesprochen, berührt und angedeutet war, so fand sie nichts, um dessentwillen sie sich direkte Vorwürfe zu machen gehabt hätte. Crampas war ein kluger Mann, welterfahren, humoristisch, frei, frei auch im Guten, und es wäre kleinlich und kümmerlich gewesen, wenn sie sich ihm gegenüber aufgesteift und jeden Augenblick die Regeln strengen Anstandes befolgt hätte. Nein, sie konnte sich nicht tadeln, auf seinen Ton eingegangen zu sein, und doch hatte sie ganz leise das Gefühl einer überstandenen Gefahr und beglückwünschte sich, dass das alles nun mutmaßlich hinter ihr läge. Denn an ein häufigeres Sichsehen en famille war nicht wohl zu denken, das war durch die Crampas'schen Hauszustände so gut wie ausgeschlossen, und Begegnungen bei den benachbarten adligen Familien, die freilich für den Winter in Sicht standen, konnten immer nur sehr vereinzelt und sehr flüchtige sein. Effi rechnete sich dies alles mit wachsender Befriedigung heraus und fand schließlich, dass ihr der Verzicht auf das, was sie dem Verkehr mit dem Major verdankte, nicht allzu schwer ankommen würde. Dazu kam noch, dass Innstetten ihr mitteilte, seine Fahrten nach Varzin würden in diesem Jahre fortfallen: Der Fürst gehe nach Friedrichsruh, das ihm immer lieber zu werden scheine; nach der einen Seite hin bedauere er das, nach der anderen sei es ihm lieb – er könne sich nun ganz seinem Hause widmen, und wenn es ihr recht wäre, so wollten sie die italienische Reise, an der Hand seiner Aufzeichnungen, noch einmal durchmachen. Eine solche Rekapitulation sei eigentlich die Hauptsache, dadurch mache man sich alles erst dauernd zu eigen, und selbst Dinge, die man nur flüchtig gesehen und von denen man kaum wisse, dass man sie in seiner Seele beherberge, kämen einem durch solche nachträglichen Studien erst voll zu Bewusstsein und Besitz. Er führte das noch weiter aus und fügte hinzu, dass ihn Gieshübler, der den ganzen »italienischen Stiefel« bis Palermo kenne, gebeten habe, mit dabei sein zu dürfen. Effi, der ein ganz gewöhnlicher Plauderabend ohne den »italienischen Stiefel« (es sollten

aufgesteift:
hier distanziert

en famille:
im engsten
Familienkreis

Friedrichsruh:
Besitz Bismarcks
im Sachsenwald
bei Hamburg

Rekapitulation:
Wiederholung

sogar Fotografien herumgereicht werden) viel, viel lieber gewesen wäre, antwortete mit einer gewissen Gezwungenheit; Innstetten indessen, ganz erfüllt von seinem Plane, merkte nichts und fuhr fort: »Natürlich ist nicht bloß Gieshübler zugegen, auch Roswitha und Annie müssen dabei sein, und wenn ich mir dann denke, dass wir den Canale grande hinauf fahren und hören dabei ganz in der Ferne die Gondoliere singen, während drei Schritt von uns Roswitha sich über Annie beugt und ›Buhküken von Halberstadt‹ oder so 'was Ähnliches zum Besten gibt, so können das schöne Winterabende werden, und Du sitzest dabei und strickst mir eine große Winterkappe. Was meinst Du dazu, Effi?«

Solche Abende wurden nicht bloß geplant, sie nahmen auch ihren Anfang, und sie würden sich, aller Wahrscheinlichkeit nach, über viele Wochen hin ausgedehnt haben, wenn nicht der unschuldige harmlose Gieshübler, trotz größter Abgeneigtheit gegen zweideutiges Handeln, dennoch im Dienste zweier Herren gestanden hätte. Der eine, dem er diente, war Innstetten, der andere war Crampas, und wenn er der Innstetten'schen Aufforderung zu den italienischen Abenden, schon um Effis willen, auch mit aufrichtigster Freude Folge leistete, so war die Freude, mit der er Crampas gehorchte, doch noch eine größere. Nach einem Crampas'schen Plane nämlich sollte noch vor Weihnachten »Ein Schritt vom Wege« aufgeführt werden, und als man vor dem dritten italienischen Abend stand, nahm Gieshübler die Gelegenheit wahr, mit Effi, die die Rolle der Ella spielen sollte, darüber zu sprechen.

Effi war wie elektrisiert; was wollten Padua, Vicenza daneben bedeuten! Effi war nicht für Aufgewärmtheiten; Frisches war es, wonach sie sich sehnte, Wechsel der Dinge. Aber als ob eine Stimme ihr zugerufen hätte: »Sieh' Dich vor!«, so fragte sie doch, inmitten ihrer freudigen Erregung: »Ist es der Major, der den Plan aufgebracht hat?«

Canale grande: Hauptwasserstraße in Venedig

Gondoliere: Führer einer Gondel

Buhküken von Halberstadt: Kinderlied

Ein Schritt vom Wege (1872): Lustspiel von Ernst Wiechert

Ella: Hauptfigur in *Ein Schritt vom Wege*

»Ja. Sie wissen, gnädigste Frau, dass er einstimmig in das Vergnügungskomitee gewählt wurde. Wir dürfen uns endlich einen hübschen Winter in der Ressource versprechen. Er ist ja wie geschaffen dazu.«

»Und wird er auch mitspielen?«

»Nein, das hat er abgelehnt. Ich muss sagen, leider. Denn er kann ja alles und würde den Arthur von Schmettwitz ganz vorzüglich geben. Er hat nur die Regie übernommen.«

»Desto schlimmer.«

»Desto schlimmer?«, wiederholte Gieshübler.

»Oh, Sie dürfen das nicht so feierlich nehmen; das ist nur so eine Redensart, die eigentlich das Gegenteil bedeutet. Auf der anderen Seite freilich, der Major hat so 'was Gewaltsames, er nimmt einem die Dinge gern über den Kopf fort. Und man muss dann spielen, wie er will, und nicht, wie man selber will.«

Sie sprach noch so weiter und verwickelte sich immer mehr in Widersprüche.

Der »Schritt vom Wege« kam wirklich zu Stande, und gerade weil man nur noch gute vierzehn Tage hatte (die letzte Woche vor Weihnachten war ausgeschlossen), so strengte sich alles an, und es ging vorzüglich; die Mitspielenden, vor allem Effi, ernteten reichen Beifall. Crampas hatte sich wirklich mit der Regie begnügt, und so streng er gegen alle anderen war, so wenig hatte er auf den Proben in Effis Spiel hineingeredet. Entweder waren ihm von Seiten Gieshüblers Mitteilungen über das mit Effi gehabte Gespräch gemacht worden, oder er hatte es auch aus sich selber bemerkt, dass Effi beflissen war, sich von ihm zurückzuziehen. Und er war klug und Frauenkenner genug, um den natürlichen Entwicklungsgang, den er nach seinen Erfahrungen nur zu gut kannte, nicht zu stören.

Am Theaterabend in der Ressource trennte man sich spät, und Mitternacht war vorüber, als Innstetten und Effi wieder zu Hause bei sich eintrafen. Johanna war noch auf, um behilflich zu sein, und Innstetten, der auf seine junge Frau nicht wenig eitel war, erzählte Johanna, wie reizend die gnädige Frau ausgesehen und wie gut sie gespielt habe. Schade, dass er nicht vorher daran gedacht, Kristel und sie selber und auch die alte Unke, die Kruse, hätten von der Musikgalerie her sehr gut zusehen können; es seien viele da gewesen. Dann ging Johanna, und Effi, die müde war, legte sich nieder. Innstetten aber, der noch plaudern wollte, schob einen Stuhl heran und setzte sich an das Bett seiner Frau, diese freundlich ansehend und ihre Hand in der seinen haltend.

Unke:
hier Schwarzseher

»Ja, Effi, das war ein hübscher Abend. Ich habe mich amüsiert über das hübsche Stück. Und denke Dir, der Dichter ist ein Kammergerichtsrat, eigentlich kaum zu glauben. Und noch dazu aus Königsberg. Aber worüber ich mich am meisten gefreut, das war doch meine entzückende kleine Frau, die allen die Köpfe verdreht hat.«

Königsberg:
auch Wirkungsort
des Philosophen
Immanuel Kant
(1724–1804)

»Ach, Geert, sprich nicht so. Ich bin schon gerade eitel genug.«

»Eitel genug, das wird wohl richtig sein. Aber doch lange nicht so eitel wie die anderen. Und das ist zu Deinen sieben Schönheiten ...«

»Sieben Schönheiten haben alle.«

»... Ich habe mich auch bloß versprochen; Du kannst die Zahl gut mit sich selbst multiplizieren.«

»Wie galant Du bist, Geert. Wenn ich Dich nicht kennte, könnt' ich mich fürchten. Oder lauert wirklich 'was dahinter?« »Hast Du ein schlechtes Gewissen? Selber hinter der Tür gestanden?«

»Ach, Geert, ich ängstige mich wirklich.« Und sie richtete sich im Bett in die Höh' und sah ihn starr an. »Soll ich noch nach Johanna klingeln, dass sie uns Tee bringt? Du hast es so gern vor dem Schlafengehen.«

Er küsste ihr die Hand. »Nein, Effi. Nach Mitternacht kann auch der Kaiser keine Tasse Tee mehr verlangen, und Du weißt, ich mag die Leute nicht mehr in Anspruch nehmen als nötig. Nein, ich will nichts, als Dich ansehen und mich freuen, dass ich Dich habe. So manchmal empfindet man's doch stärker, welchen Schatz man hat. Du könntest ja auch so sein wie die arme Frau Crampas; das ist eine schreckliche Frau, gegen keinen freundlich, und Dich hätte sie vom Erdboden vertilgen mögen.«

vertilgen:
beseitigen

»Ach, ich bitte Dich, Geert, das bildest Du Dir wieder ein. Die arme Frau! Mir ist nichts aufgefallen.«

»Weil Du für derlei keine Augen hast. Aber es war so, wie ich Dir sage, und der arme Crampas war wie befangen dadurch und mied Dich immer und sah Dich kaum an. Was doch ganz unnatürlich ist; denn erstens ist er überhaupt ein Damenmann, und nun gar Damen wie Du, das ist seine besondere Passion. Und ich wette auch, dass es keiner besser weiß, als meine kleine Frau selber. Wenn ich daran denke, wie, Pardon, das Geschnatter hin und her ging, wenn er morgens in die Veranda kam oder wenn wir am Strande ritten oder auf der Mole spazieren gingen. Es ist, wie ich Dir sage, er traute sich heute nicht, er fürchtete sich vor seiner Frau. Und ich kann es ihm nicht verdenken. Die Majorin ist so etwas wie unsere Frau Kruse, und wenn ich zwischen beiden wählen müsste, ich wüsste nicht wen.«

»Ich wüsst' es schon; es ist doch ein Unterschied zwischen den beiden. Die arme Majorin ist unglücklich, die Kruse ist unheimlich.«

»Und da bist Du doch mehr für das Unglückliche?« »Ganz entschieden.«

»Nun höre, das ist Geschmackssache. Man merkt, dass Du noch nicht unglücklich warst. Übrigens hat Crampas ein Talent, die arme Frau zu eskamotieren. Er erfindet immer etwas, sie zu Hause zu lassen.«

eskamotieren:
verschwinden
lassen

»Aber heute war sie doch da.«

»Ja, heute. Da ging es nicht anders. Aber ich habe mit ihm eine Partie zu Oberförster Ring verabredet, er, Gieshübler und der Pastor, auf den dritten Feiertag, und da hättest Du

Partie:
Ausflug

sehen sollen, mit welcher Geschicklichkeit er bewies, dass sie, die Frau, zu Hause bleiben müsse.«

»Sind es denn nur Herren?«

»O bewahre. Da würd' ich mich auch bedanken. Du bist mit dabei und noch zwei, drei andere Damen, die von den Gütern ungerechnet.«

»Aber dann ist es doch auch hässlich von ihm, ich meine von Crampas, und so 'was bestraft sich immer.«

»Ja, 'mal kommt es. Aber ich glaube, unser Freund hält zu denen, die sich über das, was kommt, keine grauen Haare wachsen lassen.«

»Hältst Du ihn für schlecht?«

»Nein, für schlecht nicht. Beinah im Gegenteil, jedenfalls hat er gute Seiten. Aber er ist so'n halber Pole, kein rechter Verlass, eigentlich in nichts, am wenigsten mit Frauen. Eine Spielernatur. Er spielt nicht am Spieltisch, aber er hasardiert im Leben in einem fort, und man muss ihm auf die Finger sehen.«

»Es ist mir doch lieb, dass Du mir das sagst. Ich werde mich vorsehen mit ihm.«

»Das tu'. Aber nicht zu sehr; dann hilft es nichts. Unbefangenheit ist immer das Beste, natürlich das Allerbeste ist Charakter und Festigkeit und, wenn ich solch' steifleinenes Wort brauchen darf, eine reine Seele.«

Sie sah ihn groß an. Dann sagte sie: »Ja, gewiss. Aber nun sprich nicht mehr, und noch dazu lauter Dinge, die mich nicht recht froh machen können. Weißt Du, mir ist, als hörte ich oben das Tanzen. Sonderbar, dass es immer wiederkommt. Ich dachte, Du hättest mit dem allen nur so gespaßt.«

»Das will ich doch nicht sagen, Effi. Aber so oder so, man muss nur in Ordnung sein und sich nicht zu fürchten brauchen.«

Effi nickte und dachte mit einem Male wieder an die Worte, die ihr Crampas über ihren Mann als »Erzieher« gesagt hatte.

Spielernatur:
Mensch mit Neigung zum (Glücks-)Spiel

hasardieren:
alles aufs Spiel setzen

steifleinen:
förmlich

Der Heilige Abend kam und verging ähnlich wie das Jahr vorher; aus Hohen-Cremmen kamen Geschenke und Briefe; Gieshübler war wieder mit einem Huldigungsvers zur Stelle, und Vetter Briest sandte eine Karte: Schneelandschaft mit Telegrafenstangen, auf deren Draht geduckt ein Vögelchen saß. Auch für Annie war aufgebaut: ein Baum mit Lichtern, und das Kind griff mit seinen Händchen danach. Innstetten, unbefangen und heiter, schien sich seines häuslichen Glücks zu freuen und beschäftigte sich viel mit dem Kinde. Roswitha war erstaunt, den gnädigen Herrn so zärtlich und zugleich so aufgeräumt zu sehen. Auch Effi sprach viel und lachte viel, es kam ihr aber nicht aus innerster Seele. Sie fühlte sich bedrückt und wusste nur nicht, wen sie dafür verantwortlich machen sollte, Innstetten oder sich selber. Von Crampas war kein Weihnachtsgruß eingetroffen; eigentlich war es ihr lieb, aber auch wieder nicht, seine Huldigungen erfüllten sie mit einem gewissen Bangen, und seine Gleichgültigkeiten verstimmten sie; sie sah ein, es war nicht alles so, wie's sein sollte.

»Du bist so unruhig«, sagte Innstetten nach einer Weile.

»Ja. Alle Welt hat es so gut mit mir gemeint, am meisten Du; das bedrückt mich, weil ich fühle, dass ich es nicht verdiene.«

»Damit darf man sich nicht quälen, Effi. Zuletzt ist es doch so: Was man empfängt, das hat man auch verdient.«

Effi hörte scharf hin, und ihr schlechtes Gewissen ließ sie selber fragen, ob er das absichtlich in so zweideutiger Form gesagt habe.

Spät gegen Abend kam Pastor Lindequist, um zu gratulieren und noch wegen der Partie nach der Oberförsterei Uvagla hin anzufragen, die natürlich eine Schlittenpartie werden müsse. Crampas habe ihm einen Platz in seinem Schlitten angeboten, aber weder der Major noch sein Bursche der, wie alles, auch das Kutschieren übernehmen solle, kenne den Weg, und so würde es sich vielleicht empfehlen, die Fahrt gemeinschaftlich zu machen, wobei dann der landrätliche Schlitten die Tête zu nehmen und der Crampas'sche zu folgen hätte. Wahrscheinlich auch der Gieshübler'sche. Denn mit der Wegkenntnis Mirambos, dem sich unerklärlicherweise Freund Alonzo, der doch sonst so vorsichtig, anvertrauen wolle, stehe es wahrscheinlich noch schlechter als mit der des sommersprossigen Treptower Ulanen. Innstetten, den diese kleinen Verlegenheiten erheiterten, war mit Lindequists Vorschlag durchaus einverstanden und ordnete die Sache dahin, dass er pünktlich um zwei Uhr über den Marktplatz fahren und ohne alles Säumen die Führung des Zuges in die Hand nehmen werde.

Nach diesem Übereinkommen wurde denn auch verfahren, und als Innstetten Punkt zwei Uhr den Marktplatz passierte, grüßte Crampas zunächst von seinem Schlitten aus zu Effi hinüber und schloss sich dann dem Innstetten'schen an. Der Pastor saß neben ihm. Gieshüblers Schlitten, mit Gieshübler selbst und Doktor Hannemann, folgte, jener in einem eleganten Büffelrock mit Marderbesatz, dieser in einem Bärenpelz, dem man ansah, dass er wenigstens dreißig Dienstjahre zählte. Hannemann war nämlich in seiner Jugend Schiffschirurgus auf einem Grönlandfahrer gewesen. Mirambo saß vorn, etwas aufgeregt wegen Unkenntnis im Kutschieren, ganz wie Lindequist vermutet hatte.

Schon nach zwei Minuten war man an Utpatels Mühle vorbei.

Zwischen Kessin und Uvagla (wo, der Sage nach, ein Wendentempel gestanden) lag ein nur etwa tausend Schritt breiter, aber wohl anderthalb Meilen langer Waldstreifen, der an seiner rechten Längsseite das Meer, an seiner linken, bis weit an den Horizont hin, ein großes, überaus fruchtbares und gut angebautes Stück Land hatte. Hier, an der Binnenseite, flogen jetzt die drei Schlitten hin, in einiger Entfernung ein paar alte Kutschwagen vor sich, in denen, aller Wahrscheinlichkeit nach, andere nach der

Tête: Anfang

ohne alles Säumen: ohne zu zögern

Schiffchirurgus: Arzt auf einem Schiff

Grönlandfahrer: Walfangschiff im Nordmeer

Wendentempel: Tempel der Wenden (westslawischer Volksstamm)

Binnenseite: die zum Binnenland hingewandte Seite

Oberförsterei hin eingeladene Gäste saßen. Einer dieser Wagen war an seinen altmodisch hohen Rädern deutlich zu erkennen, es war der Papenhagen'sche. Natürlich. Güldenklee galt als der beste Redner des Kreises (noch besser als Borcke, ja selbst besser als Grasenabb) und durfte bei Festlichkeiten nicht leicht fehlen.

Die Fahrt ging rasch – auch die herrschaftlichen Kutscher strengten sich an und wollten sich nicht überholen lassen –, sodass man schon um drei vor der Oberförsterei hielt. Ring, ein stattlicher, militärisch dreinschauender Herr von Mitte fünfzig, der den ersten Feldzug in Schleswig noch unter Wrangel und Bonin mitgemacht und sich bei Erstürmung des Danewerks ausgezeichnet hatte, stand in der Tür und empfing seine Gäste, die, nachdem sie abgelegt und die Frau des Hauses begrüßt hatten, zunächst vor einem langgedeckten Kaffeetische Platz nahmen, auf dem kunstvoll aufgeschichtete Kuchenpyramiden standen. Die Oberförsterin, eine von Natur sehr ängstliche, zum Mindesten aber sehr befangene Frau, zeigte sich auch als Wirtin so, was den überaus eitlen Oberförster, der für Sicherheit und Schneidigkeit war, ganz augenscheinlich verdross. Zum Glück kam sein Unmut zu keinem Ausbruch, denn von dem, was seine Frau vermissen ließ, hatten seine Töchter desto mehr, bildhübsche Backfische von vierzehn und dreizehn, die ganz nach dem Vater schlugen. Besonders die ältere, Cora, kokettierte sofort mit Innstetten und Crampas, und beide gingen auch darauf ein. Effi ärgerte sich darüber und schämte sich dann wieder, dass sie sich geärgert habe. Sie saß neben Sidonie von Grasenabb und sagte: »Sonderbar, so bin ich auch gewesen, als ich vierzehn war.«

Effi rechnete darauf, dass Sidonie dies bestreiten oder doch wenigstens Einschränkungen machen würde. Stattdessen sagte diese: »Das kann ich mir denken.«

»Und wie der Vater sie verzieht«, fuhr Effi halb verlegen und nur, um doch 'was zu sagen, fort.

Feldzug in Schleswig (1848): Aufbegehren Schleswig-Holsteins gegen das Vorhaben Dänemarks, sich Schleswig anzueignen

Danewerk: Befestigungsanlage bei Schleswig

die ganz nach dem Vater schlugen: dem Vater ähnlich

kokettieren: flirten

Sidonie nickte. »Da liegt es. Keine Zucht. Das ist die Signatur unserer Zeit.«

Signatur:
Kennzeichen

Effi brach nun ab.

Der Kaffee war bald genommen, und man stand auf, um noch einen halbstündigen Spaziergang in den umliegenden Wald zu machen, zunächst auf ein Gehege zu, drin Wild eingezäunt war. Cora öffnete das Gatter, und kaum, dass sie eingetreten, so kamen auch schon die Rehe auf sie zu. Es war eigentlich reizend, ganz wie ein Märchen. Aber die Eitelkeit des jungen Dinges, das sich bewusst war, ein lebendes Bild zu stellen, ließ doch einen reinen Eindruck nicht aufkommen, am wenigsten bei Effi. »Nein«, sagte sie zu sich selber, »so bin ich doch nicht gewesen. Vielleicht hat es mir auch an Zucht gefehlt, wie diese furchtbare Sidonie mir eben andeutete, vielleicht auch anderes noch. Man war zu Haus zu gütig gegen mich, man liebte mich zu sehr. Aber das darf ich doch wohl sagen, ich habe mich nie geziert. Das war immer Huldas Sache. Darum gefiel sie mir auch nicht, als ich diesen Sommer sie wiedersah.

geziert:
gekünstelt

Auf dem Rückwege vom Wald nach der Oberförsterei begann es zu schneien. Crampas gesellte sich zu Effi und sprach ihr sein Bedauern aus, dass er noch nicht Gelegenheit gehabt habe, sie zu begrüßen. Zugleich wies er auf die großen, schweren Schneeflocken, die fielen, und sagte: »Wenn das so weitergeht, so schneien wir hier ein.«

»Das wäre nicht das Schlimmste. Mit dem Eingeschneitwerden verbinde ich von langer Zeit her eine freundliche Vorstellung, eine Vorstellung von Schutz und Beistand.«

»Das ist mir neu, meine gnädigste Frau.«

»Ja«, fuhr Effi fort und versuchte zu lachen, »mit den Vorstellungen ist es ein eigen Ding, man macht sie sich nicht bloß nach dem, was man persönlich erfahren hat, auch nach dem, was man irgendwo gehört oder ganz zufällig weiß. Sie sind so belesen, Major, aber mit einem Gedichte – freilich keinem Heine'schen, keinem ›Seegespenst‹ und keinem ›Vitzliputzli‹ – bin ich Ihnen, wie mir scheint, doch

Gottesmauer:
Gedicht von
Clemens Brentano
(1778–1842)

voraus. Dies Gedicht heißt die ›Gottesmauer‹, und ich hab'
es bei unserm Hohen-Cremmner Pastor vor vielen, vielen
Jahren, als ich noch ganz klein war, auswendig gelernt.«

»Gottesmauer«, wiederholte Crampas. »Ein hübscher Titel, und wie verhält es sich damit?«

»Eine kleine Geschichte, nur ganz kurz. Da war irgendwo
Krieg, ein Winterfeldzug, und eine alte Witwe, die sich vor
dem Feinde mächtig fürchtete, betete zu Gott, er möge
doch ›eine Mauer um sie bauen‹, um sie vor dem Landesfeinde zu schützen. Und da ließ Gott das Haus einschneien, und der Feind zog daran vorüber.«

Crampas war sichtlich betroffen und wechselte das Gespräch.

Als es dunkelte, waren alle wieder in der Oberförsterei zurück.

NEUNZEHNTES KAPITEL

Gleich nach sieben ging man zu Tisch,
und alles freute sich, dass der Weihnachtsbaum, eine mit
zahllosen Silberkugeln bedeckte Tanne, noch einmal angesteckt wurde. Crampas, der das Ring'sche Haus noch nicht
kannte, war helle Bewunderung. Der Damast, die Weinkühler, das reiche Silbergeschirr, alles wirkte herrschaftlich, weit über oberförsterliche Durchschnittsverhältnisse
hinaus, was darin seinen Grund hatte, dass Rings Frau, so
scheu und verlegen sie war, aus einem reichen Danziger
Kornhändlerhause stammte. Von da her rührten auch die
meisten der ringsumher hängenden Bilder: der Kornhändler und seine Frau, der Marienburger Remter und eine gute
Kopie nach dem berühmten Memling'schen Altarbilde in
der Danziger Marienkirche. Kloster Olivia war zweimal da,
einmal in Öl und einmal in Kork geschnitzt. Außerdem befand sich über dem Büfett ein sehr nachgedunkeltes Porträt des alten Nettelbeck, das noch aus dem bescheidenen

Marienburger
Remter:
mittelalterlicher
Speisesaal in
Marienburg

Memling'sches
Altarbild:
*Das Jüngste
Gericht* (1470)
von Hans
Memling

Kloster Olivia:
Zisterzienserkloster bei Danzig

Joachim
Nettelbeck:
preußischer
Offizier, der
1806/07 Kolberg
gegen Napoleon
verteidigte

Mobiliar des erst vor anderthalb Jahren verstorbenen Ring'schen Amtsvorgängers herrührte. Niemand hatte damals bei der wie gewöhnlich stattfindenden Auktion das Bild des Alten haben wollen, bis Innstetten, der sich über diese Missachtung ärgerte, darauf geboten hatte. Da hatte sich denn auch Ring patriotisch besonnen, und der alte Colbergverteidiger war der Oberförsterei verblieben.

Das Nettelbeck-Bild ließ ziemlich viel zu wünschen übrig; sonst aber verriet alles, wie schon angedeutet, eine beinahe an Glanz streifende Wohlhabenheit, und dem entsprach denn auch das Mahl, das aufgetragen wurde. Jeder hatte mehr oder weniger seine Freude daran, mit Ausnahme Sidoniens. Diese saß zwischen Innstetten und Lindequist und sagte, als sie Coras ansichtig wurde: »Da ist ja wieder dies unausstehliche Balg, diese Cora. Sehen Sie nur, Innstetten, wie sie die kleinen Weingläser präsentiert, ein wahres Kunststück, sie könnte jeden Augenblick Kellnerin werden. Ganz unerträglich. Und dazu die Blicke von Ihrem Freund Crampas! Das ist so die rechte Saat! Ich frage Sie, was soll dabei herauskommen?«

Innstetten, der ihr eigentlich zustimmte, fand trotzdem den Ton, in dem das alles gesagt wurde, so verletzend herbe, dass er spöttisch bemerkte: »Ja, meine Gnädigste, was dabei herauskommen soll? Ich weiß es auch nicht« – worauf sich Sidonie von ihm ab- und ihrem Nachbar zur Linken zuwandte:

»Sagen Sie, Pastor, ist diese vierzehnjährige Kokette schon im Unterricht bei Ihnen?«

»Ja, mein gnädigstes Fräulein.«

»Dann müssen Sie mir die Bemerkung verzeihen, dass Sie sie nicht in die richtige Schule genommen haben. Ich weiß wohl, es hält das heutzutage sehr schwer, aber ich weiß auch, dass die, denen die Fürsorge für junge Seelen obliegt, es vielfach an dem rechten Ernst fehlen lassen. Es bleibt dabei, die Hauptschuld tragen die Eltern und Erzieher.«

Balg: schlecht erzogenes Kind

Lindequist, denselben Ton anschlagend wie Innstetten, antwortete, dass das alles sehr richtig, der Geist der Zeit aber zu mächtig sei.

»Geist der Zeit!«, sagte Sidonie. »Kommen Sie mir nicht damit. Das kann ich nicht hören, das ist der Ausdruck höchster Schwäche, Bankrutterklärung. Ich kenne das; nie scharf zufassen wollen, immer dem Unbequemen aus dem Wege gehen. Denn Pflicht ist unbequem. Und so wird nur allzu leicht vergessen, dass das uns anvertraute Gut auch 'mal von uns zurückgefordert wird. Eingreifen, lieber Pastor, Zucht. Das Fleisch ist schwach, gewiss; aber ...«

In diesem Augenblick kam ein englisches Roastbeef, von dem Sidonie ziemlich ausgiebig nahm, ohne Lindequists Lächeln dabei zu bemerken. Und weil sie's nicht bemerkte, so durfte es auch nicht wundernehmen, dass sie mit vieler Unbefangenheit fortfuhr: »Es kann übrigens alles, was Sie hier sehen, nicht wohl anders sein; alles ist schief und verfahren von Anfang an. Ring, Ring – wenn ich nicht irre, hat es drüben in Schweden oder da herum 'mal einen Sagenkönig dieses Namens gegeben. Nun sehen Sie, benimmt er sich nicht, als ob er von dem abstamme, und seine Mutter, die ich noch gekannt habe, war eine Plättfrau in Cöslin.«

»Ich kann darin nichts Schlimmes finden.«

»Schlimmes finden? Ich auch nicht. Und jedenfalls gibt es Schlimmeres. Aber so viel muss ich doch von Ihnen, als einem geweihten Diener der Kirche, gewärtigen dürfen, dass Sie die gesellschaftlichen Ordnungen gelten lassen. Ein Oberförster ist ein bisschen mehr als ein Förster, und ein Förster hat nicht solche Weinkühler und solch' Silberzeug; das alles ist ungehörig und zieht dann solche Kinder groß wie dies Fräulein Cora.«

Sidonie, jedes Mal bereit, irgendwas Schreckliches zu prophezeien, wenn sie, vom Geist überkommen, die Schalen ihres Zornes ausschüttete, würde sich auch heute bis zum Kassandrablick in die Zukunft gesteigert haben, wenn nicht in ebendiesem Augenblicke die dampfende Punschbowle – womit die Weihnachtsréunions bei Ring immer abschlossen – auf der Tafel erschienen wäre, dazu Krausgebackenes, das, geschickt übereinandergetürmt, noch weit über die vor einigen Stunden aufgetragene Kaffeekuchenpyramide hinauswuchs. Und nun trat auch Ring selbst, der sich bis dahin etwas zurückgehalten hatte, mit einer gewissen strahlenden Feierlichkeit in Aktion und begann, die vor ihm stehenden Gläser, große geschliffene Römer, in virtuosem Bogensturz zu füllen, ein Einschenkekunststück, das die stets schlagfertige Frau von Padden, die heute leider fehlte, 'mal als »Ring'sche Füllung en cascade« bezeichnet hatte. Rotgolden wölbte sich dabei der Strahl, und kein Tropfen durfte verloren gehen. So war es auch heute wieder. Zuletzt aber, als jeder, was ihm zukam, in Händen hielt – auch Cora, die sich mittlerweile mit ihrem rotblonden Wellenhaar auf »Onkel Crampas'« Schoß gesetzt hatte –, erhob sich der alte Papenhagener, um, wie herkömmlich bei Festlichkeiten derart, einen Toast auf seinen lieben Oberförster auszubringen. Es gäbe viele Ringe, so etwa begann er, Jahresringe, Gardinenringe, Trauringe, und was nun gar – denn auch davon dürfe sich am Ende wohl sprechen lassen – die Verlobungsringe angehe, so sei glücklicherweise die Gewähr gegeben, dass einer davon in kürzester Frist in diesem Hause sichtbar werden und den Ringfinger (und zwar hier in einem *doppelten* Sinne den Ringfinger) eines kleinen hübschen Pätschelchens zieren werde ...

»Unerhört«, raunte Sidonie dem Pastor zu.

»Ja, meine Freunde«, fuhr Güldenklee mit gehobener Stimme fort, »viele Ringe gibt es, und es gibt sogar eine Geschichte, die wir alle kennen, die die Geschichte von den ›drei Ringen‹ heißt, eine Judengeschichte, die, wie der ganze liberale Krimskrams, nichts wie Verwirrung und Unheil gestiftet hat und noch stiftet. Gott bessere es. Und nun lassen Sie mich schließen, um Ihre Geduld und Nachsicht nicht über Gebühr in Anspruch zu nehmen. Ich bin nicht

Weihnachtsréunions: gesellige Treffen zu Weihnachten

Krausgebackenes: Fettgebäck

Römer: Kristallweingläser

en cascade: im Sturzguß

Geschichte von den »drei Ringen«: Rinparabel in G. E. Lessings Drama *Nathan der Weise* (1779) – die Ringe sind hier Sinnbild für die drei großen Religionen Christentum, Judentum und Islam

liberaler Krimskrams: *hier* freiheitliche Weltanschauung

für diese drei Ringe, meine Lieben, ich bin vielmehr für einen Ring, für einen Ring, der so recht ein Ring ist, wie er sein soll, ein Ring, der alles Gute, was wir in unsrem altpommerschen Kessiner Kreise haben, alles, was noch mit Gott für König und Vaterland einsteht – und es sind ihrer noch einige (lauter Jubel) –, an diesem seinem gastlichen Tisch vereinigt sieht. Für diesen Ring bin ich. Er lebe hoch!«

Alles stimmte ein und umdrängte Ring, der, so lange das dauerte, das Amt des »Einschenkens en cascade« an den ihm gegenübersitzenden Crampas abtreten musste; der Hauslehrer aber stürzte von seinem Platz am unteren Ende der Tafel an das Klavier und schlug die ersten Takte des

Preußenlied:
Preußenhymne
(1831/32)

Preußenliedes an, worauf alles stehend und feierlich einfiel: »Ich bin ein Preuße ... will ein Preuße sein.«

»Es ist doch etwas Schönes«, sagte gleich nach der ersten Strophe der alte Borcke zu Innstetten, »so 'was hat man in anderen Ländern nicht.«

Patriotismus:
Vaterlandsliebe

»Nein«, antwortete Innstetten, der von solchem Patriotismus nicht viel hielt, »in anderen Ländern hat man 'was anderes.«

Man sang alle Strophen durch, dann hieß es, die Wagen seien vorgefahren, und gleich darnach erhob sich alles, um die Pferde nicht warten zu lassen. Denn diese Rücksicht »auf die Pferde« ging auch im Kreise Kessin allem anderen vor. Im Hausflur standen zwei hübsche Mägde, Ring hielt auf dergleichen, um den Herrschaften beim Anziehen ihrer Pelze behülflich zu sein. Alles war heiter angeregt, einige mehr als das, und das Einsteigen in die verschiedenen Gefährte schien sich schnell und ohne Störung vollziehen zu sollen, als es mit einem Mal hieß, der Gieshübler'sche Schlitten sei nicht da. Gieshübler selbst war viel zu artig, um gleich Unruhe zu zeigen oder gar Lärm zu machen; endlich aber, weil doch wer das Wort nehmen musste, fragte Crampas, »was es denn eigentlich sei.«

»Mirambo kann nicht fahren«, sagte der Hofknecht, »das linke Pferd hat ihn beim Anspannen vor das Schienbein geschlagen. Er liegt im Stall und schreit.«

Nun wurde natürlich nach Dr. Hannemann gerufen, der denn auch hinausging und nach fünf Minuten mit echter Chirurgenruhe versicherte: »Ja, Mirambo müsse zurückbleiben; es sei vorläufig in der Sache nichts zu machen, als still liegen und kühlen. Übrigens von Bedenklichem keine Rede.« Das war nun einigermaßen ein Trost, aber schaffte doch die Verlegenheit, wie der Gieshübler'sche Schlitten zurückzufahren sei, nicht aus der Welt, bis Innstetten erklärte, dass er für Mirambo einzutreten und das Zwiegestirn von Doktor und Apotheker persönlich glücklich heimzusteuern gedenke. Lachend und unter ziemlich angeheiterten Scherzen gegen den verbindlichsten aller Landräte, der sich, um hülfreich zu sein, sogar von seiner jungen Frau trennen wolle, wurde dem Vorschlag zugestimmt, und Innstetten, mit Gieshübler und dem Doktor im Fond, nahm jetzt wieder die Tête. Crampas und Lindequist folgten unmittelbar. Und als gleich danach auch Kruse mit dem landrätlichen Schlitten vorfuhr, trat Sidonie lächelnd an Effi heran und bat diese, da ja nun ein Platz frei sei, mit ihr fahren zu dürfen. »In unserer Kutsche ist es immer so stickig; mein Vater liebt das. Und außerdem, ich möchte so gerne mit Ihnen plaudern. Aber nur bis Quappendorf. Wo der Morgnitzer Weg abzweigt, steig' ich aus und muss dann wieder in unsern unbequemen Kasten. Und Papa raucht auch noch.«

Effi war wenig erfreut über diese Begleitung und hätte die Fahrt lieber allein gemacht; aber ihr blieb keine Wahl, und so stieg denn das Fräulein ein, und kaum dass beide Damen ihre Plätze genommen hatten, so gab Kruse den Pferden auch schon einen Peitschenknips, und von der oberförsterlichen Rampe her, von der man einen prächtigen Ausblick auf das Meer hatte, ging es, die ziemlich steile Düne hinunter, auf den Strandweg zu, der, eine Meile lang,

Zwiegestirn: *hier* zwei Menschen

Doktor und Apotheker: Anspielung auf gleichnamige Oper von Karl Ditters von Dittersdorf

verbindlich: *hier* freundlich

Fond: hinterer Teil des Wageninneren

in beinahe gerader Linie bis an das Kessiner Strandhotel, und von dort aus, rechts einbiegend, durch die Plantage hin, in die Stadt führte.

Der Schneefall hatte schon seit ein paar Stunden aufgehört, die Luft war frisch, und auf das weite dunkelnde Meer fiel der matte Schein der Mondsichel. Kruse fuhr hart am Wasser hin, mitunter den Schaum der Brandung durchschneidend, und Effi, die etwas fröstelte, wickelte sich fester in ihren Mantel und schwieg noch immer und mit Absicht. Sie wusste recht gut, dass das mit der »stickigen Kutsche« bloß ein Vorwand gewesen und dass sich Sidonie nur zu ihr gesetzt hatte, um ihr etwas Unangenehmes zu sagen. Und das kam immer noch früh genug. Zudem war sie wirklich müde, vielleicht von dem Spaziergange im Walde, vielleicht auch von dem oberförsterlichen Punsch, dem sie, auf Zureden der neben ihr sitzenden Frau v. Flemming, tapfer zugesprochen hatte. Sie tat denn auch, als ob sie schliefe, schloss die Augen und neigte den Kopf immer mehr nach links.

»Sie sollten sich nicht so sehr nach links beugen, meine gnädigste Frau. Fährt der Schlitten auf einen Stein, so fliegen Sie hinaus. Ihr Schlitten hat ohnehin kein Schutzleder und, wie ich sehe, auch nicht einmal die Haken dazu.«

»Ich kann die Schutzleder nicht leiden; sie haben so 'was Prosaisches. Und dann, wenn ich hinaus flöge, mir wär' es recht, am liebsten gleich in die Brandung. Freilich ein etwas kaltes Bad, aber was tut's ... Übrigens, hören Sie nichts?«

»Nein.«

»Hören Sie nicht etwas wie Musik?«

»Orgel?«

»Nein, nicht Orgel. Da würd' ich denken, es sei das Meer. Aber es ist etwas anderes, ein unendlich feiner Ton, fast wie menschliche Stimme ...«

»Das sind Sinnestäuschungen«, sagte Sidonie, die jetzt den richtigen Einsetzemoment gekommen glaubte. »Sie sind nervenkrank. Sie hören Stimmen. Gebe Gott, dass Sie auch die richtige Stimme hören.«

»Ich höre ... nun, gewiss, es ist Torheit, ich weiß, sonst würd' ich mir einbilden, ich hätte die Meerfrauen singen
5 hören ... Aber, ich bitte Sie, was ist das? Es blitzt ja bis hoch in den Himmel hinauf. Das muss ein Nordlicht sein.«

»Ja«, sagte Sidonie. »Gnädigste Frau tun ja, als ob es ein Weltwunder wäre. Das ist es nicht. Und wenn es derglei- chen wäre, wir haben uns vor Naturkultus zu hüten. Übri-
10 gens ein wahres Glück, dass wir außer Gefahr sind, unsern Freund Oberförster, diesen eitelsten aller Sterblichen, über dies Nordlicht sprechen zu hören. Ich wette, dass er sich einbilden würde, das tue ihm der Himmel zu Gefallen, um sein Fest noch festlicher zu machen. Er ist ein Narr. Gül-
15 denklee konnte Besseres tun, als ihn feiern. Und dabei spielt er sich auf den Kirchlichen aus und hat auch neulich eine Altardecke geschenkt. Vielleicht, dass Cora daran mit- gestickt hat. Diese Unechten sind schuld an allem, denn ihre Weltlichkeit liegt immer oben auf und wird denen mit
20 angerechnet, die's ernst mit dem Heil ihrer Seele meinen.«

»Es ist so schwer, ins Herz zu sehen!«

»Ja. Das ist es. Aber bei manchem ist es auch ganz leicht.« Und dabei sah sie die junge Frau mit beinahe ungezogener Eindringlichkeit an. Effi schwieg und wandte sich ungedul-
25 dig zur Seite.

»Bei manchem, sag' ich, ist es ganz leicht«, wiederholte Si- donie, die ihren Zweck erreicht hatte und deshalb ruhig lä- chelnd fortfuhr, »und zu diesen leichten Rätseln gehört un- ser Oberförster. Wer seine Kinder so erzieht, den beklag'
30 ich, aber das *eine* Gute hat es, es liegt bei ihm alles klar da. Und wie bei ihm selbst, so bei den Töchtern. Cora geht nach Amerika und wird Millionärin oder Methodistenpre- digerin; in jedem Fall ist sie verloren. Ich habe noch keine Vierzehnjährige gesehen ...«
35 In diesem Augenblick hielt der Schlitten, und als sich beide Damen umsahen, um in Erfahrung zu bringen, was es

Meerfrauen: mythologische Figuren, die mit ihrem Gesang Fischer anlocken, um sie zu töten

Naturkultus: Naturverehrung

Nordlicht: *hier* abwertende Bezeichnung einer Person der Öffentlichkeit

Methodisten: 1729 von Charles Wesley gegrün- dete Sekte

denn eigentlich sei, bemerkten sie, dass rechts von ihnen, in etwa dreißig Schritt Abstand, auch die beiden anderen Schlitten hielten – am weitesten nach rechts der von Innstetten geführte, näher heran der Crampas'sche.

»Was ist?« fragte Effi.

Schloon: früher ein Graben auf der Insel Usedom, der in die Ostsee mündet

Kruse wandte sich halb herum und sagte: »Der Schloon, gnäd'ge Frau.«

»Der Schloon? Was ist das? Ich sehe nichts.«

Kruse wiegte den Kopf hin und her, wie wenn er ausdrücken wollte, dass die Frage leichter gestellt als beantwortet sei.

Worin er auch recht hatte. Denn was der Schloon sei, das war nicht so mit drei Worten zu sagen. Kruse fand aber in seiner Verlegenheit alsbald Hilfe bei dem gnädigen Fräulein, das hier mit allem Bescheid wusste und natürlich auch mit dem Schloon.

»Ja, meine gnädigste Frau«, sagte Sidonie, »da steht es schlimm. Für mich hat es nicht viel auf sich, ich komme bequem durch; denn wenn erst die Wagen heran sind, die haben hohe Räder, und unsere Pferde sind außerdem daran gewöhnt. Aber mit solchem Schlitten ist es was anderes; die versinken im Schloon, und Sie werden wohl oder übel einen Umweg machen müssen.«

»Versinken! Ich bitte Sie, mein gnädigstes Fräulein, ich sehe noch immer nicht klar. Ist denn der Schloon ein Abgrund

Mann und Maus (Redensart): untergehen, ohne dass jemand gerettet wird

oder irgendwas, drin man mit Mann und Maus zu Grunde gehen muss? Ich kann mir so 'was hier zu Lande gar nicht denken.«

»Und doch ist es so 'was, nur freilich im Kleinen; dieser Schloon ist eigentlich bloß ein kümmerliches Rinnsal, das hier rechts vom Gothener See her herunterkommt und sich durch die Dünen schleicht. Und im Sommer trocknet es mitunter ganz aus, und Sie fahren dann ruhig drüber hin und wissen es nicht einmal.«

»Und im Winter?«

»Ja, im Winter, da ist es 'was anderes; nicht immer, aber doch oft. Da wird es dann ein Sog.«

»Mein Gott, was sind das nur alles für Namen und Wörter!«

»... Da wird es ein Sog, und am stärksten immer dann, wenn der Wind nach dem Lande hin steht. Dann drückt der Wind das Meerwasser in das kleine Rinnsal hinein, aber nicht so, dass man es sehen kann. Und das ist das Schlimmste von der Sache, darin steckt die eigentliche Gefahr. Alles geht nämlich unterirdisch vor sich, und der ganze Strandsand ist dann bis tief hinunter mit Wasser durchsetzt und gefüllt. Und wenn man dann über solche Sandstelle weg will, die keine mehr ist, dann sinkt man ein, als ob es ein Sumpf oder ein Moor wäre.«

»Das kenn' ich«, sagte Effi lebhaft. »Das ist wie in unsrem Luch«, und inmitten all' ihrer Ängstlichkeit wurde ihr mit einem Male ganz wehmütig-freudig zu Sinn.

Während das Gespräch noch so ging und sich fortsetzte, war Crampas aus seinem Schlitten ausgestiegen und auf den am äußersten Flügel haltenden Gieshübler'schen zugeschritten, um hier mit Innstetten zu verabreden, was nun wohl eigentlich zu tun sei. Knut, so meldete er, wolle die Durchfahrt riskieren, aber Knut sei dumm und verstehe nichts von der Sache; nur solche, die hier zu Hause seien, müssten die Entscheidung treffen. Innstetten – sehr zu Crampas' Überraschung – war auch fürs »Riskieren«, es müsse durchaus noch 'mal versucht werden ... er wisse schon, die Geschichte wiederholt sich jedes Mal: Die Leute hier hätten einen Aberglauben und vorweg eine Furcht, während es doch eigentlich wenig zu bedeuten habe. Nicht Knut, der wisse nicht Bescheid, wohl aber Kruse solle noch einmal einen Anlauf nehmen und Crampas derweilen bei den Damen einsteigen (ein kleiner Rücksitz sei ja noch da), um bei der Hand zu sein, wenn der Schlitten umkippe. Das sei doch schließlich das Schlimmste, was geschehen könne.

Mit dieser Innstetten'schen Botschaft erschien jetzt Crampas bei den beiden Damen und nahm, als er lachend seinen Auftrag ausgeführt hatte, ganz nach empfangener Ordre den kleinen Sitzplatz ein, der eigentlich nichts als eine mit Tuch überzogene Leiste war, und rief Kruse zu: »Nun, vorwärts, Kruse.«

Dieser hatte denn auch die Pferde bereits um hundert Schritte zurückgezoppt und hoffte, scharf anfahrend, den Schlitten glücklich durchbringen zu können; im selben Augenblick aber, wo die Pferde den Schloon auch nur berührten, sanken sie bis über die Knöchel in den Sand ein, sodass sie nur mit Mühe nach rückwärts wieder herauskonnten.

»Es geht nicht«, sagte Crampas, und Kruse nickte.

Während sich dies abspielte, waren endlich auch die Kutschen herangekommen, die Grasenabb'sche vorauf, und als Sidonie, nach kurzem Dank gegen Effi, sich verabschiedet und dem seine türkische Pfeife rauchenden Vater gegenüber ihren Rückplatz eingenommen hatte, ging es mit dem Wagen ohne Weiteres auf den Schloon zu; die Pferde sanken tief ein, aber die Räder ließen alle Gefahr leicht überwinden, und ehe eine halbe Minute vorüber war, trabten auch schon die Grasenabbs drüben weiter. Die andern Kutschen folgten. Effi sah ihnen nicht ohne Neid nach. Indessen nicht lange, denn auch für die Schlittenfahrer war in der zwischenliegenden Zeit Rat geschafft worden, und zwar einfach dadurch, dass sich Innstetten entschlossen hatte, statt aller weiteren Forcierung das friedlichere Mittel eines Umwegs zu wählen. Also genau das, was Sidonie gleich anfangs in Sicht gestellt hatte. Vom rechten Flügel her klang des Landrats bestimmte Weisung herüber, vorläufig diesseits zu bleiben und ihm durch die Dünen hin bis an eine weiter hinauf gelegene Bohlenbrücke zu folgen. Als beide Kutscher, Knut und Kruse, so verständigt waren, trat der Major, der, um Sidonie zu helfen, gleichzeitig mit dieser ausgestiegen war, wieder an Effi heran und sagte: »Ich kann Sie nicht allein lassen, gnäd'ge Frau.«

Effi war einen Augenblick unschlüssig, rückte dann aber rasch von der einen Seite nach der anderen hinüber, und Crampas nahm links neben ihr Platz.

All' dies hätte vielleicht missdeutet werden können, Crampas selbst aber war zu sehr Frauenkenner, um es sich bloß in Eitelkeit zurechtzulegen. Er sah deutlich, dass Effi nur tat, was nach Lage der Sache das einzig Richtige war. Es war unmöglich für sie, sich seine Gegenwart zu verbitten. Und so ging es denn im Fluge den beiden anderen Schlitten nach, immer dicht an dem Wasserlaufe hin, an dessen anderem Ufer dunkle Waldmassen aufragten. Effi sah hinüber und nahm an, dass schließlich an dem landeinwärts gelegenen Außenrande des Waldes hin die Weiterfahrt gehen würde, genau also *den* Weg entlang, auf dem man in früher Nachmittagsstunde gekommen war. Innstetten aber hatte sich inzwischen einen andern Plan gemacht, und im selben Augenblicke, wo sein Schlitten die Bohlenbrücke passierte, bog er, statt den Außenweg zu wählen, in einen schmaleren Weg ein, der mitten durch die dichte Waldmasse hindurchführte. Effi schrak zusammen. Bis dahin waren Luft und Licht um sie her gewesen, aber jetzt war es damit vorbei, und die dunklen Kronen wölbten sich über ihr. Ein Zittern überkam sie, und sie schob die Finger fest ineinander, um sich einen Halt zu geben. Gedanken und Bilder jagten sich und eines dieser Bilder war das Mütterchen in dem Gedichte, das die »Gottesmauer« hieß, und wie das Mütterchen, so betete auch sie jetzt, dass Gott eine Mauer um sie her bauen möge. Zwei, drei Male kam es auch über ihre Lippen, aber mit einem Mal fühlte sie, dass es tote Worte waren. Sie fürchtete sich und war doch zugleich wie in einem Zauberbann und wollte auch nicht heraus.

»Effi«, klang es jetzt leise an ihr Ohr, und sie hörte, dass seine Stimme zitterte. Dann nahm er ihre Hand und löste die Finger, die sie noch immer geschlossen hielt, und überdeckte sie mit heißen Küssen. Es war ihr, als wandle sie eine Ohnmacht an.

Als sie die Augen wieder öffnete, war man aus dem Walde heraus, und in geringer Entfernung vor sich hörte sie das Geläut der voraufeilenden Schlitten. Immer vernehmlicher klang es, und als man, dicht vor Utpatels Mühle, von den Dünen her in die Stadt einbog, lagen rechts die kleinen Häuser mit ihren Schneedächern neben ihnen.

Effi blickte sich um, und im nächsten Augenblicke hielt der Schlitten vor dem landrätlichen Hause.

ZWANZIGSTES KAPITEL

Innstetten, der Effi, als er sie aus dem Schlitten hob, scharf beobachtete, aber doch ein Sprechen über die sonderbare Fahrt zu zweien vermieden hatte, war am anderen Morgen früh auf und suchte seiner Verstimmung, die noch nachwirkte, so gut es ging, Herr zu werden. »Du hast gut geschlafen?«, sagte er, als Effi zum Frühstück kam.

»Ja.«

»Wohl Dir. Ich kann dasselbe von mir nicht sagen. Ich träumte, dass Du mit dem Schlitten im Schloon verunglückt seist, und Crampas mühte sich, Dich zu retten; ich muss es so nennen, aber er versank mit Dir.«

»Du sprichst das alles so sonderbar, Geert. Es verbirgt sich ein Vorwurf dahinter, und ich ahne weshalb.«

»Sehr merkwürdig.«

»Du bist nicht einverstanden damit, dass Crampas kam und uns seine Hülfe anbot.«

»Uns?«

»Ja, uns. Sidonien und mir. Du musst durchaus vergessen haben, dass der Major in Deinem Auftrage kam. Und als er mir erst gegenübersaß, beiläufig jämmerlich genug auf der elenden schmalen Leiste, sollte ich ihn da ausweisen, als die Grasenabbs kamen und mit einem Male die Fahrt weiterging? Ich hätte mich lächerlich gemacht, und dagegen bist Du doch so empfindlich. Erinnere Dich, dass wir unter Deiner Zustimmung viele Male gemeinschaftlich spazieren geritten sind, und nun sollte ich nicht gemeinschaftlich mit ihm fahren? Es ist falsch, so hieß es bei uns zu Haus, einem Edelmanne Misstrauen zu zeigen.«

»Einem Edelmanne«, sagte Innstetten mit Betonung.

»Ist er keiner? Du hast ihn selbst einen Kavalier genannt, sogar einen perfekten Kavalier.«

»Ja«, fuhr Innstetten fort, und seine Stimme wurde freundlicher, trotzdem ein leiser Spott noch darin nachklang. »Kavalier, das ist er, und ein perfekter Kavalier, das ist er nun schon ganz gewiss. Aber Edelmann! Meine liebe Effi, ein Edelmann sieht anders aus. Hast Du schon etwas Edles an ihm bemerkt? Ich nicht.«

Effi sah vor sich hin und schwieg.

»Es scheint, wir sind gleicher Meinung. Im Übrigen, wie Du schon sagtest, bin ich selber schuld; von einem faux pas mag ich nicht sprechen, das ist in diesem Zusammenhang kein gutes Wort. Also selber schuld, und es soll nicht wieder vorkommen, soweit ich's hindern kann. Aber auch Du, wenn ich Dir raten darf, sei auf Deiner Hut. Er ist ein Mann der Rücksichtslosigkeiten und hat so seine Ansichten über junge Frauen. Ich kenne ihn von früher.«

»Ich werde mir Deine Worte gesagt sein lassen. Nur so viel, ich glaube, Du verkennst ihn.«

»Ich verkenne ihn *nicht*.«

»Oder mich«, sagte sie mit einer Kraftanstrengung und versuchte, seinem Blicke zu begegnen.

»Auch *Dich* nicht, meine liebe Effi. Du bist eine reizende kleine Frau, aber Festigkeit ist nicht eben Deine Spezialität.«

Er erhob sich, um zu gehen. Als er bis an die Tür gegangen war, trat Friedrich ein, um ein Gieshüblers'ches Billett abzugeben, das natürlich an die gnädige Frau gerichtet war. Effi nahm es. »Eine Geheimkorrespondenz mit Gieshübler«, sagte sie; »Stoff zu neuer Eifersucht für meinen gestrengen Herrn. Oder nicht?«

»Nein, nicht ganz, meine liebe Effi. Ich begehe die Torheit, zwischen Crampas und Gieshübler einen Unterschied zu machen. Sie sind sozusagen nicht von gleichem Karat; nach Karat berechnet man nämlich den reinen Goldeswert, unter Umständen auch der Menschen. Mir persönlich, um auch das noch zu sagen, ist Gieshüblers weißes Jabot, trotzdem kein Mensch mehr Jabots trägt, erheblich lieber als Crampas' rotblonder Sappeurbart. Aber ich bezweifle, dass dies weiblicher Geschmack ist.«

»Du hältst uns für schwächer, als wir sind.«

»Eine Tröstung von praktisch außerordentlicher Geringfügigkeit. Aber lassen wir das. Lies lieber.«

Und Effi las: »Darf ich mich nach der gnäd'gen Frau Befinden erkundigen? Ich weiß nur, dass Sie dem Schloon glücklich entronnen sind: Aber es blieb auch durch den Wald immer noch Fährlichkeit genug. Eben kommt Dr. Hannemann von Uvagla zurück und beruhigt mich über Mirambo; gestern habe er die Sache für bedenklicher angesehen, als er uns habe sagen wollen, heute nicht mehr. Es war eine reizende Fahrt. – In drei Tagen feiern wir Silvester. Auf eine Festlichkeit, wie die vorjährige, müssen wir verzichten; aber einen Ball haben wir natürlich, und Sie erscheinen zu sehen würde die Tanzwelt beglücken und nicht am wenigsten Ihren respektvollst ergebenen Alonzo G.«

Effi lachte. »Nun, was sagst Du?«

»Nach wie vor nur das eine, dass ich Dich lieber mit Gieshübler als mit Crampas sehe.«

»Weil Du den Crampas zu schwer und den Gieshübler zu leicht nimmst.«

Innstetten drohte ihr scherzhaft mit dem Finger.

Karat:
Einheit für die Gewichtsbestimmung von Edelsteinen

Sappeurbart:
langer Bart nach Art französischer Pioniersoldaten

Drei Tage später war Silvester. Effi erschien in einer reizenden Balltoilette, einem Geschenk, das ihr der Weihnachtstisch gebracht hatte; sie tanzte aber nicht, sondern nahm ihren Platz bei den alten Damen, für die, ganz in der Nähe der Musikempore, die Fauteuils gestellt waren. Von den adligen Familien, mit denen Innstettens vorzugsweise verkehrten, war niemand da, weil kurz vorher ein kleines Zerwürfnis mit dem städtischen Ressourcenvorstand, der, namentlich seitens des alten Güldenklee, 'mal wieder »destruktiver Tendenzen« beschuldigt worden war, stattgefunden hatte; drei, vier andere adlige Familien aber, die nicht Mitglieder der Ressource, sondern immer nur geladene Gäste waren und deren Güter an der anderen Seite der Kessine lagen, waren aus zum Teil weiter Entfernung über das Flusseis gekommen und freuten sich, an dem Fest teilnehmen zu können. Effi saß zwischen der alten Ritterschaftsrätin von Padden und einer etwas jüngeren Frau von Titzewitz.

Die Ritterschaftsrätin, eine vorzügliche alte Dame, war in allen Stücken ein Original und suchte das, was die Natur, besonders durch starke Backenknochenbildung, nach der wendisch-heidnischen Seite hin für sie getan hatte, durch christlich-germanische Glaubensstrenge wieder in Ausgleich zu bringen.

In dieser Strenge ging sie so weit, dass selbst Sidonie von Grasenabb eine Art esprit fort neben ihr war, wogegen sie freilich – vielleicht weil sich die Radegaster und die Swantowiter Linie des Hauses in ihr vereinigten – über jenen alten Paddenhumor verfügte, der von langer Zeit her wie ein Segen auf der Familie ruhte und jeden, der mit derselben in Berührung kam, auch wenn es Gegner in Politik und Kirche waren, herzlich erfreute.

»Nun, Kind«, sagte die Ritterschaftsrätin, »wie geht es Ihnen denn eigentlich?«

»Gut, gnädigste Frau; ich habe einen sehr ausgezeichneten Mann.«

Musikempore:
balkonartiges
Obergeschoss

destruktiver
Tendenzen:
Hang zum
Zerstörerischen;
Redewendung
Bismarcks

esprit fort:
großer Denker

Radegast und
Swantowit:
Götter wendischer Stämme

Anfechtung:
Einwand

»Weiß ich. Aber das hilft nicht immer. Ich hatte auch einen ausgezeichneten Mann. Wie steht es hier? Keine Anfechtungen?«

Effi erschrak und war zugleich wie gerührt. Es lag etwas ungemein Erquickliches in dem freien und natürlichen Ton, in dem die alte Dame sprach, und dass es eine so fromme Frau war, das machte die Sache nur noch erquicklicher.

erquicklich:
erfreulich

»Ach, gnädigste Frau ...«

»Da kommt es schon. Ich kenne das. Immer dasselbe. Darin ändern die Zeiten nichts. Und vielleicht ist es auch recht gut so. Denn worauf es ankommt, meine liebe junge Frau, das ist das Kämpfen. Man muss immer ringen mit dem natürlichen Menschen. Und wenn man sich dann so unter hat und beinah' schreien möchte, weil's weh tut, dann jubeln die lieben Engel!«

»Ach, gnädigste Frau. Es ist oft recht schwer.«

»Freilich ist es schwer. Aber je schwerer, desto besser. Darüber müssen Sie sich freuen. Das mit dem Fleisch, das bleibt, und ich habe Enkel und Enkelinnen, da seh' ich es jeden Tag. Aber im Glauben sich unterkriegen, meine liebe Frau, darauf kommt es an, das ist das Wahre. Das hat uns unser alter Martin Luther zur Erkenntnis gebracht, der Gottesmann. Kennen Sie seine Tischreden?«

seine Tischreden:
von Freunden
Martin Luthers
überlieferte
Stellungnahmen
zu religiösen und
politischen
Themen

»Nein, gnädigste Frau.«

»Die werde ich Ihnen schicken.«

In diesem Augenblicke trat Major Crampas an Effi heran und bat, sich nach ihrem Befinden erkundigen zu dürfen. Effi war wie mit Blut übergossen, aber ehe sie noch antworten konnte, sagte Crampas: »Darf ich Sie bitten, gnädigste Frau, mich den Damen vorstellen zu wollen?«

Effi nannte nun Crampas' Namen, der seinerseits schon vorher vollkommen orientiert war und in leichtem Geplauder alle Paddens und Titzewitze, von denen er je gehört hatte, Revue passieren ließ. Zugleich entschuldigte er sich, den Herrschaften jenseits der Kessine noch immer nicht

seinen Besuch gemacht und seine Frau vorgestellt zu
haben; »aber es sei sonderbar, welche trennende Macht
das Wasser habe. Es sei dasselbe wie mit dem Canal La
Manche ...«

Canal La Manche:
Ärmelkanal

»Wie?«, fragte die alte Titzewitz.

Crampas seinerseits hielt es für unangebracht, Aufklärun-
gen zu geben, die doch zu nichts geführt haben würden,
und fuhr fort:»Auf zwanzig Deutsche, die nach Frankreich
gehen, kommt noch nicht einer, der nach England geht.
Das macht das Wasser; ich wiederhole, das Wasser hat eine scheidende Kraft.«

Frau von Padden, die darin mit feinem Instinkt etwas An-
zügliches witterte, wollte für das Wasser eintreten, Crampas aber sprach mit immer wachsendem Redefluss weiter
und lenkte die Aufmerksamkeit der Damen auf ein schönes Fräulein von Stojentin, »das ohne Zweifel die Ballköni-
gin« sei, wobei sein Blick übrigens Effi bewundernd streif-
te. Dann empfahl er sich rasch unter Verbeugung gegen
alle drei. »Schöner Mann«, sagte die Padden. »Verkehrt er
in Ihrem Hause?«

»Flüchtig.«

»Wirklich«, wiederholte die Padden, »ein schöner Mann.
Ein bisschen zu sicher. Und Hochmut kommt vor dem Fall
... Aber sehen Sie nur, da tritt er wirklich mit der Grete
Stojentin an. Eigentlich ist er doch zu alt; wenigstens Mitte
vierzig.«

»Er wird vierundvierzig.«

»Ei, ei, Sie scheinen ihn ja gut zu kennen.«

Es kam Effi sehr zupass, dass das neue Jahr, gleich in seinem Anfang, allerlei Aufregungen brachte. Seit Silvester-
nacht ging ein scharfer Nordost, der sich in den nächsten
Tagen fast bis zum Sturm steigerte, und am dritten Januar
nachmittags hieß es, dass ein Schiff draußen mit der Ein-
fahrt nicht zu Stande gekommen und hundert Schritt vor
der Mole gescheitert sei; es sei ein englisches, von Sunder-

zupass kommen:
gelegen kommen

Sunderland:
ostenglische
Hafenstadt

land her, und so weit sich erkennen lasse, sieben Mann an Bord; die Lotsen könnten beim Ausfahren, trotz aller Anstrengung, nicht um die Mole herum, und vom Strand aus ein Boot abzulassen, daran sei nun vollends nicht zu denken, die Brandung sei viel zu stark. Das klang traurig genug. Aber Johanna, die die Nachricht brachte, hatte doch auch Trost bei der Hand: Konsul Eschrich, mit dem Rettungsapparat und der Raketenbatterie, sei schon unterwegs, und es würde gewiss glücken; die Entfernung sei nicht voll so weit wie anno 75, wo's doch auch gegangen, und sie hätten damals sogar den Pudel mit gerettet, und es wäre ordentlich rührend gewesen, wie sich das Tier gefreut und die Kapitänsfrau und das liebe, kleine Kind, nicht viel größer als Anniechen, immer wieder mit seiner roten Zunge geleckt habe.

»Geert, da muss ich mit hinaus, das muss ich sehen«, hatte Effi sofort erklärt, und beide waren aufgebrochen, um nicht zu spät zu kommen, und hatten denn auch den rechten Moment abgepasst; denn im Augenblick, als sie von der Plantage her den Strand erreichten, fiel der erste Schuss, und sie sahen ganz deutlich, wie die Rakete mit dem Fangseil unter Sturmgewölk hinflog und über das Schiff hinweg jenseits niederfiel. Alle Hände regten sich sofort an Bord, und nun holten sie, mit Hülfe der kleinen Leine das dickere Tau samt dem Korb heran, und nicht lange, so kam der Korb in einer Art Kreislauf wieder zurück, und einer der Matrosen, ein schlanker, bildhübscher Mensch mit einer wachsleinenen Kappe, war geborgen an Land und wurde neugierig ausgefragt, während der Korb aufs Neue seinen Weg machte, zunächst den Zweiten und dann den Dritten heranzuholen und so fort. Alle wurden gerettet, und Effi hätte sich, als sie nach einer halben Stunde mit ihrem Manne wieder heim ging, in die Dünen werfen und sich ausweinen mögen. Ein schönes Gefühl hatte wieder Platz in ihrem Herzen gefunden, und es beglückte sie unendlich, dass es so war.

Das war am Dritten gewesen. Schon am Fünften kam ihr eine neue Aufregung, freilich ganz anderer Art. Innstetten hatte Gieshübler, der natürlich auch Stadtrat und Magistratsmitglied war, beim Herauskommen aus dem Rathaus getroffen und im Gespräch mit ihm erfahren, dass seitens des Kriegsministeriums angefragt worden sei, wie sich die Stadtbehörden eventuell zur Garnisonsfrage zu stellen gedächten? Bei nötigem Entgegenkommen, also bei Bereitwilligkeit zu Stall- und Kasernenbauten, könnten ihnen zwei Schwadronen Husaren zugesagt werden. »Nun, Effi, was sagst Du dazu?« Effi war wie benommen. All' das unschuldige Glück ihrer Kinderjahre stand mit einem Mal wieder vor ihrer Seele, und im Augenblick war es ihr, als ob rote Husaren – denn es waren auch rote wie daheim in Hohen-Cremmen – so recht eigentlich die Hüter von Paradies und Unschuld seien. Und dabei schwieg sie noch immer.

»Du sagst ja nichts, Effi.«

»Ja, sonderbar, Geert. Aber es beglückt mich so, dass ich vor Freude nichts sagen kann. Wird es denn auch sein? Werden sie denn auch kommen?«

»Damit hat's freilich noch gute Wege, ja, Gieshübler meinte sogar, die Väter der Stadt, seine Kollegen, verdienten es gar nicht. Statt einfach über die Ehre, und wenn nicht über die Ehre, so doch wenigstens über den Vorteil einig und glücklich zu sein, wären sie mit allerlei ›Wenns‹ und ›Abers‹ gekommen und hätten geknausert wegen der neuen Bauten; ja, Pfefferküchler Michelsen habe sogar gesagt, es verderbe die Sitten der Stadt, und wer eine Tochter habe, der möge sich vorsehen und Gitterfenster anschaffen.«

»Es ist nicht zu glauben. Ich habe nie manierlichere Leute gesehen als unsere Husaren; wirklich, Geert. Nun, Du weißt es ja selbst. Und nun will dieser Michelsen alles vergittern. Hat er denn Töchter?«

»Gewiss; sogar drei. Aber sie sind sämtlich hors concours.«

Effi lachte so herzlich, wie sie seit lange nicht mehr gelacht hatte. Doch es war von keiner Dauer, und als Innstetten

Magistrat: *hier* Stadtrat

Garnison: Standort einer Truppe

Schwadronen: kleinste Einheit militärischer Reitertruppen

Pfefferküchler: Vorläufer des Konditors

hors concours: außer Konkurrenz

ging und sie allein ließ, setzte sie sich an die Wiege des Kindes, und ihre Tränen fielen auf die Kissen. Es brach wieder über sie herein, und sie fühlte, dass sie wie eine Gefangene sei und nicht mehr herauskönne.

Sie litt schwer darunter und wollte sich befreien. Aber wiewohl sie starker Empfindungen fähig war, so war sie doch keine starke Natur; ihr fehlte die Nachhaltigkeit, und alle guten Anwandlungen gingen wieder vorüber. So trieb sie denn weiter, heute, weil sie's nicht ändern konnte, morgen, weil sie's nicht ändern wollte. Das Verbotene, das Geheimnisvolle hatte seine Macht über sie.

So kam es, dass sie sich, von Natur frei und offen, in ein verstecktes Komödienspiel mehr und mehr hineinlebte. Mitunter erschrak sie, wie leicht es ihr wurde. Nur in einem blieb sie sich gleich: Sie sah alles klar und beschönigte nichts. Einmal trat sie spätabends vor den Spiegel in ihrer Schlafstube; die Lichter und Schatten flogen hin und her, und Rollo schlug draußen an, und im selben Augenblick war es ihr, als sähe ihr wer über die Schulter. Aber sie besann sich rasch. »Ich weiß schon, was es ist; es war nicht der«, und sie wies mit dem Finger nach dem Spukzimmer oben. »Es war 'was anderes ... mein Gewissen ... Effi, Du bist verloren.«

Es ging aber doch weiter so, die Kugel war im Rollen, und was an einem Tage geschah, machte das Tun des andern zur Notwendigkeit.

Um die Mitte des Monats kamen Einladungen aufs Land. Über die dabei innezuhaltende Reihenfolge hatten sich die vier Familien, mit denen Innstettens vorzugsweise verkehrten, geeinigt: Die Borckes sollten beginnen, die Flemmings und Grasenabbs folgten, die Güldenklees schlossen ab. Immer eine Woche dazwischen. Alle vier Einladungen kamen am selben Tage; sie sollten ersichtlich den Eindruck des Ordentlichen und Wohlerwogenen machen, auch wohl den einer besonderen freundschaftlichen Zusammengehörigkeit.

»Ich werde nicht dabei sein, Geert, und Du musst mich der Kur halber, in der ich nun seit Wochen stehe, von vornherein entschuldigen.«

Innstetten lachte. »Kur. Ich soll es auf die Kur schieben. Das ist das Vorgebliche; das Eigentliche heißt: Du willst nicht.«

»Nein, es ist doch mehr Ehrlichkeit dabei, als Du zugeben willst. Du hast selbst gewollt, dass ich den Doktor zu Rate ziehe. Das hab' ich getan, und nun muss ich doch seinem Rat folgen. Der gute Doktor, er hält mich für bleichsüchtig, sonderbar genug, und Du weißt, dass ich jeden Tag von dem Eisenwasser trinke. Wenn Du Dir ein Borcke'sches Diner dazu vorstellst, vielleicht mit Presskopf und Aal in Aspik, so musst Du den Eindruck haben, es wäre mein Tod. Und so wirst Du Dich doch zu Deiner Effi nicht stellen wollen. Freilich, mitunter ist es mir …«

»Ich bitte Dich, Effi …«

»… Übrigens freu' ich mich, und das ist das einzige Gute dabei, Dich jedes Mal, wenn Du fährst, eine Strecke Wegs begleiten zu können, bis an die Mühle gewiss oder bis an den Kirchhof oder auch bis an die Waldecke, da, wo der Morgnitzer Querweg einmündet. Und dann steig' ich ab und schlendere wieder zurück. In den Dünen ist es immer am schönsten.«

Innstetten war einverstanden, und als drei Tage später der Wagen vorfuhr, stieg Effi mit auf und gab ihrem Manne das Geleit bis an die Waldecke. »Hier lass halten, Geert. Du fährst nun links weiter, ich gehe rechts bis an den Strand und durch die Plantage zurück. Es ist etwas weit, aber doch nicht zu weit. Doktor Hannemann sagt mir jeden Tag, Bewegung sei alles, Bewegung und frische Luft. Und ich glaube beinah', dass er recht hat. Empfiehl mich all' den Herrschaften; nur bei Sidonie kannst Du schweigen.«

Die Fahrten, auf denen Effi ihren Gatten bis an die Waldecke begleitete, wiederholten sich allwöchentlich; aber auch in der zwischenliegenden Zeit hielt Effi darauf, dass

bleichsüchtig: an Eisenmangel leidend

Eisenwasser: Heilwasser mit Eisenanteil

Presskopf: Sülzwurst aus Schweins- oder Kalbsköpfen

empfehlen: *hier* Grüße ausrichten

sie der ärztlichen Verordnung streng nachkam. Es verging kein Tag, wo sie nicht ihren vorgeschriebenen Spaziergang gemacht hätte, meist nachmittags, wenn sich Innstetten in seine Zeitungen zu vertiefen begann. Das Wetter war schön, eine milde, frische Luft, der Himmel bedeckt. Sie ging in der Regel allein und sagte zu Roswitha: »Roswitha, ich gehe nun also die Chaussee hinunter und dann rechts an den Platz mit dem Karussell; da will ich auf dich warten, da hole mich ab. Und dann gehen wir durch die Birkenallee oder durch die Reeperbahn wieder zurück. Aber komme nur, wenn Annie schläft. Und wenn sie nicht schläft, so schicke Johanna. Oder lass es lieber ganz; es ist nicht nötig, ich finde mich schon zurecht.«

Den ersten Tag, als es so verabredet war, trafen sie sich auch wirklich. Effi saß auf einer an einem langen Holzschuppen sich hinziehenden Bank und sah nach einem niedrigen Fachwerkhaus hinüber, gelb mit schwarz gestrichenen Balken, einer Wirtschaft für kleine Bürger, die hier Solo:
Kartenspiel ihr Glas Bier tranken oder Solo spielten. Es dunkelte noch kaum, die Fenster aber waren schon hell, und ihr Lichtschimmer fiel auf die Schneemassen und etliche zur Seite stehende Bäume. »Sieh', Roswitha, wie schön das aussieht.«

Ein paar Tage wiederholte sich das. Meist aber, wenn Roswitha bei dem Karussell und dem Holzschuppen ankam, war niemand da, und wenn sie dann zurückkam und in den Hausflur eintrat, kam ihr Effi schon entgegen und sagte:

»Wo Du nur bleibst, Roswitha, ich bin schon lange wieder hier.«

In dieser Art ging es durch Wochen hin. Das mit den Husaren hatte sich wegen der Schwierigkeiten, die die Bürgerschaft machte, so gut wie zerschlagen; aber da die Verhandlungen noch nicht geradezu abgeschlossen waren und neuerdings durch eine andere Behörde, das Generalkommando, gingen, so war Crampas nach Stettin berufen worden, wo man seine Meinung in dieser Angelegenheit hören wollte. Von dort schrieb er den zweiten Tag an Innstetten:

»Pardon, Innstetten, dass ich mich auf Französisch empfohlen. Es kam alles so schnell. Ich werde übrigens die Sache hinauszuspinnen suchen, denn man ist froh, einmal draußen zu sein. Empfehlen Sie mich der gnädigen Frau, meiner liebenswürdigen Gönnerin.«

sich auf Französisch empfehlen (Redensart): ohne Dank und Gruß abreisen

hinausspinnen: *hier* ausdehnen

Er las es Effi vor. Diese blieb ruhig. Endlich sagte sie: »Es ist recht gut so.«

»Wie meinst Du das?«

»Dass er fort ist. Er sagt eigentlich immer dasselbe. Wenn er wieder da ist, wird er wenigstens vorübergehend 'was Neues zu sagen haben.«

Innstettens Blick flog scharf über sie hin. Aber er sah nichts, und sein Verdacht beruhigte sich wieder. »Ich will auch fort«, sagte er nach einer Weile, »sogar nach Berlin; vielleicht kann ich dann, wie Crampas, auch mal 'was Neues mitbringen. Meine liebe Effi will immer gern 'was Neues hören; sie langweilt sich in unserm guten Kessin. Ich werde gegen acht Tage fort sein, vielleicht noch einen Tag länger. Und ängstige Dich nicht ... es wird ja wohl nicht wiederkommen ... Du weißt schon, das da oben ... Und wenn doch, Du hast ja Rollo und Roswitha.«

Effi lächelte vor sich hin, und es mischte sich etwas von Wehmut mit ein. Sie musste des Tages gedenken, wo Crampas ihr zum erstenmal gesagt hatte, dass er mit dem Spuk und ihrer Furcht eine Komödie spiele. Der große Erzieher! Aber hatte er nicht recht? War die Komödie nicht am Platz? Und allerhand Widerstreitendes, Gutes und Böses, ging ihr durch den Kopf.

Den dritten Tag reiste Innstetten ab.

Über das, was er in Berlin vorhabe, hatte er nichts gesagt.

Innstetten war erst vier Tage fort, als Crampas von Stettin wieder eintraf und die Nachricht brachte, man hätte höheren Orts die Absicht, zwei Schwadronen nach Kessin zu legen, endgültig fallen lassen; es gäbe so viele kleine Städte, die sich um eine Kavallerie-Garnison, und nun gar um Blücher'sche Husaren, bewürben, dass man gewohnt sei, bei solchem Anerbieten einem herzlichen Entgegenkommen, aber nicht einem zögernden zu begegnen. Als Crampas das mitteilte, machte der Magistrat ein ziemlich verlegenes Gesicht; nur Gieshübler, weil er der Philisterei seiner Kollegen eine Niederlage gönnte, triumphierte. Seitens der kleinen Leute griff, beim Bekanntwerden der Nachricht, eine gewisse Verstimmung Platz, ja selbst einige Konsuls mit Töchtern waren momentan unzufrieden; im Ganzen aber kam man rasch über die Sache hin, vielleicht weil die nebenherlaufende Frage, »was Innstetten in Berlin vorhabe«, die Kessiner Bevölkerung oder doch wenigstens die Honoratiorenschaft der Stadt mehr interessierte. Diese wollte den überaus wohlgelittenen Landrat nicht gern verlieren, und doch gingen darüber ganz ausschweifende Gerüchte, die von Gieshübler, wenn er nicht ihr Erfinder war, wenigstens genährt und weiter verbreitet wurden. Unter anderem hieß es, Innstetten würde als Führer einer Gesandtschaft nach Marokko gehn, und zwar mit Geschenken, unter denen nicht bloß die herkömmliche Vase mit Sanssouci und dem Neuen Palais, sondern vor allem auch eine große Eismaschine sei. Das Letztere erschien, mit Rücksicht auf die marokkanischen Temperaturverhältnisse, so wahrscheinlich, dass das Ganze geglaubt wurde.

Effi hörte auch davon. Die Tage, wo sie sich darüber erheitert hätte, lagen noch nicht allzu weit zurück; aber in der Seelenstimmung, in der sie sich seit Schluss des Jahres befand, war sie nicht mehr fähig, unbefangen und ausgelas-

Anerbieten:
Vorschlag

hinkommen:
hinwegkommen

genährt:
hier mit weiteren
Details ausgestalten und im
Gespräch halten

Vase mit
Sanssouci […]:
gängiges
Gastgeschenk
deutscher
Gesandtschaften

sen über derlei Dinge zu lachen. Ihre Gesichtszüge hatten einen ganz anderen Ausdruck angenommen und das halb rührend, halb schelmisch Kindliche, was sie noch als Frau gehabt hatte, war hin. Die Spaziergänge nach dem Strand und der Plantage, die sie, während Crampas in Stettin war, aufgegeben hatte, nahm sie nach seiner Rückkehr wieder auf und ließ sich auch durch ungünstige Witterung nicht davon abhalten. Es wurde wie früher bestimmt, dass ihr Roswitha bis an den Ausgang der Reeperbahn oder bis in die Nähe des Kirchhofs entgegenkommen solle, sie verfehlten sich aber noch häufiger als früher. »Ich könnte Dich schelten, Roswitha, dass Du mich nie findest. Aber es hat nichts auf sich; ich ängstige mich nicht mehr, auch nicht einmal am Kirchhof, und im Wald bin ich noch keiner Menschenseele begegnet.«

Es war am Tage vor Innstettens Rückkehr von Berlin, dass Effi das sagte. Roswitha machte nicht viel davon und beschäftigte sich lieber damit, Girlanden über den Türen anzubringen; auch der Haifisch bekam einen Fichtenzweig und sah noch merkwürdiger aus als gewöhnlich. Effi sagte: »Das ist recht, Roswitha; er wird sich freuen über all' das Grün, wenn er morgen wieder da ist. Ob ich heute wohl noch gehe? Doktor Hannemann besteht darauf und meint in einem fort, ich nähme es nicht ernst genug, sonst müsste ich besser aussehn; ich habe aber keine rechte Lust heut, es nieselt und der Himmel ist so grau.«

»Ich werde der gnäd'gen Frau den Regenmantel bringen.«

»Das tu'! Aber komme heute nicht nach, wir treffen uns ja doch nicht«, und sie lachte. »Wirklich, Du bist gar nicht findig, Roswitha. Und ich mag nicht, dass Du Dich erkältest und alles um nichts.«

Roswitha blieb denn auch zu Haus, und weil Annie schlief, ging sie zu Kruses, um mit der Frau zu plaudern. »Liebe Frau Kruse«, sagte sie, »Sie wollten mir ja das mit dem Chinesen noch erzählen. Gestern kam die Johanna dazwischen, die tut immer so vornehm, für die ist so 'was nicht.

Ich glaube aber doch, dass es 'was gewesen ist, ich meine mit dem Chinesen und mit Thomsens Nichte, wenn es nicht seine Enkelin war.«

Die Kruse nickte.

»Entweder«, fuhr Roswitha fort, »war es eine unglückliche Liebe (die Kruse nickte wieder), oder es kann auch eine glückliche gewesen sein, und der Chinese konnte es bloß nicht aushalten, dass es alles mit einem Mal so wieder vorbei sein sollte. Denn die Chinesen sind doch auch Menschen, und es wird wohl alles ebenso mit ihnen sein, wie mit uns.«

»Alles«, versicherte die Kruse und wollte dies eben durch ihre Geschichte bestätigen, als ihr Mann eintrat und sagte: »Mutter, Du könntest mir die Flasche mit dem Lederlack geben; ich muss doch das Sielenzeug blank haben, wenn der Herr morgen wieder da ist; der sieht alles, und wenn er auch nichts sagt, so merkt man doch, dass er's gesehen hat.«

Sielenzeug: spezielles Pferdegeschirr

»Ich bring' es Ihnen 'raus, Kruse«, sagte Roswitha. »Ihre Frau will mir bloß noch 'was erzählen; aber es is gleich aus, und dann komm' ich und bring' es.«

Roswitha, die Flasche mit dem Lack in der Hand, kam denn auch ein paar Minuten danach auf den Hof hinaus und stellte sich neben das Sielenzeug, das Kruse eben über den Gartenzaun gelegt hatte. »Gott«, sagte er, während er ihr die Flasche aus der Hand nahm, »viel hilft es ja nicht, es nieselt in einem weg, und die Blänke vergeht doch wieder. Aber ich denke, alles muss seine Ordnung haben.«

Blänke: *hier* Glanz

»Das muss es. Und dann, Kruse, es ist ja doch auch ein richtiger Lack, das kann ich gleich sehen, und was ein richtiger Lack ist, der klebt nicht lange, der muss gleich trocknen. Und wenn es dann morgen nebelt oder nass fällt, dann schadet es mehr. Aber das muss ich doch sagen, das mit dem Chinesen ist eine merkwürdige Geschichte.«

Kruse lachte. »Unsinn is es, Roswitha. Und meine Frau, statt aufs Richtige zu sehen, erzählt immer so 'was, un'

wenn ich ein reines Hemd anziehen will, fehlt ein Knopp. Knopp:
Knopf
Un' so is es nu' schon, so lange wir hier sind. Sie hat immer
bloß solche Geschichten in ihrem Kopp und dazu das
schwarze Huhn. Un das schwarze Huhn legt nich mal Eier.
Un' am Ende, wovon soll es auch Eier legen? Es kommt ja
nich' 'raus, und von's bloße Kikeriki kann doch so 'was nich'
kommen. Das is von keinem Huhn nich' zu verlangen.«
»Hören Sie, Kruse, das werde ich Ihrer Frau wiedererzäh-
len. Ich habe Sie immer für einen anständigen Menschen
gehalten, und nun sagen Sie so 'was wie das da von Kikeriki. Die Mannsleute sind doch immer noch schlimmer, als
man denkt. Un' eigentlich müsst' ich nu' gleich den Pinsel
hier nehmen und Ihnen einen schwarzen Schnurrbart anmalen.«
»Nu', von Ihnen, Roswitha, kann man sich das schon gefallen lassen«, und Kruse, der meist den Würdigen spielte,
schien in einen mehr und mehr schäkrigen Ton übergehen schäkrigen:
scherzenden
zu wollen, als er plötzlich der gnädigen Frau ansichtig wurde, die heute von der anderen Seite der Plantage herkam
und in ebendiesem Augenblicke den Gartenzaun passierte.
»Guten Tag, Roswitha, Du bist ja so ausgelassen. Was
macht denn Annie?«
»Sie schläft, gnäd'ge Frau.«
Aber Roswitha, als sie das sagte, war doch rot geworden
und ging, rasch abbrechend, auf das Haus zu, um der gnädigen Frau beim Umkleiden behülflich zu sein. Denn ob
Johanna da war, das war die Frage. Die steckte jetzt viel auf
dem »Amt« drüben, weil es zu Haus weniger zu tun gab,
und Friedrich und Christel waren ihr zu langweilig und
wussten nie 'was.
Annie schlief noch. Effi beugte sich über die Wiege, ließ
sich dann Hut und Regenmantel abnehmen und setzte
sich auf das kleine Sofa in ihrer Schlafstube. Das feuchte
Haar strich sie langsam zurück, legte die Füße auf einen
niedrigen Stuhl, den Roswitha herangeschoben, und sagte,
während sie sichtlich das Ruhebehagen nach einem ziem-

EINUNDZWANZIGSTES KAPITEL **203**

lich langen Spaziergang genoss: »Ich muss Dich darauf aufmerksam machen, Roswitha, dass Kruse verheiratet ist.«

»Ich weiß, gnäd'ge Frau.«

»Ja, was weiß man nicht alles und handelt doch, als ob man es nicht wüsste. Das kann nie 'was werden.«

»Es soll ja auch nichts werden, gnäd'ge Frau ...«

»Denn wenn Du denkst, sie sei krank, da machst Du die Rechnung ohne den Wirt. Die Kranken leben am längsten. Und dann hat sie das schwarze Huhn. Vor dem hüte Dich, das weiß alles und plaudert alles aus. Ich weiß nicht, ich habe einen Schauder davor. Und ich wette, dass das alles da oben mit dem Huhn zusammenhängt.«

»Ach, das glaub' ich nicht. Aber schrecklich ist es doch. Und Kruse, der immer gegen seine Frau ist, kann es mir nicht ausreden.«

»Was sagte der?«

»Er sagte, es seien bloß Mäuse.«

»Nun, Mäuse, das ist auch gerade schlimm genug. Ich kann keine Mäuse leiden. Aber ich sah ja deutlich, wie Du mit dem Kruse schwatztest und vertraulich tatst, und ich glaube sogar, Du wolltest ihm einen Schnurrbart anmalen. Das ist doch schon sehr viel. Und nachher sitzest Du da. Du bist ja noch eine schmucke Person und hast so 'was. Aber sieh' Dich vor, so viel kann ich Dir bloß sagen. Wie war es denn eigentlich das erste Mal mit Dir? Ist es so, dass Du mir's erzählen kannst?«

»Ach, ich kann schon. Aber schrecklich war es. Und weil es so schrecklich war, d'rum können gnäd'ge Frau auch ganz ruhig sein, von wegen dem Kruse. Wem es so gegangen ist wie mir, der hat genug davon und passt auf. Mitunter träume ich noch davon, und dann bin ich den andern Tag wie zerschlagen. Solche grausame Angst ...«

Effi hatte sich aufgerichtet und stützte den Kopf auf ihren Arm. »Nun erzähle. Wie kann es denn gewesen sein? Es ist ja mit Euch, das weiß ich noch von Hause her, immer dieselbe Geschichte ...«

»Ja, zuerst is es wohl immer dasselbe, und ich will mir auch nicht einbilden, dass es mit mir 'was Besonderes war, ganz und gar nicht. Aber wie sie's mir dann auf den Kopf zusagten und ich mit einem Male sagen musste: ›Ja, es ist so‹, ja, das war schrecklich. Die Mutter, na, das ging noch, aber der Vater, der die Dorfschmiede hatte, der war streng und wütend, und als er's hörte, da kam er mit einer Stange auf mich los, die er eben aus dem Feuer genommen hatte, und wollte mich umbringen. Und ich schrie laut auf und lief auf den Boden und versteckte mich, und da lag ich und zitterte und kam erst wieder nach unten, als sie mich riefen und sagten, ich solle nur kommen. Und dann hatte ich noch eine jüngere Schwester, die wies immer auf mich hin und sagte ›Pfui‹. Und dann, wie das Kind kommen sollte, ging ich in eine Scheune nebenan, weil ich mir's bei uns nicht getraute. Da fanden mich fremde Leute halb tot und trugen mich ins Haus und in mein Bett. Und den dritten Tag nahmen sie mir das Kind fort, und als ich nachher fragte, wo es sei, da hieß es, es sei gut aufgehoben. Ach, gnädigste Frau, die heil'ge Mutter Gottes bewahre Sie vor solchem Elend.«

Effi fuhr auf und sah Roswitha mit großen Augen an. Aber sie war doch mehr erschrocken als empört. »Was Du nur sprichst! Ich bin ja doch eine verheiratete Frau. So 'was darfst Du nicht sagen, das ist ungehörig, das passt sich nicht.«

»Ach, gnädigste Frau ...«

»Erzähle mir lieber, was aus Dir wurde. Das Kind hatten sie Dir genommen. Soweit warst Du ...«

»Und dann, nach ein paar Tagen, da kam wer aus Erfurt, der fuhr bei dem Schulzen vor und fragte, ›ob da nicht eine Amme sei.‹ Da sagte der Schulze ›ja‹. Gott lohne es ihm, und der fremde Herr nahm mich gleich mit, und von da an hab' ich bess're Tage gehabt; selbst bei der Registratorin war es doch immer noch zum Aushalten, und zuletzt bin ich zu Ihnen gekommen, gnädigste Frau. Und das war das

Schulze: Gemeindevorsteher

Beste, das Allerbeste.« Und als sie das sagte, trat sie an das Sofa heran und küsste Effi die Hand.

»Roswitha, Du musst mir nicht immer die Hand küssen, ich mag das nicht. Und nimm Dich nur in Acht mit dem Kruse. Du bist doch sonst eine so gute und verständige Person ... Mit einem Ehemanne ... das tut nie gut.«

»Ach, gnäd'ge Frau, Gott und seine Heiligen führen uns wunderbar, und das Unglück, das uns trifft, das hat doch auch sein Glück. Und wen es nicht bessert, dem is nich' zu helfen ... Ich kann eigentlich die Mannsleute gut leiden ...«

»Siehst Du, Roswitha, siehst Du.«

»Aber wenn es 'mal wieder so über mich käme, mit dem Kruse, das is ja nichts, und ich könnte nicht mehr anders, da lief ich gleich ins Wasser. Es war zu schrecklich. Alles. Und was nur aus dem armen Wurm geworden is? Ich glaube nicht, dass es noch lebt; sie haben es umkommen lassen, aber ich bin doch schuld.« Und sie warf sich vor Annies Wiege nieder und wiegte das Kind hin und her und sang in einem fort ihr »Buhküken von Halberstadt«.

»Lass«, sagte Effi. »Singe nicht mehr; ich habe Kopfweh. Aber bringe mir die Zeitungen. Oder hat Gieshübler vielleicht die Journale geschickt?«

»Das hat er. Und die Modezeitung lag obenauf. Da haben wir drin geblättert, ich und Johanna, eh' sie 'rüberging. Johanna ärgert sich immer, dass sie so 'was nicht haben kann. Soll ich die Modezeitung bringen?«

»Ja, die bringe und bring' auch die Lampe.«

Roswitha ging, und Effi, als sie allein war, sagte: »Womit man sich nicht alles hilft! Eine hübsche Dame mit einem Muff und eine mit einem Halbschleier; Modepuppen. Aber es ist das Beste, mich auf andre Gedanken zu bringen.«

Im Laufe des andern Vormittags kam ein Telegramm von Innstetten, worin er mitteilte, dass er erst mit dem zweiten Zug kommen, also nicht vor Abend in Kessin eintreffen werde.

Der Tag verging in ewiger Unruhe; glücklicherweise kam Gieshübler im Laufe des Nachmittags und half über eine Stunde weg. Endlich um sieben Uhr fuhr der Wagen vor, Effi trat hinaus, und man begrüßte sich. Innstetten war in einer ihm sonst fremden Erregung, und so kam es, dass er die Verlegenheit nicht sah, die sich in Effis Herzlichkeit mischte. Drinnen im Flur brannten die Lampen und Lichter und das Teezeug, das Friedrich schon auf einen der zwischen den Schränken stehenden Tische gestellt hatte, reflektierte den Lichterglanz.

»Das sieht ja ganz so aus wie damals, als wir hier ankamen. Weißt Du noch, Effi?«

Sie nickte.

»Nur der Haifisch mit seinem Fichtenzweig verhält sich heute ruhiger, und auch Rollo spielt den Zurückhaltenden und legt mir nicht mehr die Pfoten auf die Schulter. Was ist das mit Dir, Rollo?«

Rollo strich an seinem Herrn vorbei und wedelte.

»Der ist nicht recht zufrieden, entweder mit mir nicht oder mit andern. Nun, ich will annehmen, mit mir. Jedenfalls lass uns eintreten.« Und er trat in sein Zimmer und bat Effi, während er sich aufs Sofa niederließ, neben ihm Platz zu nehmen. »Es war so hübsch in Berlin, über Erwarten; aber in all' meiner Freude habe ich mich immer zurückgesehnt. Und wie gut Du aussiehst! Ein bisschen blass und ein bisschen verändert, aber es kleidet Dich.«

Effi wurde rot.

»Und nun wirst Du auch noch rot. Aber es ist, wie ich Dir sage. Du hattest so 'was von einem verwöhnten Kind, mit einem Mal siehst Du aus wie eine Frau.«

»Das hör' ich gern, Geert, aber ich glaube, Du sagst es nur so.«

»Nein, nein, Du kannst es Dir gutschreiben, wenn es etwas Gutes ist ...«

»Ich dächte doch.«

»Und nun rate, von wem ich Dir Grüße bringe.«

»Das ist nicht schwer, Geert. Außerdem, wir Frauen, zu denen ich mich, seitdem Du wieder da bist, ja rechnen darf (und sie reichte ihm die Hand und lachte), wir Frauen, wir raten leicht. Wir sind nicht so schwerfällig wie Ihr.«

»Nun, von wem?«

»Nun, natürlich von Vetter Briest. Er ist ja der Einzige, den ich in Berlin kenne, die Tanten abgerechnet, die Du nicht aufgesucht haben wirst und die viel zu neidisch sind, um mich grüßen zu lassen. Hast Du nicht auch gefunden, alle alten Tanten sind neidisch?«

»Ja, Effi, das ist wahr. Und dass Du das sagst, das ist ganz meine alte Effi wieder. Denn Du musst wissen, die alte Effi, die noch aussah wie ein Kind, nun, die war auch nach meinem Geschmack. Grad' so wie die jetzige gnäd'ge Frau.«

»Meinst Du? Und wenn Du Dich zwischen beiden entscheiden solltest ...«

Doktorfrage: schwierige Frage

»Das ist eine Doktorfrage, darauf lasse ich mich nicht ein. Aber da bringt Friedrich den Tee. Wie hat's mich nach dieser Stunde verlangt! Und hab' es auch ausgesprochen, so-

Dressel: vornehmes Restaurant in Berlin

gar zu Deinem Vetter Briest, als wir bei Dressel saßen und in Champagner Dein Wohl tranken ... Die Ohren müssen Dir geklungen haben ... Und weißt Du, was Dein Vetter dabei sagte?«

»Gewiss was Albernes. Darin ist er groß.«

»Das ist der schwärzeste Undank, den ich all' mein Lebtag erlebt habe. ›Lassen wir Effi leben‹, sagte er, ›meine schöne Cousine ... Wissen Sie, Innstetten, dass ich Sie am liebsten

fordern: zum Duell auffordern

fordern und totschießen möchte? Denn Effi ist ein Engel, und Sie haben mich um diesen Engel gebracht.‹ Und dabei sah er so ernst und wehmütig aus, dass man's beinah hätte glauben können.«

»O, diese Stimmung kenn' ich an ihm. Bei der wievielten wart Ihr?«

»Ich hab' es nicht mehr gegenwärtig, und vielleicht hätte ich es auch damals nicht mehr sagen können. Aber das glaub' ich, dass es ihm ganz ernst war. Und vielleicht wäre es auch das Richtige gewesen. Glaubst Du nicht, dass Du mit ihm hättest leben können?«

»Leben können? Das ist wenig, Geert. Aber beinah möcht' ich sagen, ich hätte auch nicht einmal mit ihm leben können.«

»Warum nicht? Er ist wirklich ein liebenswürdiger und netter Mensch und auch ganz gescheit.«

»Ja, das ist er ...«

»Aber ...«

»Aber er ist dalbrig. Und das ist keine Eigenschaft, die wir Frauen lieben, auch nicht einmal dann, wenn wir noch halbe Kinder sind, wohin Du mich immer gerechnet hast und vielleicht, trotz meiner Fortschritte, auch jetzt noch rechnest. Das Dalbrige, das ist nicht unsre Sache. Männer müssen Männer sein.«

dalbrig: albern

»Gut, dass Du das sagst. Alle Teufel, da muss man sich ja zusammennehmen. Und ich kann von Glück sagen, dass ich von so 'was, das wie Zusammennehmen aussieht, oder wenigstens ein Zusammennehmen in Zukunft fordert, so gut wie direkt herkomme ... Sag', wie denkst Du Dir ein Ministerium?«

»Ein Ministerium? Nun, das kann zweierlei sein. Es können Menschen sein, kluge, vornehme Herren, die den Staat regieren, und es kann auch bloß ein Haus sein, ein Palazzo, ein Palazzo Strozzi oder Pitti oder, wenn die nicht passen, irgend ein andrer. Du siehst, ich habe meine italienische Reise nicht umsonst gemacht.«

Palazzo Strozzi, Palazzo Pitti: prunkvolle Renaissance-Paläste in Florenz

»Und könntest Du Dich entschließen, in solchem Palazzo zu wohnen? Ich meine in solchem Ministerium?«

»Um Gottes willen, Geert, sie haben Dich doch nicht zum Minister gemacht? Gieshübler sagte so 'was. Und der Fürst kann alles. Gott, der hat es am Ende durchgesetzt, und ich bin erst achtzehn.«

Innstetten lachte. »Nein, Effi, nicht Minister, so weit sind wir noch nicht. Aber vielleicht kommen noch allerhand

Gaben in mir heraus, und dann ist es nicht unmöglich.«

»Also jetzt noch nicht, noch nicht Minister?«

»Nein. Und wir werden, die Wahrheit zu sagen, auch nicht einmal in einem Ministerium wohnen, aber ich werde täglich ins Ministerium gehen, wie ich jetzt in unser Landratsamt gehe, und werde dem Minister Vortrag halten und mit ihm reisen, wenn er die Provinzialbehörden inspiziert. Und Du wirst eine Ministerialrätin sein und in Berlin leben, und in einem halben Jahre wirst Du kaum noch wissen, dass Du hier in Kessin gewesen bist und nichts gehabt hast als Gieshübler und die Dünen und die Plantage.«

Effi sagte kein Wort, und nur ihre Augen wurden immer größer; um ihre Mundwinkel war ein nervöses Zucken, und ihr ganzer zarter Körper zitterte. Mit einem Male aber glitt sie von ihrem Sitz vor Innstetten nieder, umklammerte seine Knie und sagte in einem Ton, wie wenn sie betete: »Gott sei Dank!«

Innstetten verfärbte sich. Was war das? Etwas, was seit Wochen flüchtig, aber doch immer sich erneuernd über ihn kam, war wieder da und sprach so deutlich aus seinem Auge, dass Effi davor erschrak. Sie hatte sich durch ein schönes Gefühl, das nicht viel 'was andres als ein Bekenntnis ihrer Schuld war, hinreißen lassen und dabei mehr gesagt, als sie sagen durfte. Sie musste das wieder ausgleichen, musste 'was finden, irgendeinen Ausweg, es koste, was es wolle.

»Steh' auf, Effi. Was hast Du?«

Effi erhob sich rasch. Aber sie nahm ihren Platz auf dem Sofa nicht wieder ein, sondern schob einen Stuhl mit hoher Lehne heran, augenscheinlich weil sie nicht Kraft genug fühlte, sich ohne Stütze zu halten.

»Was hast Du?«, wiederholte Innstetten. »Ich dachte, Du hättest hier glückliche Tage verlebt. Und nun rufst Du ›Gott sei Dank‹, als ob Dir hier alles nur ein Schrecknis gewesen wäre. War *ich* Dir ein Schrecknis? Oder war es 'was andres? Sprich.«

»Dass Du noch fragen kannst, Geert«, sagte sie, während sie mit einer äußersten Anstrengung das Zittern ihrer Stimme zu bezwingen suchte. »Glückliche Tage! Ja, gewiss, glückliche Tage, aber doch auch andre. Nie bin ich die Angst hier ganz losgeworden, nie. Noch keine vierzehn Tage, dass es mir wieder über die Schulter sah, dasselbe Gesicht, derselbe fahle Teint. Und diese letzten Nächte, wo Du fort warst, war es auch wieder da, nicht das Gesicht, aber es schlurrte wieder, und Rollo schlug wieder an, und Roswitha, die's auch gehört, kam an mein Bett und setzte sich zu mir, und erst, als es schon dämmerte, schliefen wir wieder ein. Es ist ein Spukhaus, und ich hab' es auch glauben sollen, das mit dem Spuk – denn Du bist ein Erzieher. Ja, Geert, das bist Du. Aber lass es sein, wie's will, so viel weiß ich, ich habe mich ein ganzes Jahr lang und länger in diesem Hause gefürchtet, und wenn ich von hier fortkomme, so wird es, denk' ich, von mir abfallen, und ich werde wieder frei sein.«

Innstetten hatte kein Auge von ihr gelassen und war jedem Worte gefolgt. Was sollte das heißen: »Du bist ein Erzieher«? Und dann das andere, was vorausging: »Und ich hab' es auch glauben sollen, das mit dem Spuk«. Was war das alles? Wo kam das her? Und er fühlte seinen leisen Argwohn sich wieder regen und fester einnisten. Aber er hatte lange genug gelebt, um zu wissen, dass alle Zeichen trügen und dass wir in unsrer Eifersucht, trotz ihrer hundert Augen, oft noch mehr in die Irre gehen als in der Blindheit unseres Vertrauens. Es konnte ja so sein, wie sie sagte.

Und wenn es so war, warum sollte sie nicht ausrufen: »Gott sei Dank!«

Und so, rasch alle Möglichkeiten ins Auge fassend, wurde er seines Argwohns wieder Herr und reichte ihr die Hand über den Tisch hin: »Verzeih' mir, Effi, aber ich war so sehr überrascht von dem allen. Freilich wohl meine Schuld. Ich bin immer zu sehr mit mir beschäftigt gewesen. Wir Männer sind alle Egoisten. Aber das soll nun anders werden.

schlurren:
geräuschvoll und
schleppend
gehen

anschlagen:
wenn Hunde
durch Bellen auf
etwas aufmerksam machen
wollen

Ein Gutes hat Berlin gewiss: Spukhäuser gibt es da nicht. Wo sollen die auch herkommen? Und nun lass uns hinübergehen, dass ich Annie sehe; Roswitha verklagt mich sonst als einen unzärtlichen Vater.«

Effi war unter diesen Worten allmählich ruhiger geworden, und das Gefühl, aus einer selbst geschaffenen Gefahr sich glücklich befreit zu haben, gab ihr die Spannkraft und gute Haltung wieder zurück.

ZWEIUNDZWANZIGSTES KAPITEL

Am andern Morgen nahmen beide gemeinschaftlich ihr etwas verspätetes Frühstück. Innstetten hatte seine Missstimmung und Schlimmeres überwunden, und Effi lebte so ganz dem Gefühl ihrer Befreiung, dass sie nicht bloß die Fähigkeit einer gewissen erkünstelten Laune, sondern fast auch ihre frühere Unbefangenheit wiedergewonnen hatte. Sie war noch in Kessin, und doch war ihr schon zu Mute, als läge es weit hinter ihr.

»Ich habe mir's überlegt, Effi«, sagte Innstetten, »Du hast nicht so ganz unrecht mit allem, was Du gegen unser Haus hier gesagt hast. Für Kapitän Thomsen war es gerade gut genug, aber nicht für eine junge verwöhnte Frau; alles altmodisch, kein Platz. Da sollst Du's in Berlin besser haben, auch einen Saal, aber einen andern als hier, und auf Flur und Treppe hohe bunte Glasfenster, Kaiser Wilhelm mit Zepter und Krone oder auch was Kirchliches, heilige Elisabeth oder Jungfrau Maria. Sagen wir Jungfrau Maria, das sind wir Roswitha schuldig.«

Effi lachte. »So soll es sein. Aber wer sucht uns eine Wohnung? Ich kann doch nicht Vetter Briest auf die Suche schicken. Oder gar die Tanten! Die finden alles gut genug.« »Ja, das Wohnungssuchen. Das macht einem keiner zu Dank. Ich denke, da musst Du selber hin.«

»Und wann meinst Du?«

»Mitte März.«

»O, das ist viel zu spät, Geert, dann ist ja alles fort. Die guten Wohnungen werden schwerlich auf uns warten!« »Ist schon recht. Aber ich bin erst seit gestern wieder hier und kann doch nicht sagen ›reise morgen‹. Das würde mich schlecht kleiden und passt mir auch wenig; ich bin froh, dass ich Dich wiederhabe.«

»Nein«, sagte sie, während sie das Kaffeegeschirr, um eine aufsteigende Verlegenheit zu verbergen, ziemlich geräuschvoll zusammenrückte, »nein, so soll's auch nicht sein, nicht heut und nicht morgen, aber doch in den nächsten Tagen. Und wenn ich etwas finde, so bin ich rasch wieder zurück. Aber noch eins, Roswitha und Annie müssen mit. Am schönsten wär' es, Du auch. Aber ich sehe ein, das geht nicht. Und ich denke, die Trennung soll nicht lange dauern. Ich weiß auch schon, wo ich miete ...«

»Nun?«

»Das bleibt mein Geheimnis. Ich will auch ein Geheimnis haben. Damit will ich Dich dann überraschen.« In diesem Augenblick trat Friedrich ein, um die Postsachen abzugeben. Das meiste war Dienstliches und Zeitungen. »Ah, da ist auch ein Brief für Dich«, sagte Innstetten. »Und wenn ich nicht irre, die Handschrift der Mama.« Effi nahm den Brief. »Ja, von der Mama. Aber das ist ja nicht der Friesacker Poststempel; sieh nur, das heißt ja deutlich Berlin.«

»Freilich«, lachte Innstetten. »Du tust, als ob es ein Wunder wäre. Die Mama wird in Berlin sein und hat ihrem Liebling von ihrem Hotel aus einen Brief geschrieben.«

»Ja«, sagte Effi, »so wird es sein. Aber ich ängstige mich doch beinah und kann keinen rechten Trost darin finden, dass Hulda Niemeyer immer sagte: Wenn man sich ängstigt, ist es besser, als wenn man hofft. Was meinst Du dazu?«

»Für eine Pastorstochter nicht ganz auf der Höhe. Aber nun lies den Brief. Hier ist ein Papiermesser.«

Konsultation:
ärztliche
Beratung

Karl Schweigger:
Berliner Augen-
arzt

Effi schnitt das Kuvert auf und las: Meine liebe Effi. Seit 24 Stunden bin ich hier in Berlin; Konsultationen bei Schweigger. Als er mich sieht, beglückwünscht er mich, und als ich erstaunt ihn frage, wozu, erfahr' ich, dass Ministerialdirektor Wüllersdorf bei ihm gewesen und ihm erzählt habe: Innstetten sei ins Ministerium berufen. Ich bin ein wenig ärgerlich, dass man dergleichen von einem Dritten erfahren muss. Aber in meinem Stolz und meiner Freude sei Euch verziehen. Ich habe es übrigens immer gewusst (schon als I. noch bei den Rathenowern war), dass etwas aus ihm werden würde. Nun kommt es Dir zugute. Natürlich müsst Ihr eine Wohnung haben und eine andere Einrichtung. Wenn Du, meine liebe Effi, glaubst, meines Rates dabei bedürfen zu können, so komme, so rasch es Dir Deine Zeit erlaubt. Ich bleibe acht Tage hier in Kur, und wenn

anschlagen:
hier wirken

es nicht anschlägt, vielleicht noch etwas länger; Schweigger drückt sich unbestimmt darüber aus. Ich habe eine Privatwohnung in der Schadowstraße genommen; neben

Schadowstraße:
Straße im Stadt-
zentrum Berlins

dem meinigen sind noch Zimmer frei. Was es mit meinem Auge ist, darüber mündlich; vorläufig beschäftigt mich nur Eure Zukunft. Briest wird unendlich glücklich sein, er tut immer so gleichgültig gegen dergleichen, eigentlich hängt er aber mehr daran als ich. Grüße Innstetten, küsse Annie, die Du vielleicht mitbringst. Wie immer Deine Dich zärtlich liebende Mutter Luise von B.

Effi legte den Brief aus der Hand und sagte nichts. Was sie zu tun habe, das stand bei ihr fest; aber sie wollte es nicht selber aussprechen, Innstetten sollte damit kommen, und dann wollte sie zögernd ja sagen. Innstetten ging auch wirklich in die Falle.

»Nun, Effi, Du bleibst so ruhig.«

»Ach, Geert, es hat alles so seine zwei Seiten. Auf der einen Seite beglückt es mich, die Mama wiederzusehen, und vielleicht sogar schon in wenigen Tagen. Aber es spricht auch so vieles dagegen.«

»Was?«

»Die Mama, wie Du weißt, ist sehr bestimmt und kennt nur ihren eignen Willen. Dem Papa gegenüber hat sie alles durchsetzen können. Aber ich möchte gern eine Wohnung haben, die nach *meinem* Geschmack ist, und eine neue Einrichtung, die *mir* gefällt.«

Innstetten lachte. »Und das ist alles?«

»Nun, es wäre grade genug. Aber es ist nicht alles.« Und nun nahm sie sich zusammen und sah ihn an und sagte: »Und dann, Geert, ich möchte nicht gleich wieder von Dir fort.«

»Schelm, das sagst Du so, weil Du meine Schwäche kennst. Aber wir sind alle so eitel, und ich will es glauben. Ich will es glauben und doch zugleich auch den Heroischen spielen, den Entsagenden. Reise, sobald Du's für nötig hältst und vor Deinem Herzen verantworten kannst.«

> Heroischen: Heldenhaften

»So darfst Du nicht sprechen, Geert. Was heißt das ›vor meinem Herzen verantworten‹. Damit schiebst Du mir, halb gewaltsam, eine Zärtlichkeitsrolle zu, und ich muss dir dann aus reiner Kokettene sagen: ›Ach, Geert, dann reise ich nie.‹ Oder doch so etwas Ähnliches.«

Innstetten drohte ihr mit dem Finger. »Effi, Du bist mir zu fein. Ich dachte immer, Du wärst ein Kind, und ich sehe nun, dass Du das Maß hast wie alle andern. Aber lassen wir das, oder wie Dein Papa immer sagte: ›Das ist ein zu weites Feld.‹ Sage lieber, wann willst Du fort?«

> Maß: *hier* Reife

»Heute haben wir Dienstag. Sagen wir also Freitagmittag mit dem Schiff. Dann bin ich am Abend in Berlin.«

»Abgemacht. Und wann zurück?«

»Nun, sagen wir Montagabend. Das sind dann drei Tage.«

»Geht nicht. Das ist zu früh. In drei Tagen kannst Du's nicht zwingen. Und so rasch lässt dich die Mama auch nicht fort.«

»Also auf Diskretion.«

»Gut.«

> auf Diskretion: *hier* auf unbestimmte Zeit

Und damit erhob sich Innstetten, um nach dem Landratsamte hinüberzugehen.

Die Tage bis zur Abreise vergingen wie im Fluge. Roswitha war sehr glücklich. »Ach, gnädigste Frau, Kessin, nun ja ... aber Berlin ist es nicht. Und die Pferdebahn. Und wenn es dann so klingelt und man nicht weiß, ob man links oder rechts soll, und mitunter ist mir schon gewesen, als ginge alles grad über mich weg. Nein, so was ist hier nicht. Ich glaube, manchen Tag sehen wir keine sechs Menschen. Und immer bloß die Dünen und draußen die See. Und das rauscht und rauscht, aber weiter ist es auch nichts.«

»Ja, Roswitha, Du hast recht. Es rauscht und rauscht immer, aber es ist kein richtiges Leben. Und dann kommen einem allerhand dumme Gedanken. Das kannst Du doch nicht bestreiten, das mit dem Kruse war nicht in der Richtigkeit.«

»Ach, gnädigste Frau ...«

»Nun, ich will nicht weiter nachforschen. Du wirst es natürlich nicht zugeben. Und nimm nur nicht zu wenig Sachen mit. Deine Sachen kannst Du eigentlich ganz mitnehmen und Annies auch.«

»Ich denke, wir kommen noch 'mal wieder.«

»Ja, ich. Der Herr wünscht es. Aber Ihr könnt vielleicht dableiben, bei meiner Mutter. Sorge nur, dass sie Anniechen nicht zu sehr verwöhnt. Gegen mich war sie mitunter streng, aber ein Enkelkind ...«

»Und dann ist Anniechen ja auch so zum Anbeißen. Da muss ja jeder zärtlich sein.«

Das war am Donnerstag, am Tag vor der Abreise. Innstetten war über Land gefahren und wurde erst gegen Abend zurückerwartet. Am Nachmittag ging Effi in die Stadt, bis auf den Marktplatz, und trat hier in die Apotheke und bat um eine Flasche Sal volatile. »Man weiß nie, mit wem man reist«, sagte sie zu dem alten Gehülfen, mit dem sie auf dem Plauderfuße stand und der sie anschwärmte wie Gieshübler selbst.

»Ist der Herr Doktor zu Hause?«, fragte sie weiter, als sie das Fläschchen eingesteckt hatte.

Pferdebahn: die erste Pferdebahnlinie wurde 1878 zwischen Berlin und Treptow eröffnet

Sal volatile: Riechsalz gegen Schwäche- und Ohnmachtszustände

»Gewiss, gnädigste Frau; er ist hier nebenan und liest die Zeitungen.«

»Ich werde ihn doch nicht stören?«

»O, nie.«

Und Effi trat ein. Es war eine kleine, hohe Stube, mit Regalen ringsherum, auf denen allerlei Kolben und Retorten standen; nur an der einen Wand befanden sich alphabetisch geordnete, vorn mit einem Eisenringe versehene Kästen, in denen die Rezepte lagen.

Gieshübler war beglückt und verlegen. »Welche Ehre. Hier unter meinen Retorten. Darf ich die gnädige Frau auffordern, einen Augenblick Platz zu nehmen?«

»Gewiss, lieber Gieshübler. Aber auch wirklich nur einen Augenblick. Ich will Ihnen Adieu sagen.«

»Aber meine gnädigste Frau, Sie kommen ja doch wieder. Ich habe gehört, nur auf drei, vier Tage ...«

»Ja, lieber Freund, ich soll wiederkommen, und es ist sogar verabredet, dass ich spätestens in einer Woche wieder in Kessin bin. Aber ich könnte doch auch nicht wiederkommen. Muss ich Ihnen sagen, welche tausend Möglichkeiten es gibt ... Ich sehe, Sie wollen mir sagen, dass ich noch zu jung sei ..., auch Junge können sterben. Und dann so vieles andre noch. Und da will ich doch lieber Abschied nehmen von Ihnen, als wär' es für immer.«

»Aber meine gnädigste Frau ...«

»Als wär' es für immer. Und ich will Ihnen danken, lieber Gieshübler. Denn Sie waren das Beste hier; natürlich, weil Sie der Beste waren. Und wenn ich hundert Jahre alt würde, so werde ich Sie nicht vergessen. Ich habe mich hier mitunter einsam gefühlt, und mitunter war mir so schwer ums Herz, schwerer, als Sie wissen können; ich habe es nicht immer richtig eingerichtet; aber wenn ich Sie gesehen habe, vom ersten Tag an, dann habe ich mich immer wohler gefühlt und auch besser.«

»Aber meine gnädigste Frau.«

Kolben und Retorten: Glasgefäße für die Durchführung chemischer Reaktionen

»Und dafür wollte ich Ihnen danken. Ich habe mir eben ein Fläschchen mit Sal volatile gekauft; im Coupé sind mitunter so merkwürdige Menschen und wollen einem nicht 'mal erlauben, dass man ein Fenster aufmacht; und wenn mir dann vielleicht – denn es steigt einem ja ordentlich zu Kopf, ich meine das Salz – die Augen übergehen, dann will ich an Sie denken. Adieu, lieber Freund, und grüßen Sie Ihre Freundin, die Trippelli. Ich habe in den letzten Wochen öfter an sie gedacht und an Fürst Kotschukoff. Ein eigentümliches Verhältnis bleibt es doch. Aber ich kann mich hineinfinden ... Und lassen Sie einmal von sich hören. Oder ich werde schreiben.«

die Augen übergehen: Tränen fließen

Damit ging Effi. Gieshübler begleitete sie bis auf den Platz hinaus. Er war wie benommen, so sehr, dass er über manches Rätselhafte, was sie gesprochen, ganz hinwegsah.

Effi ging wieder nach Haus. »Bringen Sie mir die Lampe, Johanna«, sagte sie, »aber in mein Schlafzimmer. Und dann eine Tasse Tee. Ich hab es so kalt und kann nicht warten, bis der Herr wieder da ist.«

Beides kam. Effi saß schon an ihrem kleinen Schreibtisch, einen Briefbogen vor sich, die Feder in der Hand. »Bitte, Johanna, den Tee auf den Tisch da.«

Als Johanna das Zimmer wieder verlassen hatte, schloss Effi sich ein, sah einen Augenblick in den Spiegel und setzte sich dann wieder. Und nun schrieb sie: »Ich reise morgen mit dem Schiff, und dies sind Abschiedszeilen. Innstetten erwartet mich in wenigen Tagen zurück, aber ich komme *nicht* wieder ... Warum ich nicht wiederkomme, Sie wissen es ... Es wäre das Beste gewesen, ich hätte dies Stück Erde nie gesehen. Ich beschwöre Sie, dies nicht als einen Vorwurf zu fassen; alle Schuld ist bei mir. Blick' ich auf Ihr Haus ..., *Ihr* Tun mag entschuldbar sein, nicht das meine. Meine Schuld ist sehr schwer, aber vielleicht kann ich noch heraus. Dass wir hier abberufen wurden, ist mir wie ein Zeichen, dass ich noch zu Gnaden angenommen

zu Gnaden angenommen werden können: Strafnachlass erhalten werden kann. Vergessen Sie das Geschehene, vergessen Sie mich. Ihre Effi.«

Sie überflog die Zeilen noch einmal, am fremdesten war ihr das »Sie«; aber auch das musste sein; es sollte ausdrücken, dass keine Brücke mehr da sei. Und nun schob sie die Zeilen in ein Kuvert und ging auf ein Haus zu, zwischen dem Kirchhof und der Waldecke. Ein dünner Rauch stieg aus dem halb eingefallenen Schornstein. Da gab sie die Zeilen ab.

Als sie wieder zurück war, war Innstetten schon da, und sie setzte sich zu ihm und erzählte ihm von Gieshübler und dem Sal volatile.

Innstetten lachte. »Wo hast Du nur Dein Latein her, Effi?«

Das Schiff, ein leichtes Segelschiff (die Dampfboote gingen nur sommers), fuhr um zwölf. Schon eine Viertelstunde vorher waren Effi und Innstetten an Bord; auch Roswitha und Annie.

Das Gepäck war größer, als es für einen auf so wenige Tage geplanten Ausflug geboten schien. Innstetten sprach mit dem Kapitän; Effi, in einem Regenmantel und hellgrauen Reisehut, stand auf dem Hinterdeck, nahe am Steuer, und musterte von hier aus das Bollwerk und die hübsche Häuserreihe, die dem Zuge des Bollwerks folgte. Gerade der Landungsbrücke gegenüber lag Hoppensacks Hotel, ein drei Stock hohes Gebäude, von dessen Giebeldach eine gelbe Flagge, mit Kreuz und Krone darin, schlaff in der stillen, etwas nebeligen Luft herniederhing. Effi sah eine Weile nach der Flagge hinauf, ließ dann aber ihr Auge wieder abwärts gleiten und verweilte zuletzt auf einer Anzahl von Personen, die neugierig am Bollwerk umherstanden. In diesem Augenblicke wurde geläutet. Effi war ganz eigen zu Mut; das Schiff setzte sich langsam in Bewegung, und als sie die Landungsbrücke noch einmal musterte, sah sie, dass Crampas in vorderster Reihe stand. Sie erschrak bei seinem Anblick und freute sich doch auch. Er seinerseits, in seiner ganzen Haltung verändert, war sichtlich bewegt

Landungsbrücke: brückenähnliches Bauwerk, das den Übergang von Schiff an Land ermöglicht

und grüßte ernst zu ihr hinüber, ein Gruß, den sie ebenso, aber doch zugleich in großer Freundlichkeit erwiderte; dabei lag etwas Bittendes in ihrem Auge. Dann ging sie rasch auf die Kajüte zu, wo sich Roswitha mit Annie schon eingerichtet hatte. Hier, in dem etwas stickigen Raum blieb sie, bis man aus dem Fluss in die weite Bucht des Breitling eingefahren war; da kam Innstetten und rief sie nach oben, dass sie sich an dem herrlichen Anblick erfreue, den die Landschaft gerade an dieser Stelle bot. Sie ging dann auch hinauf. Über dem Wasserspiegel hingen graue Wolken, und nur dann und wann schoss ein halb umschleierter Sonnenblick aus dem Gewölk hervor. Effi gedachte des Tages, wo sie, vor jetzt fünf Vierteljahren, im offenen Wagen am Ufer eben dieses Breitlings hin entlanggefahren war. Eine kurze Spanne Zeit, und das Leben oft so still und einsam. Und doch, was war alles seitdem geschehen!

So fuhr man die Wasserstraße hinauf und war um zwei an der Station oder doch ganz in Nähe derselben. Als man gleich danach das Gasthaus des »Fürsten Bismarck« passierte, stand auch Golchowski wieder in der Tür und versäumte nicht, den Herrn Landrat und die gnädige Frau bis an die Stufen der Böschung zu geleiten. Oben war der Zug noch nicht angemeldet, und Effi und Innstetten schritten auf dem Bahnsteig auf und ab. Ihr Gespräch drehte sich um die Wohnungsfrage; man war einig über den Stadtteil, und dass es zwischen dem Tiergarten und dem Zoologischen Garten sein müsse. »Ich will den Finkenschlag hören und die Papageien auch«, sagte Innstetten, und Effi stimmte ihm zu.

Nun aber hörte man das Signal, und der Zug lief ein; der Bahnhofsinspektor war voller Entgegenkommen, und Effi erhielt ein Coupé für sich. Noch ein Händedruck, ein Wehen mit dem Tuch, und der Zug setzte sich wieder in Bewegung.

DREIUNDZWANZIGSTES KAPITEL

Auf dem Friedrichstraßen-Bahnhofe war ein Gedränge; aber trotzdem, Effi hatte schon vom Coupé aus die Mama erkannt und neben ihr den Vetter Briest. Die Freude des Wiedersehens war groß, das Warten in der Gepäckhalle stellte die Geduld auf keine allzu harte Probe, und nach wenig mehr als fünf Minuten rollte die Droschke neben dem Pferdebahngleise hin, in die Doro-theenstraße hinein und auf die Schadowstraße zu, an deren nächstgelegener Ecke sich die »Pension« befand. Roswitha war entzückt und freute sich über Annie, die die Händchen nach den Lichtern ausstreckte.

Nun war man da. Effi erhielt ihre zwei Zimmer, die nicht, wie erwartet, neben denen der Frau von Briest, aber doch auf demselben Korridor lagen, und als alles seinen Platz und Stand hatte, und Annie in einem Bettchen mit Gitter glücklich untergebracht war, erschien Effi wieder im Zimmer der Mama, einem kleinen Salon mit Kamin, drin ein schwaches Feuer brannte; denn es war mildes, beinah warmes Wetter. Auf dem runden Tische mit grüner Schirmlampe waren drei Kuverts gelegt, und auf einem Nebentischchen stand das Teezeug.

> Salon: repräsentativer Empfangsraum

»Du wohnst ja reizend, Mama«, sagte Effi, während sie dem Sofa gegenüber Platz nahm, aber nur um sich gleich danach an dem Teetisch zu schaffen zu machen. »Darf ich wieder die Rolle des Teefräuleins übernehmen?«

»Gewiss, meine liebe Effi. Aber nur für Dagobert und Dich selbst. Ich meinerseits muss verzichten, was mir beinah schwerfällt.«

»Ich versteh', Deiner Augen halber. Aber nun sage mir, Mama, was ist es damit? In der Droschke, die noch dazu so klapperte, haben wir immer nur von Innstetten und unserer großen Karriere gesprochen, viel zu viel, und das geht nicht so weiter; glaube mir, Deine Augen sind mir wichtiger, und in einem finde ich sie, Gott sei Dank, ganz unverändert, Du siehst mich immer noch so freundlich an wie früher.«

Und sie eilte auf die Mama zu und küsste ihr die Hand.

»Effi, Du bist so stürmisch. Ganz die Alte.«

»Ach nein, Mama. Nicht die Alte. Ich wollte, es wäre so. Man ändert sich in der Ehe.«

Vetter Briest lachte. »Cousine, ich merke nicht viel davon; Du bist noch hübscher geworden, das ist alles. Und mit dem Stürmischen wird es wohl auch noch nicht vorbei sein.«

»Ganz der Vetter«, versicherte die Mama; Effi selbst aber wollte davon nichts hören und sagte: »Dagobert, Du bist alles, nur kein Menschenkenner. Es ist sonderbar. Ihr Offiziere seid keine guten Menschenkenner, die jungen gewiss nicht. Ihr guckt euch immer nur selber an oder Eure Rekruten, und die von der Kavallerie haben auch noch ihre Pferde. Die wissen nun vollends nichts.«

»Aber Cousine, wo hast Du denn diese ganze Weisheit her? Du kennst ja keine Offiziere. Kessin, so habe ich gelesen, hat ja auf die ihm zugedachten Husaren verzichtet, ein Fall, der übrigens einzig in der Weltgeschichte dasteht. Und willst Du von alten Zeiten sprechen? Du warst ja noch ein halbes Kind, als die Rathenower zu Euch herüberkamen.«

»Ich könnte Dir erwidern, dass Kinder am besten beobachten. Aber ich mag nicht, das sind ja alles bloß Allotria. Ich will wissen, wie's mit Mamas Augen steht.«

Frau von Briest erzählte nun, dass es der Augenarzt für Blutandrang nach dem Gehirn ausgegeben habe. Daher käme das Flimmern. Es müsse mit Diät gezwungen werden; Bier, Kaffee, Tee – alles gestrichen und gelegentlich eine lokale Blutentziehung, dann würde es bald besser werden.

»Er sprach so von vierzehn Tagen. Aber ich kenne die Doktorangaben; vierzehn Tage heißt sechs Wochen, und ich werde noch hier sein, wenn Innstetten kommt und Ihr in Eure neue Wohnung einzieht. Ich will auch nicht leugnen, dass das das Beste von der Sache ist und mich über die mutmaßlich lange Kurdauer schon vorweg tröstet. Sucht euch nur recht 'was Hübsches. Ich habe mir Landgrafen- oder Keithstraße gedacht, elegant und doch nicht allzu teuer. Denn Ihr werdet Euch einschränken müssen. Innstettens Stellung ist sehr ehrenvoll, aber sie wirft nicht allzu viel ab. Und Briest klagt auch. Die Preise gehen herunter, und er erzählt mir jeden Tag, wenn nicht Schutzzölle kämen, so müss' er mit einem Bettelsack von Hohen-Cremmen abziehen. Du weißt, er übertreibt gern. Aber nun lange zu, Dagobert, und wenn es sein kann, erzähle uns 'was Hübsches. Krankheitsberichte sind immer langweilig, und die liebsten Menschen hören bloß zu, weil es nicht anders geht. Effi wird wohl auch gern eine Geschichte hören, etwas aus den Fliegenden Blättern oder aus dem Kladderadatsch. Er soll aber nicht mehr so gut sein.«

»O, er ist noch ebenso gut wie früher. Sie haben immer noch Strudelwitz und Prudelwitz, und da macht es sich von selber.«

»Mein Liebling ist Karlchen Mießnick und Wippchen von Bernau.«

»Ja, das sind die Besten. Aber Wippchen, der übrigens – Pardon, schöne Cousine – keine Kladderadatschfigur ist, Wippchen hat gegenwärtig nichts zu tun, es ist ja kein Krieg mehr. Leider. Unsereins möchte doch auch 'mal an die Reihe kommen und hier diese schreckliche Leere«, und er strich vom Knopfloch nach der Achsel hinüber, »endlich loswerden.«

»Ach, das sind ja bloß Eitelkeiten. Erzähle lieber. Was ist denn jetzt dran?«

»Ja, Cousine, das ist ein eigen Ding. Das ist nicht für jedermann. Jetzt haben wir nämlich die Bibelwitze.«

»Die Bibelwitze? Was soll das heißen? ... Bibel und Witze gehören nicht zusammen.«

Kladderadatsch: satirische links-liberale Wochenschrift, 1848 gegründet

Strudelwitz, Prudelwitz, Karlchen Mießnick: Figuren im *Kladderadatsch*

Wippchen von Bernau: Figur aus dem Satireblatt *Berliner Wespen*, 1868 erstmals erschienen

Kibitzeier:
Leibgericht
Bismarcks

toll:
hier unpassend

dativisch
Wrangel'sche:
Wrangel
vertauschte oft
Akkusativ und
Dativ

Simplizität:
Einfachheit

Apollo:
Lichtgott
in der antiken
Mythologie;
Bezeichnung
für schönen
jungen Mann

»Eben deshalb sagte ich, es sei nicht für jedermann. Aber ob zulässig oder nicht, sie stehen jetzt hoch im Preise. Modesache, wie Kiebitzeier.«

»Nun, wenn es nicht zu toll ist, so gib uns eine Probe. Geht es?«

»Gewiss geht es. Und ich möchte sogar hinzusetzen dürfen, Du triffst es besonders gut. Was jetzt nämlich kursiert, ist etwas hervorragend Feines, weil es als Kombination auftritt und in die einfache Bibelstelle noch das dativisch Wrangel'sche mit einmischt. Die Fragestellung – alle diese Witze treten nämlich in Frageform auf – ist übrigens in vorliegendem Falle von großer Simplizität und lautet: ›Wer war der erste Kutscher?‹ Und nun rate.«

»Nun, vielleicht Apollo.«

»Sehr gut. Du bist doch ein Daus, Effi. Ich wäre nicht darauf gekommen. Aber trotzdem, Du triffst damit nicht ins Schwarze.«

»Nun, wer war es denn?«

»Der erste Kutscher war ›Leid‹. Denn schon im Buche Hiob heißt es: ›Leid soll mir nicht widerfahren‹, oder auch ›wieder fahren‹ in zwei Wörtern und mit einem e.«

Effi wiederholte kopfschüttelnd den Satz, auch die Zubemerkung, konnte sich aber trotz aller Mühe nicht d'rin zurechtfinden; sie gehörte ganz ausgesprochen zu den Bevorzugten, die für derlei Dinge durchaus kein Organ haben, und so kam denn Vetter Briest in die nicht beneidenswerte Situation, immer erneut erst auf den Gleichklang und dann auch wieder auf den Unterschied von ›widerfahren‹ und ›wieder fahren‹ hinweisen zu müssen.

»Ach, nun versteh' ich. Und Du musst mir verzeihen, dass es so lange gedauert hat. Aber es ist wirklich zu dumm.«

»Ja, dumm ist es«, sagte Dagobert kleinlaut.

»Dumm und unpassend und kann einem Berlin ordentlich verleiden. Da geht man nun aus Kessin fort, um wieder unter Menschen zu sein, und das Erste, was man hört, ist ein

Bibelwitz. Auch Mama schweigt, und das sagt genug. Ich will Dir aber doch den Rückzug erleichtern ...«

»Das tu', Cousine.«

»... den Rückzug erleichtern und es ganz ernsthaft als ein gutes Zeichen nehmen, dass mir, als Erstes hier, von meinem Vetter Dagobert gesagt wurde: ›Leid soll mir nicht widerfahren.‹ Sonderbar, Vetter, so schwach die Sache als Witz ist, ich bin Dir doch dankbar dafür.«

Dagobert, kaum aus der Schlinge heraus, versuchte über Effis Feierlichkeit zu spötteln, ließ aber ab davon, als er sah, dass es sie verdross.

Bald nach zehn Uhr brach er auf und versprach, am anderen Tage wiederzukommen, um nach den Befehlen zu fragen.

Und gleich nachdem er gegangen, zog sich auch Effi in ihre Zimmer zurück.

Am andern Tage war das schönste Wetter, und Mutter und Tochter brachen früh auf, zunächst nach der Augenklinik, wo Effi im Vorzimmer verblieb und sich mit dem Durchblättern eines Albums beschäftigte. Dann ging es nach dem Tiergarten und bis in die Nähe des »Zoologischen«, um dort herum nach einer Wohnung zu suchen. Es traf sich auch wirklich so, dass man in der Keithstraße, worauf sich ihre Wünsche von Anfang an gerichtet hatten, etwas durchaus Passendes ausfindig machte, nur dass es ein Neubau war, feucht und noch unfertig. »Es wird nicht gehen, liebe Effi«, sagte Frau von Briest, »schon einfach Gesundheitsrücksichten werden es verbieten. Und dann, ein Geheimrat ist kein Trockenwohner.«

Effi, so sehr ihr die Wohnung gefiel, war umso einverstandener mit diesem Bedenken, als ihr an einer raschen Erledigung überhaupt nicht lag, ganz im Gegenteil: »Zeit gewonnen, alles gewonnen«, und so war ihr denn ein Hinausschieben der ganzen Angelegenheit eigentlich das Liebste, was ihr begegnen konnte. »Wir wollen diese Woh-

Geheimrat: Berater des Fürsten

Trockenwohner: Mieter, der zu einer geringen Miete in einem noch nicht getrockneten Neubau wohnt

nung aber doch im Auge behalten, Mama, sie liegt so schön und ist im Wesentlichen das, was ich mir gewünscht habe.« Dann fuhren beide Damen in die Stadt zurück, aßen im Restaurant, das man ihnen empfohlen, und waren am Abend in der Oper, wozu der Arzt unter der Bedingung, dass Frau von Briest mehr hören als sehen wolle, die Erlaubnis gegeben hatte.

Die nächsten Tage nahmen einen ähnlichen Verlauf; man war aufrichtig erfreut, sich wiederzuhaben und nach so langer Zeit wieder ausgiebig miteinander plaudern zu können. Effi, die sich nicht bloß auf Zuhören und Erzählen, sondern, wenn ihr am wohlsten war, auch auf Medisieren ganz vorzüglich verstand, geriet mehr als einmal in ihren alten Übermut, und die Mama schrieb nach Hause, wie glücklich sie sei, das »Kind« wieder so heiter und lachlustig zu finden; es wiederhole sich ihnen allen die schöne Zeit von vor fast zwei Jahren, wo man die Ausstattung besorgt habe. Auch Vetter Briest sei ganz der Alte. Das war nun auch wirklich der Fall, nur mit dem Unterschiede, dass er sich seltener sehen ließ, als vordem und auf die Frage nach dem »Warum« anscheinend ernsthaft versicherte: »Du bist mir zu gefährlich, Cousine.« Das gab dann jedes Mal ein Lachen bei Mutter und Tochter, und Effi sagte: »Dagobert, Du bist freilich noch sehr jung, aber zu solcher Form des Courmachers doch nicht mehr jung genug.«

So waren schon beinahe vierzehn Tage vergangen. Innstetten schrieb immer dringlicher und wurde ziemlich spitz, fast auch gegen die Schwiegermama, sodass Effi einsah, ein weiteres Hinausschieben sei nicht mehr gut möglich und es müsse nun wirklich gemietet werden. Aber was dann? Bis zum Umzuge nach Berlin waren immer noch drei Wochen, und Innstetten drang auf rasche Rückkehr. Es gab also nur ein Mittel: Sie musste wieder eine Komödie spielen, musste krank werden.

Das kam ihr nicht leicht an:
Das fiel ihr nicht leicht.

Das kam ihr aus mehr als einem Grunde nicht leicht an; aber es musste sein, und als ihr das feststand, stand ihr auch fest, wie die Rolle, bis in die kleinsten Einzelheiten hinein, gespielt werden müsse.

»Mama, Innstetten, wie Du siehst, wird über mein Ausbleiben empfindlich. Ich denke, wir geben also nach und mieten heute noch. Und morgen reise ich. Ach, es wird mir so schwer, mich von Dir zu trennen.«

Frau von Briest war einverstanden. »Und welche Wohnung wirst Du wählen?«

»Natürlich die erste, die in der Keithstraße, die mir von Anfang an so gut gefiel und Dir auch. Sie wird wohl noch nicht ganz ausgetrocknet sein, aber es ist ja das Sommerhalbjahr, was einigermaßen ein Trost ist. Und wird es mit der Feuchtigkeit zu arg und kommt ein bisschen Rheumatismus, so hab' ich ja schließlich immer noch Hohen-Cremmen.«

Rheumatismus: chronische Gelenkentzündung

»Kind, beruf' es nicht; ein Rheumatismus ist mitunter da, man weiß nicht wie.«

etwas berufen: ein Unheil dadurch hervorrufen, dass man es ausspricht

Diese Worte der Mama kamen Effi sehr zupass. Sie mietete denselben Vormittag noch und schrieb eine Karte an Innstetten, dass sie den nächsten Tag zurückwolle. Gleich danach wurden auch wirklich die Koffer gepackt und alle Vorbereitungen getroffen. Als dann aber der andere Morgen da war, ließ Effi die Mama an ihr Bett rufen und sagte:

»Mama, ich kann nicht reisen. Ich habe ein solches Reißen und Ziehen, es schmerzt mich über den ganzen Rücken hin, und ich glaube beinah, es ist ein Rheumatismus. Ich hätte nicht gedacht, dass das so schmerzhaft sei.«

»Siehst Du, was ich Dir gesagt habe; man soll den Teufel nicht an die Wand malen. Gestern hast Du noch leichtsinnig darüber gesprochen, und heute ist es schon da. Wenn ich Schweigger sehe, werde ich ihn fragen, was Du tun sollst.«

»Nein, nicht Schweigger. Der ist ja ein Spezialist. Das geht nicht, und er könnt' es am Ende übel nehmen, in so was anderem zu Rate gezogen zu werden. Ich denke, das Beste ist, wir warten es ab. Es kann ja auch vorübergehen. Ich werde den ganzen Tag über von Tee und Sodawasser leben, und wenn ich dann transpiriere, komm' ich vielleicht d'rüber hin.«

Frau von Briest drückte ihre Zustimmung aus, bestand aber darauf, dass sie sich gut verpflege. Dass man nichts genießen müsse, wie das früher Mode war, das sei ganz falsch und schwäche bloß; in diesem Punkte stehe sie ganz zu der jungen Schule: tüchtig essen.

Effi sog sich nicht wenig Trost aus diesen Anschauungen, schrieb ein Telegramm an Innstetten, worin sie von dem »leidigen Zwischenfall« und einer ärgerlichen, aber doch nur momentanen Behinderung sprach, und sagte dann zu Roswitha: »Roswitha, Du musst mir nun auch Bücher besorgen; es wird nicht schwerhalten, ich will alte, ganz alte.«

»Gewiss, gnäd'ge Frau. Die Leihbibliothek ist ja gleich hier nebenan. Was soll ich besorgen?«

»Ich will es aufschreiben, allerlei zur Auswahl, denn mitunter haben sie nicht das Eine, was man grade haben will.« Roswitha brachte Bleistift und Papier, und Effi schrieb auf: Walter Scott, Ivanhoe oder Quentin Durward; Cooper, Der Spion; Dickens, David Copperfield; Willibald Alexis, Die Hosen des Herrn von Bredow.

Roswitha las den Zettel durch und schnitt in der anderen Stube die letzte Zeile fort; sie genierte sich ihret- und ihrer Frau wegen, den Zettel in seiner ursprünglichen Gestalt abzugeben.

Ohne besondere Vorkommnisse verging der Tag. Am andern Morgen war es nicht besser und am dritten auch nicht. »Effi, das geht so nicht länger. Wenn so 'was einreißt, dann wird man's nicht wieder los; wovor die Doktoren am meisten warnen und mit Recht, das sind solche Verschleppungen.«

Effi seufzte. »Ja, Mama, aber wen sollen wir nehmen? Nur keinen jungen; ich weiß nicht, aber es würde mich genieren.«

»Ein junger Doktor ist immer genant, und wenn er es nicht ist, desto schlimmer. Aber Du kannst Dich beruhigen; ich komme mit einem ganz alten, der mich schon behandelt hat, als ich noch in der Hecker'schen Pension war, also vor etlichen zwanzig Jahren. Und damals war er nah an Fünfzig und hatte schönes graues Haar, ganz kraus. Er war ein Damenmann, aber in den richtigen Grenzen. Ärzte, die das vergessen, gehen unter, und es kann auch nicht anders sein; unsere Frauen, wenigstens die aus der Gesellschaft, haben immer noch einen guten Fond.«

> Hecker'sche Pension: Internat für Mädchen, benannt nach Johann Julius Hecker

> Fond: *hier* Kern

»Meinst Du? Ich freue mich immer, so 'was Gutes zu hören. Denn mitunter hört man doch auch andres. Und schwer mag es wohl oft sein. Und wie heißt denn der alte Geheimrat? Ich nehme an, dass es ein Geheimrat ist.«

»Geheimrat Rummschüttel.«

Effi lachte herzlich. »Rummschüttel! Und als Arzt für jemanden, der sich nicht rühren kann.«

»Effi, Du sprichst so sonderbar. Große Schmerzen kannst Du nicht haben.«

»Nein, in diesem Augenblick nicht; es wechselt beständig.«

Am anderen Morgen erschien Geheimrat Rummschüttel. Frau von Briest empfing ihn, und als er Effi sah, war sein erstes Wort: »Ganz die Mama.«

Diese wollte den Vergleich ablehnen und meinte, zwanzig Jahre und drüber seien doch eine lange Zeit; Rummschüttel blieb aber bei seiner Behauptung, zugleich versichernd: nicht jeder Kopf präge sich ihm ein, aber wenn er überhaupt erst einen Eindruck empfangen habe, so bleibe der auch für immer. »Und nun, meine gnädigste Frau von Innstetten, wo fehlt es, wo sollen wir helfen?«

»Ach, Herr Geheimrat, ich komme in Verlegenheit, Ihnen auszudrücken, was es ist. Es wechselt beständig. In diesem Augenblick ist es wie weggeflogen. Anfangs habe ich an Rheumatisches gedacht, aber ich möchte beinah glauben, es sei eine Neuralgie, Schmerzen den Rücken entlang, und

> Neuralgie: anfallhaft auftretender Nervenschmerz

dann kann ich mich nicht aufrichten. Mein Papa leidet an Neuralgie, da hab' ich es früher beobachten können. Vielleicht ein Erbstück von ihm.«

»Sehr wahrscheinlich«, sagte Rummschüttel, der den Puls gefühlt und die Patientin leicht, aber doch scharf beobachtet hatte. »Sehr wahrscheinlich, meine gnädigste Frau.« Was er aber still zu sich selber sagte, das lautete: »Schulkrank und mit Virtuosität gespielt; Evastochter comme il faut.« Er ließ jedoch nichts davon merken, sondern sagte mit allem wünschenswerten Ernst: »Ruhe und Wärme sind das Beste, was ich anraten kann. Eine Medizin, übrigens nichts Schlimmes, wird das Weitere tun.«

Und er erhob sich, um das Rezept aufzuschreiben: Aqua Amygdalarum amararum eine halbe Unze, Syrupus florum Aurantii zwei Unzen. »Hiervon, meine gnädigste Frau, bitte ich Sie, alle zwei Stunden einen halben Teelöffel voll nehmen zu wollen. Es wird Ihre Nerven beruhigen. Und worauf ich noch dringen möchte: keine geistigen Anstrengungen, keine Besuche, keine Lektüre.« Dabei wies er auf das neben ihr liegende Buch.

»Es ist Scott.«

»O, dagegen ist nichts einzuwenden. Das Beste sind Reisebeschreibungen. Ich spreche morgen wieder vor.«

Effi hatte sich wundervoll gehalten, ihre Rolle gut durchgespielt. Als sie wieder allein war – die Mama begleitete den Geheimrat –, schoss ihr trotzdem das Blut zu Kopf; sie hatte recht gut bemerkt, dass er ihrer Komödie mit einer Komödie begegnet war. Er war offenbar ein überaus lebensgewandter Herr, der alles recht gut sah, aber nicht alles sehen wollte, vielleicht weil er wusste, dass dergleichen auch 'mal zu respektieren sein könne. Denn gab es nicht zu respektierende Komödien, war nicht die, die er selber spielte, eine solche? Bald danach kam die Mama zurück, und Mutter und Tochter ergingen sich in Lobeserhebungen über den feinen alten Herrn, der trotz seiner beinah siebzig noch etwas Jugendliches habe. »Schicke nur gleich Roswitha nach der Apotheke ... Du sollst aber nur alle drei Stunden nehmen, hat er mir draußen noch eigens gesagt. So war er schon damals, er verschrieb nicht oft und nicht viel; aber immer Energisches, und es half auch gleich.«

Rummschüttel kam den zweiten Tag und dann jeden dritten, weil er sah, welche Verlegenheit sein Kommen der jungen Frau bereitete. Dies nahm ihn für sie ein, und sein Urteil stand ihm nach dem dritten Besuch fest: »Hier liegt etwas vor, was die Frau zwingt, so zu handeln, wie sie handelt.« Über solche Dinge den Empfindlichen zu spielen, lag längst hinter ihm.

einnehmen für: auf jemanden einen sympathischen Eindruck machen

Als Rummschüttel seinen vierten Besuch machte, fand er Effi auf, in einem Schaukelstuhl sitzend, ein Buch in der Hand, Annie neben ihr.

»Ah, meine gnädigste Frau! Hocherfreut. Ich schiebe es nicht auf die Arznei; das schöne Wetter, die hellen, frischen Märztage, da fällt die Krankheit ab. Ich beglückwünsche Sie. Und die Frau Mama?«

»Sie ist ausgegangen, Herr Geheimrat, in die Keithstraße, wo wir gemietet haben. Ich erwarte nun innerhalb weniger Tage meinen Mann, den ich mich, wenn in unserer Wohnung erst alles in Ordnung sein wird, herzlich freue, Ihnen vorstellen zu können. Denn ich darf doch wohl hoffen, dass Sie auch in Zukunft sich meiner annehmen werden.«

Er verbeugte sich.

»Die neue Wohnung«, fuhr sie fort, »ein Neubau, macht mir freilich Sorge. Glauben Sie, Herr Geheimrat, dass die feuchten Wände ...«

»Nicht im Geringsten, meine gnädigste Frau. Lassen Sie drei, vier Tage lang tüchtig heizen und immer Türen und Fenster auf, da können Sie's wagen, auf meine Verantwortung. Und mit Ihrer Neuralgie, das war nicht von solcher Bedeutung. Aber ich freue mich Ihrer Vorsicht, die mir Gelegenheit gegeben hat, eine alte Bekanntschaft zu erneuern und eine neue zu machen.«

Er wiederholte seine Verbeugung, sah noch Annie freundlich in die Augen und verabschiedete sich unter Empfehlungen an die Mama.

Kaum dass er fort war, so setzte sich Effi an den Schreibtisch und schrieb: »Lieber Innstetten! Eben war Rummschüttel hier und hat mich aus der Kur entlassen. Ich könnte nun reisen, morgen etwa; aber heut' ist schon der 24., und am 28. willst Du hier eintreffen. Angegriffen bin ich ohnehin noch. Ich denke, Du wirst einverstanden sein, wenn ich die Reise ganz aufgebe. Die Sachen sind ja ohnehin schon unterwegs, und wir würden, wenn ich käme, in Hoppensacks Hotel wie Fremde leben müssen. Auch der Kostenpunkt ist in Betracht zu ziehen, die Ausgaben werden sich ohnehin häufen; unter anderem ist Rummschüttel zu honorieren, wenn er uns auch als Arzt verbleibt. Übrigens ein sehr liebenswürdiger alter Herr. Er gilt ärztlich nicht für ersten Ranges, ›Damendoktor‹, sagen seine Gegner und Neider. Aber dies Wort umschließt doch auch ein Lob; es kann eben nicht jeder mit uns umgehen. Dass ich von den Kessinern nicht persönlich Abschied nehme, hat nicht viel auf sich. Bei Gieshübler war ich. Die Frau Majorin hat sich immer ablehnend gegen mich verhalten, ablehnend bis zur Unart; bleibt noch der Pastor und Dr. Hannemann und Crampas. Empfiehl mich Letzterem. An die Familien auf dem Lande schicke ich Karten; Güldenklees, wie Du mir schreibst, sind in Italien (was sie da wollen, weiß ich nicht), und so bleiben nur die drei andern. Entschuldige mich, so gut es geht. Du bist ja der Mann der Formen und weißt das richtige Wort zu treffen. An Frau von Padden, die mir am Silvesterabend so außerordentlich gut gefiel, schreibe ich vielleicht selber noch und spreche ihr mein Bedauern aus. Lass mich in einem Telegramm wissen, ob Du mit allem einverstanden bist. Wie immer Deine Effi.«

Effi brachte selber den Brief zur Post, als ob sie dadurch die Antwort beschleunigen könne, und am nächsten Vormittag traf denn auch das erbetene Telegramm von Innstetten ein: »Einverstanden mit allem.« Ihr Herz jubelte, sie eilte hinunter und auf den nächsten Droschkenstand zu: »Keithstraße 1c.« Und erst die Linden und dann die Tiergartenstraße hinunter flog die Droschke, und nun hielt sie vor der neuen Wohnung.

Oben standen die den Tag vorher eingetroffenen Sachen noch bunt durcheinander, aber es störte sie nicht, und als sie auf den breiten aufgemauerten Balkon hinaustrat, lag jenseits der Kanalbrücke der Tiergarten vor ihr, dessen Bäume schon überall einen grünen Schimmer zeigten. Darüber aber ein klarer blauer Himmel und eine lachende Sonne.

Sie zitterte vor Erregung und atmete hoch auf. Dann trat sie, vom Balkon her wieder über die Türschwelle zurück, hob den Blick und faltete die Hände.

»Nun, mit Gott, ein neues Leben! Es soll anders werden.«

VIERUNDZWANZIGSTES KAPITEL

Drei Tage danach, ziemlich spät, um die neunte Stunde, traf Innstetten in Berlin ein. Alles war am Bahnhof: Effi, die Mama, der Vetter; der Empfang war herzlich, am herzlichsten von Seiten Effis, und man hatte bereits eine Welt von Dingen durchgesprochen, als der Wagen, den man genommen, vor der neuen Wohnung in der Keithstraße hielt. »Ach, da hast Du gut gewählt, Effi«, sagte Innstetten, als er in das Vestibül eintrat, »kein Haifisch, kein Krokodil und hoffentlich auch kein Spuk.«

Vestibül: Eingangshalle

»Nein, Geert, damit ist es nun vorbei. Nun bricht eine andere Zeit an, und ich fürchte mich nicht mehr und will auch besser sein als früher und Dir mehr zu Willen leben.« Alles das flüsterte sie ihm zu, während sie die teppichbedeckte Treppe bis in den zweiten Stock hinanstiegen. Der Vetter führte die Mama.

Oben fehlte noch manches, aber für einen wohnlichen Eindruck war doch gesorgt, und Innstetten sprach seine Freude darüber aus. »Effi, Du bist doch ein kleines Genie«; aber diese lehnte das Lob ab und zeigte auf die Mama, die habe das eigentliche Verdienst. »Hier muss es stehen«, so hab' es unerbittlich geheißen, und immer habe sie's getroffen, wodurch natürlich viel Zeit gespart und die gute Laune nie gestört worden sei. Zuletzt kam auch Roswitha, um den Herrn zu begrüßen, bei welcher Gelegenheit sie sagte: »Fräulein Annie ließe sich für heute entschuldigen« – ein kleiner Witz, auf den sie stolz war und mit dem sie auch ihren Zweck vollkommen erreichte.

Und nun nahmen sie Platz um den schon gedeckten Tisch, und als Innstetten sich ein Glas Wein eingeschenkt und »auf glückliche Tage« mit allen angestoßen hatte, nahm er Effis Hand und sagte: »Aber Effi, nun erzähle mir, was war das mit Deiner Krankheit?«

»Ach, lassen wir doch das, nicht der Rede wert; ein bisschen schmerzhaft und eine rechte Störung, weil es einen Strich durch unsere Pläne machte. Aber mehr war es nicht, und nun ist es vorbei. Rummschüttel hat sich bewährt, ein feiner, liebenswürdiger alter Herr, wie ich Dir, glaub' ich, schon schrieb. In seiner Wissenschaft soll er nicht gerade glänzen, aber Mama sagt, das sei ein Vorzug. Und sie wird wohl recht haben, wie in allen Stücken. Unser guter Dr. Hannemann war auch kein Licht und traf es doch immer. Und nun sag, was macht Gieshübler und die anderen alle?«

»Ja, wer sind die anderen alle? Crampas lässt sich der gnäd'gen Frau empfehlen ...«

»Ah, sehr artig.«

»Und der Pastor will Dir desgleichen empfohlen sein; nur die Herrschaften auf dem Lande waren ziemlich nüchtern und schienen auch mich für Deinen Abschied ohne Abschied verantwortlich machen zu wollen. Unsere Freundin Sidonie war sogar spitz, und nur die gute Frau von Padden, zu der ich eigens vorgestern noch hinüberfuhr, freute sich aufrichtig über Deinen Gruß und Deine Liebeserklärung an sie. ›Du seist eine reizende Frau‹, sagte sie, ›aber ich sollte Dich gut hüten.‹ Und als ich ihr erwiderte: ›Du fändest schon, dass ich mehr ein »Erzieher« als ein Ehemann sei‹, sagte sie halblaut und beinahe wie abwesend: ›Ein junges Lämmchen weiß wie Schnee.‹ Und dann brach sie ab.« Vetter Briest lachte. »›Ein junges Lämmchen, weiß wie Schnee.‹ Da hörst Du's, Cousine.« Und er wollte sie zu necken fortfahren, gab es aber auf, als er sah, dass sie sich verfärbte.

Ein junges Lämmchen: Kinderlied von Friedrich Justin Bertuch

Das Gespräch, das meist zurückliegende Verhältnisse berührte, spann sich noch eine Weile weiter, und Effi erfuhr zuletzt aus diesem und jenem, was Innstetten mitteilte, dass sich von dem ganzen Kessiner Hausstande nur Johanna bereit erklärt habe, die Übersiedelung nach Berlin mitzumachen. Sie sei natürlich noch zurückgeblieben, werde aber in zwei, drei Tagen mit dem Rest der Sachen eintreffen; er sei froh über ihren Entschluss, denn sie sei immer die Brauchbarste gewesen und von einem ausgesprochenen großstädtischen Chic. Vielleicht ein bisschen zu sehr. Kristel und Friedrich hätten sich beide für zu alt erklärt, und mit Kruse zu verhandeln, habe sich von vornherein verboten. »Was soll uns ein Kutscher hier?«, schloss Innstetten. »Pferd und Wagen, das sind tempi passati, mit diesem Luxus ist es in Berlin vorbei. Nicht einmal das schwarze Huhn hätten wir unterbringen können. Oder unterschätz' ich die Wohnung?«

tempi passati (geflügeltes Wort): vergangene Zeiten

Effi schüttelte den Kopf, und als eine kleine Pause eintrat, erhob sich die Mama; es sei bald elf, und sie habe noch einen weiten Weg, übrigens solle sie niemand begleiten, der Droschkenstand sei ja nah – ein Ansinnen, das Vetter Briest natürlich ablehnte. Bald darauf trennte man sich, nachdem noch ein Rendezvous für den anderen Vormittag verabredet war.

Effi war ziemlich früh auf und hatte – die Luft war beinahe sommerlich warm – den Kaffeetisch bis nahe an die geöffnete Balkontür rücken lassen, und als Innstetten nun auch erschien, trat sie mit ihm auf den Balkon hinaus und sagte: »Nun, was sagst Du? Du wolltest den Finkenschlag aus dem Tiergarten hören und die Papageien aus dem Zoologischen. Ich weiß nicht, ob beide Dir den Gefallen tun werden, aber möglich ist es. Hörst Du wohl? Das kam von drüben, drüben aus dem kleinen Park. Es ist nicht der eigentliche Tiergarten, aber doch beinah'.«

Innstetten war entzückt und von einer Dankbarkeit, als ob Effi ihm das alles persönlich herangezaubert habe. Dann setzten sie sich, und nun kam auch Annie. Roswitha verlangte, dass Innstetten eine große Veränderung an dem Kinde finden solle, was er auch schließlich tat. Und dann plauderten sie weiter, abwechselnd über die Kessiner und die in Berlin zu machenden Visiten und ganz zuletzt auch über eine Sommerreise. Mitten im Gespräch aber mussten sie abbrechen, um rechtzeitig beim Rendezvous erscheinen zu können.

Helms: Konditorei in Berlin

Rotes Schloss: Geschäftshaus mit Backsteinfassade

Hiller: vornehmes Restaurant in Berlin

1. April: Geburtstag Bismarcks

einzuschreiben: sich in die Gratulationsliste zu Bismarcks Geburtstag eintragen

Man traf sich, wie verabredet, bei Helms, gegenüber dem roten Schloss, besuchte verschiedene Läden, aß bei Hiller und war bei guter Zeit wieder zu Haus. Es war ein gelungenes Beisammensein gewesen, Innstetten herzlich froh, das großstädtische Leben wieder mitmachen und auf sich wirken lassen zu können. Tags darauf, am 1. April, begab er sich in das Kanzlerpalais, um sich einzuschreiben (eine persönliche Gratulation unterließ er aus Rücksicht), und ging dann aufs Ministerium, um sich da zu melden. Er wurde auch angenommen, trotzdem es ein geschäftlich und gesellschaftlich sehr unruhiger Tag war, ja, sah sich seitens seines Chefs durch besonders entgegenkommende Liebenswürdigkeit ausgezeichnet. »Er wisse, was er an ihm habe, und sei sicher, ihr Einvernehmen nie gestört zu sehen.«

Auch im Hause gestaltete sich alles zum Guten. Ein aufrichtiges Bedauern war es für Effi, die Mama, nachdem diese, wie gleich anfänglich vermutet, fast sechs Wochen lang in Kur gewesen, nach Hohen-Cremmen zurückkehren zu sehen, ein Bedauern, das nur dadurch einigermaßen gemildert wurde, dass sich Johanna denselben Tag noch in Berlin einstellte. Das war immerhin 'was, und wenn die hübsche Blondine dem Herzen Effis auch nicht ganz so nahestand wie die ganz selbstsuchtslose und unendlich gutmütige Roswitha, so war sie doch gleichmäßig angesehen, ebenso bei Innstetten wie bei ihrer jungen Herrin, weil sie sehr geschickt und brauchbar und der Männerwelt gegenüber von einer ausgesprochenen und selbstbewussten Reserviertheit war. Einem Kessiner on dit zufolge ließen sich die Wurzeln ihrer Existenz auf eine längst pensionierte Größe der Garnison Pasewalk zurückführen, woraus man sich auch ihre vornehme Gesinnung, ihr schönes blondes Haar und die besondere Plastik ihrer Gesamterscheinung erklären wollte. Johanna selbst teilte die Freude, die man allerseits über ihr Eintreffen empfand, und war durchaus einverstanden damit, als Hausmädchen und Jungfer, ganz wie früher, den Dienst bei Effi zu übernehmen, während Roswitha, die der Kristel in beinahe Jahresfrist ihre Kochkünste so ziemlich abgelernt hatte, dem Küchendepartement vorstehen sollte. Annies Abwartung und Pflege fiel Effi selber zu, worüber Roswitha freilich lachte. Denn sie kannte die jungen Frauen.

Innstetten lebte ganz seinem Dienst und seinem Haus. Er war glücklicher als vordem in Kessin, weil ihm nicht entging, dass Effi sich unbefangener und heiterer gab. Und das konnte sie, weil sie sich freier fühlte. Wohl blickte das Vergangene noch in ihr Leben hinein, aber es ängstigte sie nicht mehr oder doch um vieles seltener und vorübergehender, und alles, was davon noch in ihr nachzitterte, gab ihrer Haltung einen eigenen Reiz. In jeglichem, was sie tat, lag etwas Wehmütiges, wie eine Abbitte, und es hätte sie glücklich gemacht, dies alles noch deutlicher zeigen zu können. Aber das verbot sich freilich.

on dit:
Gerücht

Plastik:
Umriss des
Körpers

Jungfer:
hier Dienerin

Abwartung:
Versorgung

Das gesellschaftliche Leben der großen Stadt war, als sie während der ersten Aprilwochen ihre Besuche machten, noch nicht vorüber, wohl aber im Erlöschen, und so kam es für sie zu keiner rechten Teilnahme mehr daran. In der zweiten Hälfte des Mai starb es dann ganz hin, und mehr noch als vorher war man glücklich, sich in der Mittagsstunde, wenn Innstetten von seinem Ministerium kam, im Tiergarten treffen oder nachmittags einen Spaziergang nach dem Charlottenburger Schlossgarten machen zu können. Effi sah sich, wenn sie die lange Front zwischen dem Schloss und den Orangeriebäumen auf und ab schritt, immer wieder die massenhaft dort stehenden römischen Kaiser an, fand eine merkwürdige Ähnlichkeit zwischen

Nero und Titus: römische Kaiser im 1. Jh. n. Chr., von denen Nero für seine Gewaltherrschaft, Titus dagegen für seine friedvolle Herrschaft bekannt ist

Belvedere: Pavillon im Schlosspark von Charlottenburg, in dem für Friedrich Wilhelm II. spiritistische Sitzungen abgehalten wurden

Nero und Titus, sammelte Tannenäpfel, die von den Trauertannen gefallen waren, und ging dann, Arm in Arm mit ihrem Manne, bis auf das nach der Spree hin einsam gelegene »Belvedere« zu.

»Da drin soll es auch einmal gespukt haben«, sagte sie.

»Nein, bloß Geistererscheinungen.«

»Das ist dasselbe.«

»Ja, zuweilen«, sagte Innstetten. »Aber eigentlich ist doch ein Unterschied. Geistererscheinungen werden immer gemacht – wenigstens soll es hier in dem ›Belvedere‹ so gewesen sein, wie Vetter Briest erst gestern noch erzählte – Spuk aber wird nie gemacht, Spuk ist natürlich.«

»Also glaubst Du doch dran?«

»Gewiss glaub ich dran. Es gibt so 'was. Nur an das, was wir in Kessin davon hatten, glaub' ich nicht recht. Hat Dir denn Johanna schon ihren Chinesen gezeigt?«

»Welchen?«

»Nun, unsern. Sie hat ihn, ehe sie unser altes Haus verließ, oben von der Stuhllehne abgelöst und ihn ins Portemonnaie gelegt. Als ich mir neulich ein Markstück bei ihr wechselte, hab' ich ihn gesehen. Und sie hat es mir auch verlegen bestätigt.«

»Ach, Geert, das hättest Du mir nicht sagen sollen. Nun ist doch wieder so 'was in unserm Hause.«

»Sag' ihr, dass sie ihn verbrennt.«

»Nein, das mag ich auch nicht, und das hilft auch nichts. Aber ich will Roswitha bitten ...«

»Um was? Ah, ich verstehe schon, ich ahne, was Du vorhast. Die soll ein Heiligenbild kaufen und es dann auch ins Portemonnaie tun. Ist es so 'was?«

Effi nickte.

»Nun, tu', was Du willst. Aber sag' es niemandem.«

Effi meinte dann schließlich, es lieber doch lassen zu wollen, und unter allerhand kleinem Geplauder, in welchem die Reisepläne für den Sommer mehr und mehr Platz gewannen, fuhren sie bis an den großen Stern zurück und gingen dann durch die Korso-Allee und die breite Friedrich-Wilhelm-Straße auf ihre Wohnung zu.

Sie hatten vor, schon Ende Juli Urlaub zu nehmen und ins bayerische Gebirge zu gehen, wo gerade in diesem Jahr wieder die Oberammergauer Spiele stattfanden. Es ließ sich aber nicht tun; Geheimrat von Wüllersdorf, den Innstetten schon von früher her kannte und der jetzt sein Spezialkollege war, erkrankte plötzlich, und Innstetten musste bleiben und ihn vertreten. Erst Mitte August war alles wieder beglichen und damit die Reisemöglichkeit gegeben; es war aber nun zu spät geworden, um noch nach Oberammergau zu gehen, und so entschied man sich für einen Aufenthalt auf Rügen. »Zunächst natürlich Stralsund, mit Schill, den Du kennst, und mit Scheele, den Du nicht kennst und der den Sauerstoff entdeckte, was man aber nicht zu wissen braucht. Und dann von Stralsund nach Bergen und dem Rugard, von wo man, wie mir Wüllersdorf sagte, die ganze Insel übersehen kann, und dann zwischen dem Großen und Kleinen Jasmunder Bodden hin, bis nach Saßnitz. Denn nach Rügen reisen heißt nach Saßnitz reisen. Binz ginge vielleicht auch noch, aber da sind – ich

Oberammergauer Spiele: berühmte Passionsspiele, d. h. volkstümliche dramatische Darstellung des Leidenswegs Christi

Ferdinand von Schill (1776–1809): Kommandeur eines preußischen Husarenregiments

Karl Wilhelm Scheele (1742–1786): Chemiker, der u. a. den Sauerstoff entdeckte

Bodden: seichte Meeresbucht

muss Wüllersdorf noch einmal zitieren – so viele kleine Steinchen und Muschelschalen am Strande, und wir wollen doch baden.«

Effi war einverstanden mit allem, was von Seiten Innstettens geplant wurde, vor allem auch damit, dass der ganze Hausstand auf vier Wochen aufgelöst und Roswitha mit Annie nach Hohen-Cremmen, Johanna aber zu ihrem etwas jüngeren Halbbruder reisen sollte, der bei Pasewalk eine Schneidemühle hatte. So war alles gut untergebracht. Mit Beginn der nächsten Woche brach man denn auch wirklich auf, und am selben Abend noch war man in Saßnitz. Über dem Gasthaus stand »Hotel Fahrenheit«. »Die Preise hoffentlich nach Réaumur«, setzte Innstetten, als er den Namen las, hinzu, und in bester Laune machten beide noch einen Abendspaziergang an dem Klippenstrande hin und sahen von einem Felsenvorsprung aus auf die stille, vom Mondschein überzitterte Bucht. Effi war entzückt. »Ach, Geert, das ist ja Capri, das ist ja Sorrent. Ja, hier bleiben wir. Aber natürlich nicht im Hotel; die Kellner sind mir zu vornehm, und man geniert sich, um eine Flasche Sodawasser zu bitten ...«

»Ja, lauter Attachés. Es wird sich aber wohl eine Privatwohnung finden lassen.«

»Denk' ich auch. Und wir wollen gleich morgen danach aussehen.«

Schön wie der Abend war der Morgen, und man nahm das Frühstück im Freien. Innstetten empfing etliche Briefe, die schnell erledigt werden mussten, und so beschloss Effi, die für sie frei gewordene Stunde sofort zur Wohnungssuche zu benutzen. Sie ging erst an einer eingepferchten Wiese, dann an Häusergruppen und Haferfeldern vorüber und bog zuletzt in einen Weg ein, der schluchtartig auf das Meer zulief. Da, wo dieser Schluchtweg den Strand traf, stand ein von hohen Buchen überschattetes Gasthaus, nicht so vornehm wie das Fahrenheit'sche, mehr ein blo-

Schneidemühle: Sägewerk

Gabriel Daniel Fahrenheit (1686–1736): Erfinder des Quecksilberthermometers

René-Antoine de Réaumur (1683–1757): Konstrukteur eines Weingeistthermometers

Attachés: unterer Beamter im diplomatischen Dienst

einpferchen: *hier* eingezäunt

ßes Restaurant, in dem, der frühen Stunde halber, noch alles leer war. Effi nahm an einem Aussichtspunkte Platz, und kaum dass sie von dem Sherry, den sie bestellt, genippt hatte, so trat auch schon der Wirt an sie heran, um halb aus Neugier und halb aus Artigkeit ein Gespräch mit ihr anzuknüpfen.

»Es gefällt uns sehr gut hier«, sagte sie, »meinem Manne und mir; welch' prächtiger Blick über die Bucht, und wir sind nur in Sorge wegen einer Wohnung.«

»Ja, gnädigste Frau, das wird schwerhalten ...«

»Es ist aber schon spät im Jahr ...«

»Trotzdem. Hier in Saßnitz ist sicherlich nichts zu finden, dafür möcht' ich mich verbürgen; aber weiterhin am Strand, wo das nächste Dorf anfängt, Sie können die Dächer von hier aus blinken sehen, da möcht' es vielleicht sein.«

»Und wie heißt das Dorf?«

»Crampas.«

Effi glaubte, nicht recht gehört zu haben. »Crampas«, wiederholte sie mit Anstrengung. »Ich habe den Namen als Ortsnamen nie gehört ... Und sonst nichts in der Nähe?«

»Nein, gnädigste Frau. Hierherum nichts. Aber höher hinauf, nach Norden zu, da kommen noch wieder Dörfer, und in dem Gasthause, das dicht neben Stubbenkammer liegt, wird man Ihnen gewiss Auskunft geben können. Es werden dort von solchen, die gerne noch vermieten wollen, immer Adressen abgegeben.«

> Stubbenkammer: Kreidefelsen auf Jasmund

Effi war froh, das Gespräch allein geführt zu haben, und als sie bald danach ihrem Manne Bericht erstattet und nur den Namen des an Saßnitz angrenzenden Dorfes verschwiegen hatte, sagte dieser: »Nun, wenn es hierherum nichts gibt, so wird es das Beste sein, wir nehmen einen Wagen (wodurch man sich beiläufig einem Hotel immer empfiehlt) und übersiedeln ohne Weiteres da höher hinauf, nach Stubbenkammer hin. Irgendwas Idyllisches mit einer Geißblattlaube wird sich da wohl finden lassen, und finden

> Geißblatt: Kletterpflanze mit Blüten

wir nichts, so bleibt uns immer noch das Hotel selbst. Eins ist schließlich wie das andere.«

Effi war einverstanden, und gegen Mittag schon erreichten sie das neben Stubbenkammer gelegene Gasthaus, von dem Innstetten eben gesprochen, und bestellten daselbst einen Imbiss. »Aber erst nach einer halben Stunde; wir haben vor, zunächst noch einen Spaziergang zu machen und uns den Herthasee anzusehen. Ein Führer ist doch wohl da?«

Dies wurde bejaht, und ein Mann von mittleren Jahren trat alsbald an unsere Reisenden heran. Er sah so wichtig und feierlich aus, als ob er mindestens ein Adjunkt bei dem alten Herthadienst gewesen wäre.

Der von hohen Bäumen umstandene See lag ganz in der Nähe, Binsen säumten ihn ein, und auf der stillen, schwarzen Wasserfläche schwammen zahlreiche Mummeln.

»Es sieht wirklich nach so 'was aus«, sagte Effi, »nach Herthadienst.«

»Ja, gnäd'ge Frau ... Dessen sind auch noch die Steine Zeugen.«

»Welche Steine?«

»Die Opfersteine.«

Und während sich das Gespräch in dieser Weise fortsetzte, traten alle drei vom See her an eine senkrechte, abgestochene Kies- und Lehmwand heran, an die sich etliche glattpolierte Steine lehnten, alle mit einer flachen Höhlung und etlichen nach unten laufenden Rinnen.

»Und was bezwecken *die?*«

»Dass es besser abliefe, gnäd'ge Frau.«

»Lass uns gehen«, sagte Effi, und den Arm ihres Mannes nehmend, ging sie mit ihm wieder auf das Gasthaus zurück, wo nun, an einer Stelle mit weitem Ausblick auf das Meer, das vorher bestellte Frühstück aufgetragen wurde. Die Bucht lag im Sonnenlicht vor ihnen, einzelne Segelboote glitten darüber hin, und um die benachbarten Klippen haschten sich die Möwen. Es war sehr schön, auch Effi

Adjunkt:
Gehilfe eines
Beamten

Herthadienst:
kultische Handlung zu Ehren des
Fruchtbarkeitsgotts Nerthus

Mummeln:
gelbe Seerose mit
herzförmigen
Blättern

haschen:
fangen spielen

fand es, aber wenn sie dann über die glitzernde Fläche hinwegsah, bemerkte sie, nach Süden zu, wieder die hell aufleuchtenden Dächer des lang gestreckten Dorfes, dessen Name sie heute früh so sehr erschreckt hatte.

Innstetten, wenn auch ohne Wissen und Ahnung dessen, was in ihr vorging, sah doch deutlich, dass es ihr an aller Lust und Freude gebrach. »Es tut mir leid, Effi, dass Du der Sache nicht recht froh wirst. Du kannst den Herthasee nicht vergessen und noch weniger die Steine.«

Sie nickte. »Es ist so, wie Du sagst. Und ich muss Dir bekennen, ich habe nichts in meinem Leben gesehen, was mich so traurig gestimmt hätte. Wir wollen das Wohnungssuchen ganz aufgeben; ich kann hier nicht bleiben.«

»Und gestern war es Dir noch der Golf von Neapel und alles mögliche Schöne.«

»Ja, gestern.«

»Und heute? Heute keine Spur mehr von Sorrent?«

»Eine Spur noch, aber auch nur eine Spur; es ist Sorrent, als ob es sterben wollte.«

»Gut dann, Effi«, sagte Innstetten und reichte ihr die Hand. »Ich will Dich mit Rügen nicht quälen, und so geben wir's denn auf. Abgemacht. Es ist nicht nötig, dass wir uns an Stubbenkammer anklammern oder an Saßnitz oder da weiter hinunter. Aber wohin?«

»Ich denke, wir bleiben noch einen Tag und warten das Dampfschiff ab, das, wenn ich nicht irre, morgen von Stettin kommt und nach Kopenhagen hinüberfährt. Da soll es ja so vergnüglich sein, und ich kann Dir gar nicht sagen, wie sehr ich mich nach etwas Vergnüglichem sehne. Hier ist mir, als ob ich in meinem ganzen Leben nicht mehr lachen könnte und überhaupt nie gelacht hätte, und Du weißt doch, wie gern ich lache.«

Innstetten zeigte sich voll Teilnahme mit ihrem Zustand, und das umso lieber, als er ihr in vielem recht gab. Es war wirklich alles schwermütig, so schön es war.

Und so warteten sie denn das Stettiner Schiff ab und trafen am dritten Tag in aller Frühe in Kopenhagen ein, wo sie auf Kongens Nytorv Wohnung nahmen. Zwei Stunden später waren sie schon im Thorwaldsen-Museum, und Effi sagte: »Ja, Geert, das ist schön, und ich bin glücklich, dass wir uns hierher auf den Weg gemacht haben.« Bald danach gingen sie zu Tisch und machten an der Table d'Hote die Bekanntschaft einer ihnen gegenübersitzenden jütländischen Familie, deren bildschöne Tochter, Thora von Penz, ebenso Innstettens wie Effis beinah bewundernde Aufmerksamkeit sofort in Anspruch nahm. Effi konnte sich nicht sattsehen an den großen, blauen Augen und dem flachsblonden Haar, und als man sich nach anderthalb Stunden von Tisch erhob, wurde seitens der Penz'schen Familie – die leider, denselben Tag noch, Kopenhagen wieder verlassen musste – die Hoffnung ausgesprochen, das junge preußische Paar mit nächstem in Schloss Aggerhuus (eine halbe Meile vom Limfjord) begrüßen zu dürfen, eine Einladung, die von den Innstettens auch ohne langes Zögern angenommen wurde. So vergingen die Stunden im Hotel. Aber damit war es nicht genug des Guten an diesem denkwürdigen Tage, von dem Effi denn auch versicherte, dass er im Kalender rot angestrichen werden müsse.

Der Abend brachte, das Maß des Glücks vollzumachen, eine Vorstellung im Tivoli-Theater: eine italienische Pantomime, Arlequin und Colombine.

Effi war wie berauscht von den kleinen Schelmereien, und als sie spät am Abend nach ihrem Hotel zurückkehrten, sagte sie: »Weißt du, Geert, nun fühl' ich doch, dass ich allmählich wieder zu mir komme. Von der schönen Thora will ich gar nicht erst sprechen; aber wenn ich bedenke, heute Vormittag Thorwaldsen und heute Abend diese Colombine ...«

»... Die Dir im Grunde doch noch lieber war als Thorwaldsen ...«

Kongens Nytorv: größter Platz in der Innenstadt von Kopenhagen

Thorwaldsen-Museum: Museum mit Plastiken des dänischen Bildhauers Bertel Thorvaldsen

mit nächstem: bald

Tivoli-Theater: Pantomimentheater im Kopenhagener Vergnügungsviertel Tivoli

Arlequin und Colombine: komische Figuren aus der italienischen Commedia dell' Arte (Volkskomödie)

»Offen gestanden, ja. Ich habe nun 'mal den Sinn für dergleichen. Unser gutes Kessin war ein Unglück für mich. Alles fiel mir da auf die Nerven. Rügen beinah auch. Ich denke, wir bleiben noch ein paar Tage hier in Kopenhagen, natürlich mit Ausflug nach Frederiksborg und Helsingör, und dann nach Jütland hinüber; ich freue mich aufrichtig, die schöne Thora wiederzusehen, und wenn ich ein Mann wäre, so verliebte ich mich in sie.«

Innstetten lachte. »Du weißt noch nicht, was ich tue.«

»Wär' mir schon recht. Dann gibt es einen Wettstreit, und Du sollst sehen, dann hab' ich auch noch meine Kräfte.«

»Das brauchst Du mir nicht erst zu versichern.«

So verlief denn auch die Reise. Drüben in Jütland fuhren sie den Limfjord hinauf, bis Schloss Aggerhuus, wo sie drei Tage bei der Penz'schen Familie verblieben, und kehrten dann mit vielen Stationen und kürzeren und längeren Aufenthalten in Viborg, Flensburg, Kiel über Hamburg (das ihnen ungemein gefiel) in die Heimat zurück – nicht direkt nach Berlin in die Keithstraße, wohl aber vorher nach Hohen-Cremmen, wo man sich nun einer wohlverdienten Ruhe hingeben wollte. Für Innstetten bedeutete das nur wenige Tage, da sein Urlaub abgelaufen war, Effi blieb aber noch eine Woche länger und sprach es aus, erst zum 3. Oktober, ihrem Hochzeitstage, wieder zu Hause eintreffen zu wollen.

Annie war in der Landluft prächtig gediehen, und was Roswitha geplant hatte, dass sie der Mama in Stiefelchen entgegenlaufen sollte, das gelang auch vollkommen. Briest gab sich als zärtlicher Großvater, warnte vor zu viel Liebe, noch mehr vor zu viel Strenge, und war in allem der Alte. Eigentlich aber galt all' seine Zärtlichkeit doch nur Effi, mit der er sich in seinem Gemüt immer beschäftigte, zumeist auch, wenn er mit seiner Frau allein war.

»Wie findest Du Effi?«

Frederiksborg und Helsingör: berühmte dänische Schlösser

gedeihen: sich gut entwickeln

»Lieb und gut wie immer. Wir können Gott nicht genug danken, eine so liebenswürdige Tochter zu haben. Und wie dankbar sie für alles ist und immer so glücklich, wieder unter unserm Dach zu sein.«

»Ja«, sagte Briest, »sie hat von dieser Tugend mehr, als mir lieb ist. Eigentlich ist es, als wäre dies hier immer noch ihre Heimstätte. Sie hat doch den Mann und das Kind, und der Mann ist ein Juwel, und das Kind ist ein Engel, aber dabei tut sie, als wäre Hohen-Cremmen immer noch die Hauptsache für sie, und Mann und Kind kämen gegen uns beide nicht an. Sie ist eine prächtige Tochter, aber sie ist es mir zu sehr. Es ängstigt mich ein bisschen. Und ist auch ungerecht gegen Innstetten. Wie steht es denn eigentlich damit?«

»Ja, Briest, was meinst Du?«

»Nun, ich meine, was ich meine, und Du weißt auch was. Ist sie glücklich? Oder ist da doch irgend'was im Wege? Von Anfang an war mir's so, als ob sie ihn mehr schätze als liebe. Und das ist in meinen Augen ein schlimm Ding. Liebe hält auch nicht immer vor, aber Schätzung gewiss nicht. Eigentlich ärgern sich die Weiber, wenn sie wen schätzen müssen; erst ärgern sie sich, und dann langweilen sie sich, und zuletzt lachen sie.«

»Hast Du so was an Dir selber erfahren?«

»Das will ich nicht sagen. Dazu stand ich nicht hoch genug in der Schätzung. Aber schrauben wir uns nicht weiter, Luise. Sage, wie steht es?«

»Ja, Briest, Du kommst immer auf diese Dinge zurück. Da reicht ja kein Dutzend Mal, dass wir darüber gesprochen und unsere Meinungen ausgetauscht haben, und immer bist du wieder da mit deinem Alles-wissen-Wollen und fragst dabei so schrecklich naiv, als ob ich in alle Tiefen sähe. Was hast Du nur für Vorstellungen von einer jungen Frau und ganz speziell von Deiner Tochter? Glaubst Du, dass das alles so plan daliegt? Oder dass ich ein Orakel bin (ich kann mich nicht gleich auf den Namen der Person be-

schrauben:
hier hineinsteigern

plan:
hier offensichtlich

Orakel:
gemeint ist wahrscheinlich das Orakel von Delphi

sinnen) oder dass ich die Wahrheit sofort klipp und klar in den Händen halte, wenn mir Effi ihr Herz ausgeschüttet hat? Oder was man wenigstens so nennt. Denn was heißt ausschütten? Das Eigentliche bleibt doch zurück. Sie wird sich hüten, mich in ihre Geheimnisse einzuweihen. Außerdem, ich weiß nicht, von wem sie's hat, sie ist … ja, sie ist eine sehr schlaue kleine Person, und diese Schlauheit an ihr ist umso gefährlicher, weil sie so sehr liebenswürdig ist.«

»Also das gibst Du doch zu … liebenswürdig. Und auch gut?«

»Auch gut. Das heißt voll Herzensgüte. Wie's sonst steht, da bin ich mir doch nicht sicher; ich glaube, sie hat einen Zug, den lieben Gott einen guten Mann sein zu lassen und sich zu trösten, er werde wohl nicht allzu streng mit ihr sein.«

den lieben Gott […] (Redensart): seine Pflichten nicht genau nehmen

»Meinst Du?«

»Ja, das mein' ich. Übrigens glaube ich, dass sich vieles gebessert hat. Ihr Charakter ist, wie er ist, aber die Verhältnisse liegen seit ihrer Übersiedlung um vieles günstiger, und sie leben sich mehr und mehr ineinander ein. Sie hat mir so 'was gesagt, und was mir wichtiger ist, ich hab' es auch bestätigt gefunden, mit Augen gesehen.«

»Nun, was sagte sie?«

»Sie sagte: ›Mama, es geht jetzt besser. Innstetten war immer ein vortrefflicher Mann, so einer, wie's nicht viele gibt, aber ich konnte nicht recht an ihn heran, er hatte so 'was Fremdes. Und fremd war er auch in seiner Zärtlichkeit. Ja, dann am meisten; es hat Zeiten gegeben, wo ich mich davor fürchtete.‹ «

»Kenn' ich, kenn' ich.«

»Was soll das heißen, Briest? Soll ich mich gefürchtet haben, oder willst Du Dich gefürchtet haben? Ich finde beides gleich lächerlich …«

»Du wolltest von Effi erzählen.«

»Nun also, sie gestand mir, dass dies Gefühl des Fremden sie verlassen habe, was sie sehr glücklich mache. Kessin sei nicht der rechte Platz für sie gewesen, das spukige Haus und die Menschen da, die einen zu fromm, die andern zu platt; aber seit ihrer Übersiedlung nach Berlin fühle sie sich ganz an ihrem Platz. Er sei der beste Mensch, etwas zu alt für sie und zu gut für sie, aber sie sei nun über den Berg. Sie brauchte diesen Ausdruck, der mir allerdings auffiel.«

»Wieso? Er ist nicht ganz auf der Höhe, ich meine der Ausdruck. Aber ...«

»Es steckt etwas dahinter. Und sie hat mir das auch andeuten wollen.«

»Meinst Du?«

»Ja, Briest; Du glaubst immer, sie könne kein Wasser trüben. Aber darin irrst Du. Sie lässt sich gern treiben, und wenn die Welle gut ist, dann ist sie auch selber gut. Kampf und Widerstand sind nicht ihre Sache.«

Roswitha kam mit Annie, und so brach das Gespräch ab.

Dies Gespräch führten Briest und Frau an demselben Tage, wo Innstetten von Hohen-Cremmen nach Berlin hin abgereist war, Effi auf wenigstens noch eine Woche zurücklassend. Er wusste, dass es nichts Schöneres für sie gab, als so sorglos in einer weichen Stimmung hinträumen zu können, immer freundliche Worte zu hören und die Versicherung, wie liebenswürdig sie sei. Ja, das war das, was ihr vor allem wohltat, und sie genoss es auch diesmal wieder in vollen Zügen und aufs Dankbarste, trotzdem jede Zerstreuung fehlte; Besuch kam selten, weil es seit ihrer Verheiratung, wenigstens für die junge Welt, an dem rechten Anziehungspunkte gebrach, und selbst die Pfarre und die Schule waren nicht mehr das, was sie noch vor Jahr und Tag gewesen waren. Zumal im Schulhause stand alles halb leer. Die Zwillinge hatten sich im Frühjahr an zwei Lehrer in der Nähe von Genthin verheiratet, große Doppelhochzeit mit Festbericht im »Anzeiger fürs Havelland«, und

Pfarre:
Pfarrei, Kirchengemeinde

Hulda war in Friesack zur Pflege einer alten Erbtante, die sich übrigens, wie gewöhnlich in solchen Fällen, um sehr viel langlebiger erwies, als Niemeyers angenommen hatten. Hulda schrieb aber trotzdem immer zufriedene Briefe, nicht weil sie wirklich zufrieden war (im Gegenteil), sondern weil sie den Verdacht nicht aufkommen lassen wollte, dass es einem so ausgezeichneten Wesen anders als sehr gut ergehen könne. Niemeyer, ein schwacher Vater, zeigte die Briefe mit Stolz und Freude, während der ebenfalls ganz in seinen Töchtern lebende Jahnke sich herausgerechnet hatte, dass beide junge Frauen am selben Tage, und zwar am Weihnachtsheiligabend, ihre Niederkunft halten würden. Effi lachte herzlich und drückte dem Großvater in spe zunächst den Wunsch aus, bei beiden Enkeln zu Gevatter geladen zu werden, ließ dann aber die Familienthemata fallen und erzählte von »Kjöbenhavn« und Helsingör, vom Limfjord und Schloss Aggerhuus, und vor allem von Thora von Penz, die, wie sie nur sagen könne, »typisch skandinavisch« gewesen sei, blauäugig, flachsen und immer in einer roten Plüschtaille, wobei sich Jahnke verklärte und einmal über das andere sagte:»Ja, so sind sie; rein germanisch, viel deutscher als die Deutschen.«

An ihrem Hochzeitstage, dem 3. Oktober, wollte Effi wieder in Berlin sein. Nun war es der Abend vorher, und unter dem Vorgeben, dass sie packen und alles zur Rückreise vorbereiten wolle, hatte sie sich schon verhältnismäßig früh auf ihr Zimmer zurückgezogen. Eigentlich lag ihr aber nur daran, allein zu sein; so gern sie plauderte, so hatte sie doch auch Stunden, wo sie sich nach Ruhe sehnte.

Die von ihr im Oberstock bewohnten Zimmer lagen nach dem Garten hinaus; in dem kleineren schliefen Roswitha und Annie, die Tür nur angelehnt, in dem größeren, das sie selber innehatte, ging sie auf und ab; die unteren Fensterflügel waren geöffnet, und die kleinen weißen Gardinen bauschten sich in dem Zuge, der ging, und fielen dann langsam über die Stuhllehne, bis ein neuer Zugwind kam

in spe: zukünftig

Gevatter: Taufpate

Kjöbenhavn: Kopenhagen

und sie wieder frei machte. Dabei war es so hell, dass man die Unterschriften unter den über dem Sofa hängenden und in schmale Goldleisten eingerahmten Bildern deutlich lesen konnte: »Der Sturm auf Düppel, Schanze V« und daneben: »König Wilhelm und Graf Bismarck auf der Höhe von Lipa«. Effi schüttelte den Kopf und lächelte. »Wenn ich wieder hier bin, bitt' ich mir andere Bilder aus; ich kann so 'was Kriegerisches nicht leiden.« Und nun schloss sie das eine Fenster und setzte sich an das andere, dessen Flügel sie offen ließ. Wie tat ihr das alles so wohl. Neben dem Kirchturm stand der Mond und warf sein Licht auf den Rasenplatz mit der Sonnenuhr und den Heliotropbeeten. Alles schimmerte silbern, und neben den Schattenstreifen lagen weiße Lichtstreifen, so weiß, als läge Leinwand auf der Bleiche. Weiterhin aber standen die hohen Rhabarberstauden wieder, die Blätter herbstlich gelb, und sie musste des Tages gedenken, nun erst wenig über zwei Jahre, wo sie hier mit Hulda und den Jahnke'schen Mädchen gespielt hatte. Und dann war sie, als der Besuch kam, die kleine Steintreppe neben der Bank hinaufgestiegen, und eine Stunde später war sie Braut.

Sie erhob sich und ging auf die Tür zu und horchte: Roswitha schlief schon und Annie auch.

Und mit einem Male, während sie das Kind so vor sich hatte, traten ungerufen allerlei Bilder aus den Kessiner Tagen wieder vor ihre Seele: das landrätliche Haus mit seinem Giebel und die Veranda mit dem Blick auf die Plantage, und sie saß im Schaukelstuhl und wiegte sich; und nun trat Crampas an sie heran, um sie zu begrüßen, und dann kam Roswitha mit dem Kinde, und sie nahm es und hob es hoch in die Höhe und küsste es.

»Das war der erste Tag; da fing es an.« Und während sie dem nachhing, verließ sie das Zimmer, drin die beiden schliefen, und setzte sich wieder an das offene Fenster und sah in die stille Nacht hinaus.

Sturm auf Düppel: Erstürmung des Dorfes Düppel im Deutsch-Dänischen Krieg am 18. April 1864

[…] auf der Höhe von Lipa: ein Kriegsschauplatz in der Schlacht bei Königgrätz

»Ich kann es nicht loswerden«, sagte sie. »Und was das Schlimmste ist und mich ganz irre macht an mir selbst ...«
In diesem Augenblick setzte die Turmuhr drüben ein, und Effi zählte die Schläge.

»Zehn ... Und morgen um diese Stunde bin ich in Berlin. Und wir sprechen davon, dass unser Hochzeitstag sei, und er sagt mir Liebes und Freundliches und vielleicht Zärtliches. Und ich sitze dabei und höre es und habe die Schuld auf meiner Seele.«

Und sie stützte den Kopf auf ihre Hand und starrte vor sich hin und schwieg.

»Und ich habe die Schuld auf meiner Seele«, wiederholte sie. »Ja, da *hab'* ich sie. Aber *lastet* sie auch auf meiner Seele? Nein. Und das ist es, warum ich vor mir selbst erschrecke. Was da lastet, das ist etwas ganz anderes – Angst, Todesangst und die ewige Furcht: Es kommt doch am Ende noch an den Tag. Und dann außer der Angst ... Scham. Ich schäme mich. Aber wie ich nicht die rechte Reue habe, so hab' ich auch nicht die rechte Scham. Ich schäme mich bloß von wegen dem ewigen Lug und Trug; immer war es mein Stolz, dass ich nicht lügen könne und auch nicht zu lügen brauche, lügen ist so gemein, und nun habe ich doch immer lügen müssen, vor ihm und vor aller Welt, im Großen und im Kleinen, und Rummschüttel hat es gemerkt und hat die Achseln gezuckt, und wer weiß, was er von mir denkt, jedenfalls nicht das Beste. Ja, Angst quält mich und dazu Scham über mein Lügenspiel. Aber Scham über meine Schuld, die hab' ich *nicht* oder doch nicht so recht oder doch nicht genug, und das bringt mich um, dass ich sie nicht habe. Wenn alle Weiber so sind, dann ist es schrecklich, und wenn sie nicht so sind, wie ich hoffe, dann steht es schlecht um mich, dann ist etwas nicht in Ordnung in meiner Seele, dann fehlt mir das richtige Gefühl. Und das hat mir der alte Niemeyer in seinen guten Tagen noch, als ich noch ein halbes Kind war, 'mal gesagt: auf ein richtiges Gefühl, darauf käme es an, und wenn man das habe, dann könne einem das Schlimmste nicht passieren, und wenn man es nicht habe, dann sei man in einer ewigen Gefahr, und das, was man den Teufel nenne, das habe dann eine sichere Macht über uns. Um Gottes Barmherzigkeit willen, steht es so mit mir?«

Und sie legte den Kopf in ihre Arme und weinte bitterlich. Als sie sich wieder aufrichtete, war sie ruhiger geworden und sah wieder in den Garten hinaus. Alles war so still, und ein leiser, feiner Ton, wie wenn es regnete, traf von den Platanen her ihr Ohr.

So verging eine Weile. Herüber von der Dorfstraße klang ein Geplärr: Der alte Nachtwächter Kulicke rief die Stunden ab, und als er zuletzt schwieg, vernahm sie von fernher, aber immer näher kommend, das Rasseln des Zuges, der auf eine halbe Meile Entfernung an Hohen-Cremmen vorüberfuhr. Dann wurde der Lärm wieder schwächer, endlich erstarb er ganz, und nur der Mondschein lag noch auf dem Grasplatz, und nur auf die Platanen rauschte es nach wie vor wie leiser Regen nieder. Aber es war nur die Nachtluft, die ging.

FÜNFUNDZWANZIGSTES KAPITEL

Am andern Abend war Effi wieder in Berlin, und Innstetten empfing sie am Bahnhof, mit ihm Rollo, der, als sie plaudernd durch den Tiergarten hinfuhren, nebenhertrabte.

»Ich dachte schon, Du würdest nicht Wort halten.«

»Aber Geert, ich werde doch Wort halten, das ist doch das erste.«

»Sage das nicht. Immer Wort halten ist sehr viel. Und mitunter kann man auch nicht. Denke doch zurück. Ich erwartete Dich damals in Kessin, als Du die Wohnung mietetest, und wer nicht kam, war Effi.«

»Ja, das war 'was anderes.«

Sie mochte nicht sagen »ich war krank«, und Innstetten hörte drüber hin. Er hatte seinen Kopf auch voll anderer Dinge, die sich auf sein Amt und seine gesellschaftliche Stellung bezogen. »Eigentlich, Effi, fängt unser Berliner Leben nun erst an. Als wir im April hier einzogen, damals ging es mit der Saison auf die Neige, kaum noch, dass wir unsere Besuche machen konnten, und Wüllersdorf, der Einzige, dem wir näherstanden – nun, der ist leider Junggeselle. Von Juni an schläft dann alles ein, und die heruntergelassenen Rouleaux verkünden einem schon auf hundert Schritt ›alles ausgeflogen‹; ob wahr oder nicht, macht keinen Unterschied ... Ja, was blieb da noch? Mal mit Vetter Briest sprechen, 'mal bei Hiller essen, das ist kein richtiges Berliner Leben. Aber nun soll es anders werden. Ich habe mir die Namen aller Räte notiert, die noch mobil genug sind, um ein Haus zu machen. Und wir wollen es auch, wollen *auch* ein Haus machen, und wenn der Winter dann da ist, dann soll es im ganzen Ministerium heißen: ›Ja, die liebenswürdigste Frau, die wir jetzt haben, das ist doch die Frau von Innstetten.‹ «

»Ach, Geert, ich kenne Dich ja gar nicht wieder, Du sprichst ja wie ein Courmacher.«

»Es ist unser Hochzeitstag, und da musst Du mir schon 'was zugutehalten.«

Innstetten war ernsthaft gewillt, auf das stille Leben, das er in seiner landrätlichen Stellung geführt, ein gesellschaftlich angeregteres folgen zu lassen, um seinet- und noch mehr um Effis willen; es ließ sich aber anfangs nur schwach und vereinzelt damit an, die rechte Zeit war noch nicht gekommen, und das Beste, was man zunächst von dem neuen Leben hatte, war genau so wie während des zurückliegenden Halbjahres ein Leben im Hause. Wüllersdorf kam oft, auch Vetter Briest, und waren die da, so schickte man zu Gizickis hinauf, einem jungen Ehepaar, das über ihnen wohnte. Gizicki selbst war Landgerichtsrat, seine kluge,

auf die Neige gehen: zu Ende gehen

ein Haus machen: Empfänge mit besonderen Gästen im eigenen Haus geben

aufgeweckte Frau ein Fräulein von Schmettau. Mitunter wurde musiziert, kurze Zeit sogar ein Whist versucht; man gab es aber wieder auf, weil man fand, dass eine Plauderei gemütlicher wäre. Gizickis hatten bis vor kurzem in einer kleinen oberschlesischen Stadt gelebt, und Wüllersdorf war sogar, freilich vor einer Reihe von Jahren schon, in den verschiedensten kleinen Nestern der Provinz Posen gewesen, weshalb er denn auch den bekannten Spottvers:

Schrimm

Ist schlimm,

Rogasen

Zum Rasen, Aber weh' dir nach Samter

Verdammter –

mit ebenso viel Emphase wie Vorliebe zu zitieren pflegte.

Niemand erheiterte sich dabei mehr als Effi, was dann meistens Veranlassung wurde, kleinstädtische Geschichten in Hülle und Fülle folgen zu lassen. Auch Kessin – mit Gieshübler und der Trippelli, Oberförster Ring und Sidonie Grasenabb – kam dann wohl an die Reihe, wobei sich Innstetten, wenn er guter Laune war, nicht leicht genug tun konnte. »Ja«, so hieß es dann wohl, »unser gutes Kessin! Das muss ich zugeben, es war eigentlich reich an Figuren, obenan Crampas, Major Crampas, ganz Beau und halber Barbarossa, den meine Frau, ich weiß nicht, soll ich sagen unbegreiflicher- oder begreiflicherweise, stark in Affektion genommen hatte ...«–»Sagen wir begreiflicherweise«, warf Wüllersdorf ein, »denn ich nehme an, dass er Ressourcenvorstand war und Komödie spielte, Liebhaber oder Bonvivants. Und vielleicht noch mehr, vielleicht war er auch ein Tenor.« Innstetten bestätigte das eine wie das andere, und Effi suchte lachend darauf einzugehen, aber es gelang ihr nur mit Anstrengung, und wenn dann die Gäste gingen und Innstetten sich in sein Zimmer zurückzog, um noch einen Stoß Akten abzuarbeiten, so fühlte sie sich immer aufs Neue von den alten Vorstellungen gequält, und es war ihr zu Sinn, als ob ihr ein Schatten nachginge.

Solche Beängstigungen blieben ihr auch. Aber sie kamen doch seltener und schwächer, was bei der Art, wie sich ihr Leben gestaltete, nicht wundernehmen konnte. Die Liebe, mit der ihr nicht nur Innstetten, sondern auch fernerstehende Personen begegneten, und nicht zum wenigsten die beinah zärtliche Freundschaft, die die Ministerin, eine selbst noch junge Frau, für sie an den Tag legte – all' das ließ die Sorgen und Ängste zurückliegender Tage sich wenigstens mindern, und als ein zweites Jahr ins Land gegangen war und die Kaiserin, bei Gelegenheit einer neuen Stiftung, die »Frau Geheimrätin« mit ausgewählt und in die Zahl der Ehrendamen eingereiht, der alte Kaiser Wilhelm aber auf dem Hofball gnädige, huldvolle Worte an die schöne junge Frau, »von der er schon gehört habe«, gerichtet hatte, da fiel es allmählich von ihr ab. Es war einmal gewesen, aber weit, weit weg, wie auf einem andern Stern, und alles löste sich wie ein Nebelbild und wurde Traum.

Die Hohen-Cremmener kamen dann und wann auf Besuch und freuten sich des Glücks der Kinder, Annie wuchs heran – »schön wie die Großmutter«, sagte der alte Briest – und wenn es an dem klaren Himmel eine Wolke gab, so war es die, dass es, wie man nun beinahe annehmen musste, bei Klein-Annie sein Bewenden haben werde; Haus Innstetten (denn es gab nicht einmal Namensvettern) stand also mutmaßlich auf dem Aussterbeetat. Briest, der den Fortbestand anderer Familien obenhin behandelte, weil er eigentlich nur an die Briests glaubte, scherzte mitunter darüber und sagte: »Ja, Innstetten, wenn das so weitergeht, so wird Annie seinerzeit wohl einen Bankier heiraten (hoffentlich einen christlichen, wenn's deren dann noch gibt), und mit Rücksicht auf das alte freiherrliche Geschlecht der Innstetten wird dann Seine Majestät Annies Haute-Finance-Kinder unter dem Namen ›von der Innstetten‹ im Gothaischen Kalender, oder was weniger wichtig ist, in der preußischen Geschichte fortleben lassen.« – Ausführungen, die von Innstetten selbst immer mit einer kleinen Ver-

die Kaiserin: *hier* Augusta Marie Luise Katharina Prinzessin von Sachsen-Weimar, seit 1871 dt. Kaiserin

Ehrendame: ehrenvolle Mitgliedschaft im Stiftungskomitee

sein Bewenden haben: dabei bleiben

auf dem Aussterbeetat stehen: aussterben

obenhin: nebenbei

Haute-Finance-Kinder: Kinder von Großbankieres

Gothaischer Kalender: hier werden Stammbäume und Verwandtschaftsverhältnisse der Adelsfamilien notiert

legenheit, von Frau von Briest mit Achselzucken, von Effi dagegen mit Heiterkeit aufgenommen wurden. Denn so adelsstolz sie war, so war sie's doch nur für ihre Person, und ein eleganter und welterfahrener und vor allem sehr, sehr reicher Bankierschwiegersohn wäre durchaus nicht gegen ihre Wünsche gewesen.

Ja, Effi nahm die Erbfolgefrage leicht, wie junge, reizende Frauen das tun; als aber eine lange, lange Zeit – sie waren schon im siebenten Jahr in ihrer neuen Stellung – vergangen war, wurde der alte Rummschüttel, der auf dem Gebiet der Gynäkologie nicht ganz ohne Ruf war, durch Frau von Briest doch schließlich zu Rate gezogen. Er verordnete Schwalbach. Weil aber Effi seit letztem Winter auch an katarrhalischen Affektionen litt und ein paar Mal sogar auf Lunge hin behorcht worden war, so hieß es abschließend: »Also zunächst Schwalbach, meine Gnädigste, sagen wir drei Wochen, und dann ebenso lange Ems. Bei der Emser Kur kann aber der Geheimrat zugegen sein. Bedeutet mithin alles in allem drei Wochen Trennung. Mehr kann ich für Sie nicht tun, lieber Innstetten.«

Damit war man denn auch einverstanden, und zwar sollte Effi, dahin ging ein weiterer Beschluss, die Reise mit einer Geheimrätin Zwicker zusammen machen, wie Briest sagte, »zum Schutz dieser Letzteren«, worin er nicht ganz unrecht hatte, da die Zwicker, trotz guter vierzig, eines Schutzes erheblich bedürftiger war als Effi. Innstetten, der wieder viel mit Vertretung zu tun hatte, beklagte, dass er, von Schwalbach gar nicht zu reden, wahrscheinlich auch auf gemeinschaftliche Tage in Ems werde verzichten müssen. Im Übrigen wurde der 24. Juni (Johannistag) als Abreisetag festgesetzt, und Roswitha half der gnädigen Frau beim Packen und Aufschreiben der Wäsche. Effi hatte noch immer die alte Liebe für sie, war doch Roswitha die Einzige, mit der sie von all' dem Zurückliegenden, von Kessin und Crampas, von dem Chinesen und Kapitän Thomsens Nichte frei und unbefangen reden konnte.

Gynäkologie: Frauenheilkunde

katarrhalische Affektion: Erkältung, Entzündung der Rachen- und Nasenschleimhäute

(Bad) Schwalbach und (Bad) Ems: Kurorte mit Mineralbad im damaligen preuß. Regierungsbezirk Wiesbaden; spezialisiert auf Frauenkrankheiten

»Sage, Roswitha, Du bist doch eigentlich katholisch. Gehst Du denn nie zur Beichte?«

»Nein.«

»Warum nicht?«

»Ich bin früher gegangen. Aber das Richtige hab' ich doch nicht gesagt.«

»Das ist sehr unrecht. Dann freilich kann es nicht helfen.«

»Ach, gnädigste Frau, bei mir im Dorf machten es alle so. Und welche waren, die kicherten bloß.«

»Hast Du denn nie empfunden, dass es ein Glück ist, wenn man etwas auf der Seele hat, dass es 'runter kann?«

»Nein, gnädigste Frau. Angst habe ich wohl gehabt, als mein Vater damals mit dem glühenden Eisen auf mich loskam; ja, das war eine große Furcht, aber weiter war es nichts.«

»Nicht vor Gott?«

»Nicht so recht, gnädigste Frau. Wenn man sich vor seinem Vater so fürchtet, wie ich mich gefürchtet habe, dann fürchtet man sich nicht so sehr vor Gott. Ich habe bloß immer gedacht, der liebe Gott sei gut und werde mir armem Wurm schon helfen.«

Effi lächelte und brach ab und fand es auch natürlich, dass die arme Roswitha so sprach, wie sie sprach. Sie sagte aber doch: »Weißt Du, Roswitha, wenn ich wiederkomme, müssen wir doch noch 'mal ernstlich drüber reden. Es war doch eigentlich eine große Sünde.«

»Das mit dem Kinde, und dass es verhungert ist? Ja, gnädigste Frau, das war es. Aber ich war es ja nicht, das waren ja die anderen … Und dann ist es auch schon so sehr lange her.«

Effi war nun schon in die fünfte Woche fort und schrieb glückliche, beinahe übermütige Briefe, namentlich seit ihrem Eintreffen in Ems, wo man doch unter Menschen sei, das heißt unter Männern, von denen sich in Schwalbach nur ausnahmsweise was gezeigt habe. Geheimrätin Zwicker, ihre Reisegefährtin, habe freilich die Frage nach dem Kurgemäßen dieser Zutat aufgeworfen und sich aufs Entschiedenste dagegen ausgesprochen, alles natürlich mit einem Gesichtsausdrucke, der so ziemlich das Gegenteil versichert habe; die Zwicker sei reizend, etwas frei, wahrscheinlich sogar mit einer Vergangenheit, aber höchst amüsant, und man könne viel, sehr viel von ihr lernen; nie habe sie sich, trotz ihrer fünfundzwanzig, so als Kind gefühlt, wie nach der Bekanntschaft mit dieser Dame. Dabei sei sie so belesen, auch in fremder Literatur, und als sie, Effi beispielsweise neulich von Nana gesprochen und dabei gefragt habe, »ob es denn wirklich so schrecklich sei«, habe die Zwicker geantwortet: »Ach, meine liebe Baronin, was heißt schrecklich? Da gibt es noch ganz anderes.« – »Sie schien mich auch«, so schloss Effi ihren Brief, »mit diesem ›anderen‹ bekannt machen zu wollen. Ich habe es aber abgelehnt, weil ich weiß, dass Du die Unsitte unserer Zeit aus diesem und Ähnlichem herleitest, und wohl mit Recht. Leicht ist es mir aber nicht geworden. Dazu kommt noch, dass Ems in einem Kessel liegt. Wir leiden hier außerordentlich unter der Hitze.«

Innstetten hatte diesen letzten Brief mit geteilten Empfindungen gelesen, etwas erheitert, aber doch auch ein wenig missmutig. Die Zwicker war keine Frau für Effi, der nun 'mal ein Zug innewohnte, sich nach links hin treiben zu lassen; er gab es aber auf, irgendwas in diesem Sinne zu schreiben, einmal weil er sie nicht verstimmen wollte, mehr noch, weil er sich sagte, dass es doch nichts helfen würde. Dabei sah er der Rückkehr seiner Frau mit Sehn-

Nana:
Titelfigur
(Prostituierte)
des Romans
Nana (1880) des
frz. Schriftstellers
Émile Zola

sich nach links
hin treiben zu
lassen:
hier moralisch
unbedacht sein

sucht entgegen und beklagte des Dienstes nicht bloß »immer gleich gestellte«, sondern jetzt, wo jeder Ministerialrat fort war oder fortwollte, leider auch auf Doppelstunden gestellte Uhr.

»immer gleich gestellte Uhr«: Zitat aus Friedrich Schillers Drama *Die Piccolomini* (1799)

Ja, Innstetten sehnte sich nach Unterbrechung von Arbeit und Einsamkeit, und verwandte Gefühle hegte man draußen in der Küche, wo Annie, wenn die Schulstunden hinter ihr lagen, ihre Zeit am liebsten verbrachte, was insoweit ganz natürlich war, als Roswitha und Johanna nicht nur das kleine Fräulein in gleichem Maße liebten, sondern auch untereinander nach wie vor auf dem besten Fuße standen. Diese Freundschaft der beiden Mädchen war ein Lieblingsgespräch zwischen den verschiedenen Freunden des Hauses, und Landgerichtsrat Gizicki sagte dann wohl zu Wüllersdorf: »Ich sehe darin nur eine neue Bestätigung des alten Weisheitssatzes: ›Lasst fette Leute um mich sein‹; Cäsar war eben ein Menschenkenner und wusste, dass Dinge wie Behaglichkeit und Umgänglichkeit eigentlich nur beim Embonpoint sind.« Von einem solchen ließ sich denn nun bei beiden Mädchen auch wirklich sprechen, nur mit dem Unterschiede, dass das in diesem Falle nicht gut zu umgehende Fremdwort bei Roswitha schon stark eine Beschönigung, bei Johanna dagegen einfach die zutreffende Bezeichnung war. Diese Letztere durfte man nämlich nicht eigentlich korpulent nennen, sie war nur prall und drall und sah jederzeit mit einer eigenen, ihr übrigens durchaus kleidenden Siegermiene gradlinig und blauäugig über ihre Normalbüste fort. Von Haltung und Anstand getragen, lebte sie ganz in dem Hochgefühl, die Dienerin eines guten Hauses zu sein, wobei sie das Überlegenheitsbewusstsein über die halb bäuerisch gebliebene Roswitha in einem so hohen Maße hatte, dass sie, was gelegentlich vorkam, die momentan bevorzugte Stellung dieser nur belächelte. Diese Bevorzugung – nun ja, wenn's dann 'mal so sein sollte –, war eine kleine liebenswürdige Sonderbarkeit der gnädigen Frau, die man der guten alten Roswitha mit

»Lasst fette Leute um mich sein«: Zitat aus der Tragödie *Julius Cäsar* (1599) von William Shakespeare

Cäsar: *hier* Figur aus Shakespeares Tragödie (s. o.)

Embonpoint: Körperfülle

korpulent: beleibt

ihrer ewigen Geschichte »von dem Vater mit der glühenden Eisenstange« schon gönnen konnte. »Wenn man sich besser hält, so kann dergleichen nicht vorkommen.« Das alles dachte sie, sprach's aber nicht aus. Es war eben ein freundliches Miteinanderleben. Was aber wohl ganz besonders für Frieden und gutes Einvernehmen sorgte, das war der Umstand, dass man sich nach einem stillen Übereinkommen in die Behandlung und fast auch Erziehung Annies geteilt hatte. Roswitha hatte das poetische Departement, die Märchen- und Geschichtenerzählung, Johanna dagegen das des Anstands, eine Teilung, die hüben und drüben so fest gewurzelt stand, dass Kompetenzkonflikte kaum vorkamen, wobei der Charakter Annies, die eine ganz entschiedene Neigung hatte, das vornehme Fräulein zu betonen, allerdings mithalf, eine Rolle, bei der sie keine bessere Lehrerin als Johanna haben konnte.

Noch einmal also: Beide Mädchen waren gleichwertig in Annies Augen. In diesen Tagen aber, wo man sich auf die Rückkehr Effis vorbereitete, war Roswitha der Rivalin 'mal wieder um einen Pas voraus, weil ihr, und zwar als etwas ihr Zuständiges, die ganze Begrüßungsangelegenheit zugefallen war. Diese Begrüßung zerfiel in zwei Hauptteile: Girlande mit Kranz und dann, abschließend, Gedichtvortrag. Kranz und Girlande – nachdem man über »W.« oder »E. v. I.« eine Zeit lang geschwankt – hatten zuletzt keine sonderlichen Schwierigkeiten gemacht (»W.«, in Vergissmeinnicht geflochten, war bevorzugt worden), aber desto größere Verlegenheit schien die Gedichtfrage heraufbeschwören zu sollen und wäre vielleicht ganz unbeglichen geblieben, wenn Roswitha nicht den Mut gehabt hätte, den von einer Gerichtssitzung heimkehrenden Landgerichtsrat auf der zweiten Treppe zu stellen und ihm mit einem auf einen »Vers« gerichteten Ansinnen mutig entgegenzutreten. Gizicki, ein sehr gütiger Herr, hatte sofort alles versprochen, und noch am selben Spätnachmittage war

Departement:
Bereich

hüben und
drüben:
überall

Kompetenz-
konflikte:
Streit hinsichtlich
der Aufgaben-
bereiche

Pas:
(Tanz-) Schritt

jmd. zu stellen:
hier zum Stehen-
bleiben zwingen

seitens seiner Köchin der gewünschte Vers, und zwar folgenden Inhalts, abgegeben worden:

> Mama, wir erwarten Dich lange schon,
> Durch Wochen und Tage und Stunden,
> Nun grüßen wir Dich von Flur und Balkon
> Und haben Kränze gewunden.
> Nun lacht Papa voll Freudigkeit,
> Denn die gattin- und mutterlose Zeit
> Ist endlich von ihm genommen,
> Und Roswitha lacht und Johanna dazu,
> Und Annie springt aus ihrem Schuh
> Und ruft: willkommen, willkommen.

Es versteht sich von selbst, dass die Strophe noch an demselben Abend auswendig gelernt, aber doch nebenher auch auf ihre Schönheit, beziehungsweise Nicht-Schönheit kritisch geprüft worden war. Das Betonen von Gattin und Mutter, so hatte sich Johanna geäußert, erscheine zunächst freilich in der Ordnung; aber es läge doch auch etwas darin, was Anstoß erregen könne, und sie persönlich würde sich als »Gattin und Mutter« dadurch verletzt fühlen. Annie, durch diese Bemerkung einigermaßen geängstigt, versprach, das Gedicht am andern Tag der Klassenlehrerin vorlegen zu wollen, und kam mit dem Bemerken zurück: »Das Fräulein sei mit ›Gattin und Mutter‹ durchaus einverstanden, aber desto mehr gegen ›Roswitha und Johanna‹ gewesen« – worauf Roswitha erklärt hatte: »Das Fräulein sei eine dumme Gans; das käme davon, wenn man zu viel gelernt habe.«

Es war an einem Mittwoch, dass die Mädchen und Annie das vorstehende Gespräch geführt und den Streit um die bemängelte Zeile beigelegt hatten. Am andern Morgen – ein erwarteter Brief Effis hatte noch den mutmaßlich erst in den Schluss der nächsten Woche fallenden Ankunftstag festzustellen – ging Innstetten auf das Ministerium. Jetzt war Mittag heran, die Schule aus, und als Annie, ihre

Mappe:
Schultasche

Mappe auf dem Rücken, eben vom Kanal her auf die Keithstraße zuschritt, traf sie Roswitha vor ihrer Wohnung.

»Nun lass sehen«, sagte Annie, »wer am ehesten von uns
die Treppe heraufkommt.« Roswitha wollte von diesem
Wettlauf nichts wissen, aber Annie jagte voran, geriet,
oben angekommen, ins Stolpern und fiel dabei so unglücklich, dass sie mit der Stirn auf den dicht an der Treppe be-
findlichen Abkratzer aufschlug und stark blutete. Roswitha, mühevoll nachkeuchend, riss jetzt die Klingel, und als
Johanna das etwas verängstigte Kind hereingetragen hatte,
beratschlagte man, was nun wohl zu machen sei. »Wir
wollen nach dem Doktor schicken ... wir wollen nach dem
gnädigen Herrn schicken ... des Portiers Lene muss ja jetzt
auch aus der Schule wieder da sein.« Es wurde aber alles
wieder verworfen, weil es zu lange dauere, man müsse
gleich ’was tun, und so packte man denn das Kind aufs
Sofa und begann mit kaltem Wasser zu kühlen. Alles ging
auch gut, sodass man sich zu beruhigen begann. »Und nun
wollen wir sie verbinden«, sagte schließlich Roswitha. »Da
muss ja noch die lange Binde sein, die die gnädige Frau
letzten Winter zuschnitt, als sie sich auf dem Eise den Fuß
verknickt hatte ...«

»Freilich, freilich«, sagte Johanna, »bloß wo die Binde her-
nehmen? ... Richtig, da fällt mir ein, die liegt im Nähtisch.
Er wird wohl zu sein, aber das Schloss ist Spielerei; holen
Sie nur das Stemmeisen, Roswitha, wir wollen den Deckel
aufbrechen.« Und nun wuchteten sie auch wirklich den
Deckel ab und begannen in den Fächern umherkramen,
oben und unten, die zusammengerollte Binde jedoch wollte sich nicht finden lassen. »Ich weiß aber doch, dass ich
sie gesehn habe«, sagte Roswitha, und während sie halb ärgerlich immer weiter suchte, flog alles, was ihr dabei zu
Händen kam, auf das breite Fensterbrett: Nähzeug, Nadel-
kissen, Rollen mit Zwirn und Seide, kleine vertrocknete
Veilchensträußchen, Karten, Billetts, zuletzt ein kleines
Konvolut von Briefen, das unter dem dritten Einsatz gele-

Konvolut:
Bündel von
Schriftstücken

gen hatte, ganz unten, mit einem roten Seidenfaden umwickelt. Aber die Binde hatte man noch immer nicht.

In diesem Augenblick trat Innstetten ein.

»Gott«, sagte Roswitha und stellte sich erschrocken neben
das Kind. »Es ist nichts, gnädiger Herr; Annie ist auf das
Kratzeisen gefallen ... Gott, was wird die gnädige Frau
sagen. Und doch ist es ein Glück, dass sie nicht mit dabei
war.«

Innstetten hatte mittlerweile die vorläufig aufgelegte Kompresse fortgenommen und sah, dass es ein tiefer Riss, sonst
aber ungefährlich war. »Es ist nicht schlimm«, sagte er;
»trotzdem, Roswitha, wir müssen sehen, dass Rummschüttel kommt. Lene kann ja gehen, die wird jetzt Zeit haben. Aber was in aller Welt ist denn das da mit dem Nähtisch?«

Und nun erzählte Roswitha, wie sie nach der gerollten Binde gesucht hätten; aber sie woll' es nun aufgeben und lieber eine neue Leinwand schneiden.

Innstetten war einverstanden und setzte sich, als bald danach beide Mädchen das Zimmer verlassen hatten, zu
dem Kind. »Du bist so wild, Annie, das hast Du von der
Mama. Immer wie ein Wirbelwind. Aber dabei kommt
nichts heraus oder höchstens so 'was.« Und er wies auf die
Wunde und gab ihr einen Kuss. »Du hast aber nicht geweint, das ist brav, und darum will ich Dir die Wildheit verzeihen ... Ich denke, der Doktor wird in einer Stunde hier
sein; tu' nur alles, was er sagt, und wenn er Dich verbunden
hat, so zerre nicht und rücke und drücke nicht dran, dann
heilt es schnell, und wenn die Mama dann kommt, dann ist
alles wieder in Ordnung oder doch beinah'. Ein Glück ist es
aber doch, dass es noch bis nächste Woche dauert, Ende
nächster Woche, so schreibt sie mir; eben habe ich einen
Brief von ihr bekommen; sie lässt Dich grüßen und freut
sich, Dich wiederzusehen.«

»Du könntest mir den Brief eigentlich vorlesen, Papa.«

»Das will ich gern.«

Kratzeisen:
Vorrichtung
zum Säubern der
Schuhe

Kompresse:
feuchter
Umschlag

Aber eh er dazu kam, kam Johanna, um zu sagen, dass das Essen aufgetragen sei. Annie, trotz ihrer Wunde, stand mit auf, und Vater und Tochter setzten sich zu Tisch.

SIEBENUNDZWANZIGSTES KAPITEL

Innstetten und Annie saßen sich eine Weile stumm gegenüber; endlich als ihm die Stille peinlich wurde, tat er ein paar Fragen über die Schulvorsteherin und welche Lehrerin sie eigentlich am liebsten habe. Annie antwortete auch, aber ohne rechte Lust, weil sie fühlte, dass Innstetten wenig bei der Sache war. Es wurde erst besser, als Johanna nach dem zweiten Gericht ihrem Anniechen zuflüsterte, es gäbe noch 'was. Und wirklich, die gute Roswitha, die dem Liebling an diesem Unglückstag 'was schuldig zu sein glaubte, hatte noch ein Übriges getan und sich zu einer Omelette mit Apfelschnitten aufgeschwungen.

Annie wurde bei diesem Anblicke denn auch etwas redseliger, und ebenso zeigte sich Innstettens Stimmung gebessert, als es gleich danach klingelte und Geheimrat Rummschüttel eintrat. Ganz zufällig. Er sprach nur vor, ohne jede Ahnung, dass man nach ihm geschickt und um seinen Besuch gebeten habe. Mit den aufgelegten Kompressen war er zufrieden. »Lassen Sie noch etwas Bleiwasser holen und Annie morgen zu Hause bleiben. Überhaupt Ruhe.« Dann fragte er noch nach der gnädigen Frau und wie die Nachrichten aus Ems seien; er werde den andern Tag wiederkommen und nachsehen.

Bleiwasser: Mittel zur Kühlung bei Schwellungen oder Verbrennungen

Als man von Tisch aufgestanden und in das nebenan gelegene Zimmer – dasselbe, wo man mit so viel Eifer und doch vergebens nach dem Verbandstück gesucht hatte – eingetreten war, wurde Annie wieder auf das Sofa gebettet. Johanna kam und setzte sich zu dem Kind, während Innstetten die zahllosen Dinge, die bunt durcheinandergewürfelt noch auf dem Fensterbrett umherlagen, wieder in den Nähtisch einzuräumen begann. Dann und wann wusste er sich nicht recht Rat und musste fragen.

»Wo haben die Briefe gelegen, Johanna?«

»Ganz zuunterst«, sagte diese, »hier in diesem Fach.«

Und während so Frage und Antwort ging, betrachtete Innstetten etwas aufmerksamer als vorher das kleine, mit einem roten Faden zusammengebundene Paket, das mehr aus einer Anzahl zusammengelegter Zettel, als aus Briefen zu bestehen schien. Er fuhr, als wäre es ein Spiel Karten, mit dem Daumen und Zeigefinger an der Seite des Päckchens hin und einige Zeilen, eigentlich nur vereinzelte Worte, flogen dabei an seinem Auge vorüber. Von deutlichem Erkennen konnte keine Rede sein, aber es kam ihm doch so vor, als habe er die Schriftzüge schon irgendwo gesehen. Ob er nachsehen solle?

»Johanna, Sie könnten uns den Kaffee bringen. Annie trinkt auch eine halbe Tasse. Der Doktor hat's nicht verboten, und was nicht verboten ist, ist erlaubt.«

Als er das sagte, wand er den roten Faden ab und ließ, während Johanna das Zimmer verließ, den ganzen Inhalt des Päckchens rasch durch die Finger gleiten. Nur zwei, drei Briefe waren adressiert: »An Frau Landrat von Innstetten.« Er erkannte jetzt auch die Handschrift; es war die des Majors. Innstetten wusste nichts von einer Korrespondenz zwischen Crampas und Effi, und in seinem Kopf begann sich alles zu drehen. Er steckte das Paket zu sich und ging in sein Zimmer zurück. Etliche Minuten später, und Johanna, zum Zeichen, dass der Kaffee da sei, klopfte leis an die Tür. Innstetten antwortete auch, aber dabei blieb es; sonst alles still. Erst nach einer Viertelstunde hörte man wieder sein Auf-und-Ab-Schreiten auf dem Teppich.

»Was nur Papa hat?«, sagte Johanna zu Annie. »Der Doktor hat ihm doch gesagt, es sei nichts.«

Das Auf- und Ab-Schreiten nebenan wollte kein Ende nehmen. Endlich erschien Innstetten wieder im Nebenzimmer und sagte: »Johanna, achten Sie auf Annie und dass sie ruhig auf dem Sofa bleibt. Ich will eine Stunde gehen oder vielleicht zwei.«

Dann sah er das Kind aufmerksam an und entfernte sich.

»Hast du gesehen, Johanna, wie Papa aussah?«

»Ja, Annie. Er muss einen großen Ärger gehabt haben. Er war ganz blass. So hab ich ihn noch nie gesehen.«

Es vergingen Stunden. Die Sonne war schon unter, und nur ein roter Widerschein lag noch über den Dächern drüben, als Innstetten wieder zurückkam. Er gab Annie die Hand, fragte, wie's ihr gehe, und ordnete dann an, dass ihm Johanna die Lampe in sein Zimmer bringe. Die Lampe kam auch. In dem grünen Schirm befanden sich halb durchsichtige Ovale mit Fotografien, allerlei Bildnisse seiner Frau, die noch in Kessin, damals, als man den Wichert'schen »Schritt vom Wege« aufgeführt hatte, für die verschiedenen Mitspielenden angefertigt waren. Innstetten drehte den Schirm langsam von links nach rechts und musterte jedes einzelne Bildnis. Dann ließ er ab davon, öffnete, weil er es schwül fand, die Balkontür und nahm schließlich das Briefpaket wieder zur Hand.

Es schien, dass er gleich beim ersten Durchsehen ein paar davon ausgewählt und obenauf gelegt hatte. Diese las er jetzt noch einmal mit halblauter Stimme.

»Sei heute Nachmittag wieder in den Dünen, hinter der Mühle. Bei der alten Adermann können wir uns ruhig sprechen, das Haus ist abgelegen genug. Du musst Dich nicht um alles so bangen. Wir haben auch ein Recht. Und wenn Du Dir das eindringlich sagst, wird, denk' ich, alle Furcht von Dir abfallen. Das Leben wäre nicht des Lebens wert, wenn das alles gelten sollte, was zufällig gilt. Alles Beste liegt jenseits davon. Lerne Dich daran freuen.«

»... Fort, so schreibst Du, Flucht. Unmöglich. Ich kann meine Frau nicht im Stich lassen, zu allem andern auch noch in Not. Es geht nicht, und wir müssen es leichtnehmen, sonst sind wir arm und verloren. Leichtsinn ist das Beste, was wir haben. Alles ist Schicksal. Es hat so sein sollen. Und möchtest Du, dass es anders wäre, dass wir uns nie gesehen hätten?«

Dann kam der dritte Brief.

»... Sei heute noch einmal an der alten Stelle. Wie sollen meine Tage hier verlaufen ohne Dich! In diesem öden Nest. Ich bin außer mir, und nur darin hast Du recht: Es ist die Rettung, und wir müssen schließlich doch die Hand segnen, die diese Trennung über uns verhängt.«

Innstetten hatte die Briefe kaum wieder beiseitegeschoben, als draußen die Klingel ging. Gleich danach meldete Johanna: »Geheimrat Wüllersdorf.«

Wüllersdorf trat ein und sah auf den ersten Blick, dass etwas vorgefallen sein müsse.

»Pardon, Wüllersdorf«, empfing ihn Innstetten, »dass ich Sie gebeten habe, noch gleich heute bei mir vorzusprechen. Ich störe niemand gern in seiner Abendruhe, am wenigsten einen geplagten Ministerialrat. Es ging aber nicht anders. Ich bitte Sie, machen Sie sich's bequem. Und hier eine Zigarre.«

Wüllersdorf setzte sich. Innstetten ging wieder auf und ab und wäre bei der ihn verzehrenden Unruhe gern in Bewegung geblieben, sah aber, dass das nicht gehe. So nahm er denn auch seinerseits eine Zigarre, setzte sich Wüllersdorf gegenüber und versuchte ruhig zu sein. »Es ist«, begann er, »um zweier Dinge willen, dass ich Sie habe bitten lassen: erst um eine Forderung zu überbringen und zweitens um hinterher, in der Sache selbst, mein Sekundant zu sein; das eine ist nicht angenehm und das andere noch weniger. Und nun Ihre Antwort.«

»Sie wissen, Innstetten, Sie haben über mich zu verfügen. Aber eh' ich die Sache kenne, verzeihen Sie mir die naive Vorfrage: Muss es sein? Wir sind doch über die Jahre weg, Sie, um die Pistole in die Hand zu nehmen, und ich, um

Forderung:
Aufforderung
zum Duell

Sekundant:
Helfer und Zeuge
bei einem Duell

über mich zu
verfügen:
über jmd.
bestimmen

über die Jahre
weg sein:
zu alt für etwas
sein

dabei mitzumachen. Indessen missverstehen Sie mich nicht, alles dies soll kein ›nein‹ sein. Wie könnte ich Ihnen etwas abschlagen. Aber nun sagen Sie, was ist es?«

»Es handelt sich um einen Galan meiner Frau, der zugleich mein Freund war oder doch beinah.«

Wüllersdorf sah Innstetten an. »Innstetten, das ist nicht möglich.«

»Es ist mehr als möglich, es ist gewiss. Lesen Sie.«

Wüllersdorf flog drüber hin. »Die sind an Ihre Frau gerichtet?«

»Ja. Ich fand sie heut in ihrem Nähtisch.«

»Und wer hat sie geschrieben?«

»Major Crampas.«

»Also Dinge, die sich abgespielt, als Sie noch in Kessin waren?«

Innstetten nickte.

»Liegt also sechs Jahre zurück oder noch ein halb Jahr länger.«

»Ja.«

Wüllersdorf schwieg. Nach einer Weile sagte Innstetten: »Es sieht fast so aus, Wüllersdorf, als ob die sechs oder sieben Jahre einen Eindruck auf Sie machten. Es gibt eine Verjährungstheorie, natürlich, aber ich weiß doch nicht, ob wir hier einen Fall haben, diese Theorie gelten zu lassen.«

»Ich weiß es auch nicht«, sagte Wüllersdorf. »Und ich bekenne Ihnen offen, um diese Frage scheint sich hier alles zu drehen.«

Innstetten sah ihn groß an. »Sie sagen das in vollem Ernst?«

»In vollem Ernst. Es ist keine Sache, sich in jeu d'esprit oder in dialektischen Spitzfindigkeiten zu versuchen.«

»Ich bin neugierig, wie Sie das meinen. Sagen Sie mir offen, wie stehen Sie dazu?«

»Innstetten, Ihre Lage ist furchtbar, und Ihr Lebensglück ist hin. Aber wenn Sie den Liebhaber totschießen, ist Ihr

Lebensglück sozusagen doppelt hin, und zu dem Schmerz über empfangenes Leid kommt noch der Schmerz über getanes Leid. Alles dreht sich um die Frage, müssen Sie's durchaus tun? Fühlen Sie sich so verletzt, beleidigt, empört, dass einer weg muss, er oder Sie? Steht es so?«

»Ich weiß es nicht.«

»Sie müssen es wissen.«

Innstetten war aufgesprungen, trat ans Fenster und tippte voll nervöser Erregung an die Scheiben. Dann wandte er sich rasch wieder, ging auf Wüllersdorf zu und sagte: »Nein, so steht es nicht.«

»Wie steht es denn?«

»Es steht so, dass ich unendlich unglücklich bin; ich bin gekränkt, schändlich hintergangen, aber trotzdem, ich bin ohne jedes Gefühl von Hass oder gar von Durst nach Rache. Und wenn ich mich frage, warum nicht? so kann ich zunächst nichts anderes finden als die Jahre. Man spricht immer von unsühnbarer Schuld; vor Gott ist es gewiss falsch, aber vor den Menschen auch. Ich hätte nie geglaubt, dass die *Zeit,* rein als Zeit, so wirken könne. Und dann als Zweites: Ich liebe meine Frau, ja, seltsam zu sagen, ich liebe sie noch, und so furchtbar ich alles finde, was geschehen, ich bin so sehr im Bann ihrer Liebenswürdigkeit, eines ihr eignen heiteren Charmes, dass ich mich, mir selbst zum Trotz, in meinem letzten Herzenswinkel zum Verzeihen geneigt fühle.«

Wüllersdorf nickte. »Kann ganz folgen, Innstetten, würde mir vielleicht ebenso gehen. Aber wenn Sie so zu der Sache stehen und mir sagen: ›Ich liebe diese Frau so sehr, dass ich ihr alles verzeihen kann‹, und wenn wir dann das andere hinzunehmen, dass alles weit, weit zurückliegt, wie ein Geschehnis auf einem andern Stern, ja, wenn es so liegt, Innstetten, so frage ich, wozu die ganze Geschichte?«

»Weil es trotzdem sein muss. Ich habe mir's hin und her überlegt. Man ist nicht bloß ein einzelner Mensch, man gehört einem Ganzen an, und auf das Ganze haben wir be-

unsühnbar: unentschuldbar

ständig Rücksicht zu nehmen, wir sind durchaus abhängig von ihm. Ging' es, in Einsamkeit zu leben, so könnt' ich es gehen lassen; ich trüge dann die mir aufgepackte Last, das rechte Glück wäre hin, aber es müssen so viele leben ohne dies ›rechte Glück‹, und ich würde es auch müssen und – auch können. Man braucht nicht glücklich zu sein, am allerwenigsten hat man einen Anspruch darauf, und den, der einem das Glück genommen hat, den braucht man nicht notwendig aus der Welt zu schaffen. Man kann ihn, wenn man weltabgewandt weiterexistieren will, auch laufen lassen. Aber im Zusammenleben mit den Menschen hat sich ein Etwas ausgebildet, das nun 'mal da ist und nach dessen

Paragraf: Teilabschnitt eines Gesetzes- textes

Paragrafen wir uns gewöhnt haben, alles zu beurteilen, die andern und uns selbst. Und dagegen zu verstoßen geht nicht; die Gesellschaft verachtet uns, und zuletzt tun wir es selbst und können es nicht aushalten und jagen uns die Kugel durch den Kopf. Verzeihen Sie, dass ich Ihnen solche Vorlesung halte, die schließlich doch nur sagt, was sich jeder selber hundertmal gesagt hat. Aber freilich, wer kann 'was Neues sagen! Also noch einmal, nichts von Hass oder dergleichen, und um eines Glückes willen, das mir genommen wurde, mag ich nicht Blut an den Händen haben; aber jenes, wenn Sie wollen, uns tyrannisierende Gesellschafts-Etwas, das fragt nicht nach Charme und nicht nach Liebe und nicht nach Verjährung. Ich habe keine Wahl. Ich muss.«

»Ich weiß doch nicht, Innstetten ...«

Innstetten lächelte. »Sie sollen selbst entscheiden, Wüllersdorf. Es ist jetzt zehn Uhr. Vor sechs Stunden, diese

Konzession: Zugeständnis

Konzession will ich Ihnen vorweg machen, hatt' ich das Spiel noch in der Hand, konnt' ich noch das eine und noch das andere, da war noch ein Ausweg. Jetzt nicht mehr, jetzt stecke ich in einer Sackgasse. Wenn Sie wollen, so bin ich selber schuld daran; ich hätte mich besser beherrschen und bewachen, alles in mir verbergen, alles im eignen Herzen auskämpfen sollen. Aber es kam mir zu plötzlich, zu stark, und so kann ich mir kaum einen Vorwurf machen, meine Nerven nicht geschickter in Ordnung gehalten zu haben. Ich ging zu Ihnen und schrieb Ihnen einen Zettel, und damit war das Spiel aus meiner Hand. Von dem Augenblicke an hatte mein Unglück und, was schwerer wiegt, der Fleck auf meiner Ehre einen halben Mitwisser und nach den ersten Worten, die wir hier gewechselt, hat es einen ganzen. Und weil dieser Mitwisser da ist, kann ich nicht mehr zurück.«

»Ich weiß doch nicht«, wiederholte Wüllersdorf. »Ich mag nicht gerne zu der alten abgestandenen Phrase greifen, aber doch lässt sich's nicht besser sagen: Innstetten, es ruht alles in mir wie in einem Grabe.«

[…] wie in einem Grabe (Redensart): verschwiegen sein

»Ja, Wüllersdorf, so heißt es immer. Aber es gibt keine Verschwiegenheit. Und wenn Sie's wahr machen und gegen andere die Verschwiegenheit selber sind, so wissen *Sie* es, und es rettet mich nicht vor Ihnen, dass Sie mir eben Ihre Zustimmung ausgedrückt und mir sogar gesagt haben: Ich kann Ihnen in allem folgen. Ich bin, und dabei bleibt es, von diesem Augenblicke an ein Gegenstand Ihrer Teilnahme (schon nicht etwas sehr Angenehmes), und jedes Wort, das Sie mich mit meiner Frau wechseln hören, unterliegt Ihrer Kontrolle, Sie mögen wollen oder nicht, und wenn meine Frau von Treue spricht oder, wie Frauen tun, über eine andere zu Gericht sitzt, so weiß ich nicht, wo ich mit meinen Blicken hin soll. Und ereignet sich's gar, dass ich in irgendeiner ganz alltäglichen Beleidigungssache zum Guten rede, »weil ja der dolus fehle« oder so 'was Ähnliches, so geht ein Lächeln über Ihr Gesicht, oder es zuckt wenigstens darin, und in Ihrer Seele klingt es: ›Der gute Innstetten, er hat doch eine wahre Passion, alle Beleidigungen auf ihren Beleidigungsgehalt chemisch zu untersuchen, und das richtige Quantum Stickstoff findet er *nie*. Er ist noch nie an einer Sache erstickt.‹ … Habe ich recht, Wüllersdorf, oder nicht?«

Teilnahme: *hier* Anteilnahme

dolus: böser Vorsatz

Quantum: eine bestimmte Menge

Stickstoff: geruchloses Gas, das brennende Flammen erstickt

Wüllersdorf war aufgestanden. »Ich finde es furchtbar, dass Sie recht haben, aber Sie *haben* recht. Ich quäle Sie nicht länger mit meinem ›muss es sein‹. Die Welt ist einmal, wie sie ist, und die Dinge verlaufen nicht, wie wir wollen, sondern wie die *andern* wollen. Das mit dem ›Gottesgericht‹, wie manche hochtrabend versichern, ist freilich ein Unsinn, nichts davon, umgekehrt, unser Ehrenkultus ist ein Götzendienst, aber wir müssen uns ihm unterwerfen, so lange der Götze gilt.«

Innstetten nickte.

Sie blieben noch eine Viertelstunde miteinander, und es wurde festgestellt, Wüllersdorf solle noch denselben Abend abreisen. Ein Nachtzug ging um zwölf.

Dann trennten sie sich mit einem kurzen: »Auf Wiedersehen in Kessin.«

ACHTUNDZWANZIGSTES KAPITEL

Am andern Abend, wie verabredet, reiste Innstetten. Er benutzte denselben Zug, den am Tag vorher Wüllersdorf benutzt hatte, und war bald nach fünf Uhr früh auf der Bahnstation, von wo der Weg nach Kessin links abzweigte. Wie immer, so lange die Saison dauerte, ging auch heute, gleich nach Eintreffen des Zuges, das mehrerwähnte Dampfschiff, dessen erstes Läuten Innstetten schon hörte, als er die letzten Stufen der vom Bahndamm hinabführenden Treppe erreicht hatte. Der Weg bis zur Anlegestelle war keine drei Minuten; er schritt darauf zu und begrüßte den Kapitän, der etwas verlegen war, also im Laufe des gestrigen Tages von der ganzen Sache schon gehört haben musste, und nahm dann seinen Platz in der Nähe des Steuers. Gleich danach löste sich das Schiff vom Brückensteg los; das Wetter war herrlich, helle Morgensonne, nur wenig Passagiere an Bord. Innstetten gedachte des Tages, als er, mit Effi von der Hochzeitsreise zurückkeh-

Glossar (Randspalte):

Gottesgericht: das Jüngste Gericht: die religiöse Vorstellung, dass die Sünden der Menschen von Gott bestraft werden

Götzendienst: Anbetung von Gegenständen, die als göttlich verehrt werden

rend, hier am Ufer der Kessine hin in offenem Wagen gefahren war, – ein grauer Novembertag damals, aber er selber froh im Herzen; nun hatte sich's verkehrt: Das Licht lag
draußen, und der Novembertag war in ihm. Viele, viele
Male war er dann des Weges hier gekommen, und der Frieden, der sich über die Felder breitete, das Zuchtvieh in den
Koppeln, das aufhorchte, wenn er vorüberfuhr, die Leute
bei der Arbeit, die Fruchtbarkeit der Äcker, das alles hatte
seinem Sinne wohlgetan, und jetzt, in hartem Gegensatz
dazu, war er froh, als etwas Gewölk heranzog und den lachenden blauen Himmel leise zu trüben begann. So fuhren
sie den Fluss hinab, und bald, nachdem sie die prächtige
Wasserfläche des »Breitling« passiert, kam der Kessiner
Kirchturm in Sicht und gleich danach auch das Bollwerk
und die lange Häuserreihe mit Schiffen und Booten davor.
Und nun waren sie heran. Innstetten verabschiedete sich
von dem Kapitän und schritt auf den Steg zu, den man, be-
quemeren Aussteigens halber, herangerollt hatte. Wüllersdorf war schon da. Beide begrüßten sich, ohne zunächst
ein Wort zu sprechen, und gingen dann, quer über den
Damm, auf den Hoppensack'schen Gasthof zu, wo sie unter einem Zeltdach Platz nahmen.

»Ich habe mich gestern früh hier einquartiert«, sagte Wüllersdorf, der nicht gleich mit den Sachlichkeiten beginnen
wollte. »Wenn man bedenkt, dass Kessin ein Nest ist, ist es
erstaunlich, ein so gutes Hotel hier zu finden. Ich bezweifle
nicht, dass mein Freund, der Oberkellner, drei Sprachen
spricht; seinem Scheitel und seiner ausgeschnittnen Weste
nach können wir dreist auf vier rechnen ... Jean, bitte, wollen Sie uns Kaffee und Kognak bringen.«

Innstetten begriff vollkommen, warum Wüllersdorf diesen
Ton anschlug, war auch damit einverstanden, konnte aber
seiner Unruhe nicht ganz Herr werden und zog unwillkür-
lich die Uhr.

»Wir haben Zeit«, sagte Wüllersdorf. »Noch anderthalb Stunden oder doch beinah. Ich habe den Wagen auf 8¼ bestellt; wir fahren nicht länger als zehn Minuten.«

»Und wo?«

»Crampas schlug erst ein Waldeck vor, gleich hinter dem Kirchhof. Aber dann unterbrach er sich und sagte: ›Nein, da nicht.‹ Und dann haben wir uns über eine Stelle zwischen den Dünen geeinigt. Hart am Strand; die vorderste Düne hat einen Einschnitt, und man sieht aufs Meer.«

Innstetten lächelte. »Crampas scheint sich einen Schönheitspunkt ausgesucht zu haben. Er hatte immer die Allüren dazu. Wie benahm er sich?«

Allüren:
auffälliges
Auftreten

»Wundervoll.«

»Übermütig? Frivol?«

»Nicht das eine und nicht das andere. Ich bekenne Ihnen offen, Innstetten, dass es mich erschütterte. Als ich Ihren Namen nannte, wurde er totenblass und rang nach Fassung, und um seine Mundwinkel sah ich ein Zittern. Aber all' das dauerte nur einen Augenblick, dann hatte er sich wieder gefasst, und von da an war alles an ihm wehmütige Resignation. Es ist mir ganz sicher, er hat das Gefühl, aus der Sache nicht heil herauszukommen, und will auch nicht. Wenn ich ihn richtig beurteile, er lebt gern und ist zugleich gleichgültig gegen das Leben. Er nimmt alles mit und weiß doch, dass es nicht viel damit ist.«

Resignation:
Ergebenheit

»Wer wird ihm sekundieren? Oder sag' ich lieber, wen wird er mitbringen?«

sekundieren:
jmd. als Berater
und Zeuge bei
einem Duell
beistehen

»Das war, als er sich wieder gefunden hatte, seine Hauptsorge. Er nannte zwei, drei Adlige aus der Nähe, ließ sie dann aber wieder fallen, sie seien zu alt und zu fromm, er werde nach Treptow hin telegrafieren an seinen Freund Buddenbrook. Und der ist auch gekommen, famoser Mann, schneidig und doch zugleich wie ein Kind. Er konnte sich nicht beruhigen und ging in größter Erregung auf und ab. Aber als ich ihm alles gesagt hatte, sagte er geradeso wie wir: ›Sie haben recht, es muss sein!‹ «

Der Kaffee kam. Man nahm eine Zigarre, und Wüllersdorf war wieder darauf aus, das Gespräch auf mehr gleichgültige Dinge zu lenken.

»Ich wundere mich, dass keiner von den Kessinern sich einfindet, Sie zu begrüßen. Ich weiß doch, dass Sie sehr beliebt gewesen sind. Und nun gar Ihr Freund Gieshübler ...«

Innstetten lächelte. »Da verkennen Sie die Leute hier an der Küste; halb Philister und halb Pfiffici, nicht sehr nach meinem Geschmack; aber eine Tugend haben sie, sie sind alle sehr manierlich. Und nun gar mein alter Gieshübler. Natürlich weiß jeder, um was sich's handelt; aber eben deshalb hütet man sich, den Neugierigen zu spielen.«

Pfiffici:
hier Pfiffikus:
gewitzter Mensch

In diesem Augenblick wurde von links her ein zurückgeschlagener Chaisewagen sichtbar, der, weil es noch vor der bestimmten Zeit war, langsam herankam.

Chaisewagen:
Kutsche mit
zurückschlagba-
rem Halbverdeck

»Ist das unser?« fragte Innstetten.

»Mutmaßlich.«

Und gleich danach hielt der Wagen vor dem Hotel, und Innstetten und Wüllersdorf erhoben sich.

Wüllersdorf trat an den Kutscher heran und sagte: »Nach der Mole.«

Die Mole lag nach der entgegengesetzten Strandseite, rechts statt links, und die falsche Weisung wurde nur gegeben, um etwaigen Zwischenfällen, die doch immerhin möglich waren, vorzubeugen. Im Übrigen, ob man sich nun weiter draußen nach rechts oder links zu halten vorhatte, durch die Plantage musste man jedenfalls, und so führte denn der Weg unvermeidlich an Innstettens alter Wohnung vorüber. Das Haus lag noch stiller da als früher; ziemlich vernachlässigt sah's in den Parterreräumen aus; wie mocht es erst da oben sein! Und das Gefühl des Unheimlichen, das Innstetten an Effi so oft bekämpft oder auch wohl belächelt hatte, jetzt überkam es ihn selbst, und er war froh, als sie dran vorüber waren.

»Da hab' ich gewohnt«, sagte er zu Wüllersdorf.

»Es sieht sonderbar aus, etwas öd' und verlassen.«

»Mag auch wohl. In der Stadt galt es als ein Spukhaus, und wie's heute da liegt, kann ich den Leuten nicht unrecht geben.«

»Was war es denn damit?«

»Ach, dummes Zeug: alter Schiffskapitän mit Enkelin oder Nichte, die eines schönen Tages verschwand, und dann ein Chinese, der vielleicht ein Liebhaber war, und auf dem Flur ein kleiner Haifisch und ein Krokodil, beides an Strippen und immer in Bewegung. Wundervoll zu erzählen, aber nicht jetzt. Es spukt einem doch allerhand anderes im Kopf.«

Strippe: Schnur

»Sie vergessen, es kann auch alles glatt ablaufen.«

»Darf nicht. Und vorhin, Wüllersdorf, als Sie von Crampas sprachen, sprachen Sie selber anders davon.«

Bald danach hatte man die Plantage passiert, und der Kutscher wollte jetzt rechts einbiegen auf die Mole zu. »Fahren Sie lieber links. Das mit der Mole kann nachher kommen.« Und der Kutscher bog links in eine breite Fahrstraße ein, die hinter dem Herrenbade grad auf den Wald zulief. Als sie bis auf dreihundert Schritt an diesen heran waren, ließ Wüllersdorf den Wagen halten, und beide gingen nun, immer durch mahlenden Sand hin, eine ziemlich breite Fahrstraße hinunter, die die hier dreifache Dünenreihe senkrecht durchschnitt. Überall zur Seite standen dichte Büschel von Strandhafer, um diesen herum aber Immortellen und ein paar blutrote Nelken. Innstetten bückte sich und steckte sich eine der Nelken ins Knopfloch. »Die Immortellen nachher.«

mahlender Sand: körniger Sand, in dem man einsinkt

So gingen sie fünf Minuten. Als sie bis an die ziemlich tiefe Senkung gekommen waren, die zwischen den beiden vordersten Dünenreihen hinlief, sahen sie, nach links hin, schon die Gegenpartei: Crampas und Buddenbrook und mit ihnen den guten Dr. Hannemann, der seinen Hut in der Hand hielt, sodass das weiße Haar im Winde flatterte. Innstetten und Wüllersdorf gingen die Sandschlucht hinauf, Buddenbrook kam ihnen entgegen. Man begrüßte sich, worauf beide Sekundanten beiseite traten, um noch ein kurzes sachliches Gespräch zu führen. Es lief darauf hinaus, dass man à tempo avancieren und auf zehn Schritt Distanz feuern solle. Dann kehrte Buddenbrook an seinen Platz zurück; alles erledigte sich rasch; und die Schüsse fielen. Crampas stürzte.

Innstetten, einige Schritte zurücktretend, wandte sich ab von der Szene. Wüllersdorf aber war auf Buddenbrook zugeschritten, und beide warteten jetzt auf den Ausspruch des Doktors, der die Achseln zuckte. Zugleich deutete Crampas durch eine Handbewegung an, dass er etwas sagen wollte. Wüllersdorf beugte sich zu ihm nieder, nickte zustimmend zu den paar Worten, die kaum hörbar von des Sterbenden Lippen kamen, und ging dann auf Innstetten zu.

»Crampas will Sie noch sprechen, Innstetten. Sie müssen ihm zu Willen sein. Er hat keine drei Minuten Leben mehr.«

Innstetten trat an Crampas heran.

»Wollen Sie ...« Das waren seine letzten Worte.

Noch ein schmerzlicher und doch beinah freundlicher Schimmer in seinem Antlitz, und dann war es vorbei.

NEUNUNDZWANZIGSTES KAPITEL

Am Abend desselben Tages traf Innstetten wieder in Berlin ein. Er war mit dem Wagen, den er innerhalb der Dünen an dem Querwege zurückgelassen hatte, direkt nach der Bahnstation gefahren, ohne Kessin noch einmal zu berühren, dabei den beiden Sekundanten die Meldung an die Behörden überlassend. Unterwegs (er war allein im Coupé) hing er, alles noch mal überdenkend, dem Geschehenen nach; es waren dieselben Gedanken wie zwei Tage zuvor, nur dass sie jetzt den umgekehrten Gang gingen und mit der Überzeugtheit von seinem Recht und sei-

à tempo avancieren: gleichzeitig vorrücken

ner Pflicht anfingen, um mit Zweifeln daran aufzuhören. »Schuld, wenn sie überhaupt 'was ist, ist nicht an Ort und Stunde gebunden und kann nicht hinfällig werden von heute auf morgen. Schuld verlangt Sühne; das hat einen Sinn. Aber Verjährung ist etwas Halbes, etwas Schwächliches, zum Mindesten 'was Prosaisches.« Und er richtete sich an dieser Vorstellung auf und wiederholte sich's, dass es gekommen sei, wie's habe kommen müssen. Aber im selben Augenblicke, wo dies für ihn feststand, warf er's auch wieder um. »Es muss eine Verjährung geben, Verjährung ist das einzig Vernünftige; ob es nebenher auch noch prosaisch ist, ist gleichgültig; das Vernünftige ist meist prosaisch. Ich bin jetzt fünfundvierzig. Wenn ich die Briefe fünfundzwanzig Jahre später gefunden hätte, so wär ich siebzig. Dann hätte Wüllersdorf gesagt: ›Innstetten, seien Sie kein Narr.‹ Und wenn es Wüllersdorf nicht gesagt hätte, so hätt' es Buddenbrook gesagt, und wenn auch der nicht, so ich selbst. Dies ist mir klar. Treibt man etwas auf die Spitze, so übertreibt man und hat die Lächerlichkeit. Kein Zweifel. Aber wo fängt es an? Wo liegt die Grenze? Zehn Jahre verlangen noch ein Duell, und da heißt es Ehre, und nach elf Jahren oder vielleicht schon bei zehnundeinhalb heißt es Unsinn. Die Grenze, die Grenze. Wo ist sie? War sie da? War sie schon überschritten? Wenn ich mir seinen letzten Blick vergegenwärtige, resigniert und in seinem Elend doch noch ein Lächeln, so hieß der Blick: ›Innstetten, Prinzipienreiterei ... Sie konnten es mir ersparen und sich selber auch.‹ Und er hatte vielleicht recht. Mir klingt so 'was in der Seele. Ja, wenn ich voll tödlichem Hass gewesen wäre, wenn mir hier ein tiefes Rachegefühl gesessen hätte ... Rache ist nichts Schönes, aber 'was Menschliches und hat ein natürlich menschliches Recht. So aber war alles einer Vorstellung, einem Begriff zuliebe, war eine gemachte Geschichte, halbe Komödie. Und diese Komödie muss ich nun fortsetzen und muss Effi wegschicken und sie ruinieren und mich mit ... Ich musste die Briefe verbrennen, und die Welt durfte nie davon erfahren. Und wenn sie dann kam, ahnungslos, so musst' ich ihr sagen: ›Da ist Dein Platz‹, und musste mich innerlich von ihr scheiden. Nicht vor der Welt. Es gibt so viele Leben, die keine sind, und so viele Ehen, die keine sind ... dann war das Glück hin, aber ich hätte das Auge mit seinem Frageblicke und mit seiner stummen leisen Anklage nicht vor mir.«

Kurz vor zehn hielt Innstetten vor seiner Wohnung. Er stieg die Treppen hinauf und zog die Glocke; Johanna kam und öffnete.

»Wie steht es mit Annie?«

»Gut, gnäd'ger Herr. Sie schläft noch nicht ... Wenn der gnäd'ge Herr ...«

»Nein, nein, das regt sie bloß auf. Ich sehe sie lieber morgen früh. Bringen Sie mir ein Glas Tee, Johanna. Wer war hier?«

»Nur der Doktor.«

Und nun war Innstetten wieder allein. Er ging auf und ab, wie er's zu tun liebte. »Sie wissen schon alles; Roswitha ist dumm, aber Johanna ist eine kluge Person. Und wenn sie's nicht mit Bestimmtheit wissen, so haben sie sich's zurechtgelegt und wissen es doch. Es ist merkwürdig, was alles zum Zeichen wird und Geschichten ausplaudert, als wäre jeder mit dabei gewesen.«

Johanna brachte den Tee. Innstetten trank. Er war nach der Überanstrengung todmüde und schlief ein.

Innstetten war zu guter Zeit auf. Er sah Annie, sprach ein paar Worte mit ihr, lobte sie, dass sie eine gute Kranke sei, und ging dann aufs Ministerium, um seinem Chef von allem Vorgefallenen Meldung zu machen. Der Minister war sehr gnädig. »Ja, Innstetten, wohl dem, der aus allem, was das Leben uns bringen kann, heil herauskommt; Sie hat's getroffen.« Er fand alles, was geschehen, in der Ordnung und überließ Innstetten das Weitere.

Erst spätnachmittags war Innstetten wieder in seiner Wohnung, in der er ein paar Zeilen von Wüllersdorf vorfand. »Heute früh wieder eingetroffen. Eine Welt von Dingen erlebt: Schmerzliches, Rührendes; Gieshübler an der Spitze. Der liebenswürdigste Pucklige, den ich je gesehen. Von Ihnen sprach er nicht allzu viel, aber die Frau, die Frau! Er konnte sich nicht beruhigen, und zuletzt brach der kleine Mann in Tränen aus. Was alles vorkommt. Es wäre zu wünschen, dass es mehr Gieshübler gäbe. Es gibt aber mehr andere. Und dann die Szene im Hause des Majors ... furchtbar. Kein Wort davon. Man hat wieder 'mal gelernt: aufpassen. Ich sehe Sie morgen. Ihr W.«

Bucklige: Mensch mit einem krummen Rücken

Innstetten war ganz erschüttert, als er gelesen. Er setzte sich und schrieb seinerseits ein paar Briefe. Als er damit zu Ende war, klingelte er: »Johanna, die Briefe in den Kasten.« Johanna nahm die Briefe und wollte gehen.

»... Und dann, Johanna, noch eins: Die Frau kommt nicht wieder. Sie werden von anderen erfahren, warum nicht. Annie darf nichts wissen, wenigstens jetzt nicht. Das arme Kind. Sie müssen es ihr allmählich beibringen, dass sie keine Mutter mehr hat. Ich kann es nicht. Aber machen Sie's gescheit. Und dass Roswitha nicht alles verdirbt.«

Johanna stand einen Augenblick ganz wie benommen da. Dann ging sie auf Innstetten zu und küsste ihm die Hand. Als sie wieder draußen in der Küche war, war sie von Stolz und Überlegenheit ganz erfüllt, ja beinah' von Glück. Der gnädige Herr hatte ihr nicht nur alles gesagt, sondern am Schluss auch noch hinzugesetzt »und dass Roswitha nicht alles verdirbt.« Das war die Hauptsache, und ohne dass es ihr an gutem Herzen und selbst an Teilnahme mit der Frau gefehlt hätte, beschäftigte sie doch, über jedes andere hinaus, der Triumph einer gewissen Intimitätsstellung zum gnädigen Herrn.

Intimitätsstellung: Vertrauens-verhältnis

Unter gewöhnlichen Umständen wäre ihr denn auch die Herauskehrung und Geltendmachung dieses Triumphes ein Leichtes gewesen, aber heute traf sich's so wenig günstig für sie, dass ihre Rivalin, ohne Vertrauensperson gewesen zu sein, sich doch als die Eingeweihtere zeigen sollte. Der Portier unten hatte nämlich, so ziemlich um dieselbe Zeit, wo dies spielte, Roswitha in seine kleine Stube hineingerufen und ihr gleich beim Eintreten ein Zeitungsblatt zum Lesen zugeschoben. »Da, Roswitha, das ist 'was für Sie; Sie können es mir nachher wieder 'runterbringen. Es ist bloß das Fremdenblatt; aber Lene ist schon hin und holt das Kleine Journal. Da wird wohl schon mehr drinstehen; die wissen immer alles. Hören Sie, Roswitha, wer so 'was gedacht hätte.«

Roswitha, sonst nicht allzu neugierig, hatte sich doch nach dieser Ansprache so rasch wie möglich die Hintertreppe hinaufbegeben und war mit dem Lesen gerade fertig, als Johanna dazukam.

Diese legte die Briefe, die ihr Innstetten eben gegeben, auf den Tisch, überflog die Adressen oder tat wenigstens so (denn sie wusste längst, an wen sie gerichtet waren) und sagte mit gut erkünstelter Ruhe: »Einer ist nach Hohen-Cremmen.«

»Das kann ich mir denken«, sagte Roswitha.

Johanna war nicht wenig erstaunt über diese Bemerkung. »Der Herr schreibt sonst nie nach Hohen-Cremmen.«

»Ja, sonst. Aber jetzt … Denken Sie sich, das hat mir eben der Portier unten gegeben.«

Johanna nahm das Blatt und las nun halblaut eine mit einem dicken Tintenstrich markierte Stelle: »Wie wir kurz vor Redaktionsschluss von gut unterrichteter Seite her vernehmen, hat gestern früh in dem Badeort Kessin in Hinterpommern ein Duell zwischen dem Ministerialrat v. I. (Keithstraße) und dem Major von Crampas stattgefunden. Major von Crampas fiel. Es heißt, dass Beziehungen zwischen ihm und der Rätin, einer schönen und noch sehr jungen Frau, bestanden haben sollen.«

»Was solche Blätter auch alles schreiben«, sagte Johanna, die verstimmt war, ihre Neuigkeit überholt zu sehen.

Berliner Fremdenblatt: Berliner Zeitung, 1862 von Rudolf von Decker gegründet

Kleines Journal: Berliner Tageszeitung, 1879 gegründet; Berichterstattung über den Hof und gesellschaftliche Affären

»Ja«, sagte Roswitha. »Und das lesen nun die Menschen und verschimpfieren mir meine liebe, arme Frau. Und der arme Major. Nun ist er tot.«

»Ja, Roswitha, was denken Sie sich eigentlich? Soll er nicht tot sein? Oder soll lieber unser gnädiger Herr tot sein?«

»Nein, Johanna, unser gnäd'ger Herr, der soll auch leben, alles soll leben. Ich bin nicht für totschießen und kann nicht 'mal das Knallen hören. Aber bedenken Sie doch, Johanna, das ist ja nun schon eine halbe Ewigkeit her, und die Briefe, die mir gleich so sonderbar aussahen, weil sie die rote Strippe hatten und drei- oder viermal umwickelt und dann eingeknotet und keine Schleife – die sahen ja schon ganz gelb aus, so lange ist es her. Wir sind ja nun schon über sechs Jahre hier, und wie kann man wegen solcher alten Geschichten ...«

»Ach, Roswitha, Sie reden, wie Sie's verstehen. Und bei Licht besehen sind Sie schuld. Von den Briefen kommt es her. Warum kamen Sie mit dem Stemmeisen und brachen den Nähtisch auf, was man nie darf; man darf kein Schloss aufbrechen, was ein anderer zugeschlossen hat.«

»Aber, Johanna, das ist doch wirklich zu schlecht von Ihnen, mir so 'was auf den Kopf zuzusagen, und Sie wissen doch, dass Sie schuld sind und dass Sie wie närrisch in die Küche stürzten und mir sagten, der Nähtisch müsse aufgemacht werden, da wäre die Bandage drin, und da bin ich mit dem Stemmeisen gekommen, und nun soll ich schuld sein. Nein, ich sage ...«

»Nun, ich will es nicht gesagt haben, Roswitha. Nur, Sie sollen mir nicht kommen und sagen: der arme Major. Was heißt der arme Major! Der ganze arme Major taugte nichts; wer solchen rotblonden Schnurrbart hat und immer wribbelt, der taugt nie 'was und richtet bloß Schaden an. Und wenn man immer in vornehmen Häusern gedient hat ... aber das haben Sie nicht, Roswitha, das fehlt Ihnen eben ... dann weiß man auch, was sich passt und schickt und was Ehre ist, und weiß auch, dass, wenn so 'was vorkommt, dann geht es nicht anders, und dann kommt das, was man eine Forderung nennt, und dann wird einer totgeschossen.«

»Ach, das weiß ich auch; ich bin nicht so dumm, wie Sie mich immer machen wollen. Aber wenn es so lange her ist ...«

»Ja, Roswitha, mit Ihrem ewigen ›so lange her‹; daran sieht man ja eben, dass Sie nichts davon verstehen. Sie erzählen immer die alte Geschichte von Ihrem Vater mit dem glühenden Eisen und wie er damit auf Sie losgekommen, und jedes Mal, wenn ich einen glühenden Bolzen eintue, muss ich auch wirklich immer an Ihren Vater denken und sehe immer, wie er Sie wegen des Kindes, das ja nun tot ist, totmachen will. Ja, Roswitha, davon sprechen Sie in einem fort, und es fehlt bloß noch, dass Sie Anniechen auch die Geschichte erzählen, und wenn Anniechen eingesegnet wird, dann wird sie's auch gewiss erfahren, und vielleicht denselben Tag noch; und das ärgert mich, dass Sie das alles erlebt haben, und Ihr Vater war doch bloß ein Dorfschmied und hat Pferde beschlagen oder einen Radreifen gelegt, und nun kommen Sie und verlangen von unserm gnäd'gen Herrn, dass er sich das alles ruhig gefallen lässt, bloß weil es so lange her ist. Was heißt lange her? Sechs Jahre ist nicht lange her. Und unsre gnäd'ge Frau – die aber nicht wiederkommt, der gnäd'ge Herr hat es mir eben gesagt –, unsre gnäd'ge Frau wird erst sechsundzwanzig, und im August ist ihr Geburtstag, und da kommen Sie mir mit ›lange her‹. Und wenn sie sechsunddreißig wäre, ich sage Ihnen, bis sechsunddreißig muss man erst recht aufpassen, und wenn der gnäd'ge Herr nichts getan hätte, dann hätten ihn die vornehmen Leute ›geschnitten‹. Aber das Wort kennen Sie gar nicht, Roswitha, davon wissen Sie nichts.«

»Nein, davon weiß ich nichts, will auch nicht; aber das weiß ich, Johanna, dass Sie in den gnäd'gen Herrn verliebt sind.«

Johanna schlug eine krampfhafte Lache auf.

einsegnen: konfirmieren

Pferde beschlagen: ein Pferd mit Hufeisen beschlagen

Radreifen belegen: Holzräder mit einem dünnen Metallband ummanteln

jmd. schneiden: jede Begegnung vermeiden

»Ja, lachen Sie nur. Ich seh' es schon lange. Sie haben so 'was. Und ein Glück, dass unser gnäd'ger Herr keine Augen dafür hat ... Die arme Frau, die arme Frau.«

Johanna lag daran, Frieden zu schließen. »Lassen Sie's gut sein, Roswitha. Sie haben wieder Ihren Koller; aber ich weiß schon, den haben alle vom Lande.«

»Kann schon sein.«

»Ich will jetzt nur die Briefe forttragen und unten sehen, ob der Portier vielleicht schon die andere Zeitung hat. Ich habe doch recht verstanden, dass er Lene danach geschickt hat? Und es muss auch mehr darin stehen; das hier ist ja so gut wie gar nichts.«

Koller:
Gefühlsausbruch

DREISSIGSTES KAPITEL

Effi und die Geheimrätin Zwicker waren seit fast drei Wochen in Ems und bewohnten daselbst das Erdgeschoss einer reizenden kleinen Villa. In ihrem zwischen ihren zwei Wohnzimmern gelegenen gemeinschaftlichen Salon mit Blick auf den Garten stand ein Palisanderflügel, auf dem Effi dann und wann eine Sonate, die Zwicker dann und wann einen Walzer spielte; sie war ganz unmusikalisch und beschränkte sich im Wesentlichen darauf, für Niemann als Tannhäuser zu schwärmen.

Es war ein herrlicher Morgen; in dem kleinen Garten zwitscherten die Vögel, und aus dem angrenzenden Hause, drin sich ein »Lokal« befand, hörte man, trotz der frühen Stunde, bereits das Zusammenschlagen der Billardbälle. Beide Damen hatten ihr Frühstück nicht im Salon selbst, sondern auf einem ein paar Fuß hoch aufgemauerten und mit Kies bestreuten Vorplatz eingenommen, von dem aus drei Stufen nach dem Garten hinunterführten; die Markise, ihnen zu Häupten, war aufgezogen, um den Genuss der frischen Luft in nichts zu beschränken, und sowohl Effi wie die Geheimrätin waren ziemlich emsig bei ihrer Hand-

Palisanderflügel:
dem Klavier
ähnliches Musik-
instrument aus
schwerem
südamerikani-
schen Edelholz

Sonate:
musikalische
Komposition

Albert Niemann
(1831–1917):
Tenor an der
Berliner Hofoper

Tannhäuser und
*der Sängerkrieg
auf der Wartburg*
(1845):
romantische
Opern von
Richard Wagner

arbeit. Nur dann und wann wurden ein paar Worte gewechselt.

»Ich begreife nicht«, sagte Effi, »dass ich schon seit vier Tagen keinen Brief habe; er schreibt sonst täglich. Ob Annie krank ist? Oder er selbst?«

Die Zwicker lächelte: »Sie werden erfahren, liebe Freundin, dass er gesund ist, ganz gesund.«

Effi fühlte sich durch den Ton, in dem dies gesagt wurde, wenig angenehm berührt und schien antworten zu wollen, aber in ebendiesem Augenblicke trat das aus der Umgegend von Bonn stammende Hausmädchen, das sich von Jugend an daran gewöhnt hatte, die mannigfachsten Erscheinungen des Lebens an Bonner Studenten und Bonner Husaren zu messen, vom Salon her auf den Vorplatz hinaus, um hier den Frühstückstisch abzuräumen. Sie hieß Afra.

> mannigfach: vielfältig

»Afra«, sagte Effi, »es muss doch schon neun sein; war der Postbote noch nicht da?«

»Nein, noch nicht, gnäd'ge Frau.«

»Woran liegt es?«

»Natürlich an dem Postboten; er ist aus dem Siegenschen und hat keinen Schneid. Ich hab's ihm auch schon gesagt, das sei die ›reine Lodderei‹. Und wie ihm das Haar sitzt; ich glaube, er weiß gar nicht, was ein Scheitel ist.«

> aus dem Siegenschen: aus dem Raum Siegen
>
> Lodderei: *hier* Schlamperei

»Afra, Sie sind mal wieder zu streng. Denken Sie doch: Postbote, und so tagaus, tagein bei der ewigen Hitze ...«

»Ist schon recht, gnäd'ge Frau. Aber es gibt doch andere, die zwingen's; wo's drinsteckt, da geht es auch.« Und während sie noch so sprach, nahm sie das Tablett geschickt auf ihre fünf Fingerspitzen und stieg die Stufen hinunter, um durch den Garten hin den näheren Weg in die Küche zu nehmen.

»Eine hübsche Person«, sagte die Zwicker. »Und so quick und kasch, und ich möchte fast sagen, von einer natürlichen Anmut. Wissen Sie, liebe Baronin, dass mich diese

> quick und kasch: lebhaft und flink

Afra von
Augsburg:
Märtyrerin und
Schutzpatronin
von Augsburg

Afra ... übrigens ein wundervoller Name, und es soll sogar eine heilige Afra gegeben haben, aber ich glaube nicht, dass unsere davon abstammt ...«

»Und nun, liebe Geheimrätin, vertiefen Sie sich wieder in Ihr Nebenthema, das diesmal Afra heißt, und vergessen darüber ganz, was Sie eigentlich sagen wollten ...«

»Doch nicht, liebe Freundin, oder ich finde mich wenigstens wieder zurück. Ich wollte sagen, dass mich diese Afra ganz ungemein an die stattliche Person erinnert, die ich in Ihrem Hause ...«

»Ja, Sie haben recht. Es ist eine Ähnlichkeit da. Nur unser Berliner Hausmädchen ist doch erheblich hübscher und namentlich ihr Haar viel schöner und voller. Ich habe so schönes flachsenes Haar, wie unsere Johanna hat, überhaupt noch nicht gesehen. Ein bisschen davon sieht man ja wohl, aber solche Fülle ...«

Die Zwicker lächelte. »Das ist wirklich selten, dass man eine junge Frau mit solcher Begeisterung von dem flachsenen Haar ihres Hausmädchens sprechen hört. Und nun auch noch von der Fülle! Wissen Sie, dass ich das rührend finde? Denn eigentlich ist man doch bei der Wahl der Mädchen in einer beständigen Verlegenheit. Hübsch sollen sie sein, weil es jeden Besucher, wenigstens die Männer, stört,

Stakete:
Stange

grieser Teint:
grobe Gesichts-
haut

eine lange Stakete mit griesem Teint und schwarzen Rändern in der Türöffnung erscheinen zu sehen, und ein wahres Glück, dass die Korridore meistens so dunkel sind. Aber nimmt man wieder zu viel Rücksicht auf solche Hausrepräsentation und den so genannten ersten Eindruck, und

Tändelschürze:
Zierschürze mit
Spitzen

schenkt man wohl gar noch einer solchen hübschen Person eine weiße Tändelschürze nach der andern, so hat man eigentlich keine ruhige Stunde mehr und fragt sich, wenn man nicht zu eitel ist und nicht zu viel Vertrauen zu

Remedur:
Abhilfe

sich selber hat, ob da nicht Remedur geschaffen werden müsse. Remedur war nämlich ein Lieblingswort von Zwicker, womit er mich oft gelangweilt hat; aber freilich, alle Geheimräte haben solche Lieblingsworte.«

Effi hörte mit sehr geteilten Empfindungen zu. Wenn die Geheimrätin nur ein bisschen anders gewesen wäre, so hätte dies alles reizend sein können, aber da sie nun 'mal war, wie sie war, so fühlte sich Effi wenig angenehm von dem berührt, was sie sonst vielleicht einfach erheitert hätte.

»Das ist schon recht, liebe Freundin, was Sie da von den Geheimräten sagen. Innstetten hat sich auch dergleichen angewöhnt, lacht aber immer, wenn ich ihn darauf hin ansehe, und entschuldigt sich hinterher wegen der Aktenausdrücke. Ihr Herr Gemahl war freilich schon länger im Dienst und überhaupt wohl älter ...«

Aktenausdrücke: bürokratische Sprache

»Um ein Geringes«, sagte die Geheimrätin spitz und ablehnend.

»Und alles in allem kann ich mich in Befürchtungen, wie Sie sie aussprechen, nicht recht zurechtfinden. Das, was man gute Sitte nennt, ist doch immer noch eine Macht ...«

»Meinen Sie?«

Und ich kann mir namentlich nicht denken, dass es gerade Ihnen, liebe Freundin, beschieden gewesen sein solle, solche Sorgen und Befürchtungen durchzumachen. Sie haben, Verzeihung, dass ich diesen Punkt hier so offen berühre, gerade das, was die Männer einen ›Charme‹ nennen, Sie sind heiter, fesselnd, anregend, und wenn es nicht indiskret ist, so möcht' ich angesichts dieser Ihrer Vorzüge, wohl fragen dürfen, stützt sich das, was Sie da sagen, auf allerlei Schmerzliches, das Sie persönlich erlebt haben?«

»Schmerzliches?«, sagte die Zwicker. »Ach, meine liebe, gnädigste Frau, Schmerzliches, das ist ein zu großes Wort, auch dann noch, wenn man vielleicht wirklich manches erlebt hat. Schmerzlich ist einfach zu viel, viel zu viel. Und dann hat man doch schließlich auch seine Hülfsmittel und Gegenkräfte. Sie dürfen dergleichen nicht zu tragisch nehmen.«

»Ich kann mir keine rechte Vorstellung von dem machen, was Sie anzudeuten belieben. Nicht, als ob ich nicht wüsste, was Sünde sei, das weiß ich auch; aber es ist doch ein Unterschied, ob man so hineingerät in allerlei schlechte Gedanken oder ob einem derlei Dinge zur halben oder auch wohl zur ganzen Lebensgewohnheit werden. Und nun gar im eigenen Hause ...«

»Davon will ich nicht sprechen, das will ich nicht so direkt gesagt haben, obwohl ich, offen gestanden, auch nach dieser Seite hin voller Misstrauen bin oder, wie ich jetzt sagen muss, war; denn es liegt ja alles zurück. Aber da gibt es Außengebiete. Haben Sie von Landpartien gehört?«

Landpartien: Ausflüge aufs Land

»Gewiss. Und ich wollte wohl, Innstetten hätte mehr Sinn dafür ...«

»Überlegen Sie sich das, liebe Freundin. Zwicker saß immer in Saatwinkel. Ich kann Ihnen nur sagen, wenn ich das Wort höre, gibt es mir noch jetzt einen Stich ins Herz. Überhaupt diese Vergnügungsörter in der Umgegend unseres lieben, alten Berlin! Denn ich liebe Berlin trotz alledem. Aber schon die bloßen Namen der dabei in Frage kommenden Ortschaften umschließen eine Welt von Angst und Sorge. Sie lächeln. Und doch, sagen Sie selbst, liebe Freundin, was können Sie von einer großen Stadt und ihren Sittlichkeitszuständen erwarten, wenn Sie beinah' unmittelbar vor den Toren derselben (denn zwischen Charlottenburg und Berlin ist kein rechter Unterschied mehr), auf kaum tausend Schritte zusammengedrängt, einem Pichelsberg, einem Pichelsdorf und einem Pichelswerder begegnen. Dreimal Pichel ist zu viel. Sie können die ganze Welt absuchen, das finden Sie nicht wieder.«

Saatwinkel: Ausflugsort an der Havel, nahe Berlin-Tegel

Sittlichkeit: Anstand

Pichelsberg, Pichelsdorf, Pichelswerder: beliebte Ausflugsziele für Berliner

Pichel: Wortspiel in Bezug auf »picheln«: trinken

Effi nickte.

»Und das alles«, fuhr die Zwicker fort, »geschieht am grünen Holz der Havelseite. Das alles liegt nach Westen zu, da haben Sie Kultur und höhere Gesittung. Aber nun gehen Sie, meine Gnädigste, nach der anderen Seite hin, die Spree hinauf. Ich spreche nicht von Treptow und Stralau, das sind Bagatellen, Harmlosigkeiten, aber wenn Sie die Spezialkarte zur Hand nehmen wollen, da begegnen Sie neben

Bagatelle: Kleinigkeit

mindestens sonderbaren Namen wie Kiekebusch, wie Wuhlheide ... Sie hätten hören sollen, wie Zwicker das Wort aussprach ... Namen von geradezu brutalem Charakter, mit denen ich Ihr Ohr nicht verletzen will. Aber natürlich sind das gerade die Plätze, die bevorzugt werden. Ich hasse diese Landpartieen, die sich das Volksgemüt als eine Kremserpartie mit ›Ich bin ein Preuße‹ vorstellt, in Wahrheit aber schlummern hier die Keime einer sozialen Revolution. Wenn ich sage soziale Revolution, so meine ich natürlich moralische Revolution, alles andere ist bereits wieder überholt, und schon Zwicker sagte mir noch in seinen letzten Tagen: ›Glaube mir, Sophie, Saturn frisst seine Kinder.‹ Und Zwicker, welche Mängel und Gebrechen er haben mochte, das bin ich ihm schuldig, er war ein philosophischer Kopf und hatte ein natürliches Gefühl für historische Entwickelung ... Aber ich sehe, meine liebe Frau von Innstetten, so artig sie sonst ist, hört nur noch mit halbem Ohr zu; natürlich, der Postbote hat sich drüben blicken lassen, und da fliegt denn das Herz hinüber und nimmt die Liebesworte vorweg aus dem Brief heraus ... Nun, Böselager, was bringen Sie?«

Der Angeredete war mittlerweile bis an den Tisch herangetreten und packte aus: mehrere Zeitungen, zwei Friseuranzeigen und zuletzt auch einen großen eingeschriebenen Brief an Frau Baronin von Innstetten, geb. von Briest.

Die Empfängerin unterschrieb, und nun ging der Postbote wieder. Die Zwicker aber überflog die Friseuranzeigen und lachte über die Preisermäßigung von Shampooing.

Effi hörte nicht hin; sie drehte den ihrerseits empfangenen Brief zwischen den Fingern und hatte eine ihr unerkläriche Scheu, ihn zu öffnen. Eingeschrieben und mit zwei großen Siegeln und ein dickes Kuvert. Was bedeutete das? Poststempel: »Hohen-Cremmen«, und die Adresse von der Handschrift der Mutter. Von Innstetten, es war der fünfte Tag, keine Zeile.

Kremserpartie:
einen Ausflug mit einer mietbaren Kutsche

Saturn frisst seine Kinder:
der Sage nach hat Saturn seine Kinder verschlungen, da ihm prophezeit wurde, dass diese ihn töten sollten; Zitat aus dem Drama *Dantons Tod* (1835) von Georg Büchner

Böselager:
Name des Postboten

Shampooing:
Haarwäschen

Stickschere:
kleine spitze
Schere für Stick-
arbeiten

Sie nahm eine Stickschere mit Perlmuttergriff und schnitt die Längsseite des Briefes langsam auf. Und nun harrte ihrer eine neue Überraschung. Der Briefbogen, ja, das waren eng geschriebene Zeilen von der Mama, darin eingelegt aber waren Geldscheine mit einem breiten Papierstreifen drumherum, auf dem mit Rotstift, und zwar von des Vaters Hand, der Betrag der eingelegten Summe verzeichnet war. Sie schob das Konvolut zurück und begann zu lesen, während sie sich in den Schaukelstuhl zurücklehnte. Aber sie kam nicht weit, die Zeilen entfielen ihr, und aus ihrem Gesicht war alles Blut fort. Dann bückte sie sich und nahm den Brief wieder auf. »Was ist Ihnen, liebe Freundin? Schlechte Nachrichten?«

Effi nickte, gab aber weiter keine Antwort und bat nur, ihr ein Glas Wasser reichen zu wollen. Als sie getrunken, sagte sie: »Es wird vorübergehen, liebe Geheimrätin, aber ich möchte mich doch einen Augenblick zurückziehen ... Wenn Sie mir Afra schicken könnten.«

Und nun erhob sie sich und trat in den Salon zurück, wo sie sichtlich froh war, einen Halt gewonnen und sich an dem Palisanderflügel entlangfühlen zu können. So kam sie bis an ihr nach rechts hin gelegenes Zimmer, und als sie hier, tappend und suchend, die Tür geöffnet und das Bett an der Wand gegenüber erreicht hatte, brach sie ohnmächtig zusammen.

EINUNDDREISSIGSTES KAPITEL

Minuten vergingen. Als Effi sich wieder erholt hatte, setzte sie sich auf einen am Fenster stehenden Stuhl und sah auf die stille Straße hinaus. Wenn da doch Lärm und Streit gewesen wäre; aber nur der Sonnenschein lag auf dem chaussierten Wege und dazwischen die Schatten, die das Gitter und die Bäume warfen. Das Gefühl des Alleinseins in der Welt überkam sie mit seiner ganzen

Schwere. Vor einer Stunde noch eine glückliche Frau, Liebling aller, die sie kannten, und nun ausgestoßen. Sie hatte nur erst den Anfang des Briefes gelesen, aber genug, um ihre Lage klar vor Augen zu haben. Wohin? Sie hatte keine Antwort darauf, und doch war sie voll tiefer Sehnsucht, aus dem herauszukommen, was sie hier umgab, also fort von dieser Geheimrätin, der das alles bloß ein »interessanter Fall« war, und deren Teilnahme, wenn etwas davon existierte, sicher an das Maß ihrer Neugier nicht heranreichte.

»Wohin?«

Auf dem Tische vor ihr lag der Brief; aber ihr fehlte der Mut, weiterzulesen. Endlich sagte sie: »Wovor bange ich mich noch? Was kann noch gesagt werden, das ich mir nicht schon selber sagte? Der, um den all' dies kam, ist tot, eine Rückkehr in mein Haus gibt es nicht, in ein paar Wochen wird die Scheidung ausgesprochen sein, und das Kind wird man dem Vater lassen. Natürlich. Ich bin schuldig, und eine Schuldige kann ihr Kind nicht erziehen. Und wovon auch? Mich selbst werde ich wohl durchbringen. Ich will sehen, was die Mama darüber schreibt, wie sie sich mein Leben denkt.«

Und unter diesen Worten nahm sie den Brief wieder, um auch den Schluss zu lesen.

»... Und nun Deine Zukunft, meine liebe Effi. Du wirst Dich auf Dich selbst stellen müssen und darfst dabei, soweit äußere Mittel mitsprechen, unserer Unterstützung sicher sein. Du wirst am besten in Berlin leben (in einer großen Stadt vertut sich dergleichen am besten) und wirst da zu den vielen gehören, die sich um freie Luft und lichte Sonne gebracht haben. Du wirst einsam leben, und wenn Du das nicht willst, wahrscheinlich aus Deiner Sphäre herabsteigen müssen. Die Welt, in der Du gelebt hast, wird Dir verschlossen sein. Und was das Traurigste für uns und für Dich ist (auch für Dich, wie wir Dich zu kennen vermeinen) – auch das elterliche Haus wird Dir verschlossen sein, wir können Dir keinen stillen Platz in Hohen-Cremmen

vertun:
hier in Vergessenheit geraten

anbieten, keine Zuflucht in unserem Hause, denn es hieße das, dies Haus von aller Welt abschließen, und das zu tun, sind wir entschieden nicht geneigt. Nicht weil wir zu sehr an der Welt hingen und ein Abschiednehmen von dem, was sich ›Gesellschaft‹ nennt, uns als etwas unbedingt Unerträgliches erschiene; nein, nicht deshalb, sondern einfach, weil wir Farbe bekennen, und vor aller Welt, ich kann Dir das Wort nicht ersparen, unsere Verurteilung Deines Tuns, des Tuns unseres einzigen und von uns so sehr geliebten Kindes, aussprechen wollen ...«

Effi konnte nicht weiterlesen; ihre Augen füllten sich mit Tränen, und nachdem sie vergeblich dagegen angekämpft hatte, brach sie zuletzt in ein heftiges Schluchzen und Weinen aus, darin sich ihr Herz erleichterte.

Nach einer halben Stunde klopfte es, und auf Effis »Herein« erschien die Geheimrätin.

»Darf ich eintreten?«

»Gewiss, liebe Geheimrätin«, sagte Effi, die jetzt, leicht zugedeckt und die Hände gefaltet, auf dem Sofa lag. »Ich bin erschöpft und habe mich hier eingerichtet, so gut es ging. Darf ich Sie bitten, sich einen Stuhl zu nehmen.«

Die Geheimrätin setzte sich so, dass der Tisch, mit einer Blumenschale darauf, zwischen ihr und Effi war. Effi zeigte keine Spur von Verlegenheit und änderte nichts in ihrer Haltung, nicht einmal die gefalteten Hände. Mit einem Male war es ihr vollkommen gleichgültig, was die Frau dachte; nur fort wollte sie.

»Sie haben eine traurige Nachricht empfangen, liebe gnädigste Frau ...«

»Mehr als traurig«, sagte Effi. »Jedenfalls traurig genug, um unserem Beisammensein ein rasches Ende zu machen. Ich muss noch heute fort.«

»Ich möchte nicht zudringlich erscheinen, aber ist es etwas mit Annie?«

»Nein, nicht mit Annie. Die Nachrichten kamen überhaupt nicht aus Berlin, es waren Zeilen meiner Mama. Sie hat Sorgen um mich, und es liegt mir daran, sie zu zerstreuen, oder wenn ich das nicht kann, wenigstens an Ort und Stelle zu sein.«

»Mir nur zu begreiflich, so sehr ich es beklage, diese letzten Emser Tage nun ohne Sie verbringen zu sollen. Darf ich Ihnen meine Dienste zur Verfügung stellen?«

Ehe Effi darauf antworten konnte, trat Afra ein und meldete, dass man sich eben zum Lunch versammle. Die Herrschaften seien alle sehr in Aufregung: Der Kaiser käme wahrscheinlich auf drei Wochen, und am Schluss seien große Manöver, und die Bonner Husaren kämen auch.

Die Zwicker überschlug sofort, ob es sich verlohnen würde, bis dahin zu bleiben, kam zu einem entschiedenen »Ja« und ging dann, um Effis Ausbleiben beim Lunch zu entschuldigen.

Als gleich danach auch Afra gehen wollte, sagte Effi: »Und dann, Afra, wenn Sie frei sind, kommen Sie wohl noch eine Viertelstunde zu mir, um mir beim Packen behülflich zu sein. Ich will heute noch mit dem Sieben-Uhr-Zuge fort.«

»Heute noch? Ach, gnädigste Frau, das ist doch aber schade. Nun fangen ja die schönen Tage erst an.«

Effi lächelte.

Die Zwicker, die noch allerlei zu hören hoffte, hatte sich nur mit Mühe bestimmen lassen, der »Frau Baronin« beim Abschied nicht das Geleit zu geben. »Auf einem Bahnhofe«, so hatte Effi versichert, »sei man immer so zerstreut und nur mit seinem Platz und seinem Gepäck beschäftigt; gerade Personen, die man lieb habe, von denen nähme man gern vorher Abschied.« Die Zwicker bestätigte das, trotzdem sie das Vorgeschützte darin sehr wohl heraushühlte; sie hatte hinter allen Türen gestanden und wusste gleich, was echt und unecht war.

Afra begleitete Effi zum Bahnhof und ließ sich fest versprechen, dass die Frau Baronin im nächsten Sommer wiederkommen wolle; wer 'mal in Ems gewesen, der komme immer wieder. Ems sei das Schönste, außer Bonn.

Die Zwicker hatte sich mittlerweile zum Briefschreiben
niedergesetzt, nicht an dem etwas wackligen Rokokosekretär im Salon, sondern draußen auf der Veranda, an demselben Tisch, an dem sie kaum zehn Stunden zuvor mit Effi
das Frühstück genommen hatte.

Sie freute sich auf den Brief, der einer befreundeten, zurzeit
in Reichenhall weilenden Berliner Dame zugutekommen
sollte. Beider Seelen hatten sich längst gefunden und gip-
felten in einer der ganzen Männerwelt geltenden starken
Skepsis; sie fanden die Männer durchweg weit zurückblei-
bend hinter dem, was billigerweise gefordert werden könne, die so genannten »forschen« am meisten. »Die, die vor
Verlegenheit nicht wissen, wo sie hinsehen sollen, sind,
nach einem kurzen Vorstudium, immer noch die Besten,
aber die eigentlichen Don Juans erweisen sich jedes Mal
als eine Enttäuschung. Wo soll es am Ende auch herkommen.« Das waren so Weisheitssätze, die zwischen den zwei
Freundinnen ausgetauscht wurden.

Die Zwicker war schon auf dem zweiten Bogen und fuhr in
ihrem mehr als dankbaren Thema, das natürlich »Effi«
hieß, eben wie folgt fort: »Alles in allem war sie sehr zu leiden, artig, anscheinend offen, ohne jeden Adelsdünkel
(oder doch groß in der Kunst, ihn zu verbergen) und immer
interessiert, wenn man ihr etwas Interessantes erzählte,
wovon ich, wie ich Dir nicht zu versichern brauche, den
ausgiebigsten Gebrauch machte. Nochmals also, reizende
junge Frau, fünfundzwanzig oder nicht viel mehr. Und
doch hab' ich dem Frieden nie getraut und traue ihm auch
in diesem Augenblicke noch nicht, ja, jetzt vielleicht am
wenigsten. Die Geschichte heute mit dem Briefe – da
steckt eine wirkliche Geschichte dahinter. Dessen bin ich
so gut wie sicher. Es wäre das erste Mal, dass ich mich in

Rokokosekretär:
Schreibtisch aus
der Zeit des
Rokoko (18. Jh.)

billigerweise:
berechtigt

Dünkel:
Hochmut

solcher Sache geirrt hätte. Dass sie mit Vorliebe von den Berliner Modepredigern sprach und das Maß der Gottseligkeit jedes Einzelnen feststellte, dass und der gelegentliche Gretchenblick, der jedes Mal versicherte, kein Wässerchen trüben zu können – alle diese Dinge haben mich in meinem Glauben ... Aber da kommt eben unsere Afra, von der ich Dir, glaub' ich, schon schrieb, eine hübsche Person, und packt mir ein Zeitungsblatt auf den Tisch, das ihr, wie sie sagt, unsere Frau Wirtin für mich gegeben habe; die blau angestrichene Stelle. Nun verzeih', wenn ich diese Stelle erst lese ...

Nachschrift. Das Zeitungsblatt war interessant genug und kam wie gerufen. Ich schneide die blau angestrichene Stelle heraus und lege sie diesen Zeilen bei. Du siehst daraus, dass ich mich nicht geirrt habe. Wer mag nur der Crampas sein? Es ist unglaublich – erst selber Zettel und Briefe schreiben und dann auch noch die des anderen aufbewahren! Wozu gibt es Öfen und Kamine? So lange wenigstens wie dieser Duellunsinn noch existiert, darf dergleichen nicht vorkommen; einem kommenden Geschlechte kann diese Briefschreibepassion (weil dann gefahrlos geworden) vielleicht freigegeben werden. Aber so weit sind wir noch lange nicht. Übrigens bin ich voll Mitleid mit der jungen Baronin und finde, eitel wie man nun 'mal ist, meinen einzigen Trost darin, mich in der Sache selbst nicht getäuscht zu haben. Und der Fall lag nicht so ganz gewöhnlich. Ein schwächerer Diagnostiker hätte sich doch vielleicht hinters Licht führen lassen.

Wie immer

Deine Sophie.«

Gottseligkeit: Frömmigkeit

Gretchenblick: Anspielung auf *Faust I* von Goethe: »Wie sie die Augen niederschlägt.«

Diagnostiker: jmd., der einen Krankheitsbefund erkennt

Drei Jahre waren vergangen, und Effi bewohnte seit fast ebenso langer Zeit eine kleine Wohnung in der Königgrätzer Straße, zwischen Askanischem Platz und Halleschem Tor: ein Vorder- und Hinterzimmer, und hinter diesem die Küche mit Mädchengelass, alles so durchschnittsmäßig und alltäglich wie nur möglich. Und doch war es eine apart hübsche Wohnung, die jedem, der sie sah, angenehm auffiel, am meisten vielleicht dem alten Geheimrat Rummschüttel, der, dann und wann vorsprechend, der armen jungen Frau nicht bloß die nun weit zurückliegende Rheumatismus- und Neuralgie-Komödie, sondern auch alles, was seitdem sonst noch vorgekommen war, längst verziehen hatte, wenn es für ihn der Verzeihung überhaupt bedurfte. Denn Rummschüttel kannte noch ganz anderes. Er war jetzt ausgangs siebzig, aber wenn Effi, die seit einiger Zeit ziemlich viel kränkelte, ihn brieflich um seinen Besuch bat, so war er am anderen Vormittag auch da und wollte von Entschuldigungen, dass es so hoch sei, nichts wissen. »Nur keine Entschuldigungen, meine liebe gnädigste Frau; denn erstens ist es mein Metier, und zweitens bin ich glücklich und beinahe stolz, die drei Treppen so gut noch steigen zu können. Wenn ich nicht fürchten müsste, Sie zu belästigen – denn ich komme doch schließlich als Arzt und nicht als Naturfreund und Landschaftsschwärmer –, so käme ich wohl noch öfter, bloß um Sie zu sehen und mich hier etliche Minuten an Ihr Hinterfenster zu setzen. Ich glaube, Sie würdigen den Ausblick nicht genug.«

»O doch, doch«, sagte Effi; Rummschüttel aber ließ sich nicht stören und fuhr fort: »Bitte, meine gnädigste Frau, treten Sie hier heran, nur einen Augenblick, oder erlauben Sie mir, dass ich Sie bis an das Fenster führe. Wieder ganz herrlich heute. Sehen Sie doch nur die verschiedenen Bahndämme, drei, nein, vier, und wie es beständig darauf

Mädchengelass: enger Raum für ein Hausmädchen

ausgangs siebzig: Ende siebzig

Metier: Aufgabengebiet

hin und her gleitet ... und nun verschwindet der Zug da wieder hinter einer Baumgruppe. Wirklich herrlich. Und wie die Sonne den weißen Rauch durchleuchtet! Wäre der Matthäikirchhof nicht unmittelbar dahinter, so wäre es ideal.«

»Ich sehe gern Kirchhöfe.«

»Ja, Sie dürfen das sagen. Aber unserein! Unsereinem kommt unabweislich immer die Frage, könnten hier nicht vielleicht einige weniger liegen? Im Übrigen, meine gnädigste Frau, bin ich mit Ihnen zufrieden und beklage nur, dass Sie von Ems nichts wissen wollen; Ems, bei Ihren katarrhalischen Affektionen, würde Wunder ...«

Effi schwieg.

»Ems würde Wunder tun. Aber da Sie's nicht mögen (und ich finde mich darin zurecht), so trinken Sie den Brunnen hier. In drei Minuten sind Sie im Prinz Albrecht'schen Garten, und wenn auch die Musik und die Toiletten und all' die Zerstreuungen einer regelrechten Brunnenpromenade fehlen, der Brunnen selbst ist doch die Hauptsache.«

Effi war einverstanden, und Rummschüttel nahm Hut und Stock. Aber er trat noch einmal an das Fenster heran. »Ich höre von einer Terrassierung des Kreuzbergs sprechen, Gott segne die Stadtverwaltung, und wenn dann erst die kahle Stelle dahinten mehr in Grün stehen wird ... Eine reizende Wohnung. Ich könnte Sie fast beneiden ... Und was ich schon längst einmal sagen wollte, meine gnädige Frau, Sie schreiben mir immer einen so liebenswürdigen Brief. Nun, wer freute sich dessen nicht? Aber es ist doch jedes Mal eine Mühe ... Schicken Sie mir doch einfach Roswitha.«

Effi dankte ihm, und so schieden sie.

»Schicken Sie mir doch einfach Roswitha ...«, hatte Rummschüttel gesagt. Ja, war denn Roswitha bei Effi? War sie denn statt in der Keith- in der Königgrätzerstraße? Gewiss war sie's, und zwar sehr lange schon, gerade so lange, wie

Marginal notes:

Matthäikirchhof: Friedhof in Berlin-Schöneberg

den Brunnen: *hier* Mineralwasser

Terrassierung des Kreuzbergs: Unterbauung des Kreuzbergs (im Süden von Berlin) mit Stufen

Effi selbst in der Königgrätzerstraße wohnte. Schon drei Tage vor diesem Einzug hatte sich Roswitha bei ihrer lieben gnädigen Frau sehen lassen, und das war ein großer Tag für beide gewesen, so sehr, dass dieses Tages hier noch nachträglich gedacht werden muss.

Effi hatte damals, als der elterliche Absagebrief aus Hohen-Cremmen kam und sie mit dem Abendzuge von Ems nach Berlin zurückkreiste, nicht gleich eine selbstständige Wohnung genommen, sondern es mit einem Unterkommen in einem Pensionate versucht. Es war ihr damit auch leidlich geglückt. Die beiden Damen, die dem Pensionate vorstanden, waren gebildet und voll Rücksicht und hatten es längst verlernt, neugierig zu sein. Es kam da so vieles zusammen, dass ein Eindringenwollen in die Geheimnisse jedes Einzelnen viel zu umständlich gewesen wäre. Dergleichen hinderte nur den Geschäftsgang. Effi, die die mit den Augen angestellten Kreuzverhöre der Zwicker noch in Erinnerung hatte, fühlte sich denn auch von dieser Zurückhaltung der Pensionsdamen sehr angenehm berührt, als aber vierzehn Tage vorüber waren, empfand sie doch deutlich, dass die hier herrschende Gesamtatmosphäre, die physische wie die moralische, nicht wohl ertragbar für sie sei. Bei Tisch waren sie meist zu sieben, und zwar außer Effi und der einen Pensionsvorsteherin (die andere leitete draußen das Wirtschaftliche) zwei die Hochschule besuchende Engländerinnen, eine adelige Dame aus Sachsen, eine sehr hübsche galizische Jüdin, von der niemand wusste, was sie eigentlich vorhatte, und eine Kantorstochter aus Polzin in Pommern, die Malerin werden wollte. Das war eine schlimme Zusammensetzung, und die gegenseitigen Überheblichkeiten, bei denen die Engländerinnen merkwürdigerweise nicht absolut obenan standen, sondern mit der vom höchsten Malergefühl erfüllten Polzinerin um die Palme rangen, waren unerquicklich; dennoch wäre Effi, die sich passiv verhielt, über den Druck, den diese geistige Atmosphäre übte, hinweggekommen, wenn nicht, rein phy-

Pensionat:
hier private Zimmervermietung

physisch: körperlich

die Hochschule besuchende […]: als Gasthörerinnen an der Universität

Palme: Auszeichnung

sisch und äußerlich, die sich hinzugesellende Pensionsluft gewesen wäre. Woraus sich diese eigentlich zusammensetzte, war vielleicht überhaupt unerforschlich, aber dass sie der sehr empfindlichen Effi den Atem raubte, war nur zu gewiss, und so sah sie sich, aus diesem äußerlichen Grunde, sehr bald schon zur Aus- und Umschau nach einer anderen Wohnung gezwungen, die sie denn auch in verhältnismäßiger Nähe fand. Es war dies die vorgeschilderte Wohnung in der Königgrätzerstraße. Sie sollte dieselbe zu Beginn des Herbstvierteljahres beziehen, hatte das Nötige dazu beschafft und zählte während der letzten Septembertage die Stunden bis zur Erlösung aus dem Pensionat.

An einem dieser letzten Tage – sie hatte sich eine Viertelstunde zuvor aus dem Esszimmer zurückgezogen und gedachte sich eben auf einem mit einem großblumigen Wollstoff überzogenen Seegras-Sofa auszuruhen – wurde leise an ihre Tür geklopft.

»Herein.«

Das eine Hausmädchen, eine kränklich aussehende Person von Mitte dreißig, die, durch beständigen Aufenthalt auf dem Korridor des Pensionats, den hier lagernden Dunstkreis überallhin in ihren Falten mitschleppte, trat ein und sagte: »Die gnädige Frau möchte entschuldigen, aber es wolle sie jemand sprechen.«

»Wer?«

»Eine Frau.«

»Und hat sie ihren Namen genannt?«

»Ja, Roswitha.«

Und siehe da, kaum dass Effi diesen Namen gehört hatte, so schüttelte sie den Halbschlaf von sich ab und sprang auf und lief auf den Korridor hinaus, um Roswitha bei beiden Händen zu fassen und in ihr Zimmer zu ziehen.

»Roswitha. Du. Ist das eine Freude. Was bringst Du? Natürlich 'was Gutes. Ein so gutes altes Gesicht kann nur was Gutes bringen. Ach, wie glücklich ich bin, ich könnte Dir einen Kuss geben; ich hätte nicht gedacht, dass ich noch

Seegras: grasähnliche Pflanze; wird getrocknet zur Polsterung von Möbeln benutzt

solche Freude haben könnte. Mein gutes altes Herz, wie geht es Dir denn? Weißt Du noch, wie's damals war, als der Chinese spukte? Das waren glückliche Zeiten. Ich habe damals gedacht, es wären unglückliche, weil ich das Harte des Lebens noch nicht kannte. Seitdem habe ich es kennen gelernt. Ach, Spuk ist lange nicht das Schlimmste! Komm, meine gute Roswitha, komm, setz Dich hier zu mir und erzähle mir ... Ach, ich habe solche Sehnsucht. Was macht Annie?«

Roswitha konnte kaum reden und sah sich in dem sonderbaren Zimmer um, dessen grau und verstaubt aussehende Wände in schmale Goldleisten gefasst waren. Endlich aber fand sie sich und sagte, dass der gnädige Herr nun wieder aus Glatz zurück sei; der alte Kaiser habe gesagt, »sechs Wochen in solchem Falle sei gerade genug«, und auf den Tag, wo der gnädige Herr wieder da sein würde, darauf habe sie bloß gewartet, wegen Annie, die doch eine Aufsicht haben müsse. Denn Johanna sei wohl eine sehr propre Person, aber sie sei doch noch zu hübsch und beschäftige sich noch zu viel mit sich selbst und denke vielleicht Gott weiß was alles. Aber nun, wo der gnädige Herr wieder aufpassen und in allem nach dem Rechten sehen könne, da habe sie sich's doch antun wollen und 'mal sehen, wie's der gnädigen Frau gehe ...

»Das ist recht, Roswitha ...«

Und habe 'mal sehen wollen, ob der gnädigen Frau was fehle und ob sie sie vielleicht brauche, dann wolle sie gleich hierbleiben und beispringen und alles machen und dafür sorgen, dass es der gnädigen Frau wieder gut ginge.

Effi hatte sich in die Sofaecke zurückgelehnt und die Augen geschlossen. Aber mit eins richtete sie sich auf und sagte: »Ja, Roswitha, was Du da sagst, das ist ein Gedanke; das ist 'was. Denn Du musst wissen, ich bleibe hier nicht in dieser Pension, ich habe da weiterhin eine Wohnung gemietet und auch Einrichtung besorgt und in drei Tagen will ich da einziehen. Und wenn ich da mit Dir ankäme

Glatz: Kreisstadt im damaligen Regierungsbezirk Breslau mit Gefängnis

der alte Kaiser habe gesagt [...]: Dauer der für Innstetten verhängten Festungshaft für die Erschießung von Crampas

proper: gepflegt

und zu Dir sagen könnte: ›Nein, Roswitha, da nicht, der Schrank muss dahin und der Spiegel da‹, ja, das wäre 'was, das sollte mir schon gefallen. Und wenn wir dann müde von all' der Plackerei wären, dann sagte ich: ›Nun, Roswitha, gehe da hinüber und hole uns eine Karaffe Spatenbräu, denn wenn man gearbeitet hat, dann will man doch auch trinken, und wenn Du kannst, so bring' uns auch etwas Gutes aus dem Habsburger Hof mit, Du kannst ja das Geschirr nachher wieder herüberbringen‹ – ja, Roswitha, wenn ich mir das denke, da wird mir ordentlich leichter ums Herz. Aber ich muss Dich doch fragen, hast Du Dir auch alles überlegt? Von Annie will ich nicht sprechen, an der Du doch hängst, sie ist ja fast wie Dein eigen Kind, – aber trotzdem, für Annie wird schon gesorgt werden, und die Johanna hängt ja auch an ihr. Also davon nichts. Aber bedenke, wie sich alles verändert hat, wenn Du wieder zu mir willst. Ich bin nicht mehr wie damals; ich habe jetzt eine ganz kleine Wohnung genommen, und der Portier wird sich wohl nicht sehr um Dich und um mich bemühen. Und wir werden eine sehr kleine Wirtschaft haben, immer das, was wir sonst unser Donnerstagessen nannten, weil da reingemacht wurde. Weißt Du noch? Und weißt Du noch, wie der gute Gieshübler 'mal dazu kam und sich zu uns setzen musste, und wie er dann sagte: ›So 'was Delikates habe er noch nie gegessen.‹ Du wirst Dich noch erinnern, er war immer so schrecklich artig, denn eigentlich war er doch der einzige Mensch in der Stadt, der von Essen 'was verstand. Die andern fanden alles schön.«

Roswitha freute sich über jedes Wort und sah schon alles in bestem Gange, bis Effi wieder sagte: »Hast Du Dir das alles überlegt? Denn Du bist doch – ich muss das sagen, wiewohl es meine eigne Wirtschaft war –, Du bist doch nun durch viele Jahre hin verwöhnt, und es kam nie darauf an, wir hatten es nicht nötig, sparsam zu sein; aber jetzt muss ich sparsam sein, denn ich bin arm und habe nur, was man mir gibt, Du weißt, von Hohen-Cremmen her.

Plackerei:
Anstrengung

Habsburger Hof:
Hotel und
Restaurant

Meine Eltern sind sehr gut gegen mich, soweit sie's können, aber sie sind nicht reich. Und nun sage, was meinst Du?«

»Dass ich nächsten Sonnabend mit meinem Koffer anziehe, nicht am Abend, sondern gleich am Morgen, und dass ich da bin, wenn das Einrichten losgeht. Denn ich kann doch ganz anders zufassen wie die gnädige Frau.«

»Sage das nicht, Roswitha. Ich kann es auch. Wenn man muss, kann man alles.«

»Und dann, gnädige Frau, Sie brauchen sich wegen meiner nicht zu fürchten, als ob ich 'mal denken könnte: ›Für Roswitha ist das nicht gut genug‹. Für Roswitha ist alles gut, was sie mit der gnädigen Frau teilen muss, und am liebsten, wenn es 'was Trauriges ist. Ja, darauf freue ich mich schon ordentlich. Dann sollen Sie 'mal sehen, das verstehe ich. Und wenn ich es nicht verstünde, dann wollte ich es schon lernen. Denn, gnädige Frau, das hab' ich nicht vergessen, als ich da auf dem Kirchhof saß, mutterwindallein, und bei mir dachte, nun wäre es doch wohl das Beste, ich läge da gleich mit in der Reihe. Wer kam da? Wer hat mich da bei Leben erhalten? Ach, ich habe so viel durchzumachen gehabt. Als mein Vater damals mit der glühenden Stange auf mich loskam ...«

»Ich weiß schon, Roswitha ...«

»Ja, das war schlimm genug. Aber als ich da auf dem Kirchhof saß, so ganz arm und verlassen, das war doch noch schlimmer. Und da kam die gnädige Frau. Und ich will nicht selig werden, wenn ich das vergesse.«

selig werden: nach dem Tod in den Himmel kommen

Und dabei stand sie auf und ging aufs Fenster zu. »Sehen Sie, gnädige Frau, *den* müssen Sie doch auch noch sehen.« Und nun trat auch Effi heran.

Drüben, auf der anderen Seite der Straße, saß Rollo und sah nach den Fenstern der Pension hinauf.

Wenige Tage danach bezog Effi, von Roswitha unterstützt, ihre Wohnung in der Königgrätzerstraße, darin es ihr von

Anfang an gefiel. Umgang fehlte freilich, aber sie hatte während ihrer Pensionstage von dem Verkehr mit Menschen so wenig Erfreuliches gehabt, dass ihr das Alleinsein nicht schwerfiel, wenigstens anfänglich nicht. Mit Roswitha ließ sich allerdings kein ästhetisches Gespräch führen, auch nicht 'mal sprechen über das, was in der Zeitung stand, aber wenn es einfach menschliche Dinge betraf und Effi mit einem »ach, Roswitha, mich ängstigt es wieder …« ihren Satz begann, dann wusste die treue Seele jedes Mal gut zu antworten und hatte immer Trost und meist auch Rat.

Bis Weihnachten ging es vorzüglich; aber der Heiligabend verlief schon recht traurig, und als das neue Jahr herankam, begann Effi ganz schwermütig zu werden. Es war nicht kalt, nur grau und regnerisch, und wenn die Tage kurz waren, so waren die Abende desto länger. Was tun? Sie las, sie stickte, sie legte Patience, sie spielte Chopin, aber diese Nocturnes waren auch nicht angetan, viel Licht in ihr Leben zu tragen, und wenn Roswitha mit dem Teebrett kam und außer dem Teezeug auch noch zwei Tellerchen mit einem Ei und einem in kleine Scheiben geschnittenen Wiener Schnitzel auf den Tisch setzte, sagte Effi, während sie das Pianino schloss: »Rücke heran, Roswitha. Leiste mir Gesellschaft.«

Roswitha kam denn auch. »Ich weiß schon, die gnädige Frau haben wieder zu viel gespielt; dann sehen Sie immer so aus und haben rote Flecke. Der Geheimrat hat es doch verboten.«

»Ach, Roswitha, der Geheimrat hat leicht verbieten, und Du hast es auch leicht, all' das nachzusprechen. Aber was soll ich denn machen? Ich kann doch nicht den ganzen Tag am Fenster sitzen und nach der Christuskirche hinübersehen. Sonntags, beim Abendgottesdienst, wenn die Fenster erleuchtet sind, sehe ich ja immer hinüber; aber es hilft mir auch nichts, mir wird dann immer noch schwerer ums Herz.«

Patience: Kartenspiel für eine Person

Frédérik Francois Chopin (1810–1849): polnischer Pianist und Komponist

Nocturnes (1830): Titel von Klavierkompositionen Chopins

»Ja, gnädige Frau, dann sollten Sie 'mal hineingehen. Einmal waren Sie ja schon drüben.«

»O schon öfters. Aber ich habe nicht viel davon gehabt. Er predigt ganz gut und ist ein sehr kluger Mann, und ich wäre froh, wenn ich das Hundertste davon wüsste. Aber es ist doch alles bloß, wie wenn ich ein Buch lese; und wenn er dann so laut spricht und herumficht und seine schwarzen Locken schüttelt, dann bin ich aus meiner Andacht heraus.«

herumficht: mit den Händen gestikulieren

»Heraus?«

Effi lachte. »Du meinst, ich war noch gar nicht drin. Und es wird wohl so sein. Aber an wem liegt das? Das liegt doch nicht an mir. Er spricht immer so viel vom alten Testament. Und wenn es auch ganz gut ist, es erbaut mich nicht. Überhaupt all' das Zuhören; es ist nicht das Rechte. Sieh', ich müsste so viel zu tun haben, dass ich nicht ein noch aus wüsste. Das wäre 'was für mich. Da gibt es so Vereine, wo junge Mädchen die Wirtschaft lernen, oder Nähschulen oder Kindergärtnerinnen. Hast Du nie davon gehört?«

erbauen: hier aufheitern

»Ja, ich habe 'mal davon gehört. Anniechen sollte 'mal in einen Kindergarten.«

»Nun, siehst Du, Du weißt es besser als ich. Und in solchen Verein, wo man sich nützlich machen kann, da möchte ich eintreten. Aber daran ist gar nicht zu denken; die Damen nehmen mich nicht an und können es auch nicht. Und das ist das schrecklichste, dass einem die Welt so zu ist und dass es sich einem sogar verbietet, bei Gutem mit dabei zu sein. Ich kann nicht 'mal armen Kindern eine Nachhülfestunde geben ...«

»Das wäre auch nichts für Sie, gnädige Frau; die Kinder haben immer so fettige Stiefel an, und wenn es nasses Wetter ist, – das ist dann solch' Dunst und Schmook, das halten die gnädige Frau gar nicht aus.«

Schmook: schlechte Luft

Effi lächelte. »Du wirst wohl recht haben, Roswitha; aber es ist schlimm, dass Du recht hast, und ich sehe daran, dass ich noch zu viel von dem alten Menschen in mir habe und dass es mir noch zu gut geht.«

Davon wollte aber Roswitha nichts wissen. »Wer so gut ist wie gnädige Frau, dem kann es gar nicht zu gut gehen. Und Sie müssen nur nicht immer so 'was Trauriges spielen, und mitunter denke ich mir, es wird alles noch wieder gut, und es wird sich schon 'was finden.«

Und es fand sich auch 'was. Effi, trotz der Kantorstochter aus Polzin, deren Künstlerdünkel ihr immer noch als etwas Schreckliches vorschwebte, wollte Malerin werden, und wiewohl sie selber darüber lachte, weil sie sich bewusst war, über eine unterste Stufe des Dilettantismus nie hinauskommen zu können, so griff sie doch mit Passion danach, weil sie nun eine Beschäftigung hatte, noch dazu eine, die, weil still und geräuschlos, ganz nach ihrem Herzen war. Sie meldete sich denn auch bei einem ganz alten Malerprofessor, der in der märkischen Aristokratie sehr bewandert und zugleich so fromm war, dass ihm Effi von Anfang an ans Herz gewachsen erschien. Hier, so gingen wohl seine Gedanken, war eine Seele zu retten, und so kam er ihr, als ob sie seine Tochter gewesen wäre, mit einer ganz besonderen Liebenswürdigkeit entgegen. Effi war sehr glücklich darüber, und der Tag ihrer ersten Malstunde bezeichnete für sie einen Wendepunkt zum Guten. Ihr armes Leben war nun nicht so arm mehr, und Roswitha triumphierte, dass sie recht gehabt und sich nun doch etwas gefunden habe.

Das ging so Jahr und Tag und darüber hinaus. Aber dass sie nun wieder eine Berührung mit den Menschen hatte, wie sie's beglückte, so ließ es auch wieder den Wunsch in ihr entstehen, dass diese Berührungen sich erneuern und mehren möchten. Sehnsucht nach Hohen-Cremmen erfasste sie mitunter mit einer wahren Leidenschaft, und noch leidenschaftlicher sehnte sie sich danach, Annie wiederzusehen. Es war doch ihr Kind, und wenn sie dem nachhing und sich gleichzeitig der Trippelli erinnerte, die

---

Dilettantismus: laienhafter Umgang mit Kunst oder Wissenschaft

märkische Aristokratie: *hier* Geschichte des märkischen Adels

'mal gesagt hatte: ›Die Welt sei so klein, und in Mittelafrika
könne man sicher sein, plötzlich einem alten Bekannten zu
begegnen‹, so war sie mit Recht verwundert, Annie noch
nie getroffen zu haben. Aber auch das sollte sich eines Tages ändern. Sie kam aus der Malstunde, dicht am Zoologischen Garten, und stieg, nahe dem Halteplatz, in einen die
lange Kurfürstenstraße passierenden Pferdebahnwagen
ein. Es war sehr heiß, und die herabgelassenen Vorhänge,
die bei dem starken Luftzuge, der ging, hin und her bauschten, taten ihr wohl. Sie lehnte sich in die dem Vorderperron
zugekehrte Ecke und musterte eben mehrere in eine Glas-
scheibe eingebrannte Sofas, blau mit Quasten und Puscheln daran, als sie – der Wagen war gerade in einem
langsamen Fahren – drei Schulkinder aufspringen sah, die
Mappen auf dem Rücken, mit kleinen spitzen Hüten, zwei
blond und ausgelassen, die dritte dunkel und ernst. Es war
Annie. Effi fuhr heftig zusammen, und eine Begegnung mit
dem Kinde zu haben, wonach sie sich doch so lange ge-
sehnt, erfüllte sie jetzt mit einer wahren Todesangst. Was
tun? Rasch entschlossen öffnete sie die Tür zu dem Vorderperron, auf dem niemand stand als der Kutscher, und bat
diesen, sie bei der nächsten Haltestelle vorn absteigen zu
lassen. »Is verboten, Fräulein«, sagte der Kutscher; sie gab
ihm aber ein Geldstück und sah ihn so bittend an, dass der
gutmütige Mensch anderen Sinnes wurde und vor sich hin
sagte: »Sind soll es eigentlich nich; aber es wird ja woll 'mal
gehen.« Und als der Wagen hielt, nahm er das Gitter aus,
und Effi sprang ab.

Noch in großer Erregung kam Effi nach Hause.

»Denke Dir, Roswitha, ich habe Annie gesehen.« Und nun
erzählte sie von der Begegnung in dem Pferdebahnwagen.
Roswitha war unzufrieden, dass Mutter und Tochter keine
Wiedersehensszene gefeiert hatten und ließ sich nur ungern überzeugen, dass das in Gegenwart so vieler Menschen nicht wohl angegangen sei. Dann musste Effi erzählen, wie Annie ausgesehen habe, und als sie das mit

Perron:
Plattform am
Wagen

Quasten und
Puscheln:
Zierkordeln

Sind soll es
eigentlich nich:
sein soll es
eigentlich nicht

mütterlichem Stolze getan, sagte Roswitha: »Ja, sie ist so halb und halb. Das Hübsche und, wenn ich es sagen darf, das Sonderbare, das hat sie von der Mama; aber das Ernste, das ist ganz der Papa. Und wenn ich mir so alles überlege, ist die doch wohl mehr wie der gnädige Herr.«

»Gott sei Dank!«, sagte Effi.

»Na, gnäd'ge Frau, das ist nu doch auch noch die Frage. Und da wird ja wohl mancher sein, der mehr für die Mama ist.«

»Glaubst du, Roswitha? Ich glaube es nicht.«

»Na, na, ich lasse mir nichts vormachen, und ich glaube, die gnädige Frau weiß auch ganz gut, wie's eigentlich ist und was die Männer am liebsten haben.«

»Ach, sprich nicht davon, Roswitha.«

Damit brach das Gespräch ab und wurde auch nicht wieder aufgenommen. Aber Effi, wenn sie's auch vermied, grade über Annie mit Roswitha zu sprechen, konnte die Begegnung in ihrem Herzen doch nicht verwinden und litt unter der Vorstellung, vor ihrem eigenen Kind geflohen zu sein. Es quälte sie bis zur Beschämung, und das Verlangen nach einer Begegnung mit Annie steigerte sich bis zum Krankhaften. An Innstetten schreiben und ihn darum bitten, das war nicht möglich. Ihrer Schuld war sie sich wohl bewusst, sie nährte das Gefühl davon mit einer halb leidenschaftlichen Geflissentlichkeit; aber inmitten ihres Schuldbewusstseins fühlte sie sich andererseits auch von einer gewissen Auflehnung gegen Innstetten erfüllt. Sie sagte sich: Er hatte recht und noch einmal und noch einmal, und zuletzt hatte er doch unrecht. Alles Geschehene lag so weit zurück, ein neues Leben hatte begonnen, – er hätte es können verbluten lassen, stattdessen verblutete der arme Crampas.

Nein, an Innstetten schreiben, das ging nicht; aber Annie wollte sie sehen und sprechen und an ihr Herz drücken, und nachdem sie's tagelang überlegt hatte, stand ihr fest, wie's am besten zu machen sei.

Gleich am andern Vormittag kleidete sie sich sorgfältig in ein dezentes Schwarz und ging auf die Linden zu, sich hier bei der Ministerin melden zu lassen. Sie schickte ihre Karte herein, auf der nur stand: Effi von Innstetten geb. von Briest. Alles andere war fortgelassen, auch die Baronin. »Exzellenz lassen bitten«, und Effi folgte dem Diener bis in ein Vorzimmer, wo sie sich niederließ und trotz der Erregung, in der sie sich befand, den Bilderschmuck an den Wänden musterte. Da war zunächst Guido Renis Aurora, gegenüber aber hingen englische Kupferstiche, Stiche nach Benjamin West, in der bekannten Aquatinta-Manier von viel Licht und Schatten. Eines der Bilder war König Lear im Unwetter auf der Heide.

Effi hatte ihre Musterung kaum beendet, als die Tür des angrenzenden Zimmers sich öffnete und eine große, schlanke Dame von einem sofort für sie einnehmenden Ausdruck auf die Bittstellerin zutrat und ihr die Hand reichte. »Meine liebe, gnädigste Frau«, sagte sie, »welche Freude für mich, Sie wiederzusehen …«

Und während sie das sagte, schritt sie auf das Sofa zu und zog Effi, während sie selber Platz nahm, zu sich nieder.

Effi war bewegt durch die sich in allem aussprechende Herzensgüte. Keine Spur von Überheblichkeit oder Vorwurf, nur menschlich schöne Teilnahme. »Womit kann ich Ihnen dienen?«, nahm die Ministerin noch einmal das Wort.

Um Effis Mund zuckte es. Endlich sagte sie: »Was mich herführt, ist eine Bitte, deren Erfüllung Exzellenz vielleicht möglich machen. Ich habe eine zehnjährige Tochter, die ich seit drei Jahren nicht gesehen habe und gern wiedersehen möchte.«

Die Ministerin nahm Effis Hand und sah sie freundlich an. »Wenn ich sage, in drei Jahren nicht gesehen, so ist das nicht ganz richtig. Vor drei Tagen habe ich sie wiedergesehen.« Und nun schilderte Effi mit großer Lebendigkeit die Begegnung, die sie mit Annie gehabt hatte. »Vor meinem

Ministerin: Frau des Ministers

Exzellenz: Anrede für höchste Beamte oder Generäle

Guido Renis: ital. Maler

Kupferstich: grafisches Tiefdruckverfahren

Benjamin West (1738–1820): amerikanischer Porträt- und Historienmaler

Aquatinta-Manier: Reproduktionsverfahren

König Lear […]: Szene aus der Tragödie *König Lear* (1606) von William Shakespeare

eigenen Kinde auf der Flucht. Ich weiß wohl, man liegt, wie man sich bettet, und ich will nichts ändern in meinem Leben. Wie es ist, so ist es recht; ich habe es nicht anders gewollt. Aber das mit dem Kinde, das ist doch zu hart, und so habe ich denn den Wunsch, es dann und wann sehen zu dürfen, nicht heimlich und verstohlen, sondern mit Wissen und Zustimmung aller Beteiligten.«

man liegt, wie man sich bettet (Redensart): man ist für die Folgen seines Tuns selbst verantwortlich

»Unter Wissen und Zustimmung aller Beteiligten«, wiederholte die Ministerin Effis Worte. »Das heißt also unter Zustimmung Ihres Herrn Gemahls. Ich sehe, dass seine Erziehung dahin geht, das Kind von der Mutter fernzuhalten, ein Verfahren, über das ich mir kein Urteil erlaube. Vielleicht, dass er recht hat; verzeihen Sie mir diese Bemerkung, gnädige Frau.«

Effi nickte.

»Sie finden sich selbst in der Haltung Ihres Herrn Gemahls zurecht und verlangen nur, dass einem natürlichen Gefühle, wohl dem schönsten unserer Gefühle (wenigstens wir Frauen werden uns darin finden), sein Recht werde. Treff' ich es darin?«

»In allem.«

»Und so soll ich denn die Erlaubnis zu gelegentlichen Begegnungen erwirken, in Ihrem Hause, wo Sie versuchen können, sich das Herz Ihres Kindes zurückzuerobern.«

Effi drückte noch einmal ihre Zustimmung aus, während die Ministerin fortfuhr: »Ich werde also tun, meine gnädigste Frau, was Ich tun kann. Aber wir werden es nicht eben leicht haben. Ihr Herr Gemahl, verzeihen Sie, dass ich ihn nach wie vor so nenne, ist ein Mann, der nicht nach Stimmungen und Laune, sondern nach Grundsätzen handelt und diese fallen zu lassen oder auch nur momentan aufzugeben, wird ihn hart ankommen. Läg' es nicht so, so wäre seine Handlungs- und Erziehungsweise längst eine andere gewesen. Das, was hart für Ihr Herz ist, hält er für richtig.«

»So meinen Exzellenz vielleicht, es wäre besser, meine Bitte zurückzunehmen?«

»Doch nicht. Ich wollte nur das Tun Ihres Herrn Gemahls erklären, um nicht zu sagen rechtfertigen, und wollte zugleich die Schwierigkeiten andeuten, auf die wir, aller Wahrscheinlichkeit nach, stoßen werden. Aber ich denke, wir zwingen es trotzdem. Denn wir Frauen, wenn wir's klug einleiten und den Bogen nicht überspannen, wissen mancherlei durchzusetzen. Zudem gehört Ihr Herr Gemahl zu meinen besonderen Verehrern, und er wird mir eine Bitte, die ich an ihn richte, nicht wohl abschlagen. Wir haben morgen einen kleinen Zirkel, auf dem ich ihn sehe, und übermorgen früh haben Sie ein paar Zeilen von mir, die Ihnen sagen werden, ob ich's klug, das heißt glücklich eingeleitet oder nicht. Ich denke, wir siegen in der Sache, und Sie werden Ihr Kind wiedersehen und sich seiner freuen. Es soll ein sehr schönes Mädchen sein. Nicht zu verwundern.«

DREIUNDDREISSIGSTES KAPITEL

Am zweitfolgenden Tage trafen, wie versprochen, einige Zeilen ein, und Effi las: »Es freut mich, liebe gnädige Frau, Ihnen gute Nachricht geben zu können. Alles ging nach Wunsch; Ihr Herr Gemahl ist zu sehr Mann von Welt, um einer Dame eine von ihr vorgetragene Bitte abschlagen zu können; zugleich aber – auch das darf ich Ihnen nicht verschweigen –, ich sah deutlich, dass sein ›Ja‹ nicht dem entsprach, was er für klug und recht hält. Aber kritteln wir nicht, wo wir uns freuen sollen. Ihre Annie, so haben wir es verabredet, wird über Mittag kommen, und ein guter Stern stehe über Ihrem Wiedersehen.«

Es war mit der zweiten Post, dass Effi diese Zeilen empfing, und bis zu Annies Erscheinen waren mutmaßlich keine zwei Stunden mehr. Eine kurze Zeit, aber immer noch zu

kritteln: bemängeln

lang, und Effi schritt in Unruhe durch beide Zimmer und dann wieder in die Küche, wo sie mit Roswitha von allem Möglichen sprach, von dem Efeu drüben an der Christus-kirche, nächstes Jahr würden die Fenster wohl ganz zuge-wachsen sein, von dem Portier, der den Gashahn wieder so schlecht zugeschraubt habe (sie würden doch noch nächs-tens in die Luft fliegen), und dass sie das Petroleum doch lieber wieder aus der großen Lampenhandlung Unter den Linden als aus der Anhaltstraße holen solle, – von allem Möglichen sprach sie, nur von Annie nicht, weil sie die Furcht nicht aufkommen lassen wollte, die trotz der Zeilen der Ministerin, oder vielleicht auch um dieser Zeilen wil-len, in ihr lebte.

Nun war Mittag. Endlich wurde geklingelt, schüchtern, und Roswitha ging, um durch das Guckloch zu sehen. Richtig, es war Annie. Roswitha gab dem Kinde einen Kuss, sprach aber sonst kein Wort, und ganz leise, wie wenn ein Kranker im Hause wäre, führte sie das Kind vom Korridor her erst in die Hinterstube und dann bis an die nach vorn führende Tür.

»Da geh' hinein, Annie.« Und unter diesen Worten, sie wollte nicht stören, ließ sie das Kind allein und ging wieder auf die Küche zu.

Effi stand am andern Ende des Zimmers, den Rücken ge-gen den Spiegelpfeiler, als das Kind eintrat. »Annie!« Aber Annie blieb an der nur angelehnten Tür stehen, halb verle-gen, aber halb auch mit Vorbedacht, und so eilte denn Effi auf das Kind zu, hob es in die Höhe und küsste es.

»Annie, mein süßes Kind, wie freue ich mich. Komm', er-zähle mir«, und dabei nahm sie Annie bei der Hand und ging auf das Sofa zu, um sich da zu setzen. Annie stand auf-recht und griff, während sie die Mutter immer noch scheu ansah, mit der Linken nach dem Zipfel der herabhängen-den Tischdecke. »Weißt Du wohl, Annie, dass ich Dich ein-mal gesehen habe?«

»Ja, mir war es auch so.«

»Und nun erzähle mir recht viel. Wie groß Du geworden bist! Und das ist die Narbe da; Roswitha hat mir davon erzählt. Du warst immer so wild und ausgelassen beim Spielen. Das hast Du von Deiner Mama, die war auch so. Und in der Schule? Ich denke mir, Du bist immer die Erste, Du siehst mir so aus, als müsstest Du eine Musterschülerin sein und immer die besten Zensuren nach Hause bringen. Ich habe auch gehört, dass Dich das Fräulein von Wedelstädt so gelobt haben soll. Das ist recht; ich war auch so ehrgeizig, aber ich hatte nicht solche gute Schule. Mythologie war immer mein Bestes. Worin bist Du denn am besten?«

»Ich weiß es nicht.«

»O, Du wirst es schon wissen. Das weiß man. Worin hast Du denn die beste Zensur?«

»In der Religion.«

»Nun, siehst Du, da weiß ich es doch. Ja, das ist sehr schön; ich war nicht so gut darin, aber es wird wohl auch an dem Unterricht gelegen haben. Wir hatten bloß einen Kandidaten.«

»Wir hatten auch einen Kandidaten.«

»Und der ist fort?«

Annie nickte.

»Warum ist er fort?«

»Ich weiß es nicht. Wir haben nun wieder den Prediger.«

»Den Ihr alle sehr liebt.«

»Ja; zwei aus der ersten Klasse wollen auch übertreten.«

»Ah, ich verstehe; das ist schön. Und was macht Johanna?«

»Johanna hat mich bis vor das Haus begleitet ...«

»Und warum hast Du sie nicht mit heraufgebracht?«

»Sie sagte, sie wolle lieber unten bleiben und an der Kirche drüben warten.«

»Und da sollst Du sie wohl abholen?«

»Ja.«

»Nun, sie wird da hoffentlich nicht ungeduldig werden. Es ist ein kleiner Vorgarten da, und die Fenster sind schon halb von Efeu überwachsen, als ob es eine alte Kirche wäre.«

»Ich möchte sie aber doch nicht gerne warten lassen ...«

»Ach, ich sehe, Du bist sehr rücksichtsvoll, und darüber werde ich mich wohl freuen müssen. Man muss es nur richtig einteilen ... Und nun sage mir noch, was macht Rollo?«

»Rollo ist sehr gut. Aber Papa sagt, er würde so faul; er liegt immer in der Sonne.«

»Das glaub' ich. So war er schon, als Du noch ganz klein warst ... Und nun sage mir, Annie – denn heute haben wir uns ja bloß so 'mal wiedergesehen –, wirst Du mich öfter besuchen?«

»O gewiss, wenn ich darf.«

»Wir können dann in dem Prinz Albrecht'schen Garten spazieren gehen.«

»O gewiss, wenn ich darf.«

»Oder wir gehen zu Schilling und essen Eis, Ananas- oder Vanilleeis, das aß ich immer am liebsten.«

Schilling: Konditorei in Berlin

»O gewiss, wenn ich darf.«

Und bei diesem dritten »wenn ich darf« war das Maß voll; Effi sprang auf, und ein Blick, in dem es wie Empörung aufflammte, traf das Kind. »Ich glaube, es ist die höchste Zeit, Annie; Johanna wird sonst ungeduldig.« Und sie zog die Klingel. Roswitha, die schon im Nebenzimmer war, trat gleich ein. »Roswitha, gib Annie das Geleit bis drüben zur Kirche. Johanna wartet da. Hoffentlich hat sie sich nicht erkältet. Es sollte mir leidtun. Grüße Johanna.«

Und nun gingen beide.

Kaum aber, dass Roswitha draußen die Tür ins Schloss gezogen hatte, so riss Effi, weil sie zu ersticken drohte, ihr Kleid auf und verfiel in ein krampfhaftes Lachen. »So also sieht ein Wiedersehen aus«, und dabei stürzte sie nach vorn, öffnete die Fensterflügel und suchte nach etwas, das ihr beistehe. Und sie fand auch 'was in der Not ihres Herzens. Da neben dem Fenster war ein Bücherbrett, ein paar

Friedrich Schiller
(1759–1805):
deutscher Dichter
und Philosoph

Theodor Körner:
Freiheitskämpfer
im Napoleoni-
schen Krieg und
Dramen- und
Lieddichter

Bände von Schiller und Körner darauf, und auf den Gedichtbüchern, die alle gleiche Höhe hatten, lag eine Bibel und ein Gesangbuch. Sie griff danach, weil sie 'was haben musste, vor dem sie knien und beten konnte, und legte Bibel und Gesangbuch auf den Tischrand, gerade da, wo Annie gestanden hatte, und mit einem heftigen Ruck warf sie sich davor nieder und sprach halblaut vor sich hin: »O Du Gott im Himmel, vergib mir, was ich getan; ich war ein Kind ... Aber nein, nein, ich war kein Kind, ich war alt genug, um zu wissen, was ich tat. Ich *hab* es auch gewusst, und ich will meine Schuld nicht kleiner machen, ... aber *das* ist zu viel. Denn das hier, mit dem Kinde, das bist nicht *Du*, Gott, der mich strafen will, das ist *er,* bloß er! Ich habe geglaubt, dass er ein edles Herz habe, und habe mich immer klein neben ihm gefühlt; aber jetzt weiß ich, dass *er* es ist, *er* ist klein. Und weil er klein ist, ist er grausam. Alles, was klein ist, ist grausam. Das hat *er* dem Kinde beigebracht, ein Schulmeister war er immer, Crampas hat ihn so genannt, spöttisch damals, aber er hat recht gehabt. ›O gewiss, wenn ich darf.‹ Du *brauchst* nicht zu dürfen; ich will Euch nicht mehr, ich hass' Euch, auch mein eigen Kind. Was zu viel ist, ist zu viel. Ein Streber war er, weiter nichts. – Ehre, Ehre, Ehre ... und dann hat er den armen Kerl totgeschossen, den ich nicht einmal liebte und den ich vergessen hatte, weil ich ihn nicht liebte. Dummheit war alles, und nun Blut und Mord. Und ich schuld. Und nun schickt er mir das Kind, weil er einer Ministerin nichts abschlagen kann, und ehe er das Kind schickt, richtet er's ab wie einen Papagei und bringt ihm die Phrase bei ›wenn ich darf‹. Mich ekelt, was ich getan; aber was mich noch mehr ekelt, das ist Eure Tugend. Weg mit Euch. Ich muss leben, aber ewig wird es ja wohl nicht dauern.«

Als Roswitha wiederkam, lag Effi am Boden, das Gesicht abgewandt, wie leblos.

VIERUNDDREISSIGSTES KAPITEL

Rummschüttel, als er gerufen wurde, fand Effis Zustand nicht unbedenklich. Das Hektische, das er seit Jahr und Tag an ihr beobachtete, trat ihm ausgesprochener als früher entgegen, und was schlimmer war, auch die ersten Zeichen eines Nervenleidens waren da. Seine ruhig freundliche Weise aber, der er einen Beisatz von Laune zu geben wusste, tat Effi wohl, und sie war ruhig, so lange Rummschüttel um sie war. Als er schließlich ging, begleitete Roswitha den alten Herrn bis in den Vorflur und sagte: »Gott, Herr Geheimrat, mir ist so bange; wenn es nu 'mal wiederkommt, und es kann doch; Gott – da hab' ich ja keine ruhige Stunde mehr. Es war aber doch auch zu viel, das mit dem Kind. Die arme gnädige Frau. Und noch so jung, wo manche erst anfangen.«

»Lassen Sie nur, Roswitha. Kann noch alles wieder werden. Aber fort muss sie. Wir wollen schon sehen. Andere Luft, andere Menschen.«

Den zweiten Tag danach traf ein Brief in Hohen-Cremmen ein, der lautete: »Gnädigste Frau! Meine alten freundschaftlichen Beziehungen zu den Häusern Briest und Belling, und nicht zum wenigsten die herzliche Liebe, die ich zu Ihrer Frau Tochter hege, werden diese Zeilen rechtfertigen. Es geht so nicht weiter. Ihre Frau Tochter, wenn nicht etwas geschieht, das sie der Einsamkeit und dem Schmerzlichen ihres nun seit Jahren geführten Lebens entreißt, wird schnell hinsiechen. Eine Disposition zu Phtisis war immer da, weshalb ich schon vor Jahren Ems verordnete; zu diesem alten Übel hat sich nun ein neues gesellt: Ihre Nerven zehren sich auf. Dem Einhalt zu tun, ist ein Luftwechsel nötig. Aber wohin? Es würde nicht schwer sein, in den schlesischen Bädern eine Auswahl zu treffen, Salzbrunn gut, und Reinerz, wegen der Nervenkomplikation, noch besser. Aber es darf nur Hohen-Cremmen sein. Denn, meine gnädigste Frau, was Ihrer Frau Tochter Genesung

hinsiechen: bettlägerig sein

Disposition zu Phtisis: Veranlagung zu Lungentuberkolose

Salzbrunn, Reinerz: Kurorte in Niederschlesien (heute Polen)

bringen kann, ist nicht Luft allein; sie siecht hin, weil sie nichts hat als Roswitha. Dienertreue ist schön, aber Elternliebe ist besser. Verzeihen Sie einem alten Manne dies Sicheinmischen in Dinge, die jenseits seines ärztlichen Berufes liegen. Und doch auch wieder nicht, denn es ist schließlich auch der Arzt, der hier spricht und seiner Pflicht nach, verzeihen Sie dies Wort, Forderungen stellt ... Ich habe so viel vom Leben gesehen ... aber nichts mehr in diesem Sinne. Mit der Bitte, mich Ihrem Herrn Gemahl empfehlen zu wollen, in vorzüglicher Ergebenheit Dr. Rummschüttel.«

Frau von Briest hatte den Brief ihrem Manne vorgelesen; beide saßen auf dem schattigen Steinfliesengange, den Gartensaal im Rücken, das Rondell mit der Sonnenuhr vor sich. Der um die Fenster sich rankende wilde Wein bewegte sich leise in dem Luftzuge, der ging, und über dem Wasser standen ein paar Libellen im hellen Sonnenschein.

Briest schwieg und trommelte mit dem Finger auf dem Teebrett.

»Bitte, trommle nicht; sprich lieber.«

»Ach, Luise, was soll ich sagen. Dass ich trommle, sagt gerade genug. Du weißt seit Jahr und Tag, wie ich darüber denke. Damals, als Innstettens Brief kam, ein Blitz aus heiterem Himmel, damals war ich Deiner Meinung. Aber das ist nun schon wieder eine halbe Ewigkeit her; soll ich hier bis an mein Lebensende den Großinquisitor spielen? Ich kann Dir sagen, ich hab' es seit langem satt ...«

»Mache mir keine Vorwürfe, Briest; ich liebe sie so wie Du, vielleicht noch mehr, jeder hat seine Art. Aber man lebt doch nicht bloß in der Welt, um schwach und zärtlich zu sein und alles mit Nachsicht zu behandeln, was gegen Gesetz und Gebot ist und was die Menschen verurteilen und, vorläufig wenigstens, auch noch – mit Recht verurteilen.«

»Ach was. Eins geht vor.«

»Natürlich, eins geht vor; aber was ist das eine?«

»Liebe der Eltern zu ihren Kindern. Und wenn man gar bloß eines hat ...«

Großinquisitor: oberster Richter der spanischen Inquisition (in der katholischen Kirche Verfolgung von Glaubensabtrünnigen und Glaubensgegnern im Spätmittelalter)

»Dann ist es vorbei mit Katechismus und Moral und mit dem Anspruch der ›Gesellschaft‹.«

Katechismus: Lehrbuch für den christlichen Glaubensunterricht

»Ach, Luise, komme mir mit Katechismus, so viel Du willst; aber komme mir nicht mit ›Gesellschaft‹.«

»Es ist sehr schwer, sich ohne Gesellschaft zu behelfen.«

»Ohne Kind auch. Und dann glaube mir, Luise, die ›Gesellschaft‹, wenn sie nur will, kann auch ein Auge zudrücken. Und ich stehe so zu der Sache: Kommen die Rathenower, so ist es gut, und kommen sie nicht, so ist es auch gut. Ich werde ganz einfach telegrafieren: ›Effi, komm.‹ Bist Du einverstanden?«

Sie stand auf und gab ihm einen Kuss auf die Stirn. »Natürlich bin ich's. Du solltest mir nur keinen Vorwurf machen. Ein leichter Schritt ist es nicht. Und unser Leben wird von Stund an ein anderes.«

»Ich kann's aushalten. Der Raps steht gut, und im Herbst kann ich einen Hasen hetzen. Und der Rotwein schmeckt mir noch. Und wenn ich das Kind erst wieder im Hause habe, dann schmeckt er mir noch besser ... Und nun will ich das Telegramm schicken.«

Hasen hetzen: Anspielung auf die Jagd

Effi war nun schon über ein halbes Jahr in Hohen-Cremmen; sie bewohnte die beiden Zimmer im ersten Stock, die sie schon früher, wenn sie zu Besuch da war, bewohnt hatte; das größere war für sie persönlich hergerichtet, nebenan schlief Roswitha. Was Rummschüttel von diesem Aufenthalt und all' dem andern Guten erwartet hatte, das hatte sich auch erfüllt, so weit sich's erfüllen konnte. Das Hüsteln ließ nach, der herbe Zug, der das so gütige Gesicht um ein gut Teil seines Liebreizes gebracht hatte, schwand wieder hin, und es kamen Tage, wo sie wieder lachen konnte. Von Kessin und allem, was da zurücklag, wurde wenig gesprochen, mit alleiniger Ausnahme von Frau von Padden und natürlich von Gieshübler, für den der alte Briest eine lebhafte Vorliebe hatte. »Dieser Alonzo, dieser Preciosa-Spanier, der einen Mirambo beherbergt und eine Trippelli großzieht, – ja, das muss ein Genie sein, das lass ich mir nicht ausreden.« Und dann musste sich Effi bequemen, ihm den ganzen Gieshübler, mit dem Hut in der Hand und seinen endlosen Artigkeitsverbeugungen vorzuspielen, was sie, bei dem ihr eigenen Nachahmungstalent, sehr gut konnte, trotzdem aber ungern tat, weil sie's allemal als ein Unrecht gegen den guten und lieben Menschen empfand. – Von Innstetten und Annie war nie die Rede, wiewohl feststand, dass Annie Erbtochter sei, und Hohen-Cremmen ihr zufallen würde.

Ja, Effi lebte wieder auf, und die Mama, die nach Frauenart, nicht ganz abgeneigt war, die ganze Sache, so schmerzlich sie blieb, als einen interessanten Fall anzusehen, wetteiferte mit ihrem Manne in Liebes- und Aufmerksamkeitsbezeugungen.

»Solchen Winter haben wir lange nicht gehabt«, sagte Briest. Und dann erhob sich Effi von ihrem Platz und streichelte ihm das spärliche Haar aus der Stirn. Aber so schön das alles war, auf Effis Gesundheit hin angesehen, war es doch alles nur Schein, in Wahrheit ging die Krankheit weiter und zehrte still das Leben auf. Wenn Effi – die wieder, wie damals an ihrem Verlobungstage mit Innstetten, ein blau und weiß gestreiftes Kittelkleid mit einem losen Gürtel trug – rasch und elastisch auf die Eltern zutrat, um ihnen einen guten Morgen zu bieten, so sahen sich diese freudig verwundert an, freudig verwundert, aber doch auch wehmütig, weil ihnen nicht entgehen konnte, dass es nicht die helle Jugend, sondern eine Verklärtheit war, was der schlanken Erscheinung und den leuchtenden Augen diesen eigentümlichen Ausdruck gab. Alle, die schärfer zusahen, sahen dies, nur Effi selbst sah es nicht und lebte ganz dem Glücksgefühle, wieder an dieser für sie so freundlich friedreichen Stelle zu sein, in Versöhnung mit denen, die sie immer geliebt hatte und von denen sie immer geliebt worden war, auch in den Jahren ihres Elends und ihrer Verbannung.

Sie beschäftigte sich mit allerlei Wirtschaftlichem und sorgte für Ausschmückung und kleine Verbesserungen im Haushalt. Ihr Sinn für das Schöne ließ sie darin immer das Richtige treffen. Lesen aber und vor allem die Beschäftigung mit den Künsten hatte sie ganz aufgegeben. »Ich habe davon so viel gehabt, dass ich froh bin, die Hände in den Schoß legen zu können.« Es erinnerte sie auch wohl zu sehr an ihre traurigen Tage. Sie bildete stattdessen die Kunst aus, still und entzückt auf die Natur zu blicken, und wenn das Laub von den Platanen fiel, wenn die Sonnenstrahlen auf dem Eis des kleinen Teiches blitzten oder die ersten Krokus aus dem noch halb winterlichen Rondell aufblühten, – das tat ihr wohl, und auf all das konnte sie stundenlang blicken und dabei vergessen, was ihr das Leben versagt, oder richtiger wohl, um was sie sich selbst gebracht hatte.

Besuch blieb nicht ganz aus, nicht alle stellten sich gegen sie; ihren Hauptverkehr aber hatte sie doch in Schulhaus und Pfarre.

Dass im Schulhaus die Töchter ausgeflogen waren, schadete nicht viel, es würde nicht mehr so recht gegangen sein; aber zu Jahnke selbst – der nicht bloß ganz Schwedisch-Pommern, sondern auch die Kessiner Gegend als skandinavisches Vorland ansah und beständig darauf bezügliche Fragen stellte –, zu diesem alten Freunde stand sie besser denn je. »Ja, Jahnke, wir hatten ein Dampfschiff, und wie ich Ihnen, glaub' ich, schon einmal schrieb oder vielleicht auch schon 'mal erzählt habe, beinahe wär ich wirklich 'rüber nach Wisby gekommen. Denken Sie sich, beinahe nach Wisby. Es ist komisch, aber ich kann eigentlich von vielem in meinem Leben sagen, ›beinah‹.«

»Schade, schade«, sagte Jahnke.

»Ja, freilich schade. Aber auf Rügen bin ich wirklich umhergefahren. Und das wäre so 'was für Sie gewesen, Jahnke. Denken Sie sich, Arkona mit einem großen Wenden-Lagerplatz, der noch sichtbar sein soll; denn ich bin nicht hinge-

Arkona […]: Festung und Tempelanlage der Wenden auf Wittow

kommen; aber nicht allzu weit davon ist der Hertha-See mit weißen und gelben Mummeln. Ich habe da viel an Ihre Hertha denken müssen ...«

»Nun, ja, ja, Hertha ... Aber Sie wollten von dem Hertha-See sprechen ...«

»Ja, das wollt' ich ... Und denken Sie sich, Jahnke, dicht an dem See standen zwei große Opfersteine, blank und noch die Rinnen drin, in denen vordem das Blut ablief. Ich habe von der Zeit an einen Widerwillen gegen die Wenden.«

»Ach, gnäd'ge Frau verzeihen. Aber das waren ja keine Wenden. Das mit den Opfersteinen und mit dem Hertha-See, das war ja schon viel, viel früher, ganz vor Christum natum; reine Germanen, von denen wir alle abstammen ...«

vor Christum natum: vor Christi Geburt

»Versteht sich«, lachte Effi, »von denen wir alle abstammen, die Jahnkes gewiss und vielleicht auch die Briests.«

Und dann ließ sie Rügen und den Hertha-See fallen und fragte nach seinen Enkeln und welche ihm lieber wären; die von Bertha oder die von Hertha. Ja, Effi stand gut zu Jahnke. Aber trotz seiner intimen Stellung zu Hertha-See, Skandinavien und Wisby, war er doch nur ein einfacher Mann, und so konnte es nicht ausbleiben, dass der vereinsamten jungen Frau die Plaudereien mit Niemeyer um vieles lieber waren. Im Herbst, solange sich im Parke promenieren ließ, hatte sie denn auch die Hülle und Fülle davon; mit dem Eintreten des Winters aber kam eine mehrmonatige Unterbrechung, weil sie das Predigerhaus selbst nicht gern betrat; Frau Pastor Niemeyer war immer eine sehr unangenehme Frau gewesen und schlug jetzt vollends hohe Töne an, trotzdem sie, nach Ansicht der Gemeinde, selber nicht ganz einwandsfrei war.

Das ging so den ganzen Winter durch, sehr zu Effis Leidwesen. Als dann aber, Anfang April, die Sträucher einen grünen Rand zeigten und die Parkwege rasch abtrockneten, da wurden auch die Spaziergänge wieder aufgenommen.

Einmal gingen sie auch wieder so. Von fern her hörte man den Kuckuck, und Effi zählte, wie viele Male er rief. Sie hatte sich an Niemeyers Arm gehängt und sagte: »Ja, da ruft der Kuckuck. Ich mag ihn nicht befragen. Sagen Sie, Freund, was halten Sie vom Leben?«

»Ach, liebe Effi, mit solchen Doktorfragen darfst Du mir nicht kommen. Da musst Du Dich an einen Philosophen wenden oder ein Ausschreiben an eine Fakultät machen. Was ich vom Leben halte? Viel und wenig. Mitunter ist es recht viel, und mitunter ist es recht wenig.«

»Das ist recht, Freund, das gefällt mir; mehr brauch' ich nicht zu wissen.« Und als sie das so sagte, waren sie bis an die Schaukel gekommen. Sie sprang hinauf, mit einer Behändigkeit wie in ihren jüngsten Mädchentagen, und ehe sich noch der Alte, der ihr zusah, von seinem halben Schreck erholen konnte, huckte sie schon zwischen den zwei Stricken nieder und setzte das Schaukelbrett durch ein geschicktes Auf- und Niederschnellen ihres Körpers in Bewegung. Ein paar Sekunden noch, und sie flog durch die Luft, und bloß mit einer Hand sich haltend, riß sie mit der andern ein kleines Seidentuch von Brust und Hals und schwenkte es wie in Glück und Übermut. Dann ließ sie die Schaukel wieder langsam gehen und sprang herab und nahm wieder Niemeyers Arm.

»Effi, Du bist doch noch immer, wie Du früher warst.«

»Nein. Ich wollte, es wäre so. Aber es liegt ganz zurück, und ich hab' es nur noch einmal versuchen wollen. Ach, wie schön es war, und wie mir die Luft wohltat; mir war, als flög' ich in den Himmel. Ob ich wohl hineinkomme? Sagen Sie mir's Freund, Sie müssen es wissen. Bitte, bitte ...«

Niemeyer nahm ihren Kopf in seine zwei alten Hände und gab ihr einen Kuss auf die Stirn und sagte: »Ja, Effi, Du wirst.«

Kuckuck [...] befragen: ein Volksglauben besagt, dass die Anzahl der Kuckucksrufe den noch übrigen Lebensjahren des Zuhörenden entspricht

ein Ausschreiben machen: *hier* einen Wettbewerb veranstalten

Fakultät: Abteilung zusammengehörender Wissenschaftsgebiete innerhalb einer Universität

Behändigkeit: Geschicklichkeit

hucken: hocken

Effi war den ganzen Tag draußen im Park, weil sie das Luftbedürfnis hatte; der alte Friesacker Dr. Wiesike war auch einverstanden damit, gab ihr aber in diesem Stück doch zu viel Freiheit, zu tun, was sie wolle, sodass sie sich während der kalten Tage im Mai heftig erkältete: Sie wurde fiebrig, hustete viel, und der Doktor, der sonst jeden dritten Tag herüberkam, kam jetzt täglich und war in Verlegenheit, wie er der Sache beikommen solle, denn die Schlaf- und Hustenmittel, nach denen Effi verlangte, konnten ihr des Fiebers halber nicht gegeben werden.

»Doktor«, sagte der alte Briest, »was wird aus der Geschichte? Sie kennen sie ja von klein auf, haben sie geholt. Mir gefällt das alles nicht; sie nimmt sichtlich ab, und die roten Flecke und der Glanz in den Augen, wenn sie mich mit einem Male so fragend ansieht. Was meinen Sie? Was wird? Muss sie sterben?«

Wiesike wiegte den Kopf langsam hin und her. »Das will ich nicht sagen, Herr von Briest. Dass sie so fiebert, gefällt mir nicht. Aber wir werden es schon wieder 'runterkriegen, dann muss sie nach der Schweiz oder nach Mentone. Reine Luft und freundliche Eindrücke, die das Alte vergessen machen ...«

»Lethe, Lethe.«

»Ja, Lethe«, lächelte Wiesike. »Schade, dass uns die alten Schweden, die Griechen, bloß das Wort hinterlassen haben und nicht zugleich auch die Quelle selbst ...«

»Oder wenigstens das Rezept dazu; Wässer werden ja jetzt nachgemacht. Alle Wetter, Wiesike, das wär' ein Geschäft, wenn wir hier so ein Sanatorium anlegen könnten: Friesack als Vergessenheitsquelle. Nun, vorläufig wollen wir's mit der Riviera versuchen. Mentone ist ja wohl Riviera? Die Kornpreise sind zwar in diesem Augenblicke wieder

---

(Randglossen:)

haben sie geholt: *hier* Geburtshilfe leisten

Mentone: Lungenkurort in Frankreich

Lethe: nach der griech. Mythologie der Fluss der Unterwelt, dessen Wasser die Erinnerung an das weltliche Leben auslöscht

die alten Schweden: umgangssprachlich für »alter Freund«

schlecht, aber was sein muss, muss sein. Ich werde mit meiner Frau darüber sprechen.«

Das tat er denn auch und fand sofort seiner Frau Zustimmung, deren in letzter Zeit – wohl unter dem Eindruck zurückgezogenen Lebens – stark erwachte Lust, auch mal den Süden zu sehen, seinem Vorschlage zu Hülfe kam. Aber Effi selbst wollte nichts davon wissen. »Wie gut Ihr gegen mich seid. Und ich bin egoistisch genug, ich würde das Opfer auch annehmen, wenn ich mir etwas davon verspräche. Mir steht es aber fest, dass es mir bloß schaden würde.«

»Das redest Du Dir ein, Effi.«

»Nein. Ich bin so reizbar geworden; alles ärgert mich. Nicht hier bei Euch. Ihr verwöhnt mich und räumt mir alles aus dem Wege. Aber auf einer Reise, da geht das nicht, da lässt sich das Unangenehme nicht so beiseitetun; mit dem Schaffner fängt es an, und mit dem Kellner hört es auf. Wenn ich mir die süffisanten Gesichter bloß vorstelle, so wird mir schon ganz heiß. Nein, nein, lasst mich hier. Ich mag nicht mehr weg von Hohen-Cremmen, hier ist meine Stelle. Der Heliotrop unten auf dem Rondell, um die Sonnenuhr herum, ist mir lieber als Mentone.«

süffisant:
spöttisch-
überheblich

Nach diesem Gespräch ließ man den Plan wieder fallen, und Wiesike, so viel er sich von Italien versprochen hatte, sagte: »Das müssen wir respektieren, denn das sind keine Launen; solche Kranken haben ein sehr feines Gefühl und wissen mit merkwürdiger Sicherheit, was ihnen hilft und was nicht. Und was Frau Effi da gesagt hat von Schaffner und Kellner, das ist doch auch eigentlich ganz richtig, und es gibt keine Luft, die so viel Heilkraft hätte, den Hotelärger (wenn man sich überhaupt darüber ärgert) zu balancieren. Also lassen wir sie hier; wenn es nicht das Beste ist, so ist es gewiss nicht das Schlechteste.«

Das bestätigte sich denn auch. Effi erholte sich, nahm um ein Geringes wieder zu (der alte Briest gehörte zu den Wiegefanatikern) und verlor ein Gutteil ihrer Reizbarkeit.

Dabei war aber ihr Luftbedürfnis in einem beständigen Wachsen, und zumal wenn Westwind ging und graues Gewölk am Himmel zog, verbrachte sie viele Stunden im Freien. An solchen Tagen ging sie wohl auch auf die Felder hinaus und ins Luch, oft eine halbe Meile weit, und setzte sich, wenn sie müde geworden, auf einen Hürdenzaun und sah, in Träume verloren, auf die Ranunkeln und roten Ampferstauden, die sich im Winde bewegten.

»Du gehst immer so allein«, sagte Frau von Briest. »Unter unseren Leuten bist Du sicher; aber es schleicht auch so viel fremdes Gesindel umher.«

Das machte doch einen Eindruck auf Effi, die an Gefahr nie gedacht hatte, und als sie mit Roswitha allein war, sagte sie: »Dich kann ich nicht gut mitnehmen, Roswitha; Du bist zu dick und nicht mehr fest auf den Füßen.«

»Nu, gnäd'ge Frau, so schlimm ist es doch noch nicht. Ich könnte ja doch noch heiraten.«

»Natürlich«, lachte Effi. »Das kann man immer noch. Aber weißt Du, Roswitha, wenn ich einen Hund hätte, der mich begleitete. Papas Jagdhund hat gar kein **Attachement** für mich, Jagdhunde sind so dumm, und er rührt sich immer erst, wenn der Jäger oder der Gärtner die Flinte vom **Riegel** nimmt. Ich muss jetzt oft an Rollo denken.«

»Ja«, sagte Roswitha, »so 'was wie Rollo haben sie hier gar nicht. Aber damit will ich nichts gegen ›hier‹ gesagt haben. Hohen-Cremmen ist sehr gut.«

Es war drei, vier Tage nach diesem Gespräche zwischen Effi und Roswitha, dass Innstetten um eine Stunde früher in sein Arbeitszimmer trat als gewöhnlich. Die Morgensonne, die sehr hell schien, hatte ihn geweckt, und weil er fühlen mochte, dass er nicht wieder einschlafen würde, war er aufgestanden, um sich an eine Arbeit zu machen, die schon seit geraumer Zeit der Erledigung harrte.

Nun war es eine Viertelstunde nach acht, und er klingelte. Johanna brachte das Frühstückstablett, auf dem, neben

Attachement: Zuneigung

Riegel: an der Wand befestigtes Brett mit Haken

der Kreuzzeitung und der Norddeutschen Allgemeinen, auch noch zwei Briefe lagen. Er überflog die Adressen und erkannte an der Handschrift, dass der eine vom Minister war. Aber der andere? Der Poststempel war nicht deutlich zu lesen, und das »Sr. Wohlgeboren Herrn Baron von Innstetten« bezeugte eine glückliche Unvertrautheit mit den landesüblichen Titulaturen. Dem entsprachen auch die Schriftzüge von sehr primitivem Charakter. Aber die Wohnungsangabe war wieder merkwürdig genau: W. Keithstraße 1c, zwei Treppen hoch.

Innstetten war Beamter genug, um den Brief von »Exzellenz« zuerst zu erbrechen. »Mein lieber Innstetten! Ich freue mich, Ihnen mitteilen zu können, dass Seine Majestät Ihre Ernennung zu unterzeichnen geruht haben, und gratuliere Ihnen aufrichtig dazu.« Innstetten war erfreut über die liebenswürdigen Zeilen des Ministers, fast mehr als über die Ernennung selbst. Denn was das Höherhinaufklimmen auf der Leiter anging, so war er seit dem Morgen in Kessin, wo Crampas mit einem Blick, den er immer vor Augen hatte, Abschied von ihm genommen, etwas kritisch gegen derlei Dinge geworden. Er maß seitdem mit anderem Maße, sah alles anders an. Auszeichnung, was war es am Ende? Mehr als einmal hatte er, während der ihm immer freudloser dahinfließenden Tage, einer halb vergessenen Ministerialanekdote aus den Zeiten des älteren Ladenberg her gedenken müssen, der, als er nach langem Warten den roten Adlerorden empfing, ihn wütend und mit dem Ausruf beiseitewarf: »Da liege, bis Du *schwarz* wirst.« Wahrscheinlich war er dann hinterher auch »schwarz« geworden, aber um viele Tage zu spät und sicherlich ohne rechte Befriedigung für den Empfänger.

Alles, was uns Freude machen soll, ist an Zeit und Umstände gebunden, und was uns heute noch beglückt, ist morgen wertlos. Innstetten empfand das tief, und so gewiss ihm an Ehren und Gunstbezeugungen von oberster Stelle her lag, wenigstens gelegen *hatte*, so gewiss stand ihm jetzt

Kreuzzeitung: eigentl. *Neue preußische Zeitung*, Organ der evangelisch Konservativen

Norddeutsche Allgemeine Zeitung: Organ Bismarcks

Wohlgeboren: Anrede für nichtadelige Würdenträger

Titulaturen: Rangbezeichnungen

Johann Philipp von Ladenberg (1769–1847): preuß. Finanzpolitiker und Staatsminister

roter Adlerorden: preuß. Orden mittleren Ranges

fest, es käme bei dem glänzenden Schein der Dinge nicht viel heraus, und das, was man »das Glück« nenne, wenn's überhaupt existiere, sei 'was anderes als dieser Schein. »Das Glück, wenn mir recht ist, liegt in zweierlei: darin, dass man ganz da steht, wo man hingehört (aber welcher Beamte kann das von sich sagen), und zum Zweiten und Besten in einem behaglichen Abwickeln des ganz Alltäglichen, also darin, dass man ausgeschlafen hat und dass die neuen Stiefel nicht drücken. Wenn einem die 720 Minuten eines zwölfstündigen Tages ohne besonderen Ärger vergehen, so lässt sich von einem glücklichen Tage sprechen.« In einer Stimmung, die derlei schmerzlichen Betrachtungen nachhing, war Innstetten auch heute wieder. Er nahm nun den zweiten Brief. Als er ihn gelesen, fuhr er über seine Stirn und empfand schmerzlich, dass es ein Glück gebe, dass er es gehabt, aber dass er es nicht mehr habe und nicht mehr haben könne.

Johanna trat ein und meldete: »Geheimrat Wüllersdorf.« Dieser stand schon auf der Türschwelle. »Gratuliere, Innstetten.«

»Ihnen glaub ich's; die anderen werden sich ärgern. Im Übrigen ...«

»Im Übrigen. Sie werden doch in diesem Augenblick nicht kritteln wollen.«

»Nein. Die Gnade Seiner Majestät beschämt mich, und die wohlwollende Gesinnung des Ministers, dem ich das alles verdanke, fast noch mehr.«

»Aber ...«

»Aber ich habe mich zu freuen verlernt. Wenn ich es einem anderen als Ihnen sagte, so würde solche Rede für redensartlich gelten. Sie aber, Sie finden sich darin zurecht. Sehen Sie sich hier um; wie leer und öde ist das alles. Wenn die Johanna eintritt, ein so genanntes Juwel, so wird mir angst und bange. Dieses Sich-in-Szene-Setzen (und Innstetten ahmte Johannas Haltung nach), diese halb komische Büstenplastik, die wie mit einem Spezialanspruch auftritt, ich

weiß nicht, ob an die Menschheit oder an mich – ich finde
das alles so trist und elend, und es wäre zum Totschießen,
wenn es nicht so lächerlich wäre.«

»Lieber Innstetten, in dieser Stimmung wollen Sie Ministerialdirektor werden?«

»Ah, bah. Kann es anders sein? Lesen Sie, diese Zeilen
habe ich eben bekommen.«

Wüllersdorf nahm den zweiten Brief mit dem unleserli-
chen Poststempel, amüsierte sich über das »Wohlgeboren«
und trat dann ans Fenster, um bequemer lesen zu können.

»Gnäd'ger Herr! Sie werden sich wohl am Ende wundern,
dass ich Ihnen schreibe, aber es ist wegen Rollo. Anniechen
hat uns schon voriges Jahr gesagt: Rollo wäre jetzt so faul;
aber das tut hier nichts, er kann hier so faul sein, wie er
will, je fauler, je besser. Und die gnäd'ge Frau möchte es
doch so gern. Sie sagt immer, wenn sie ins Luch oder über
Feld geht: ›Ich fürchte mich eigentlich, Roswitha, weil ich
da so allein bin; aber wer soll mich begleiten? Rollo, ja, das
ginge; der ist mir auch nicht gram. Das ist der Vorteil, dass
sich die Tiere nicht so drum kümmern.‹ Das sind die Worte
der gnäd'gen Frau, und weiter will ich nichts sagen und
den gnäd'gen Herrn bloß noch bitten, mein Anniechen zu
grüßen. Und auch die Johanna. Von Ihrer treu ergebenen
Dienerin Roswitha Gellenhagen.«

»Ja«, sagte Wüllersdorf, als er das Papier wieder zusam-
menfaltete, »die ist uns über.«

über:
hier überlegen

»Finde ich auch.«

»Und das ist auch der Grund, dass Ihnen alles andere so
fraglich erscheint.«

»Sie treffen's. Es geht mir schon lange durch den Kopf, und
diese schlichten Worte mit ihrer gewollten oder vielleicht
auch nicht gewollten Anklage haben mich wieder vollends
aus dem Häuschen gebracht. Es quält mich seit Jahr und
Tag schon, und ich möchte aus dieser ganzen Geschichte
heraus; nichts gefällt mir mehr; je mehr man mich aus-
zeichnet, je mehr fühle ich, dass dies alles nichts ist. Mein

Leben ist verpfuscht, und so hab' ich mir im Stillen ausgedacht, ich müsste mit all' den Strebungen und Eitelkeiten überhaupt nichts mehr zu tun haben, und mein Schulmeistertum, was ja wohl mein Eigentlichstes ist, als ein höherer Sittendirektor verwenden können. Es hat ja dergleichen gegeben. Ich müsste also, wenn's ginge, solche schrecklich berühmte Figur werden, wie beispielsweise der Doktor Wichern im Rauhen Hause zu Hamburg gewesen ist, dieser Mirakelmensch, der alle Verbrecher mit seinem Blick und seiner Frömmigkeit bändigte ...«

»Hm, dagegen ist nichts zu sagen; das würde gehen.«

»Nein, es geht auch nicht. Auch *das* nicht 'mal. Mir ist eben alles verschlossen. Wie soll ich einen Totschläger an seiner Seele packen? Dazu muss man selber intakt sein. Und wenn man's nicht mehr ist und selber so 'was an den Fingerspitzen hat, dann muss man wenigstens vor seinen zu bekehrenden Konfratres den wahnsinnigen Büßer spielen und eine Riesenzerknirschung zum Besten geben können.« Wüllersdorf nickte.

Nun, sehen Sie, Sie nicken. Aber das alles kann ich nicht mehr. Den Mann im Büßerhemd bring' ich nicht mehr heraus und den Derwisch oder Fakir, der unter Selbstanklagen sich zu Tode tanzt, erst recht nicht. Und da hab' ich mir denn, weil das alles nicht geht, als ein Bestes herausgeklügelt: weg von hier, weg und hin unter lauter pechschwarze Kerle, die von Kultur und Ehre nichts wissen. Diese Glücklichen! Denn gerade *das,* dieser ganze Krimskrams ist doch an allem schuld. Aus Passion, was am Ende gehen möchte, tut man dergleichen nicht. Also bloßen Vorstellungen zuliebe ... Vorstellungen! ... Und da klappt denn einer zusammen, und man klappt selber nach. Bloß noch schlimmer.«

»Ach was, Innstetten, das sind Launen, Einfälle. Quer durch Afrika, was soll das heißen? Das ist für 'nen Leutnant, der Schulden hat. Aber ein Mann wie Sie! Wollen Sie mit einem roten Fez einem Palaver präsidieren oder mit einem Schwiegersohn von König Mtesa Blutfreundschaft

---

Johann Hinrich Wichern (1808–1881): evangelischer Theologe und Begründer der »Inneren Mission«

Rauhes Haus: Erziehungsanstalt für bedürftige Jugendliche, 1833 von Wichern begründet

Mirakelmensch: Wundertäter

Konfratres: Mitbrüder

Derwisch: Bettelmönche

Fakir: Asket

roten Fez: rote Filzkappe

Palaver: wortreiches Gerede

König Mtesa: Sultan von Uganda, bekannt für seine Gastfreundschaft

schließen? Oder wollen Sie sich in einem Tropenhelm, mit sechs Löchern oben, am Kongo entlangtasten, bis Sie bei Kamerun oder da herum wieder herauskommen? Unmöglich!«

»Unmöglich? Warum? Und *wenn* unmöglich, was dann?«

»Einfach hierbleiben und Resignation üben. Wer ist denn unbedrückt? Wer sagte nicht jeden Tag: ›eigentlich eine sehr fragwürdige Geschichte.‹ Sie wissen, ich habe auch mein Päckchen zu tragen, nicht gerade das Ihrige, aber nicht viel leichter. Es ist Torheit mit dem Im-Urwald-Umherkriechen oder in einem Termitenhügel nächtigen; wer's mag, der mag es, aber für unserein ist es nichts. In der Bresche stehen und aushalten, bis man fällt, das ist das Beste. Vorher aber im Kleinen und Kleinsten so viel herausschlagen wie möglich, und ein Auge dafür haben, wenn die Veilchen blühen oder das Luisendenkmal in Blumen steht oder die kleinen Mädchen mit hohen Schnürstiefeln über die Korde springen. Oder auch wohl nach Potsdam fahren und in die Friedenskirche gehen, wo Kaiser Friedrich liegt, und wo sie jetzt eben anfangen, ihm ein Grabhaus zu bauen. Und wenn Sie da stehen, dann überlegen Sie sich das Leben von dem, und wenn Sie dann nicht beruhigt sind, dann ist Ihnen freilich nicht zu helfen.«

»Gut, gut. Aber das Jahr ist lang, und jeder einzelne Tag … und dann der Abend.«

»Mit dem ist immer noch am ehesten fertig zu werden. Da haben wir ›Sardanapal‹ oder ›Coppelia‹ mit der del Era, und wenn es damit aus ist, dann haben wir Siechen. Nicht zu verachten. Drei Seidel beruhigen jedes Mal. Es gibt immer noch viele, sehr viele, die zu der ganzen Sache nicht anders stehen wie wir, und einer, dem auch viel verquer gegangen war, sagte mir 'mal: ›Glauben Sie mir, Wüllersdorf, es geht überhaupt nicht ohne ›Hülfskonstruktionen‹. Der das sagte, war ein Baumeister und musst' es also wissen. Und er hatte recht mit seinem Satz. Es vergeht kein Tag, der mich nicht an die ›Hülfskonstruktionen‹ gemahnte.«

in der Bresche stehen (Redensart): für jmd. einspringen

Luisendenkmal: Ehrendenkmal für Königin Luise von Preußen

Korde: Seil, Schnur

Sardanapal (1865): Ballett von Paul Taglioni

Coppellia (1870): Ballett von Leo Délibes

Antonietta dell'Era: königliche Hoftänzerin an der Lindenoper in Berlin

Siechen: Bier-Restaurant in Berlin

Seidel: Bierglas

Wüllersdorf, als er sich so expektoriert, nahm Hut und Stock. Innstetten aber, der sich bei diesen Worten seines Freundes seiner eigenen voraufgegangenen Betrachtungen über das »kleine Glück« erinnert haben mochte, nickte halb zustimmend und lächelte vor sich hin.

»Und wohin gehen Sie nun, Wüllersdorf? Es ist noch zu früh für das Ministerium.«

»Ich schenk' es mir heute ganz. Erst noch eine Stunde Spaziergang am Kanal hin bis an die Charlottenburger Schleuse und dann wieder zurück. Und dann ein kleines Vorsprechen bei Huth, Potsdamer Straße, die kleine Holztreppe vorsichtig hinauf. Unten ist ein Blumenladen.«

Huth:
Weinhaus in
Berlin

»Und das freut Sie? Das genügt Ihnen?«

»Das will ich nicht gerade sagen. Aber es hilft ein bisschen. Ich finde da verschiedene Stammgäste, Frühschoppler, deren Namen ich klüglich verschweige. Der eine erzählt dann vom Herzog von Ratibor, der andere vom Fürstbischof Kopp und der Dritte wohl gar von Bismarck. Ein bisschen fällt immer ab. Dreiviertel stimmt nicht, aber wenn es nur witzig ist, krittelt man nicht lange dran herum und hört dankbar zu.«

Frühschoppler:
Gäste, die
morgens Wein
trinken

Viktor Herzog
von Ratibor
(1847–1923):
Großgrund-
besitzer und
Präsident des
preußischen
Herrenhauses

Und damit ging er.

Fürstbischof
Kopp
(1837–1914):
Fürstbischof
von Breslau;
vermittelte im
Kulturkampf

SECHSUNDDREISSIGSTES KAPITEL

Der Mai war schön, der Juni noch schöner, und Effi, nachdem ein erstes schmerzliches Gefühl, das Rollos Eintreffen in ihr geweckt hatte, glücklich überwunden war, war voll Freude, das treue Tier wieder um sich zu haben. Roswitha wurde belobt, und der alte Briest erging sich, seiner Frau gegenüber, in Worten der Anerkennung für Innstetten, der ein Kavalier sei, nicht kleinlich, und immer das Herz auf dem rechten Fleck gehabt habe. »Schade, dass die dumme Geschichte dazwischenfahren musste. Eigentlich war es doch ein Musterpaar.« Der Einzige, der bei dem Wiedersehen ruhig blieb, war Rollo selbst, weil er entweder kein Organ für Zeitmaß hatte oder die Trennung als eine Unordnung ansah, die nun einfach wieder behoben sei. Dass er alt geworden, wirkte wohl auch mit dabei. Mit seinen Zärtlichkeiten blieb er sparsam, wie er beim Wiedersehen sparsam mit seinen Freudenbezeugungen gewesen war, aber in seiner Treue war er womöglich noch gewachsen. Er wich seiner Herrin nicht von der Seite. Den Jagdhund behandelte er wohlwollend, aber doch als ein Wesen auf niederer Stufe. Nachts lag er vor Effis Tür auf der Binsenmatte, morgens, wenn das Frühstück im Freien genommen wurde, neben der Sonnenuhr, immer ruhig, immer schläfrig, und nur wenn sich Effi vom Frühstückstisch erhob und auf den Flur zuschritt und hier erst den Strohhut und dann den Sonnenschirm vom Ständer nahm, kam ihm seine Jugend wieder, und ohne sich darum zu kümmern, ob seine Kraft auf eine große oder kleine Probe gestellt werden würde, jagte er die Dorfstraße hinauf und wieder herunter und beruhigte sich erst, wenn sie zwischen den ersten Feldern waren. Effi, der freie Luft noch mehr galt als landschaftliche Schönheit, vermied die kleinen Waldpartien und hielt meist die große, zunächst von uralten Rüstern und dann, wo die Chaussee begann, von Pappeln besetzte große Straße, die nach der Bahnhofsstation führte, wohl eine Stunde Wegs. An allem freute sie sich, atmete beglückt den Duft ein, der von den Raps- und Kleefeldern herüberkam, oder folgte dem Aufsteigen der Lerchen und zählte die Ziehbrunnen und Tröge, daran das Vieh zur Tränke ging. Dabei klang ein leises Läuten zu ihr herüber. Und dann war ihr zu Sinn, als müsse sie die Augen schließen und in einem süßen Vergessen hinübergehen. In Nähe der Station, hart an der Chaussee, lag eine Chausseewalze. Das war ihr täglicher Rasteplatz, von dem aus sie das Treiben auf dem Bahndamm verfolgen konnte; Züge kamen und gingen, und mitunter sah sie zwei Rauchfahnen, die sich einen Augenblick wie deckten und dann nach

Rüster: eigentlich Ulme: immergrüner Baum

Chausseewalze: von Pferden gezogene Walze, die zum Planieren im Straßenbau verwendet wurde

links und rechts hin wieder auseinandergingen, bis sie hinter Dorf und Wäldchen verschwanden. Rollo saß dann neben ihr, an ihrem Frühstück teilnehmend, und wenn er den letzten Bissen aufgefangen hatte, fuhr er, wohl um sich dankbar zu bezeigen, irgendeine Ackerfurche wie ein Rasender hinauf und hielt nur inne, wenn ein paar beim Brüten gestörte Rebhühner dicht neben ihm aus einer Nachbarfurche aufflogen.

»Wie schön dieser Sommer! Dass ich noch so glücklich sein könnte, liebe Mama, vor einem Jahr hätte ich's nicht gedacht,« – das sagte Effi jeden Tag, wenn sie mit der Mama um den Teich schritt oder einen Frühapfel vom Zweig brach und tapfer einbiss. Denn sie hatte die schönsten Zähne. Frau von Briest streichelte ihr dann die Hand und sagte: »Werde nur erst wieder gesund, Effi, ganz gesund; das Glück findet sich dann; nicht das alte, aber ein neues. Es gibt Gott sei Dank viele Arten von Glück. Und Du sollst sehen, wir werden schon etwas finden für Dich.«

»Ihr seid so gut. Und eigentlich hab' ich doch auch euer Leben geändert und euch vor der Zeit zu alten Leuten gemacht.«

»Ach, meine liebe Effi, davon sprich nicht. Als es kam, da dacht' ich ebenso. Jetzt weiß ich, dass unsere Stille besser ist als der Lärm und das laute Getriebe von vordem. Und wenn Du so fortfährst, können wir noch reisen. Als Wiesike Mentone vorschlug, da warst Du krank und reizbar und hattest, weil Du krank warst, ganz recht mit dem, was Du von den Schaffnern und Kellnern sagtest; aber wenn Du wieder festere Nerven hast, dann geht es, dann ärgert man sich nicht mehr, dann lacht man über die großen Allüren und das gekräuselte Haar. Und dann das blaue Meer und weiße Segel und die Felsen ganz mit rotem Kaktus überwachsen, – ich habe es noch nicht gesehen, aber ich denke es mir so. Und ich möchte es wohl kennen lernen.«

So verging der Sommer, und die Sternschnuppennächte lagen schon zurück. Effi hatte während dieser Nächte bis über Mitternacht hinaus am Fenster gesessen und sich nicht müde sehen können. »Ich war immer eine schwache Christin; aber ob wir doch vielleicht von da oben stammen und, wenn es hier vorbei ist, in unsere himmlische Heimat zurückkehren, zu den Sternen oben oder noch drüber hinaus! Ich weiß es nicht, ich will es auch nicht wissen, ich habe nur die Sehnsucht.«

Arme Effi, Du hattest zu den Himmelwundern zu lange hinaufgesehen und darüber nachgedacht, und das Ende war, dass die Nachtluft und die Nebel, die vom Teich her aufstiegen, sie wieder aufs Krankenbett warfen, und als Wiesike gerufen wurde und sie gesehen hatte, nahm er Briest beiseite und sagte: »Wird nichts mehr; machen Sie sich auf ein baldiges Ende gefasst.«

Er hatte nur zu wahr gesprochen, und wenige Tage danach, es war noch nicht spät und die zehnte Stunde noch nicht heran, da kam Roswitha nach unten und sagte zu Frau von Briest: »Gnädigste Frau, mit der gnädigen Frau oben ist es schlimm; sie spricht immer so still vor sich hin, und mitunter ist es, als ob sie bete, sie will es aber nicht wahrhaben, und ich weiß nicht, mir ist, als ob es jede Stunde vorbei sein könnte.«

»Will sie mich sprechen?«

»Sie hat es nicht gesagt. Aber ich glaube, sie möchte es. Sie wissen ja, wie sie ist; sie will Sie nicht stören und ängstlich machen. Aber es wäre doch wohl gut.«

»Es ist gut, Roswitha«, sagte Frau von Briest, »ich werde kommen.«

Und ehe die Uhr noch einsetzte, stieg Frau von Briest die Treppe hinauf und trat bei Effi ein. Das Fenster stand offen, und sie lag auf einer Chaiselongue, die neben dem Fenster stand.

Chaiselongue: gepolstertes Sitz- und Liege-möbel für eine Person

Frau von Briest schob einen kleinen schwarzen Stuhl mit drei goldenen Stäbchen in der Ebenholzlehne heran, nahm Effis Hand und sagte:

»Wie geht es Dir, Effi? Roswitha sagt, Du seiest so fiebrig.«

»Ach, Roswitha nimmt alles so ängstlich. Ich sah ihr an, sie glaubt, ich sterbe. Nun, ich weiß nicht. Aber sie denkt, es soll es jeder so ängstlich nehmen wie sie selbst.«

»Bist Du so ruhig über Sterben, liebe Effi?« »Ganz ruhig, Mama.«

»Täuschst Du Dich darin nicht? Alles hängt am Leben und die Jugend erst recht. Und Du bist noch so jung, liebe Effi.«

Effi schwieg eine Weile. Dann sagte sie: »Du weißt, ich habe nicht viel gelesen, und Innstetten wunderte sich oft darüber, und es war ihm nicht recht.«

Es war das erste Mal, dass sie Innstettens Namen nannte, was einen großen Eindruck auf die Mama machte und dieser klar zeigte, dass es zu Ende sei.

»Aber ich glaube«, nahm Frau von Briest das Wort, »Du wolltest mir 'was erzählen.«

»Ja, das wollte ich, weil Du davon sprachst, ich sei noch so jung. Freilich bin ich noch jung. Aber das schadet nichts. Es war noch in glücklichen Tagen, da las mir Innstetten abends vor; er hatte sehr gute Bücher, und in einem hieß es, es sei wer von einer fröhlichen Tafel abgerufen worden, und am anderen Tag habe der Abgerufene gefragt, wie's denn nachher gewesen sei. Da habe man ihm geantwortet: ›Ach, es war noch allerlei; aber eigentlich haben Sie nichts versäumt.‹ Sieh', Mama, diese Worte haben sich mir eingeprägt – es hat nicht viel zu bedeuten, wenn man von der Tafel etwas früher abgerufen wird.«

Frau von Briest schwieg. Effi aber schob sich etwas höher hinauf und sagte dann: »Und da ich nun 'mal von alten Zeiten und auch von Innstetten gesprochen habe, muss ich Dir doch noch etwas sagen, liebe Mama.«

»Du regst Dich auf, Effi.«

»Nein, nein; etwas von der Seele herunter sprechen, das regt mich nicht auf, das macht still. Und da wollt' ich Dir denn sagen: Ich sterbe mit Gott und Menschen versöhnt, auch versöhnt mit *ihm.*«

»Warst Du denn in Deiner Seele in so großer Bitterkeit mit ihm? Eigentlich, verzeih mir, meine liebe Effi, dass ich das jetzt noch sage, eigentlich hast Du doch Euer Leid heraufbeschworen.«

Effi nickte. »Ja, Mama. Und traurig, dass es so ist. Aber als dann all' das Schreckliche kam, und zuletzt das mit Annie, Du weißt schon, da hab' ich doch, wenn ich das lächerliche Wort gebrauchen darf, den Spieß umgekehrt und habe mich ganz ernsthaft in den Gedanken hineingelebt, er sei schuld, weil er nüchtern und berechnend gewesen sei und zuletzt auch noch grausam. Und da sind Verwünschungen gegen ihn über meine Lippen gekommen.«

»Und das bedrückt Dich jetzt?«

»Ja. Und es liegt mir daran, dass er erfährt, wie mir hier in meinen Krankheitstagen, die doch fast meine schönsten gewesen sind, wie mir hier klargeworden, dass er in allem recht gehandelt. In der Geschichte mit dem armen Crampas – ja, was sollt' er am Ende anders tun? Und dann, womit er mich am tiefsten verletzte, dass er mein eigen Kind in einer Art Abwehr gegen mich erzogen hat, so hart es mir ankommt und so weh' es mir tut, er hat auch darin recht gehabt. Lass ihn das wissen, dass ich in dieser Überzeugung gestorben bin. Es wird ihn trösten, aufrichten, vielleicht versöhnen. Denn er hatte viel Gutes in seiner Natur und war so edel, wie jemand sein kann, der ohne rechte Liebe ist.«

Frau von Briest sah, dass Effi erschöpft war und zu schlafen schien oder schlafen wollte. Sie erhob sich leise von ihrem Platz und ging. Indessen kaum dass sie fort war, erhob sich auch Effi und setzte sich an das offene Fenster, um noch einmal die kühle Nachtluft einzusaugen. Die Sterne flimmerten, und im Park regte sich kein Blatt. Aber je länger sie hinaushorchte, je deutlicher hörte sie wieder, dass es wie ein feines Rieseln auf die Platanen niederfiel. Ein Gefühl der Befreiung überkam sie. »Ruhe, Ruhe.«

Es war einen Monat später, und der September ging auf die Neige. Das Wetter war schön, aber das Laub im Park zeigte schon viel Rot und Gelb, und seit den Äquinoktien, die die drei Sturmtage gebracht hatten, lagen die Blätter überallhin ausgestreut.

Auf dem Rondell hatte sich eine kleine Veränderung vollzogen, die Sonnenuhr war fort, und an der Stelle, wo sie gestanden hatte, lag seit gestern eine weiße Marmorplatte, darauf stand nichts als »Effi Briest« und darunter ein Kreuz. Das war Effis letzte Bitte gewesen: »Ich möchte auf meinem Stein meinen alten Namen wiederhaben; ich habe dem andern keine Ehre gemacht.« Und es war ihr versprochen worden.

Ja, gestern war die Marmorplatte gekommen und aufgelegt worden, und angesichts der Stelle saßen nun wieder Briest und Frau und sahen darauf hin und auf den Heliotrop, den man geschont und der den Stein jetzt einrahmte. Rollo lag daneben, den Kopf in die Pfoten gesteckt.

Wilke, dessen Gamaschen immer weiter wurden, brachte das Frühstück und die Post, und der alte Briest sagte: »Wilke, bestelle den kleinen Wagen. Ich will mit der Frau über Land fahren.«

Frau von Briest hatte mittlerweile den Kaffee eingeschenkt und sah nach dem Rondell und seinem Blumenbeet. »Sieh', Briest, Rollo liegt wieder vor dem Stein. Es ist ihm doch noch tiefer gegangen als uns. Er frisst auch nicht mehr.«

»Ja, Luise, die Kreatur. Das ist ja, was ich immer sage. Es ist nicht so viel mit uns, wie wir glauben. Da reden wir immer von Instinkt. Am Ende ist es doch das Beste.«

»Sprich nicht so. Wenn Du so philosophierst ... nimm es mir nicht übel, Briest, dazu reicht es bei Dir nicht aus. Du hast Deinen guten Verstand, aber Du kannst doch nicht an solche Fragen …«

»Eigentlich nicht.«

»Und wenn denn schon überhaupt Fragen gestellt werden sollen, da gibt es ganz andere, Briest, und ich kann Dir sagen, es vergeht kein Tag, seit das arme Kind da liegt, wo mir solche Fragen nicht gekommen waren …«

»Welche Fragen?«

»Ob *wir* nicht doch vielleicht schuld sind?« »Unsinn, Luise. Wie meinst Du das?«

»Ob wir sie nicht anders in Zucht hätten nehmen müssen. Gerade wir. Denn Niemeyer ist doch eigentlich eine Null, weil er alles in Zweifel lässt. Und dann, Briest, so leid es mir tut … Deine beständigen Zweideutigkeiten … und zuletzt, womit ich mich selbst anklage, denn ich will nicht schadlos ausgehen in dieser Sache, ob sie nicht doch vielleicht zu jung war?«

Rollo, der bei diesen Worten aufwachte, schüttelte den Kopf langsam hin und her, und Briest sagte ruhig: »Ach, Luise, lass … das ist ein *zu* weites Feld.«

Sachinformationen

Duellwesen

Duelle waren im Kaiserreich offiziell verboten. Sie stellten für einen männlichen Angehörigen des Adels, insbesondere für aktive Offiziere, aber eine gängige Praxis dar. Für einen Verfechter der Duellpraxis um 1900 war das Duell einfach »eine Form geregelter Selbsthülfe auf einem Gebiet, wo der Rechtsschutz versagt« (Boguslawski 1896, S. 4), womit Verletzungen des Ehrgefühls gemeint sind. Für einen Adeligen, besonders wenn er dem Militär angehörte, war die persönliche Ehre von herausragender Bedeutung. Eine Verletzung dieser Ehre in der Öffentlichkeit konnte unter keinen Umständen hingenommen werden.

Dementsprechend konnten unter Offizieren bereits geringfügigste Anlässe zu einer Duellforderung führen. Solche Situationen »entstanden beim Pferdekauf, im Tanzsaal, Bierlokal und auf Abendgesellschaften, im Vergnügungsverein, Bahnabteil, bei der Zimmervermietung, dem Billardspiel oder der Parade.« (Dieners 1992, S. 58–59) Die Bandbreite der Anlässe reichte vom »Fixieren des Blicks, einem unbedachten Wort […] oder hämischem Lächeln […] über das Zurückstoßen eines Hundes, kleine Rempeleien, Geldangelegenheiten, betrügerische Geschäfte, den Abbruch der Familienbeziehungen, Zeitungspolemiken, die Verführung von Ehefrauen, pornographische Briefe und Majestätsbeleidigungen bis hin zu gezielten Duellprovokationen.« (Dieners 1992, S. 58–59) War eine

Forderung ausgesprochen, folgte der Ablauf im Wesentlichen immer demselben Muster. Das Duell wurde nach ungeschriebenen oder in einem Duellkodex festgehaltenen Regeln durchgeführt: Nachdem die Forderung des Beleidigten zum Duell überbracht worden war, wurden – oft durch die Sekundanten (Vertraute von Beleidigtem und Beleidiger in dieser Angelegenheit, die über den korrekten Ablauf wachen) – die Einzelheiten des bevorstehenden Duells festgelegt: Ort und Zeit, Waffengattung und Ende des Duells. Die Bedingungen des Duells und damit die Gefährlichkeit für die Duellanten, hingen von der Schwere der Beleidigung ab. Gekämpft wurde mit Hieb- bzw. Stichwaffen wie etwa Säbeln oder Degen meist bis zum ersten Blutstropfen oder bis zur Kampfunfähigkeit. Pistolenduelle unterschieden sich hinsichtlich der Entfernung, aus der geschossen wurde (zwischen 15 und 100 Schritte) und der Anzahl sowie Reihenfolge der abgegebenen Schüsse. Die meisten Duelle führten nicht zu schweren Verletzungen oder gar zum Tod eines Duellanten, die beiden Duellanten versöhnten sich nach Durchführung des Duells. Doch selbst wenn ein Offizier seinen Kontrahenten im Duell tötete (nach Schätzungen in knapp ein Prozent der Fälle), musste er weder eine lange Haftstrafe noch das Ende seiner militärischen Karriere befürchten. Falls eine Untersuchung des offiziell verbotenen Duells durch die Militärgerichtsbarkeit überhaupt stattfand, wurden Strafen nur in seltenen Fällen verhängt. Häufig wurden verurteilte Duellanten nach wenigen Wochen oder Monaten vom Kaiser begnadigt und setzten ihre Laufbahn fort.

Ende des 19. Jahrhunderts wurde die Duellpraxis jedoch scharf kritisiert, beispielsweise von der eigens gegründeten Anti-Duell-Liga, einer Organisation des katholischen Hochadels. Auch im Reichstag wurde das Duell öffentlich infrage gestellt, weil sich daran die grundsätzliche Frage knüpfte, ob Militär- oder Zivilgewalt den Vorrang in Staat und Gesellschaft haben sollte. Trotz dieser Kritik blieb das Duell bis zum Ende des Kaiserreiches 1918 und teilweise darüber hinaus gängige Praxis und ein wichtiger Bestandteil des militärisch-adeligen Selbstverständnisses.

Aus heutiger Sicht scheint das Duell die Funktion erfüllt zu haben, den adeligen Offiziersstand vom Bürgertum abzuschotten und das Selbstverständnis dieser gesellschaftlichen und politischen Elite durch strenge Regeln und ständige gegenseitige Kontrolle zu stärken.

Literatur

Boguslawski, Albrecht von: Die Ehre und das Duell.
Berlin: Schall & Grund 1896, S. 2–4.

Dieners, Peter: Das Duell und die Sonderrolle des Militärs. Zur preußisch-deutschen Entwicklung von Militär- und Zivilgewalt im 19. Jahrhundert. Berlin: Duncker & Humblot 1992.

Grawe, Christian: Theodor Fontane: Effi Briest.
Frankfurt a. M.: Diesterweg 1985.

Slawig, Johannes: Der Kampf gegen das Duellwesen im 19. und 20. Jahrhundert in Deutschland unter besonderer Berücksichtigung Preußens. Münster (Inaugural-Dissertation) 1986.

Ehe und Familie im 19. Jahrhundert

Für die höhere – d. h. aus großbürgerlichen oder adeligen Familien stammende – Tochter war das entscheidende Lebensziel die Ehe. Nicht zuletzt auf Grund eines Frauenüberschusses in der zweiten Hälfte des 19. Jahrhunderts bestand für sie die Gefahr, unverheiratet zu bleiben und damit vom gesellschaftlichen Leben ausgeschlossen zu sein. Die Ehe bildete für sie die einzige Möglichkeit, aus der eigenen Familie herauszukommen, wobei sie sich von der Ehe auch neue Erlebnisse und Erfahrungen versprach. Sexuell aufgeklärt wurden die jungen Frauen allerdings nicht, im Gegenteil: Sexualität wurde tabuisiert und unterdrückt, was häufig zu Problemen in der Ehe führte, da die Ehepartner ihre jeweiligen Bedürfnisse oft nicht wahrnehmen, aussprechen, geschweige denn ausleben konnten (→ Sexualität und Doppelmoral im 19. Jahrhundert).

Der Altersabstand der Ehepartner war in den oberen Schichten größer als in der Mittelschicht oder bei den Arbeitern. Auf Grund langer Ausbildungszeiten heirateten die Männer oft erst spät, wenn sie eine angemessene Anstellung gefunden hatten. Ihre Frauen konnten dagegen häufig noch recht jung sein. Während der Mann sich eine Frau nach seinem Belieben aussuchen konnte, musste die Frau bis zu ihrem 25. Lebensjahr die Zustimmung ihres Vaters einholen. Heiratsanträge durften die Frauen auch ablehnen, liefen dann aber Gefahr, andere mögliche Bewerber abzuschrecken.

In der Oberschicht wurden häufig so genannte Konvenienzehen (Vernunfts- oder Zwangsehen) arrangiert, obwohl seit 1800 ein Liebesideal vorherrschte, das eine individuelle Entscheidung in der Partnerwahl vorsah. Durch diese arrangierten Verbindungen wurde sichergestellt, dass die Eheleute von gleicher Herkunft waren, was der Vermögenssicherung dienen sollte. Seltener dagegen waren sogenannte Mesalliancen, d. h. nicht standesgemäße Ehen.

Die Familie hatte im 19. Jahrhundert eine besondere Bedeutung: Sie galt als Garant für Moral, Gemeinschaft, Privatheit und Lebenssinn. Damit schützte man sich vor staatlichen oder gesellschaftlichen Eingriffen. Zwar besaß jedes Familienmitglied individuelle Rechte, konnte aber seine Individualität nur bedingt, d. h. im Rahmen der gegebenen Konventionen und des Familieninteresses, entfalten. Über wichtige Fragen, wie etwa die Art der Lebensführung und den Bildungsweg der Kinder, entschied der Mann. Während er am öffentlichen Leben teilnahm und für den Erwerb des Familienunterhalts verantwortlich war, war die Frau für die Kinder und die Aufgaben im Haus zuständig (→ Geschlechterrollen im 19. Jahrhundert). In wohlhabenden Familien übernahm meist ein Dienstmädchen, das trotz der sozialen Unterschiede oft auch als Vertraute fungierte, einen Großteil dieser Aufgaben. Die Freizeit, die die Hausfrau durch diese Hilfe erlangte, verursachte immer wieder Langeweile, die sie u. a. mit Handarbeiten bekämpfte.

Die Kinder wurden überwiegend autoritär erzogen. Von ihnen wurde unbedingter Gehorsam den Eltern und anderen erwachsenen Autoritäten gegenüber sowie die Einfügung in die bestehende Ordnung erwartet. Sie waren zwar der Stolz ihrer Eltern, aber deren Liebe und Fürsorge drückte sich mehr in rigiden Erziehungsformen, in Leistungsdruck und Kontrolle aus als in einer vertrauensvollen, emotionalen Bindung.

Das herrschende Familienideal bröckelte Ende des 19. Jahrhunderts, was sich besonders in der Literatur niederschlug, in der die Familie zunehmend als »Ort der Konflikte, des Schicksals, des Leidens« (Nipperdey 1998, S. 45) thematisiert und die patriarchalische Familienordnung infrage gestellt wurde. Beispiele hierfür sind etwa der Roman *Buddenbrooks. Der Verfall einer Familie* (1901) von Thomas Mann oder Gabriele Reuters Roman *Aus guter Familie. Die Leidensgeschichte eines Mädchens* (1895).

Literatur

Nipperdey, Thomas: Familie, Geschlechter, Generationen. In: Ders.: Deutsche Geschichte 1866–1918. Bd. I: Arbeitswelt und Bürgergeist. Sonderausgabe. München: C. H. Beck 1998, S. 43–124.

Gestrich, Andreas: Geschichte der Familie im 19. und 20. Jahrhundert, 2. Aufl. München: Oldenbourg Wissenschaftsverlag 2010.

Frauenbewegung

Die Ideen von Freiheit und Gleichheit, die die Französische Revolution von 1789 verbreitet hatte, sollten zunächst nur für Männer gelten. Doch auch Frauen ließen sich davon anregen und formulierten seit den Befreiungskriegen gegen die französische Vorherrschaft auf dem Kontinent (1813–1815) in

Europa zunehmend ihren Anspruch auf politische Mitbestimmung, u. a. in Frauenvereinen und Frauenzeitschriften, die zu diesem Zwecke gegründet wurden.

Eine besondere Bedeutung kommt dabei Louise Otto-Peters (1819–1895) zu, die als Mutter der deutschen Frauenbewegung gilt. Unter dem Motto »Dem Reich der Freiheit werb' ich Bürgerinnen« gab sie 1849 die *Frauen-Zeitung* heraus und gründete 1865 zusammen mit Auguste Schmidt den Allgemeinen Deutschen Frauenverein, in dem sie gleiche Menschenrechte und die Möglichkeit zur Selbstverwirklichung von Frauen einforderte. 1865 veranstaltete sie zudem die erste Frauenkonferenz in Leipzig, auf der das Recht der Frauen auf Arbeit und damit finanzielle Unabhängigkeit als politische Forderung ausgearbeitet wurde.

Während sich die proletarische Frauenbewegung für die Rechte der Arbeiterinnen einsetzte, diskutierte die bürgerliche Frauenbewegung seit Ende der 1880er Jahre intensiv die Themen Mädchenbildung, Lehrerinnenausbildung und Frauenstudium. Bis zu diesem Zeitpunkt konnten Mädchen lediglich Elementar- bzw. Volksschulen und später höhere Töchterschulen besuchen, die ihnen aber keinen Zugang zur höheren Bildung ermöglichten. So wurden 1893 insbesondere durch den Einsatz Helene Langes (1848–1930) Gymnasialkurse für Frauen eingerichtet. 1896 legten die ersten sechs Absolventinnen erfolgreich das Abitur ab. Erst seit 1900 erlaubten auch deutsche Universitäten die Immatrikulation von Frauen.

Innerhalb der Frauenbewegung gab es unterschiedliche Standpunkte und Ziele: Während einige Vertreterinnen den Anspruch auf Gleichheit formulierten, erklärte ein größerer Teil der Frauen lediglich ihren Anspruch auf Gleichberechtigung, wobei sie auf Grund des biologischen Unterschieds zu Männern von einer grundsätzlichen Andersartigkeit der Frau überzeugt waren. Eine vehemente Aktivistin gegen diesen Standpunkt war Hedwig Dohm (1831–1919), die in beeindruckend kämpferischen Schriften, wie z. B. *Die Antifeministen* (1902), die Gleichheit von Mann und Frau einforderte: »Ich frage jeden aufrichtigen Menschen, wären Gesetze wie die über das Vermögensrecht der Frauen, über ihre Rechte an den Kindern, über Ehe, Scheidung etc. denkbar in einem Lande, wo die Frauen das Stimmrecht ausübten? Hätten sie die Macht, sie würden diese Gesetze von Grund auf ändern. [...] Die Frauen haben Steuern zu zahlen wie die Männer, sie sind verantwortlich für Gesetze, an deren Beratung sie keinen Anteil gehabt; Sie sind also den Gesetzen unterworfen, die Andere gemacht. Das nennt man in allen Sprachen der Welt Tyrannei, einfache, absolute Tyrannei, sie mag noch so milde gehandhabt werden, sie bleibt Tyrannei. Die Frau besitzt wie der Sklave alles, was man ihr aus Güte bewilligt.« (Dohm 1873, S. 168)

Gebündelt wurden die unterschiedlich ausgerichteten Positionen innerhalb der Frauenbewegung seit 1894 im Bund deutscher Frauen. Als Dachorganisation ermöglichte dieser der deutschen Frauenbewegung die Teilhabe an dem in den USA gegründeten Frauenweltbund (International Council of Women, ICW).

Literatur

Gerhard, Ute: Unerhört. Die Geschichte der deutschen Frauenbewegung. Hamburg: Rowohlt 1990.

Dohm, Hedwig: Der Jesuitismus im Hausstande. Ein Beitrag zur Frauenfrage. Berlin: Wedekind und Schwieger 1873, S. 168–169.

Vahsen, Mechthild: Wie alles begann – Frauen um 1800. 2008
URL: http://www.bpb.de/themen/QA8EHC,0,0,Wie_alles_begann_%96_Frauen_um_1800.html [zuletzt aufgerufen am 30. August 2012].

Wolff, Kerstin: Die Frauenbewegung organisiert sich. Die Aufbauphase im Kaiserreich. 2008
URL: http://www.bpb.de/themen/HL5YDX,0,0,Die_Frauenbewegung_organisiert_sich.html [zuletzt aufgerufen am 30. August 2012].

Geschlechterrollen im 19. Jahrhundert

Ende des 18. Jahrhunderts setzte sich die Ansicht durch, dass Männer und Frauen nicht nur biologisch, sondern auch charakterlich grundsätzlich verschieden seien und deshalb unterschiedliche Aufgaben in Familie und Gesellschaft übernehmen müssten. Die Frau wurde darauf festgelegt, ein Natur-

und Gefühlswesen zu sein, der Mann dagegen wurde als Verstandeswesen angesehen. Diese Geschlechterstereotypen bestimmten fortan die Vorstellungen von Mann und Frau und schränkten vor allem die Handlungsbereiche der Frauen ein. Eine besondere Wirkung ging von dem Werk *Emile oder Über die Erziehung* (1762) aus, in dem der Philosoph und Pädagoge Jean-Jacques Rousseau (1712–1778) schreibt: »Eine vollkommene Frau und ein vollkommener Mann dürfen sich im Geiste ebensowenig gleichen, wie im Antlitz [...]. Das eine muß aktiv und stark, das andere passiv und schwach sein – notwendigerweise muß das eine wollen und können, und es genügt, wenn das andere nur schwachen Widerstand zeigt.« (Rousseau 1963, S. 720–721) Entsprechend dieser Vorstellungen waren für Jungen und Mädchen unterschiedliche Ausbildungswege und -inhalte vorgesehen, die sie auf ihre jeweiligen Aufgaben vorbereiten sollten: den jungen Mann auf sein Wirken in der Öffentlichkeit, die junge Frau auf ihr zukünftiges Dasein als Ehefrau, Hausfrau und Mutter. Denn im Gegensatz zu Männern waren Frauen vom öffentlichen Leben ausgeschlossen und rechtlich benachteiligt (→ Ehe und Familie im 19. Jahrhundert, → Sexualität und Doppelmoral im 19. Jahrhundert und → Scheidungsrecht im 19. Jahrhundert). Sie hatten z. B. keinen Zugang zu höherer Bildung, besaßen kein Wahlrecht, durften sich nicht in politischen Gruppen oder Vereinen engagieren, kein Eigentum erwerben oder als verheiratete Frauen berufstätig sein. Zeitlebens unterstanden sie einer männlichen Autorität – erst dem Vater, dann dem Ehemann. Diese starre Rollenaufteilung, die die Unterordnung der Frau unter den Mann festlegte, bestimmte im 19. Jahrhundert das Zusammenleben von Männern und Frauen. Nach und nach wuchs aber auch der Protest dagegen und formierte sich in der ersten Frauenbewegung (→ Frauenbewegung).

Literatur

Frevert, Ute : Frauen-Geschichte. Zwischen Bürgerlicher Verbesserung und Neuer Weiblichkeit. Frankfurt a. M.: Suhrkamp 1986.

Nipperdey, Thomas: Familie, Geschlechter, Generationen. In: Ders.: Deutsche Geschichte 1866–1918. Bd. I: Arbeitswelt und Bürgergeist. Sonderausgabe. München: C. H. Beck 1998, S. 43–124.

Rousseau, Jean-Jacques: Emile oder Über die Erziehung. Stuttgart: Reclam 1963.

Weber-Kellermann, Ingeborg: Frauenleben im 19. Jahrhundert. Empire und Romantik, Biedermeier, Gründerzeit. München: C. H. Beck 1983.

Gesellschaft im Kaiserreich

Das 1871 gegründete Deutsche Reich war ein Bund mehrerer Einzelstaaten, die in bestimmten Bereichen wie etwa im Bildungswesen selbst Gesetzgebungskompetenzen hatten. Auch in wirtschaftlicher Hinsicht unterschieden sich die Einzelstaaten. So standen beispielsweise dem hochindustrialisierten Ruhrgebiet im Westen riesige Agrarflächen im Osten gegenüber. Insgesamt war die Gesellschaft des Kaiserreichs in wirtschaftlicher, politischer und religiöser Hinsicht von Gegensätzen gekennzeichnet: zwischen Stadt und Land, West und Ost, Nord und Süd, Katholizismus und Protestantismus und insbesondere zwischen den verschiedenen Bevölkerungsschichten: »Die Gesellschaft des Kaiserreichs war«, schreibt der Historiker Thomas Nipperdey, »wie alle zeitgenössischen Gesellschaften, durch ein hohes Maß sicht- und fühlbarer Ungleichheit« (Nipperdey 1998, S. 414) geprägt. Diese Ungleichheit nahm im Zuge der rasant voranschreitenden Industrialisierung bis in die 1890er Jahre noch zu. Neben den verschiedenen Klassen und Unterklassen, die vor allem durch ihre ökonomische Situation definiert wurden, hatten zwei gesellschaftliche Gruppen eine Sonderstellung inne: der Adel und das Militär, wobei die ranghöheren Offiziere in aller Regel dem Adel angehörten.

Offiziere genossen nicht nur besondere gesellschaftliche Achtung, sondern wurden auch in sozialer und zum Teil sogar rechtlicher Hinsicht durch den Militärstaat, der das Deutsche Reich unter Preußens Führung war (→ Preußen), privilegiert. Der Adel behielt auch unter der einenden Zentralgewalt des Kaisers im Deutschen Reich politische Macht, die er über die

Besetzung von Spitzenämtern in Verwaltung, Regierung und Armee geltend machte. Neben den gehobenen Staatsämtern bildete der Besitz von Land die wirtschaftliche Basis des Adels. Die staatliche Agrarpolitik nahm stets Rücksicht auf die Interessen der adeligen Großgrundbesitzer. Die Sonderstellung des Adels drückte sich u. a. in eigenen Moralvorstellungen und der Betonung einer vom Bürgertum abgegrenzten Standesehre aus. Dies blieb bis zum Ende des Kaiserreichs im Jahr 1918 so: »Natürlich wurde der Adel auch modern und insoweit bürgerlich, etwa im Wirtschaften, im Umgang mit der Kultur, im Familienstil, ja auch in der Erfüllung bürokratischer Aufgaben. Aber der Adel ist nicht verbürgerlicht, er blieb Adel.« (Nipperdey 1998, S. 418) Ein Symbol für diese konsequente Abgrenzung zum Bürgertum war das vor allem innerhalb der Gruppe der adeligen Offiziere gepflegte Duellwesen (→ Duellwesen).

Literatur

Nipperdey, Thomas: Deutsche Geschichte 1866–1918. Bd. I: Arbeitswelt und Bürgergeist. München: C. H. Beck 1998.

Winkler, Heinrich August: Der lange Weg nach Westen. Deutsche Geschichte 1806–1933. Bonn: bpb 2002.

Zippelius, Reinhold: Kleine deutsche Verfassungsgeschichte. Vom frühen Mittelalter bis zur Gegenwart. München: bpb, 2004.

Preußen

Preußen war vom Mittelalter bis zum Ende des 2. Weltkrieges ein Staat im nördlichen Mitteleuropa in unterschiedlicher territorialer Ausdehnung und mit verschiedenen Staatsformen. Obwohl Preußen erst im Jahr 1701 zum deutschen Königreich erhoben wurde und im Laufe der Jahrhunderte mehr als einmal am Rande des Untergangs stand, gelang es den preußischen Hohenzollern-Königen im Laufe des 19. Jahrhunderts, Preußen neben der alten Kaisermacht Österreich zu einem der beiden mächtigsten deutschen Staaten zu machen.

Durch den siegreich beendeten Deutschen Krieg von 1866 besiegelte Preußen seine Überlegenheit: der Deutsche Bund, in dem noch Preußen und Österreich vertreten waren, wurde aufgelöst, 1870 wurde unter Führung Preußens ein Norddeutscher Bund ohne Österreich gegründet. »Als wenige Jahre später der französische und der innerdeutsche Widerstand gegen die deutsche Einigung unter Führung Preußens durch den Krieg von 1870/71 gebrochen wurde, stieg Preußen zur Kaiserwürde auf. In dem Maße, in dem es damit im deutschen Reich aufging, nahm dieses preußisches Gepräge an, es wurde Preußen-Deutschland.« (Grawe 1985, S. 8)

Zu diesem »preußischen Gepräge« gehörte zum einen die starke Stellung des Königs von Preußen, der ab 1871 zugleich Kaiser des Deutschen Reiches war. Dieser wurde für das neu gegründete Reich zu einer Symbolfigur der Einigung. In Preußen selbst war er mehr als das. So erklärte Bismarck die Bedeutung des Königs für Preußen zum »monarchischen Prinzip«: »Bei uns [...] regiert der König selbst. Die Minister redigieren wohl, was der König befohlen hat, aber sie regieren nicht.« (Bismarck 1929, S. 324)

Neben dem starken König sind vor allem die loyale und pflichtbewusste Beamtenschaft sowie das Militär kennzeichnend für den Staat Preußen dieser Zeit. Da Preußen seinen Aufstieg seiner militärischen Stärke verdankte, genossen Angehörige des Militärs besonderen Respekt. Diese Betonung des Militärischen steigerte sich bis hin zum gesellschaftlichen Militarismus: ›soldatische Tugenden‹, eine ›soldatische Erziehung‹ und Uniformen prägten das öffentliche Leben. Wer beim Militär gedient oder sogar in einem Krieg für Preußen bzw. das Deutsche Reich gekämpft hatte, wurde allseits geachtet. Die Offiziere der Armee gehörten zu den privilegierten Gruppen der Gesellschaft und nahmen diese Sonderstellung bewusst ein, was sich in speziellen, teilweise übersteigerten Vorstellungen der persönlichen Ehre ausdrückte (→ Duellwesen).

Ein weiteres Kennzeichen Preußens war der Protestantismus. Der preußische König war zugleich Oberhaupt der lutherischen Landeskirche. Die katholische Kirche, bzw. die Zentrumspartei als politischer Arm des Katholizismus, wurde in den

1870er Jahren im so genannten »Kulturkampf« erbittert vom preußischen Reichskanzler Otto von Bismarck bekämpft.

Das »Preußentum« stellte sich also den Zeitgenossen Fontanes als eine Mischung aus Militarismus, Luthertum, Staats- und Königstreue, Ordnung, Strebertum und Gehorsam, Bürokratentum«, einer »Ethik der Pflichterfüllung« und »Staatsvergottung« (Grawe 1985, S. 13) dar.

Literatur

Grawe, Christian: Theodor Fontane: Effi Briest. Frankfurt a. M.: Diesterweg 1985.

Nipperdey, Thomas: Grundstrukturen und Grundkräfte im Reich von 1871. In: Ders.: Deutsche Geschichte 1866–1918. Bd. II: Machtstaat vor der Demokratie. Sonderausgabe. München: C. H. Beck 1998, S. 85–358.

Nipperdey, Thomas: Die Bismarckzeit. In: Ders.: Deutsche Geschichte 1866–1918. Bd. II: Machtstaat vor der Demokratie. Sonderausgabe. München: C. H. Beck 1998, S. 359–408.

Storch, Dietmar: Theodor Fontane – Zeuge seines Jahrhunderts. In: Christian Grawe (Hg.): Fontane-Handbuch. Stuttgart: Kröner 2000, S. 103–191.

Fürst von Bismarck, Otto von: Die gesammelten Werke. Bd. 12: Reden 1878–1885. Berlin: Otto Stollberg Verlag 1929, S. 324–325.

Scheidungsrecht im 19. Jahrhundert

Gesetzlich war Scheidung in Europa zwar seit Ende des 18. Jahrhunderts zulässig, aber noch Ende des 19. Jahrhunderts gesellschaftlich nicht anerkannt und somit nicht üblich. Um 1890 wurden im Deutschen Reich lediglich 74 von 100 000 Ehen geschieden (auf dem Land weniger als in der Stadt).

Scheidungen konnten in allen deutschen Staaten nur durch den Nachweis ganz bestimmter Fakten vorgenommen werden. Nach dem *Allgemeinen Landrecht für die Preußischen Staaten (PrALR)* von 1794 konnten z. B. folgende Scheidungsgründe geltend gemacht werden: Ehebruch, Bösliche Verlassung (ein Ehepartner verlässt den anderen und lebt mindestens ein Jahr lang getrennt von diesem), Versagung der ehelichen Pflichten, Unvermögen, Nachstellung nach dem Leben und grobe Verbrechen. Einvernehmliche Regelungen gab es nur bei kinderlosen Ehen oder im Falle tiefer Ablehnung des Partners (»Zerrüttung«). Grundsätzlich galt das Verschuldensprinzip. Dennoch war das *PrALR* insbesondere auf Grund der Ausnahmen wie der Scheidung auf Grund von »Zerrüttung« für seine Zeit liberal. Diese Liberalisierungstendenzen wurden im 19. Jahrhundert aber wieder rückgängig gemacht, da sich konservative Stimmen mehrten, die eine Einschränkung des Scheidungsrechts forderten. Sie sahen in der Ehe eine gesellschaftliche Institution, die funktionieren musste und die es vor rein individuellen Interessen zu schützen galt. Deswegen wurde in Preußen eine Reform des Scheidungsrechts in Auftrag gegeben und 1844 eine Verordnung über das Verfahren in Ehesachen erlassen, die fortan die Durchführung einer Scheidung erschwerte und insbesondere die rechtliche Stellung der Frau beeinträchtigte. So wurde etwa für höhere Ehebruchstrafen für Frauen plädiert, was folgendermaßen begründet wurde: »Die Bedeutung der Frau liegt hauptsächlich in der sittlichen und geschlechtlichen Reinheit, und mit dem Verlust derselben ist die Würde des Weibes, so wie der eheliche und häusliche Friede vernichtet, die Erziehung der Kinder preisgegeben. [...] Der Ehebruch des Mannes wird in sehr vielen Fällen die Ehre und den Frieden des Hauses nicht untergraben, und der momentane Fehltritt des Mannes wird leichter verziehen und gesühnt werden können.« (Gerhard 1978, S. 174 f.)

Die Scheidungsfolgen waren vor allem für die geschiedene Frau schwerwiegend: Da ihr Vermögen nach dem geltenden Recht dem Ehemann zufiel, bedeutete eine Scheidung für sie den finanziellen Ruin. Die elterliche Sorge für die Kinder wurde immer dem Mann zugesprochen, auch wenn dieser für schuldig befunden wurde. Diese rechtliche Benachteiligung führte für Frauen zu schwerwiegenden Konflikten, die auch in den bedeutenden Familienromanen des 19. Jahrhunderts – *Madame Bovary* (1857) von Gustave Flaubert und *Anna Karenina* (1875/78) von Leo Tolstoi – thematisiert wurden.

Literatur

Allgemeines Landrecht für die Preußischen Staaten vom 5. Februar 1794.
Zweiter Teil. Erster Titel. Von der Ehe. (§§ 1–1131).
URL: http://dlib-pr.mpier.mpg.de/m/kleioc/0010/exec/
books/%22129324%22 [zuletzt aufgerufen am 30. August 2012].

Gerhard, Ute: Verhältnisse und Verhinderungen. Frauenarbeit, Familie und
Rechte der Frauen im 19. Jahrhundert. Mit Dokumenten.
Frankfurt a. M.: Suhrkamp 1978.

Weber-Kellermann, Ingeborg: Frauenleben im 19. Jahrhundert. Empire
und Romantik, Biedermeier, Gründerzeit. München: C. H. Beck 1983.

Sexualität und Doppelmoral im 19. Jahrhundert

Im 19. Jahrhundert setzte das Bürgertum eine strenge Sexualmoral durch, die auch zur Tabuisierung dieses Themas beitrug.
Grund für diese strenge Auffassung war ein bürgerliches
Humanitätsideal, das die Beherrschung bzw. Überwindung der
(triebhaften menschlichen) Natur durch die Vernunft und den
Willen des Menschen vorsah. Reinheit, Keuschheit und eheliche Treue sollten zudem als speziell deutsche Tugenden gelten – der Verstoß dagegen wurde daher als Beschädigung der
Nation verurteilt. Dementsprechend wurden Masturbation,
voreheliche Geschlechtsverkehr und Ehebruch streng geahn-
det: Es drohten Verachtung und Ausschluss aus der Gesellschaft. »Diese Normen waren internalisiert, bei sensibleren
Gemütern jedenfalls. Verstöße gegen sie waren – fast immer –
mit Gewissensskrupeln, Selbstvorwürfen und -anklagen verbunden, zumal bei jüngeren Menschen.« (Nipperdey 1998,
S. 98)

Diese strenge Sexualmoral galt allerdings zumeist für Frauen
und wurde zur Richtlinie weiblicher Erziehung. Zum einen
sollte damit der auf den biblischen Sündenfall zurückgehen-
den Vorstellung von der sexuellen Triebhaftigkeit der Frau ent-
gegengewirkt werden. Zum anderen wurde die Frau als ›Hüte-
rin der Moral‹ hochstilisiert. Im Gegensatz zum Mythos der
Frau als Verführerin wurde ihr »ein spät erst erwachendes und
vom Mann erwecktes Maß an Sexualität, und zwar ein gerin-
geres« (Nipperdey 1998, S. 97), zugesprochen – bzw. wurde

sie grundsätzlich als asexuell angesehen. Daher war ihr in besonderer Weise die Einhaltung jener Tugenden überantwortet.

Die unterschiedlichen Maßstäbe, die hier an Frauen und Männer angelegt wurden, deuten auf die herrschende Doppelmoral hin, die sich besonders deutlich an dem massiven Anstieg des Prostitutionswesens im Kaiserreich zeigt: Trotz der geltenden bürgerlichen Sexualmoral wurde die Prostitution staatlich geduldet. Obwohl Bordelle nach dem Reichsstrafgesetzbuch von 1871 verboten waren, gab es keine Strafverfolgung und Prostitution wurde somit als notwendiges Übel anerkannt. Man erhoffte sich davon auch, Frauen aus höheren sozialen Schichten vor sexuellen Übergriffen von Männern zu schützen und somit deren ›Reinheit‹, also Keuschheit vor und Treue in der Ehe zu sichern.

Laute Kritik an dieser Doppelmoral und der Handhabung des Prostitutionswesens kam vor allem vom radikalen linken Flügel der bürgerlichen Frauenbewegung (→ Frauenbewegung). Dieser setzte sich auch für die sexuelle Freiheit und Selbstbestimmung von Frauen ein und entzündete damit Ideen, die die sexuelle Revolution des 20. Jahrhunderts prägen sollten. Protest gegen die Sexualmoral des Kaiserreichs ging aber auch von der Literatur aus. Hier wird Sexualität seit dem Naturalismus offen thematisiert und über neue Formen der Liebe debattiert. Ein Beispiel hierfür ist das Drama *Frühlings Erwachen Eine Kindertragödie* (1891) von Frank Wedekind.

Literatur

Gerhard, Ute: Unerhört. Die Geschichte der deutschen Frauenbewegung. Hamburg: Rowohlt 1990.

Nipperdey, Thomas: Sexualität. In: Ders.: Deutsche Geschichte 1866–1918. Bd. I: Arbeitswelt und Bürgergeist. Sonderausgabe. München: C. H. Beck 1998, S. 95–111.

Weiblichkeit und Hysterie

Ende des 19. Jahrhunderts wird der Begriff »Hysterie« in *Meyers Konversationslexikon* als eine »Seelenstörung« bezeichnet, die »dadurch charakterisiert ist, daß eine krankhafte Erregbarkeit vom ›himmelhoch Jauchzen zum Tode betrübt‹ durch geringe äußere Anlässe hervorgerufen wird [...].« (S. 859) Vor allem seien »kinderlose [...] Frauen, junge Witwen und alte [...] Jungfern, zumal in den höheren Gesellschaftskreisen« (ebd.) davon betroffen, aber auch Verheiratete, deren Erwartungen an die Ehe enttäuscht wurden.

Psychologen wie u. a. Sigmund Freud (1856–1939) widmeten sich diesem Thema und entwarfen ein differenziertes, aber diffuses Krankheitsbild, nach dem sich Hysterie sowohl durch psychische wie physische Auffälligkeiten zu erkennen gebe: Egozentrismus, Geltungssucht, Naivität, Unreife und starke Stimmungsschwankungen galten ebenso als Anzeichen wie Geh- und Bewegungsstörungen, Lähmungen, allgemeine Schwäche, Ausfall der Sinnesorgane und Zitter- oder Ohnmachtsanfälle. Freud vertrat dabei die These, dass traumatische (sexuelle) Erlebnisse in der Kindheit oder aber die Verdrängung sexueller Wünsche (→ Sexualität und Doppelmoral im 19. Jahrhundert) Ursachen der Hysterie bilden.

Sowohl in der wissenschaftlichen als auch gesellschaftlichen Debatte um Hysterie wurde auf traditionelle Vorurteile über das vermeintlich lügenhafte, sexuelle Wesen der Frau zurückgegriffen, was zur Mythisierung und Stigmatisierung von Weiblichkeit beitrug. So wurden beispielsweise unangepasste Frauen, die ihrer (meist auf Grund gesellschaftlicher Konventionen) unglücklichen Lebenssituation Ausdruck verliehen oder dagegen aufbegehrten, abwertend als hysterisch bezeichnet. Zahlreiche Schicksale von Frauen wurden so zu Fällen für die Psychoanalyse, die als Therapieform von Sigmund Freud entwickelt und angewandt wurde. Der Begriff »Hysterie« gilt heute als veraltet und wird lediglich umgangssprachlich verwendet. Die Psychologie spricht bei ähnlichen Symptomen von einer dissoziativen Störung oder von einer histrionischen Persönlichkeitsstörung, die durch ein besonders ausgeprägtes Bedürfnis nach Aufmerksamkeit und egozentrisches sowie theatralisches Verhalten gekennzeichnet sind.

Literatur

Hysterie [Eintrag]. In: Meyers Konversationslexikon. Bd. 8: Gehirn bis Hainischen. 4. Aufl. Leipzig, Wien: Bibliographisches Institut 1885–1892, S. 859–860.

Schößler, Franziska: Einführung in die Gender Studies. Berlin: Akademie Verlag 2008.

Praise for Kate Rhodes and the Alice Quentin series

'One of those books that leaves the reader wanting more. The life of each character is so vividly painted that even those in minor roles become intriguing, and the pace never slackens from the first page to the last.' Rachel Abbott, author of *Only the Innocent*

'A pacy psychological thriller that makes good use of its London setting.' Laura Wilson, *Guardian*

'Quentin is one of a cast of really believable and entertaining characters and both the plot and the writing keep one thoroughly engaged throughout.' *Daily Mail*

'Alice is a vividly realised protagonist whose complex and harrowing history rivals the central crime storyline' Sophie Hannah, *Sunday Express*

'Like Nicci French, Kate Rhodes excels at character, pace and sense of place' Erin Kelly, author of *The Poison Tree*

'A fast-moving, entertaining mix of sex, suspense and serial killings' *Washington Post*

'What I liked most about *Crossbones Yard* was the fresh voice of the protagonist, a psychologist whose work with vulnerable patients spills over into her family life. Rhodes conjures up her London landscape vividly' Val McDermid

'A page-turning read' Penny Hancock, author of *Tideline*

'First-rate writing' *Publishers Weekly*

'An utterly brilliant, exhilarating read and I devoured every page' Elizabeth Haynes, author of *Into the Darkest Corner*

'An atmospheric, smart, often terrifying read.' Louise Penny, author of *How the Light Gets In*

Kate Rhodes

Kate Rhodes was born in London. She has worked as a teacher and university lecturer, and now writes full-time.

Kate began her writing career as a poet, publishing two prize-winning collections. She has held a Hawthornden fellowship and been shortlisted for Forward and Bridport Prizes. She has written three novels in the Alice Quentin series, *Crossbones Yard*, *A Killing of Angels* and *The Winter Foundlings*, the first of which was selected by Val McDermid for the Harrogate crime festival's New Blood panel championing new crime writers. In 2014 Kate Rhodes won the Ruth Rendell Short Story Award, sponsored by the charity InterAct.

You can visit her website at katerhodes.org or follow her on Twitter @K_RhodesWriter.

KATE RHODES

The Winter
Foundlings

MULHOLLAND
BOOKS
HODDER

First published in Great Britain in 2014 by Mulholland Books
An imprint of Hodder & Stoughton
An Hachette UK company

First published in paperback in 2015

1

A CIP catalogue record for this title is available from the British Library

Paperback ISBN 978 1 444 73884 1
eBook ISBN 978 1 444 73885 8

Printed and bound by Clays Ltd, St Ives plc

Hodder & Stoughton policy is to use papers that are natural, renewable and
recyclable products and made from wood grown in sustainable forests. The
logging and manufacturing processes are expected to conform to
the environmental regulations of the country of origin.

Hodder & Stoughton Ltd
338 Euston Road
London NW1 3BH

www.hodder.co.uk

For all the children cared for by the Foundling Hospital

'Death may be the greatest of all human blessings.'

Socrates (469 BC–399 BC)

PROLOGUE

Ella stands on the school steps, shivering in the cold. The playground's almost empty, and two girls from year six run past like she doesn't exist. They don't even notice her shoes glittering. Her granddad bought them for her on Saturday, and she can't stop admiring them – cherry red, shining like mirrors. It's the buckles she loves best, round and glossy as new pennies. She's longing to dance across the playground, tapping a bright red tune into the snow. One last boy passes through the school gates, dragging his satchel behind him, and then she's alone.

She's been waiting so long, the smile has frozen from her face. She scans the road for a glimpse of her grandfather's car. It must have broken down again. She'll have to walk home without him for the first time, but she doesn't mind. It will make him realise that she's almost grown up. She was ten last birthday, plenty old enough to walk a mile on her own.

Coloured lights flick on in people's houses as she sets off along the street. Christmas is only a few days away, and she's excited about the tree waiting in the living room. Tonight Suzanne will help her to decorate it with tinsel and baubles. She treads carefully on the ice, taking care not to slip. The street's quiet, apart from a man loading shopping into a van. His bags are too full, and one splits as she passes, pieces of fruit scattering across the pavement. He sighs as an orange rolls past her feet.

'Can you fetch that for me, love?' the man asks.

Over his shoulder, Ella sees her granddad's car arriving, then the man's arm catches her waist, his hand stifling her mouth. She's too shocked to scream as he bundles her into the van. The door slams shut and there's a scratching sound behind her. When she spins round, a ghost is hovering in the shadows. A girl in a white dress, her hair an ugly nest of rats' tails. She's bone-thin, knees pressed against her chest, her body tightly folded. Her dead-eyed stare is terrifying. Suddenly Ella's yelling for help, fists battering the door. Through the van's smoky window she sees her granddad rushing up the school steps, and one of her shoes lying on the snow, among the apples and oranges. When the van pulls away, her head knocks against something solid. The pain is a sharp white knife, separating her from everything she knows.

I

The chill attacked me as soon as I stepped out of the car. It made me wish I'd worn a thicker coat, but at least it made a change from the misery on the radio – weathermen predicting more snow, train services at a standstill, and another girl missing from the streets of north London. I picked my way across the ice, pausing to admire Northwood in its winter glory. Rows of dark Victorian tenements stood shoulder to shoulder, braced against the wind. My colleagues at Guy's thought that I'd taken leave of my senses. Why would anyone rent out their London flat and swap a comfortable hospital consultancy for a six-month sabbatical at the country's biggest psychiatric prison? But I knew I'd made the right choice. The British Psychological Society had invited me to write the first-ever in-depth study of the regime at the Laurels, home to some of the country's most violent criminals. The work would be fascinating, and provide an ideal subject for my next book, but that was just part of the reason. If I could handle six months in the company of serial rapists and mass murderers, it meant that I was cured. The suffering and deaths I'd witnessed during the Angel case hadn't left a scratch.

A mixture of curiosity and fear quickened my heart rate as I approached the entrance gates. The warning signs grew more obvious with each step – barred ground-floor windows, razor wire and searchlights. Dozens of reminders that the place was a prison for the criminally insane, as well as a hospital. The security guards gave cautious smiles when I reached reception: two middle-aged women, one tall, one short. Neither seemed overjoyed by their choice of career.

'Bitter out there, isn't it?' the tall one said.

The smaller woman gave me an apologetic look before turning my handbag upside down and shaking it vigorously. A flurry of biros, lipstick cases and old receipts scattered across the counter.

'I'm afraid mobiles aren't allowed,' she said.

'Sorry, I forgot.'

'You wouldn't believe the stuff people try and take inside. Drugs, flick knives, you name it.'

I processed the idea while she searched my belongings. It was hard to imagine anyone bringing weapons into a building packed with psychopaths, unless they had a death wish themselves. She led me to a machine in the corner of the room.

'The card's just for identity,' she said. 'Our doors open with keys or fingerprint recognition.'

I pressed my index finger onto a glass plate, then a light flared, and the machine spat out my ID card. The woman in the photo looked unfamiliar. She had a caught-in-the-headlights stare, cheeks blanched by the cold.

The site map the security guards gave me turned out to be useless. Paths narrow as shoelaces twisted through the maze of tenements packed tight inside the walls of the compound. The architecture was designed for maximum surveillance, hundreds of windows staring down as I wandered in circles, until the Laurels loomed into view. The building had been a cause célèbre when it opened five years ago, protesters outraged that it had consumed thirty-six million pounds of taxpayers' cash. It was a stark monument to modern architecture, surfaces cut from steel and glass. Walking inside felt like entering a futurist hotel, apart from the security measures.

Two sets of doors snapped at my heels as I crossed the threshold.

I felt apprehensive as I searched for the centre director's office. Dr Aleks Gorski had a formidable reputation. When a prisoner escaped from the Laurels the previous year, he had refused to take responsibility, blaming the government for cutting his security budget. Gorski went on the offensive as soon as the prisoner was recaptured, giving angry interviews to the press. His outspoken style had cost him some important allies. It was common knowledge that his seniors were longing to have him removed.

Gorski seemed to be fighting a losing battle with his temper when I found the right door. He was around forty, wearing a tight suit and highly polished shoes, black hair shorn to a savage crew cut. His smile was too brief to be interpreted as a welcome.

'Our appointment was at nine, Dr Quentin.'

'Sorry I'm late, the M25's closed. Didn't you get my message?'

He sat behind his desk, eyeing me across yards of dark brown mahogany. 'Your head of department says you want to write a book about us. What do you plan to focus on?' Gorski's speech was rapid and a fraction too loud, with a strong Polish inflection.

'I'm interested in your treatments for Dangerous and Severe Personality Disorder. I'd like to learn more about your rehabilitation work before release.'

'Very few of our men ever leave, but you're in the right place to study mental disorder. This is the DSPD capital of the world. The only reason our inmates are here is because the prison system spat them out.' He observed me coolly. 'Do you know how long our female employees normally last?'

'A year?'

'Four months. Only a few stay the distance; the ones that carry on fall into two categories – the flirts and the lion tamers. Some are attracted to violent men, and the rest have got something to prove. It's too soon to guess which category you belong to.'

I gazed at him in amazement. Surely statements like that had been outlawed years ago? 'That's irrelevant, Dr Gorski. I'm here to learn about the welfare of your patients.'

'It's your own welfare you should worry about. Last summer an inmate attacked one of our nurses so savagely she was in intensive care for a week. These men will hurt you, if you fail to look after yourself. Do you understand?'

'Of course.'

He gave a curt nod. 'In that case, I'll give you a tour.'

By now I was yearning for my regular boss at Guy's. He was so chilled out that he had a sedative effect on everyone he met, but Gorski seemed as volatile as his patients. He would register a high score on the Hare Psychopathy Checklist, ticking all the boxes for aggression and lack of respect for social boundaries.

I inhaled a lungful of the building's smell as we crossed the corridor. It reminded me of all the hospitals I'd ever visited: antiseptic, air freshener, and something indescribable being char-grilled in a distant kitchen. An overweight young man was being led towards us. Two orderlies were flanking him, another following at a respectful distance, as if a backwards kick might be delivered at any minute.

'What's your staff-to-patient ratio?' I asked.

'We're short-staffed, but it should be three to one.'

'Is that level always necessary?'

He nodded vigorously. 'Fights break out all the time. Yesterday an inmate had his throat slashed with a broken CD case. He needed twenty stitches.'

The day room seemed to tell a different story. A cluster of grey-haired men were huddled in armchairs, watching *A*

6

Place in the Sun. From a distance they looked like a gang of mild-mannered granddads, dressed in jeans and tracksuits, sipping from mugs of tea. Female staff must have been a rarity because their heads swivelled towards me in perfect unison. Lacklustre Christmas decorations dangled from the ceiling, but everything else at the Laurels looked brand new. There was a games room for table tennis and pool, and a gym packed with running and rowing machines. The place even had its own cinema.

I saw a different side to Gorski as we wandered through the building. He spoke passionately as he explained the holistic approach he planned to adopt, if funding increased. Psychologists and psychiatrists would work alongside creative therapists, to create individual treatment programmes, and inmates would spend far more time outside their cells. At present the centre could only afford to employ one part-time art therapist. It was snowing again when we came to a halt beside a set of sealed windows.

'Do your patients ever use the main hospital facilities?' I asked.

'If they make good enough progress. I can show you an example.'

Gorski pressed a touch pad and the doors released us into the compound. I had to trot to keep up, brushing snowflakes from my face. Two male nurses were loitering outside the library, shivering in the cold. The building's high ceilings and stained-glass windows suggested that it had been the hospital chapel once, but the place had been neglected. Many of the shelves were empty, out-of-date books stacked in piles by the door. The choice of DVDs was limited to *The Green Mile, Top Gun* and *The Shawshank Redemption*. Apart from a librarian sitting on the other side of the room, head bowed over a pile of papers, the reading area was empty.

'Do you recognise him?' Gorski whispered.

On closer inspection I saw that the man's left wrist was handcuffed to the metal frame of his chair, and when I studied him more closely, I realised it was Louis Kinsella. He twisted round in his seat to face us, and his gaze had a disturbing intensity. He still bore an uncanny likeness to my father. Even his stare was identical, letting me know that I'd failed him without uttering a word. But he'd aged considerably since he'd filled the front pages seventeen years ago. His Eton-cropped hair had faded from brown to grey, and his features were more angular, with gaunt cheekbones and a prominent forehead. Only his half-moon glasses had remained the same. I'd been revising for my GCSEs when Kinsella's killing spree hit its peak, and his face had lodged in my mind, among the facts I'd memorised. Maybe he fascinated me then because my father was gravely ill. He was being cared for at home, but he'd lost the powers of speech and movement. While his physical powers waned, his doppelgänger had suddenly become Britain's most prolific child killer – a record that Kinsella still held after almost two decades.

His eyes followed me as we turned to leave. The chill felt deeper as we stepped outside, and when I looked down, I saw what had transfixed him. Snowflakes had melted into the red fabric of my coat, darkening it, like spatters of blood.

2

'Everyone reacts like that. Some of my staff won't even stay in the same room. It's the silence they can't stand.' Gorski gave a condescending smile as he watched me shiver.

'What do you mean?'

'Kinsella's choosy about who he communicates with. Most people get the silent treatment. He sends me written complaints occasionally, but he hasn't spoken in years. It's a protest, because his last tribunal failed – he wants to finish his sentence in prison.'

'He thinks he's cured?'

'Louis claims that DSPD isn't an illness. He says it's a personality trait. Now that he's learned to control his impulses, he should be released. His lawyer makes quite a convincing case.'

'But you don't agree?'

'Of course not. The only reason he hasn't killed recently is because he hasn't had the chance. You must have heard what happened at Highpoint?'

'He attacked someone, didn't he?' I remembered seeing a newspaper headline years ago, but the details had slipped my mind.

'He gouged out a prisoner's eye with his thumbs.' Gorski monitored my reaction, then turned away. He seemed determined to make my introduction to the Laurels as unsettling as possible.

The isolation unit was the next highlight on my tour. The windowless cells were padded with dark green foam rubber. If the intention was to pacify patients with subdued colours, the screams from a cell nearby proved that the strategy had backfired. When I peered through the observation hatch, a young man was hurling himself at the wall, then scrambling to his feet and trying again, as though he'd located an invisible door.

'One of our new recruits,' Gorski muttered.

The combined effect of encountering Louis Kinsella, and watching someone ricochet round a padded cell like a squash ball was making me question my decision. Maybe I should have stayed at Guy's and committed myself to a lifetime of helping depressives lighten their mood.

Gorski came to a halt beside a narrow door, then dropped a key into my hand. 'This is your office; my deputy Judith Miller will be supervising you. She'll be at the staff meeting on Wednesday.'

I wondered how long Dr Miller had coped with life at the Laurels. Given her boss's unpleasant manner, I suspected she must be a lion tamer rather than a flirt. I twisted the key in the lock and discovered that my new office was no bigger than a broom cupboard. A narrow window cast grey light across the walls, and the desk almost filled the floor space, a threadbare chair pressed against the wall. Gorski's footsteps had faded into the distance before I could complain.

I spent the rest of the afternoon failing to launch my Outlook account. Someone had left me a pile of papers, including a list of therapy groups to observe, and dates of meetings with the care team. I searched through the pages, looking for familiar names, half expecting Gorski to have booked one-to-one sessions with his most famous psychopaths to test my nerve.

Northwood's staff common room was a million miles from the café at Guy's, which was always packed with talkative nurses. A handful of staff members were sprinkled round the room, staring thoughtfully into their coffee mugs, and I could understand why. They were on high alert all day, waiting for chaos to break out. A few people stared at me curiously as I crossed the room, before returning to quiet contemplation, and I tried to picture how they vented their repressed tension when they got home. Maybe they put on Nirvana at high volume and head-banged around their living rooms. I collected a drink from the vending machine and stood by the window. The view was another reason for the sombre atmosphere. Snow was still falling, security lights blazing from the perimeter wall, an ambulance waiting by the entrance gates. The place looked as secure as Colditz: a few patrolmen with bayonets and Gestapo crests on their caps would have completed the scene. I glanced round the room again, but no one met my eye.

On the way back to my office, I saw a prisoner refusing to follow instructions. He looked like a textbook illustration of mental disorder. Everything about him was ragged, from the tears in his sleeves to his unkempt beard.

'I shouldn't be here,' he yelled at a trio of male nurses. 'They're trying to kill me.'

The man's claw-like hands kept plucking at his clothes, and I wondered what his original crime had been. An orderly was struggling to grab his arm. From a distance it looked like he was trying to tether a scarecrow to the ground in the middle of a full-force gale.

It was dark by the time I left. Someone had cleared the paths, but the car park was still covered in snow. A van edged across the uneven surface, wheels spinning, before disappearing into the woods. My Toyota was groaning with cardboard boxes, containing everything I needed for the next six months, and I was keen to find my rented cottage. But when my key twisted in the ignition, nothing happened. The engine didn't even clear its throat. I drummed my fists on the steering wheel and breathed out a string of expletives. In my race to meet Gorski, I'd left the sidelights on. A gust of freezing air greeted me when I wrenched the door open, the hospital lights glittering on the horizon as I hunted in the boot for jump leads, cursing quietly to myself.

'Are you okay?' a voice asked.

When I straightened up, a man was looking down at me. It was too dark to tell whether he was concerned or amused.

'My battery's dead.'

'Stay there. I'll bring my car.'

He parked his four-wheel drive in front of my Toyota, and took the leads from my hands. I felt like telling him I could do it myself, but at least it gave me time to observe him. He was medium height and thickset, his cap so low over his forehead that I couldn't see his hair colour. All I could make out was the fixed line of his jaw, wide cheekbones, and his blank expression. It was hard to know whether he loved rescuing damsels in distress, or resented every second. He didn't say a word as the engines revved. Icy water leaked through the soles of my shoes, but he seemed comfortable, wrapped in his thick coat and walking boots. I got the impression that an earthquake would struggle to disturb his inner calm.

'You're the new recruit, aren't you?'

'That's me.' I nodded. 'I'm at the Laurels, doing research.'

'Lucky you. Up close and personal with our world-class freaks and psychos.' His expression remained deadpan.

'Are you on the clinical team?'

He gave a short laugh. 'God, no, I'd probably kill someone. I'm a humble fitness instructor.'

The man looked anything but humble. There was something

12

disturbing about his eyes, so pale they were almost colourless. The car purred quietly as he unhooked the jump leads.

'You're a life-saver. I owe you one.'

'Buy me a drink some time. Did anyone tell you what happened to Gorski's last visitor?'

'Not yet.'

'It's probably best you don't know.' He raised his hand in a brief salute then walked away.

I was so happy my car had revived that I didn't question his statement. He'd disappeared down the exit road before I realised he hadn't even told me his name.

Charndale looked like a ghost town. I didn't see a soul as I drove past a post office, a pub, and rows of small houses with picket fences. The minute scale of the place made me question how I'd cope with village life. One of my reasons for accepting the research placement had been to cut my umbilical cord to London. Since the Angel case I'd been partying too hard with Lola, trying to forget all the suffering I'd witnessed. The thing I needed most was to remind myself how to be alone, but the countryside was foreign territory. It was somewhere I visited on holiday, to go walking and eat hotel food.

The sat nav bleeped loudly, telling me to turn left down an unlit track, and my spirits sank even lower. It had been almost impossible to find somewhere to rent – maybe this was the reason why the place was vacant. I edged through the narrow opening and Ivy Cottage came into view. It stood by itself at the end of the lane, white outline highlighted by a backdrop of trees.

I left the headlights on to help me find my way, but the keys the agent had sent were unnecessary. The front door swung open the moment I touched it, as though the place was longing for visitors. The cleaner must have forgotten to lock up, which reminded me how far I was from the city. In London someone would have nicked everything that wasn't nailed down. The air in the hallway was only marginally warmer than the temperature outside, my breath forming clouds as I hauled everything in from the car. I found the thermostat and twisted it to maximum heat.

The rooms were a good size, but the decor was questionable, with lace doilies on the coffee table and headache-inducing swirls on the carpet. At least my new bedroom had an old-fashioned charm. There was an iron-framed bed, and rosebud wallpaper that looked like it had clung to the plaster for generations. I hung my clothes in the wardrobe then peered out of the window. All I could see were pine trees, and the clearest sky imaginable, the moon hazed by a blur of yellow light. The view was stunning enough to compensate for the cold. Back home I'd grown used to light pollution shrouding the sky, but from here I could make out whole constellations. The boiler interrupted my star-gazing with a loud groan. It sounded as if it was working flat out, but the radiators were only lukewarm.

There were very few comforts when I got back downstairs. I perched on the edge of the settee, still wrapped in my coat. The TV was an enormous black antique, with erratic volume control. A newscaster was describing how a girl called Ella Williams had been abducted, near her primary school in Camden on Friday. She was ten years old but the photo made her look even younger. The kids in Ella's class probably made fun of her cloud of brown ringlets, and the NHS glasses that shielded her bright, inquisitive eyes. The picture switched to her grandfather – a frail-looking grey-haired man, doing his best not to cry. Ella's disappearance was the fourth abduction from north London in the space of twelve months. Two girls had been taken a year before, their bodies found months later.

Then a third victim, Sarah Robinson, had vanished a few weeks ago, and was still missing. Her features had been blazoned across the front page of every tabloid. She looked like the archetypal Disney princess; the whole nation was familiar with her golden hair, turquoise eyes, and milk-white smile. I felt a twinge of professional regret as I studied her picture. I'd vowed to steer clear of police work, but in the rare cases when children were brought home alive, the satisfaction was incredible.

I looked at the screen again and my stomach lurched into a forward roll. Don Burns was standing outside King's Cross Police Station, wide shoulders set against the cold, almost filling the screen. He'd lost even more weight since we worked together six months ago, but he was still built on a monumental scale. He looked like a rugby player after a tough defeat. An irrational part of my brain wished the TV had a pause button, so I could see him more clearly. His skin was bleached by the cold, dark hair in need of a comb, but something about him made it difficult to look away. It made me wish that I'd accepted his dinner invitation after the Angel case, but I knew he wanted to compare notes, and I was still too raw to discuss the crime scenes we'd witnessed. By the time I'd recovered, too much time had passed to call him back. But now it was clear that his confidence had returned. His unflinching eye contact with the camera reminded me why I admired him so much. You could rely on him never to bullshit; he was always the truest thing in the room.

Burns had acquired a new deputy. She was a tall, dark-haired woman in an immaculate suit, and there was so little air between them, they could have been Siamese twins. An odd feeling twitched inside my chest. Either the cold was getting to me, or the memory of my last case with Burns was resurfacing. It had started with a man being pushed under a Tube train, followed by half a dozen of the worst murders I'd ever witnessed. At least this time I had the perfect excuse: my research at Northwood would leave me no time to help the Met.

I waited in the kitchen for the kettle to boil. So far it had been a day of mixed blessings: a flat battery followed by an unexpected rescue, a new home that felt like an igloo, and a night sky to die for. I heard a light bulb fizz, then the light failed in the hall. I floundered through the darkness to lock the front door, but the mechanism refused to budge. As I wrenched it open an owl screeched from a tree overhead. The call was so loud and pure, it was impossible to guess whether it was a greeting or a curse.

3

Ella's thoughts are a solid block of ice. There's no way of knowing how long she's been locked in here, without heat or light. The one thing she's certain of is that the room is made of metal. Flakes of rust litter the floor, scratching the bare soles of her feet, and the only sound is the click of her teeth chattering. It's so dark that her hand is invisible when she holds it in front of her eyes. The torch he left is beginning to fade, and Sarah hasn't talked for hours. Her breathing makes an odd sound in her chest, like liquid pouring from a bottle. In the pale torchlight her eyes are stretched open too wide, as though the roof has peeled back and she can count the stars. Ella tries not to flinch when Sarah's thin fingers grip her wrist.

'Smile at him,' she whispers. 'Don't scream, it makes him angry. Do everything he says.'

Ella squeezes her hand as Sarah's eyes close. The gurgling sound still rattles in her throat, like she's breathing under water. All Ella can do is carry on talking and holding her hand. She describes her estate, the meals her granddad cooks, and the way her sister believes in ghosts. But soon the cold freezes her to sleep, and when she wakes up, metal is scraping over metal as the door creaks open. The man reaches inside and grabs Sarah from the floor. When the bolt slams back into place, Ella can't help calling out. She yells until her throat aches.

It's impossible not to cry, because Sarah's gone and the dark presses in from all sides. Now the torch has died, there's no brightness anywhere. All she can do is wait and think, but only two ideas give her comfort. Last week her teacher said she was the smartest girl in school. The memory of her praise makes a light inside her burn for a few seconds. Sarah's advice repeats itself too, but it will be hard not to scream, because the sound keeps building in her throat. But next time he opens the door she won't make a sound. She'll widen her lips and try to smile; she can't manage it yet, but it's something she can practise.

Suddenly Ella's so cold, she has to find a way to warm herself. The crown of her head grazes the ceiling when she stands, but she flings back her arms, bare feet jittering on the metal floor. The sound of her footfall echoes from the walls of the box. She runs on the spot until feeling returns to her hands, and winter sunlight seeps through the crack in the door.

4

Someone had reached my office before me the next morning. The man fiddling with my computer looked like a guitarist from an obscure grunge band forced to dress like an office clerk. Ill-fitting black trousers and a white shirt hung from his gangly frame, dark roots visible in his bleached blond hair, a network of fine scars across one of his cheekbones. He must have been in his late twenties, and his smile was awkward, as though I'd caught him trespassing.

'I'm Chris Steadman from the IT unit. You left me a message.' His voice was so quiet I could hardly hear him.

'Thanks for coming, I couldn't get online.'

'That's because your modem's defunct.' He gave the box a gentle shake, loose connections rattling against the casing. 'I'm afraid most of our kit's past its sell-by. I'll bring you a new one.'

'Thanks, that would be great.'

'I heard about your car. Did you get home okay?'

'Eventually. It'll take me a while to adjust to Charndale, though. Pretty sleepy, isn't it?'

His face relaxed into a grin. 'It's barely got a pulse. Give me a shout if you get stuck again, I'll give you a lift.'

Steadman held my gaze for a beat too long, but it didn't feel predatory. It reminded me of the way kids size each other up in the playground. The dark smudges below his eyes suggested that he might be a party animal under that shy exterior,

19

spending his weekends falling out of nightclubs. He gave another tentative smile then slipped away, the broken modem cradled in his hand.

At nine thirty I made my way to the art room on the first floor. At first I thought I'd come to the wrong place, because a burst of Erik Satie's piano music drifted along the corridor. I checked my information sheet. The name of the art therapist was Pru Fielding, and she was running a session for three long-term inmates. The music grew louder when I approached the open doorway. A woman with a cloud of blonde curls was lifting a piece of clay from a barrel, and laying it carefully on a table. In profile she looked around my own age, a Pre-Raphaelite beauty, with delicate features and an intent frown. She carried on smothering the clay with wet cloths until she finally spotted me and turned around. Shock made me take an extra breath; her disfigurement was so unexpected, it took a beat too long to replace my smile. At first I thought her face had been scarred by deep burns, but a second glance revealed that the discoloration was a dark red birthmark. The stain covered half of her face, extending down her forehead, cheek and neck, as though a can of paint had been flung at her.

'Are you the observer?' she asked.

'My name's Alice. Thanks for letting me visit today.'

'I'd shake your hand, but you might regret it.' She raised a clay-covered hand in greeting. 'The guys should be here in ten minutes. This music always calms them.' Her voice was breathless and high-pitched, and I noticed that she used her blonde curls for camouflage, locks of hair shielding her face.

'How long have you worked here, Pru?'

'Two years. I came here after doing an MA in painting at the Slade.'

'That's a long time in an environment like this.' Gorski's

20

comment about women at the Laurels being either flirts or lion tamers came to mind. She seemed too self-contained to fit either category, and I realised that the director's statement said more about his prejudices than the staff who worked for him.

'I like it here. And weirdly enough, there aren't many jobs for full-time artists, unless you're Tracey Emin.'

A grin illuminated Pru's face and I caught a glimmer of how attractive she'd be if she found some confidence. Her expression was clouded by the engrained anxiety I saw on the faces of abuse victims and recovering drug addicts. But it fascinated me that as soon as her clients arrived, her persona changed. An entourage of orderlies, security guards and psychiatric nurses filed through the door, but her assertiveness flicked on like a light bulb as she settled each man at his own table. There were no sharp implements available, only blunt plastic sculpting tools, and when I read the group's case notes, the reason was obvious. All three men had been prescribed anti-psychotics to control their violence. One of them had approached a stranger at a bus stop, chatted to him briefly, then stabbed him twenty-seven times. The other two had killed members of their families. I sat in a corner and watched the inmate nearest me. He looked too young to be imprisoned indefinitely, his face closed and inexpressive, as if his emotions were kept under lock and key. But after five minutes he was humming contentedly to himself as he shaped the clay.

Some of the group's sculptures were arranged on a shelf by the window, and one that caught my attention was a bust of a man's head and shoulders. It had captured his anatomy perfectly, skull bones prominent on his high forehead, but there was something odd about the model's features. His mouth gagged open, eye sockets hollow, with nothing to fill the voids. I went over to Pru while the men were busy working and pointed at the sculpture.

'That's incredibly lifelike, isn't it?'

She looked pleased. 'It's Louis Kinsella's. He's the best sculptor here.'

When she drifted back to her work I looked at the statue again. There was no denying how realistic it was, but no one would want it on their mantelpiece. It would be impossible to relax while that sightless gaze followed you around the room.

The phone was ringing when I returned to my office. It was one of the women from the reception block, her tone sharp with urgency, asking me to report there immediately. She rang off before I could ask why. Snow was falling again in large, uneven flakes as I crossed the grey hospital campus, but the police car by the entrance doors made me forget about the cold. The news must be about my brother. Will hadn't answered my calls for weeks: maybe he'd fallen asleep in a bus shelter somewhere in his worn-out coat, hypothermia catching him when he closed his eyes.

The woman waiting for me in the foyer looked around my age, primed to deliver bad news. Her lipstick was a glossy crimson, but she didn't smile as she rose to her feet, long legs slowly unfolding. It was rare to see a policewoman with such a chic haircut, her fringe bisecting her forehead in a precise black line. Relief washed over me when I realised it was the woman who'd stood beside Burns during his broadcast the night before. Any message she was carrying wouldn't concern Will.

'DI Tania Goddard.' She shook my hand briskly. 'Is there somewhere we can talk?'

Her accent was the opposite of her appearance, a raw, east London drone. She sounded like a native of Tower Hamlets or

22

Poplar, and she would have needed plenty of grit to break the Met's glass ceiling and forge a senior career. I got the impression that she'd taken no prisoners along the way. Her high heels tapped the lino insistently as we climbed the stairs to an empty meeting room. It smelled of urine and stale air and the woman's frown deepened.

'You're Don Burns's deputy, aren't you?' I said.

'For my sins.'

'What happened to Steve Taylor?'

'He got a security job in Saudi.'

I couldn't help smiling. A hot country would be ideal for Taylor's serpentine personality. He'd be happy as a sand-boy, and Burns would be thrilled to escape the thorn in his side. When Goddard reached into her briefcase, I noticed that her fingernails matched her lipstick, everything about her polished to a high shine. I buried my hands in my pockets, aware that my last manicure was a distant memory.

'What's brought you here, Tania?'

'You've heard about the missing girls, haven't you?'

I nodded but didn't reply, too interested in hearing her proposal.

'Burns thinks you can help the investigation.' So far her tone had remained neutral, never shifting to first gear.

'But you don't agree?'

'It's nothing personal. My first investigation was the Green Lanes case – forty-three rapes and eight murders. One of the bodies was so badly mutilated, even the photographer went off sick with stress. The shrink gave us the wrong steer. We'd have nailed the killer years sooner if we'd ignored him.'

I made no attempt to defend my profession, because she was right; the consultant on the Green Lanes case was struck off for malpractice. But it was Goddard's manner that fascinated me. Her calmness was impressive, but so far there had been no sign of warmth. It made me wonder what lurked under that slick surface. Perhaps her living room was a chaos of dirty wine glasses, takeaway cartons festering behind the sofa. Judging by the strength of her gaze, she was a woman on a mission, unwilling to let anything slow her down. I was so busy studying her that her next statement caught me unawares.

'We found Sarah Robinson's body last night.'

She pressed a photo into my hand. It was a close-up of a young girl's head and shoulders, her blonde hair thick with ice, lips frozen in a pale blue yawn. The Disney princess who'd starred in every news bulletin for days had become a ghost, puppy fat melted away, collarbones protruding from her skin.

'It's the same killer who took Kylie Walsh and Emma Lawrence,' she said.

'Are you sure? A committed serial killer wouldn't normally wait so long.'

'We're certain – there are too many connections. Both the first two victims were taken from Camden. He dumped Kylie's body in an alleyway, then Emma was found on waste ground nearby. They were starved to death, and he kept them in a freezer before dumping the bodies.'

I took a moment to absorb the fact that the killer had stored the girls' corpses before abandoning them. That degree of planning called for a rare level of self-awareness and premeditation.

'Who was the SIO when the first two were found?'

Tania's expression soured. 'He's retired. The Murder Squad were running the show, drafting specialists in from all over. A lot slipped through the cracks.'

'They didn't get far?'

'That's putting it mildly. Three months after Emma's body was found, the top man went off sick and got a payout to retire.'

My sympathy for Burns increased. It sounded like he'd inherited one of London's worst unresolved cases. I forced myself to focus on the pictures of Sarah Robinson's body. She was dressed in a long white nightgown, lying inside a cardboard box that fitted her as neatly as a coffin. Her reed-thin legs were arranged side by side, arms folded across her chest, like a statue on a medieval grave. My gaze settled on another photo of her bare feet. Her toes were raw with frostbite, and a tag had been attached to her right ankle. The number twelve was printed on it in thick black ink, as though she was a museum exhibit.

'Were the first two tagged as well?'

She nodded. 'And the dresses were the same.'

I closed my eyes for a second. By the time I was this child's age, I'd become an expert on hiding places: the cupboard under the stairs, behind the coal bunker in the cellar. I'd squeezed behind every wardrobe and under every bed, waiting for my father's rage to subside. But it was nothing compared to this.

'Was she abused?' I asked.

'We won't know till the PM. But he's getting more violent; she's covered in bruises.'

'How did she die?'

'Cold or starvation probably. They don't think she'd been in the deep freeze, but it looks like she was kept outside.'

I put down the photos. 'I still don't understand why you're here.'

Goddard's calm stare settled on my face. 'We'd like you to interview Louis Kinsella.'

'Why?' The idea made my skin tingle with panic.

'The killer's carrying on from the exact point where Kinsella stopped. Kylie was taken from the same street, on the same date as his last victim, seventeen years ago. Kinsella killed nine girls before he was caught, so the numbers on the tags give us another link. And the press have already spotted the connection with Ella Williams. She's a pupil at St Augustine's School, where he was headmaster.'

I looked down at Sarah Robinson's face and the pressure in my chest increased. It was impossible to guess how much the girl had suffered, or how many times she'd begged to be set free. If I refused to help, her image would tattoo itself on my conscience permanently.

'Where was she found?'

'On the steps of the Foundling Museum, around three this morning,' Tania replied.

I'd walked past the building dozens of times on my way to King's Cross, but never gone inside. It was right at the centre of Bloomsbury. The killer must either be crazy or completely fearless to carry a cardboard coffin through the heart of the city. I studied the girl's face again; her pale blue scream was impossible to ignore. Tania's strident voice interrupted my thoughts.

'We're so sure it's a copycat I've intercepted Kinsella's mail, in case the killer tries to contact him.'

'You know he won't talk to me, don't you? He only speaks once in a blue moon.'

Goddard's lips twitched in amusement or disbelief. 'Burns says you're a miracle worker. I'm sure you'll find a way.'

'You'd need the centre director's agreement.'

'I've already got it.'

The news didn't surprise me. Tania had probably left heel marks on Gorski's back when she marched all over him. She pulled a contract from her bag and talked me through her requirements with brisk efficiency. A consultant forensic psychologist from the Met was overseeing the case, but Burns wanted me to assist him and work directly with Kinsella. Once

I'd signed on the dotted line, Goddard scooped the photos back into a plastic wallet without saying another word.

I caught one last glimpse of Sarah Robinson's face. The photograph had been taken at such close range, it revealed a smear of dirt on her cheek, and a perfect set of milk teeth, but her eyes had lost their transparency. The irises were opaque, as though she was studying the world through a layer of frost.

5

The cottage had more surprises in store when I got back from work. It was a shock to discover that the WiFi worked perfectly, even though everything else was stuck in the twentieth century. A string of emails had arrived from friends at Guy's, reminding me that I'd taken leave of my senses, and Lola had sent a picture of herself, posing glamorously by an emerald green wall in her newly decorated lounge. She looked so smug, I couldn't help smiling. No doubt she and the Greek God had already christened every room of their rented palace. The next message was from my mother. She'd read a newspaper article about professional women struggling to find partners. Despite her spectacularly unhappy marriage, she seemed determined to find me a husband. She'd even attached a shortlist from Match.com, but her criteria differed from mine. The first man was a forty-five-year-old lawyer from Hunstanton. His hobbies included clay pigeon shooting and the music of Roy Orbison, and there was something alarming about his smile. Her next choice looked suspiciously like a drug dealer I'd assessed once in Brixton Prison. I deleted the message immediately. There was more chance of finding romance among the psychopaths at Northwood.

The thermostat was cranked to its highest setting, but the living room still felt chilly, so I collected a torch from the kitchen and went looking for the log store. All I could see was an expanse of snow, and an outbuilding at the far end of the garden. A pile of logs was stacked neatly inside the shed and I wondered why someone had bought a supply of fuel, only to leave it for the next occupant. Maybe they'd found somewhere warmer and decided to cut their losses. Something odd caught my eye as I trudged back across the lawn. There were footprints in the snow, which must have been recent as it had been snowing all afternoon. I ran my torch beam across the ground and saw that someone had circled the house. The tracks stopped by the kitchen window, then continued along the wall. I compared the marks with the imprints my size three boots had left. These were much bigger. I was still staring at the ground when something rustled behind me, and my pulse rate doubled. But when I swung round the garden was empty. I must have been imagining things; it was probably a fox hiding in the bushes. I hurried inside and slid the latch into place. There had to be a reason for the footprints. It was probably nothing more sinister than a neighbour, keen to say hello, but my heart rate took a while to slow down all the same. The footprints were a reminder of my isolation – there was no one to help me if I got into trouble.

I concentrated on getting the fire started. There were no matches, so I twisted a spill of paper and lit it from an electric ring on the cooker. After an hour it was finally roaring, and my phone rang as I was admiring the flames. When I turned round I realised that the noise was coming from my computer. Someone was Skyping me. I was expecting Lola, but when I pressed the reply key, a dark-haired, handsome man appeared on the screen. It made me wish again that I'd taken up his dinner invitation when I had the chance. Don Burns's gaze was as sharp as ever, a smile slowly extending across his face.

'DI Burns, long time no see.'

'I'm a DCI again these days, Alice.'

'Brotherton finally retired?'

'The invisible woman vanished, thank God.' He leant forwards and studied the screen intently. 'You look well.'

Burns's image flickered, then reinstated itself in another position. I've always hated video links. It's like communicating with astronauts, their messages stuttering back to Earth, with time delays lagging between sentences. I wished he would stay still so I could see him more clearly. It looked like he was calling from his flat. There was a bookshelf behind him and a brightly coloured painting. I was curious to see more, because I knew that he'd joined the police after being thrown out of art school. He acted like a Scottish brawler with his colleagues at the Met, but I'd always suspected he was concealing highbrow interests.

'Did Tania give you the details?' Suddenly he was so close I could see his five-o'clock shadow. I thought about his new assistant; she was as tough and remote as he was humane and accessible. His face twitched with outrage when he spoke again. 'Sarah Robinson was found by a poor sod walking home from his night shift, nineteen days after she was taken. The bastard got rid of her quicker than the first two.'

The statement hung in the air as his image froze, but he didn't need to spell out the facts. Ella Williams had been gone three days, and the clock was ticking. But where was he keeping her? Maybe she was trapped in a pen outside, like a farm animal. Or her body was already lying in a freezer in a lock-up somewhere. When Burns reappeared, he looked homicidal.

'Who's your consultant, Don?'

'Alan Nash. Scotland Yard's insisting on it.'

'They've pulled him out of retirement?'

'More's the pity. The commissioner's his best chum, but so far he's done nothing but whine.'

Burns had told me his opinion of Professor Nash on several occasions. In his view the man was a puffed up, self-seeking time-waster, more focused on writing true crime books than helping the Met. But his assessment wasn't completely fair. I'd noticed Nash's egotism when he trained me on my Masters course. He'd revelled in his applause after lectures, but he had genuine reasons to feel smug. He'd been a groundbreaker in the Nineties, and his expertise in interview techniques had sealed dozens of high-profile cases. When Kinsella was captured, it was Nash's skills that flattered him into a confession. His book *The Kill Principle* analysed Kinsella's mindset and gave new insights into the motivations of serial killers. It had been a bestseller and was still required reading on forensic psychology courses. But Nash was approaching seventy, and things had modernised since his heyday. Huge steps had been taken in geo-profiling and crime linkage software used to determine where serial killers would strike. His professional knowledge was unlikely to be up-to-date.

'If you've got the top man, why do you need me?'

'You're my link to Kinsella,' said Burns. 'Can you interview him tomorrow? Our man knows things about his MO that never got released. He's got to be a personal contact.'

'Kinsella hardly ever speaks, Don.'

His grin flashed on for a second. 'He'll sing like a canary when he sees you.'

I noticed that Burns looked calmer than before; the shadows under his eyes were absent for once. He leant towards me as he said goodbye, but he wasn't lunging at the screen for a virtual kiss. He was just reaching down to switch off his computer.

The silence grew louder after that. All I could hear were the logs hissing on the fire. I pulled back the curtain and stared at the empty lane, wondering who had been spying on me. Snow was falling again, but this time it was as fine as sand. Louis Kinsella's face appeared in my mind's eye then erased itself.

I'd taken every precaution to stay safe, locking my windows, and bolting the doors. But Ella Williams had no choice. She'd been gone for three days and nights, held captive by someone who enjoyed killing children, outside in the cold. I stood there for a long time, peering into the dark.

6

Dr Gorski seemed as tense as ever next morning at the team meeting. The group consisted of psychiatrists, guards and mental health nurses from the Laurels, and one ridiculously good-looking man who introduced himself as Tom Jensen, the head of the fitness centre. It took me several minutes to realise that he was the one who'd helped me start my car. He had unkempt white-blond hair, and looked like he'd stepped straight from the pages of a brochure advertising the health benefits of outdoor holidays. He seemed completely at ease, relaxing in his chair, pale eyes monitoring every gesture in the room. Gorski's bullying style didn't seem to bother him. He listened calmly while the director snapped at his underlings and issued endless instructions.

A woman on the other side of the room gave me a gentle smile. She looked around forty, slim and elegant, with chestnut hair scooped back from her face. Her eyes had a dreamy look, but it was her hands that drew my attention. Every finger was adorned with silver rings, heavy bracelets around her wrist. She gave me a wave of greeting, but her hand soon dropped back to her lap, burdened by the weight of metal. At the end of the meeting she caught up with me in the corridor.

'Sorry I missed you before. I'm Judith Miller, I've been away at the Mindset conference. How are you settling in?'

'Pretty well, thanks. I'm finding my way round.'

'Let me show you where my office is, in case you need anything.'

Her room was full of unexpected details that seemed out of keeping in a shrink's office. A set of Tibetan prayer bowls stood on her desk, wind chimes dangling from the ceiling. The shelves contained none of the standard psychiatric manuals, but I could see *King Lear*, *Paradise Lost*, and the poems of John Donne. The pin board beside her desk was covered with postcards and letters.

'They're from patients,' Judith said. 'I work in the main hospital too. They write to me sometimes, after they leave.'

I could see why she kept them. The letters were a reminder that mental health patients often recovered, even if the men in the Laurels could never go home.

'How long have you worked here, Judith?'

'Fifteen years.'

'That's quite an achievement.'

'Not really, I'm addicted to fixing things. It's the same at home; I never throw things away.' Her expression grew more serious. 'I hear the police have asked you to interview Louis Kinsella.'

'Don't remind me. I've already got stage fright.'

'There's no need. I treated him for years, until he stopped talking to me. He'll want to charm you.'

'Have you got any advice?'

Her calm eyes met mine. 'He's an expert manipulator, and he never forgets a personal detail. Don't give any secrets away.'

It seemed impossible that she'd spent more than a decade counselling the sickest men in Britain. The confessions she'd heard could melt paint from the walls, yet she emanated calm. The display of gratitude on her wall must be preventing her from throwing in the towel.

I spent the next hour in my office reading the Care

Quality Commission report on the Laurels. It supported Gorski's claims about a catastrophic lack of funding. The place was so understaffed that most inmates spent just ten hours a week outside their cells, and the staff team was suffering too. Workers at the Laurels had the highest rate of sickness in any UK hospital or prison. It wasn't surprising that Gorski was tense: there was no extra cash to get the Laurels back on course, and he'd only been given a year to turn the place around.

Outside my window it had stopped snowing, but there were no breaks in the cloud. It looked like someone had unrolled miles of grey cotton and pinned it to the sky. When I glanced down, Louis Kinsella was being led across the square. He walked with a straight back, hair combed rigidly into place. His deportment explained why his colleagues refused to believe that he was guilty of killing children. From a distance he looked like a textbook headmaster, with his military bearing and haughty expression. Even his gait reminded me of my father. I closed my eyes for a second, and when they blinked open again, Kinsella and his guard had disappeared into the maze of buildings.

I scanned the crime report Tania Goddard had given me. Kinsella's spree had lasted for two years and infiltrated every corner of London: Hackney, Kentish Town, Lambeth, and Hammersmith. Most of the girls' faces were still familiar; every other news story at the time had paled into insignificance. Several more girls had stories of lucky escapes. One had managed to run away, instead of being dragged into Kinsella's car. It was her testimony that finally put him behind bars. She had memorised his number-plate, and her grandmother phoned the police when she ran home, but nine families had been traumatised forever. Kinsella had used every possible trick to increase their suffering. He sent audio

35

tapes of their children screaming for their lives, and others had received photos of their daughters' mutilated faces. When the news broke, Kinsella's wife, Sonia, was working as a nurse in an old people's home in Islington. The press released pictures of a mousy-looking young woman shrinking from the glare of flashlights. After his conviction, she'd vanished from the public eye, and I hoped she was living quietly somewhere, undisturbed.

The consulting room looked nothing like the ones at Guy's. It had the obligatory box of Kleenex, and inoffensive still lifes on the walls, but the panic buttons were more plentiful. There was one on the desk, two either side of the door, and another in the middle of the wall. The window was barred, with cotton-thin wires threaded through the glass. Once the door was shut it would be impossible to smash your way out. The idea failed to comfort me when I heard Kinsella's footsteps. Someone must have done an assessment and decided that a female shrink was high risk, because he was handcuffed to his guard. I recognised the nurse who accompanied him; he'd introduced himself on my first day. His name was Garfield Ellis. He was a tall, heavily built black guy of around forty, with an appealing West Indian lilt to his voice. It was clear he took his job seriously from the careful way he arranged the room while a guard blocked the doorway. A third man waited in the corridor as Kinsella's handcuffs were locked to the chair.

Kinsella's likeness to my father was even more unsettling up close, and I had to swallow my panic. He had the same high forehead and ascetic features, but he exuded an energy I couldn't identify. He sat motionless, observing me through his reading glasses. The nurse didn't seem to notice my discomfort, but Kinsella had picked up on it immediately, his expression growing smugger by the minute.

'Thank you for agreeing to see me, Mr Kinsella.'

His mouth widened into a hawkish smile, and he manoeuvred his shackled hands to produce a notebook from his pocket. He was wearing black trousers and a brown corduroy jacket. With a little imagination, he could still have passed as a headmaster with a blameless reputation, dressed casually for the weekend.

'I'd like to ask you some questions, if you're prepared to answer.'

His expression changed to amusement, and I got the impression that he could have sat in silence all day, watching me. There was something mesmerising about his smile. Even though I wanted to ignore it, I couldn't look away. He seemed to be studying my eyes with particular interest. I tried not to think about the man he'd blinded at Highpoint. No doubt Kinsella watched the news with equal fascination, keeping track of every detail surrounding the girls' disappearance.

'The police have asked me to help investigate the abductions in London. They think the killer is someone you know. What do you think of that theory?'

Kinsella shook his head, then rested his bound hands on the table to scribble a few lines before shunting the notebook towards me. His writing was a spiky copperplate, every T sharply crossed.

A poor start, Dr Quentin, worth B minus, at best. Try some subtlety please. I've always hated crude overtures.

'Forgive me. I could have invented a pretext for our meeting, but you'd have seen straight through it. I've read your file. Your IQ's a hundred and eighty, isn't it? That puts you up there with Einstein and Garry Kasparov.'

Kinsella seemed to enjoy the flattery. His grin twitched wider as his eyes scanned every detail of my outfit, from my black dress and turquoise scarf to my scuffed suede boots. He even scrutinised the jacket I'd hung behind the door, as though he was making an inventory of my wardrobe. His eyes were a dark unblinking brown, and his gaze was like my father's in the moment before his mood soured. A drop of sweat chased down my backbone.

'I'll be honest with you, Mr Kinsella. The man we're searching for is an expert on your crimes. Any help you give would be gratefully received.'

His face registered no response at all. He carried on studying me intently, as though I was a laboratory specimen.

'I saw on your file that you're a jazz fan, but there's none in the library, is there? I've brought you a couple of CDs: Miles Davis and Jack Pescod. They're favourites of mine.' Kinsella reached again for his notebook, but I raised my hands before he could scribble another message. 'A clumsy bribe, I know, but you're not giving me much option. Ask for me if you decide to talk, Mr Kinsella, or send me a note. I can see you're a keen writer.'

He adopted the smile that teachers use to patronise dim-witted students, pointedly leaving the CDs on the table. The nurse gave me a look of sympathy as he led him away. Garfield must have seen dozens of psychologists flounder under the weight of Kinsella's silence.

My defeat rankled when I returned to my office. It bothered me that I'd failed to squeeze a single syllable out of him. But at least there was an email from Judith, inviting me to the pub in Charndale that evening. It would save me from sitting alone at the cottage, with the memory of Kinsella's gaze crawling across my skin like a colony of flies.

There were no new footprints when I got back to the cottage that evening, so I told myself that the problem had disappeared. In a village as small as Charndale, people were bound to be curious about new arrivals. Someone from a neighbouring house must have called by to introduce themselves. I grabbed a torch and set off for the pub. It was called the Rookery, and from the outside it looked uninviting. The sign showed an ominous blur of birds hovering in the sky. But when I opened the door, the place was heaving with Northwood staff, every table loaded with glasses. The volume of conversation was deafening as I pushed through the crowd. Judith was surrounded by companions, and I recognised some of the faces from the Laurels. Chris Steadman, the young man who'd fixed my computer, was quietly nursing his beer. He looked even more like a teen idol in his battered leather jacket, cheekbones too prominent, as though he existed on starvation rations and very little sleep. Pru, the art therapist, was beside him, listening intently as he spoke, hiding behind her mask of blonde curls. Away from the pressures of his job, Garfield Ellis looked more relaxed, but the group struck me as an odd assemblage. No one seemed comfortable in their skin. Perhaps we had all wound up at Northwood because we were running from something.

'What are you drinking, Alice?' Judith asked.

'Coffee, please. It's bloody freezing out there.'

I waited beside her at the bar, but my coffee never materialised. She ordered two brandies instead.

'You'll need this if you're going to survive at the Laurels.' She saluted me with her glass. 'How did it go with Kinsella?'

'Not great. He just scribbled in his notebook.'

'Count yourself lucky. He only gives notes to the chosen few.'

Judith's serenity was still intact, but she took a long gulp from her drink. The stress of the hospital seemed to be impacting on everyone. I followed her back to the table, and her openness made me warm to her immediately. She told me that work had dominated her life since her divorce, and she missed her kids terribly now they'd left home. Her oldest son was studying in the US, and her daughter was taking a gap year in Indonesia.

'Maybe I'll follow her,' she said. 'I could do with a month in an exotic health spa.'

The dreamy look on her face made me laugh. Out of the corner of my eye I saw Tom Jensen standing by the bar, a gym bag slung over his shoulder. Judith looked amused when she spotted him.

'The world's most over-qualified fitness coach,' she whispered. 'He's a sweetheart, but don't ask him about God, whatever you do.'

Jensen arrived before I could find out what she meant. He sat down beside me in the only empty chair, and embarked on a long conversation with the man opposite. Judith was busy talking to someone else, so I had time to observe him. His hair was so blond it was almost white, and he was wearing faded jeans and a shirt with a worn collar. I got the impression that although his good looks confronted him every day in the mirrors at the gym, he chose to ignore them. His accent was hard to place, either Home Counties or west London, each word perfectly pronounced. When he finished his beer he caught me studying him, but didn't seem fazed. People must have been admiring him ever since he was a lean, suntanned schoolboy, winning every trophy and dating the prettiest girls.

'How's the car?' he asked.

'Running perfectly. Let me buy you a drink to say thanks.'

Jensen's expression was difficult to read, his eyes studying my face. He looked so serious, I couldn't help smiling.

'What's funny?' he asked.

'Nothing. You're staring, that's all.'

'I'm considering your offer.'

'It's a beer, not a marriage proposal.'

'One thing leads to another.' The corners of his mouth twitched upwards. 'Go on then, twist my arm.'

He waited beside me at the bar while I bought a round, which was disconcerting. It had been months since I'd flirted with anyone.

'Did anyone tell you about Jon Evans?' he asked. When I shook my head, his smile vanished. 'He's a therapist. He was at the Laurels last year, working with Kinsella.'

'What happened to him?'

'Gorski found him locked in his office, talking to himself. He hasn't worked since his breakdown.'

'Jesus. I need another drink.'

His face gave nothing away. 'Are you renting locally?'

'Just round the corner, Ivy Cottage.'

'I know the place. It's been vacant for years; the locals say it's haunted.'

'Thanks for sharing that with me. My house is ghost-ridden and my predecessor went crazy. Got any more good news?'

He looked amused. 'You don't seem the type to scare easily.'

Jensen turned away to carry drinks back to the table, leaving me wondering why he'd tried so hard to unnerve me. The noise level in the pub had risen by a few decibels, Bruno Mars thumping in the background, the Northwood crowd yelling just to be heard. The place had a pressure-cooker atmosphere. If it got any wilder they'd be dancing on the tables, necking tequila straight from the bottle. I was about to pick up the tray of drinks when I spotted the TV above the bar. The picture must have been high definition, because I noticed new details when Ella Williams's picture

41

appeared. There was a red daisy on her hairclip, almost hidden by ringlets, a rash of freckles scattered across her nose. I stood by the bar and studied her gap-toothed smile until she disappeared.

7

It could be a nightmare, but it never stops. It's worse than the ones that seized her when her mother died. And it can't be a dream, because pain is shooting through her feet and hands. Sitting on the metal floor, Ella rubs warmth back into her toes, but it only lasts a few seconds. It drains away when she stands up, every muscle twitching with cold.

Night-time scares her most. She's never known complete darkness before. At home the glow from the streetlights sifts through her thin curtains, but tonight the dark is absolute. It settles around her, locking the chill deep under her skin. Her eyes hunt for a speck of light. It's tempting to lie down on the freezing metal and let the dark claim her. But then she'll end up like Sarah, all her strength gone, struggling to breathe. Ella keeps hoping that the man has taken Sarah back to her family. Soon she'll look pretty again, like the pictures in the news-agent's window.

Her mouth feels like it's full of dust. It's been ages since she drank anything. The man opened the door and threw in a can of lemonade, and she swallowed the liquid in a few quick gulps, bubbles stinging her throat. Since then there's been nothing. She imagines the man standing there, and anger makes her lash out. Her hand grazes across the metal, leaving a trail of wetness. Drops of water are running down her skin. She kneels beside the wall, blindly collecting droplets with her tongue, the liquid sour and peppery. It takes an hour to swallow a few mouthfuls, but at least her lips feel comfortable again. She sits cross-legged, massaging warmth back into her feet. It's important not to give in to sleep. Her sister needs her. Suzanne is six years older, but she relies on Ella to keep her calm. She carries on rubbing the heat back into her toes, until her skin begins to burn.

8

My eyes felt too big for their sockets when I stepped onto the train at Charndale Station the next morning. I kept them closed as the carriage rattled through Berkshire, and by Paddington they were recovering. I knocked back a smoothie from a juice bar when I arrived, promising myself never to drink brandy again.

Burns arrived ten minutes late. I caught sight of him, pacing through the crowd. His wide shoulders strained the seams of his coat, but his clothes looked more expensive, and his thick brown hair was neater than before. He came to a halt by the arrivals board, checking his phone messages. When I tapped him on the shoulder he swung round to face me. I expected him to shake my hand but he leant down and kissed my cheek instead. His stubble left a graze as he pulled away. For an irrational moment I wanted to embrace him, but managed to stop myself, my face hot with embarrassment.

'You didn't have to collect me, Don.'

'The incident room's a nightmare. We can talk in the car.'

I followed Burns through the crowd, and it was clear that his promotion had restored his confidence. Even the discovery of another child's body on his patch hadn't removed the spring from his stride. When we reached the car park he headed straight for a brand-new Audi.

'Very swish.'

He looked embarrassed. 'The Mondeo finally bit the dust.'

Despite the upmarket car, Burns still drove like he was piloting a tank through a field of landmines. His Scottish accent came to the fore as he spoke, a sure sign that he was under pressure.

'Go on then,' I said. 'Give me an update.'

He glanced across at me. 'The press are on us, twenty-four/seven. The Murder Squad made a pig's ear of the double murder investigation for Kylie Walsh and Emma Lawrence. Some of the relatives weren't even interviewed, so we've been going back, filling in the gaps. I've chucked all my manpower at it since I took over. Uniforms are combing every street in Camden looking for Ella, forty detectives on the case.'

'Why isn't Alan Nash here? I thought he was overseeing the profiling.'

Burns grimaced. 'He says he hasn't got time for minutiae. Apparently he predicted this would happen in *The Kill Principle*. He won't get involved until we start interviewing suspects.'

'Hindsight's a wonderful thing,' I muttered. 'When was Sarah Robinson's PM?'

'Yesterday. She died of pneumonia. Her feet and hands were so frostbitten she'd have lost fingers and toes if she'd survived. But this time, he didn't keep her in a freezer. It looks like he dumped her soon after he killed her. She was starved and beaten, but there's no sign she was raped.'

'That's a surprise.'

'It's the only good news so far. Whatever he did to her, she lasted nineteen days.'

I gazed through the window at the snow heaped on the pavement, pedestrians swaddled in hats and scarves. If Ella Williams was being kept outside, she was unlikely to survive much longer.

The traffic had stalled and Burns was staring at the

hoardings, as though clues were hidden between the brand names and slogans.

'The lab's trying to work out where he's keeping them,' he said. 'The pathologist found fragments of rust under her nails and in her hair.'

'Meaning what?'

A muscle ticked in his cheek. 'She was probably kept in the back of an old lorry or a van.'

I closed my eyes and tried to imagine Sarah's last days. The vehicle could have been parked anywhere, while snow fell outside, the cold gradually weakening her screams. There were millions of houses in London with gardens big enough to conceal a van from prying eyes.

'Tell me more about Ella. Does she live with her parents?'

'Just her sister and granddad. Her dad cleared off to Spain the year after she was born, then her mum died of breast cancer two years ago.'

I gazed at the council estates we were passing on Pancras Way. It sounded like the Williams family had already dealt with too much bad luck, and when Burns pulled up outside Alan Chalmers House, my sympathy deepened. The apartment building had seen better days. It was six storeys high, bricks weathered to a dull brown, right beside the arterial road. The residents must fall asleep to a lullaby of night buses grinding south from Holloway. Freezing winds had flayed paint from the front doors, splintering the exposed wood. I followed Burns across a layer of ice. The snow had refrozen so many times we'd have been safer on skates. It was easy to tell which of the ground-floor flats belonged to the Williams family from the press camping outside. Photographers stood in gaggles, long-lens cameras dangling from their necks. In addition to their ordeal, the family would have to run the media gauntlet every time they went outside.

Burns marched through the crowd without responding to the reporters' barrage of questions. The flat was on the ground floor, and there was a mat by the entrance with the word 'Welcome' woven across it in bright red. He squared his shoulders when he rang the doorbell, composing himself like a method actor. Half a dozen cameras clicked in unison the moment Ella's grandfather opened the door. His skin was the colour of parchment, grey hair arranged in an untidy quiff, a cigarette dangling from his fingers. Two facts about his flat were inescapable as soon as we stepped inside: someone had conducted a colour experiment on every wall, and there was a fug of smoke lingering in every room. The atmosphere contained more carbon than oxygen, windows sealed against the cold.

Mr Williams led us along the fuchsia pink hall into the living room. His teenaged granddaughter was slumped on the settee, chestnut curls scraped back from her face. Her resemblance to Ella was striking. She had the same freckled complexion, eyes hidden behind round-framed glasses. Her eyes were so glazed she didn't seem to notice that two strangers had walked into the room. I noticed a Christmas tree standing in a bucket in the corner, still wrapped in plastic netting. The girl's eyes met mine for a second then slid away.

'Suzanne won't say much,' the old man said. 'The doctor gave her tranquillisers.'

I wondered how much Valium she'd swallowed. She was still in her dressing gown, struggling to stay awake. The lime green wall behind her seemed ridiculously cheerful, but the rest of the room was chaotic, with magazines and copies of the *Racing Times* piled on every surface. A mound of ironing on the table formed a haystack of crumpled T-shirts and jeans.

'Is there any news?' Mr Williams's eyes fixed on Burns.

It was the first time I'd seen him look hopeful. The prospect of his grandchild coming home had forced him out of bed that morning, and dragged him through the motions of a normal day, while Suzanne came apart at the seams. His face grew bleak again when Burns admitted there was no new information. The emotional roller-coaster he'd been riding since Friday was unimaginable.

'Could I see Ella's room please, Mr Williams?' I asked.

He stared back at me, and I could tell what he was thinking. Why should he let yet another official poke through the girl's belongings? But eventually he led me along the hall, and it was a relief to escape into cleaner air.

I'd been expecting another outlandish colour scheme, and clothes scattered across the floor, but Ella Williams's bedroom was immaculate. The walls were painted cream, with drawings neatly tacked to a pin-board. There was a desk in the corner, piled with school books, and a Philip Pullman novel on the bedside table. It looked like an adult's room with miniaturised furniture. I stood by Ella's desk and leafed through one of her schoolbooks. The pages were littered with ticks and gold stars, and her drawings were equally impressive. One showed a giant tree, taller than the skyscrapers around it, almost touching the clouds. The tree was incredibly lifelike, each leaf picked out in different shades of green, the gnarled trunk fractured with age. Very few ten-year-olds could have conjured up anything so beautiful.

When I got back to the lounge, Burns was dispensing comfort as usual, Suzanne crying quietly into one of his outsized hankies.

'You're very close to your sister, aren't you?' I said quietly.

'She's amazing. I always tell her she's got twice my brains.' Suddenly Suzanne's eyes regained their focus, glittering with panic. 'Please, you have to find her.'

The intensity of her stare disturbed me. The girl grabbed my hand so tightly I could feel her nails cutting into my palm.

'I'll do everything I can, I promise.'

Her gaze bored into me, as though she was testing my resolve. Burns must have sensed my discomfort because he asked her another question. 'Do you know anyone with a van or a lorry, Suzanne?'

'Just the caretaker at Ella's school, Mr Layton. Why?'

'We're checking out some details.' He gave a brief smile then rose to his feet.

When she realised we were leaving, Suzanne's shoulders slumped again, eyes half closed. Her grandfather showed us to the door with yet another roll-up dangling from his lip, puffing on it like a vital oxygen supply.

I turned to Burns as soon as we reached the car. 'Very clever, Don.'

'How do you mean?'

'Meeting Ella's sister won't help me profile her abductor. You brought me here to make me commit. Now I've seen her family, I can't walk away. You're turning into a shrink, aren't you?'

Burns held up his hands, making no attempt to deny it. A smile appeared at the corners of his mouth as he began to drive. The journey from Alan Chalmers House back to the police station took five minutes. He seemed to be gathering his thoughts for the team briefing, so I studied the shop windows, packed with tacky Christmas decorations. At least the view stopped me worrying about Suzanne Williams's fragile state of mind. It would shatter like a pane of glass if her sister wasn't returned home safe and sound.

Professor Alan Nash was holding court in the incident room when we arrived, and the smile he threw me was lukewarm.

His hair was greyer than before, but he hadn't lost his talent as a crowd pleaser. He was dressed like a country gentleman, his tweed jacket and dark shirt designed to hide a growing paunch. Nash was explaining the importance of his work with Kinsella – his approach had changed the nature of forensic interviewing forever. Most of the group seemed genuinely impressed, but a few looked sceptical. The Met has a low tolerance for bragging. Most coppers believe in keeping quiet and letting other people congratulate them when the job's done.

I recognised most of the investigation team. Pete Hancock, the chief crime scene officer, nodded at me. His black monobrow was still hovering half an inch above his eyes, making it impossible to judge whether he was thrilled or suicidal. Tania Goddard had already positioned herself so close to Burns that it looked like she had a secret to confide. Her appearance was as immaculate as before, her dress accentuating every curve. Millie, one of the family liaison officers from the Angel case, gave me a long-suffering smile as she greeted me. We chatted for a few minutes, then she nodded towards Burns and Tania and rolled her eyes.

'Those two couldn't care less about the case,' she whispered.

'I thought they were working flat-out.'

'They're too loved up to concentrate on anything. It's common knowledge they're seeing each other. She's all over him.'

I was too stunned to say a word; the idea of Burns starting a relationship with a cool customer like Tania took a huge leap of the imagination. Fortunately the briefing was just about to start so I didn't need to reply.

The atmosphere in the room felt tense. Cases that involve children always generate their own type of gloom: the media attention is relentless, and the victims' families are like a

Molotov cocktail. A single badly chosen phrase can light the touchpaper and trigger an explosion. Burns and Tania were standing side by side, like a well-rehearsed double act, but she receded into the background when he began to speak.

'Let's review where we are. Kylie Walsh was abducted eleven months ago, then Emma Lawrence three weeks later. The killer washed the bodies, dressed them in white, then hid them in a freezer before dumping them. Sarah Robinson was abducted from St Paul's Crescent in Camden on the thirtieth of November, around five thirty in the afternoon, on her way to the corner shop to buy bread for her mum. A neighbour on his way back from work saw a white van driving too fast along the street. We spent the next eighteen days on door-to-door, and going through the sex offenders' register. Her body was found early on Monday, outside the Foundling Museum, and that could be significant. The place was London's first orphanage.'

Tania carried on without a pause, as though the script was prearranged. 'Ella Williams's grandfather was late picking her up from her school in Camden last Friday. The school caretaker is our last eyewitness. He says he saw her from his window, waiting by the gates. One of her shoes was found on St Augustine's Road, close to the school. This time a white Ford transit was spotted on CCTV, with no number-plates.' A blurred black-and-white image of the van speeding down a car-lined road appeared on the wall. It had no identifiable dents or scratches, but the roof and bonnet were grimed with dirt, the driver's face hidden by shadows.

Burns rose to his feet again. 'There are strong links with the serial killer, Louis Kinsella. He took his last victim on the same day that Kylie Walsh disappeared, tagged his victims and dressed them in white. He was a trustee at the Foundling Museum, where Sarah's body was found, and he used to be headmaster at Ella Williams's school.' He paused to scan the room, then held up a transparent evidence bag containing a scrap of electric blue material, criss-crossed by a thread of yellow ribbon. 'This was sent to Kinsella on Saturday at Northwood psychiatric prison, from a central London post-mark. The lab's checking for fingerprints and DNA. The fabric was cut from the dress Sarah was wearing, and we'll know tomorrow if this is her hair.'

I looked more closely at the evidence bag and suppressed a shiver. The yellow strand pinned to the cloth was human hair, not ribbon. For the first time the killer had sent a love token direct to Louis Kinsella, letting him know his campaign was continuing.

'Two forensic psychologists are working with us. Professor Alan Nash is in charge, and Alice Quentin's working at Northwood. She'll be our main point of contact with Louis Kinsella.' Burns nodded at Nash, inviting him to speak.

Nash's body language reminded me of veteran actors like Jeremy Irons and Richard Gere, still sublimely convinced that they're sexy. He strutted to the front of the room, as though the women around him were hanging on his every word. And it's fascinating how potent self-belief is. Most of the faces round the table looked intrigued when he began to speak.

'Anyone who knows my book *The Kill Principle* will remember that Louis Kinsella has always claimed that someone will continue his mission. He didn't give a date, but he did time at Pentonville, Brixton, and Highpoint before ending up at Northwood fifteen years ago. There's an outside chance that his follower is just a lonely obsessive who's done his research, but it's likely to be someone who's spent time in his orbit. You'll need to chase down every one of Kinsella's contacts since before his arrest.' Nash held up his hands and beamed, as if he was embarrassed by so much admiration. 'I know it's asking a lot, but we have to use every fact at our disposal.'

'Thanks for that, Alan.' Burns was on his feet again. 'Would you like to add anything, Alice?'

Nash shook his head decisively before I could speak. 'I'm sure that won't be necessary at this stage.'

I was too stunned by his rudeness to say a word. Burns shot me an apologetic look and carried on with his briefing, but I seethed quietly as he gave out instructions. He wanted the school caretaker's Luton van checked, inmates from Kinsella's prison days interviewed, and checks run on former employees at St Augustine's School. I stared at the two items the exhibits officer had placed on her evidence tray: the scrap of material from Sarah Robinson's dress, and Ella Williams's red patent leather shoe, shining so brightly it looked brand new. I was still gazing at the objects when Alan Nash appeared at my side. His smile flicked on but there was no warmth behind it.

'I read the reviews of your last book, Alice; my star student seems to be making quite a name for herself. I'm looking forward to working with you.'

'Me too, Alan. But I'd prefer not to be silenced in future.'

He took a step closer, his smile unwavering. A waft of sickly aftershave enveloped me, and I noticed the veins littered across his cheeks like strands of purple cotton. 'You're my assistant on this case, Alice. I think it's important you remember that, don't you?'

Anyone watching us would have seen two colleagues exchanging pleasantries, but his stare was colder than the air outside. He strutted out of the room on a wave of arrogance, and I could guess why he was making covert threats. This was his last chance of glory, and he was hell-bent on establishing his reputation as the pre-eminent star of forensic psychology.

There was no way on God's earth that anyone was going to steal his thunder.

The room had almost emptied. Only Burns and Tania Goddard were left behind, and they were too absorbed to notice me. Her hand rested on his shoulder while they peered at a report, her face inches from his, and he was making no attempt to move away. Millie had been right after all – Burns had found himself a girlfriend. I stuffed my notebook into my bag, gave an excuse about an urgent meeting, then stumbled out of the door.

9

My head was still spinning when I got outside, which made no sense whatsoever. I'd missed my chance to get to know Burns after the Angel case, but hadn't regretted it at the time. Maybe that was because the case still gave me nightmares, and I couldn't face going back over old ground. But now it was obvious that he and Tania were an item, from the possessive way she touched him. My jealousy felt ridiculous. Relationships had always been my Achilles heel. Whenever someone came close, panic set in, and I backed away. I was thirty-three years old, but none of my relationships had lasted more than a year. Even if Burns was madly in love with me, the pattern would stay the same. But there was no denying that I wanted to be the one with my hand on his shoulder. It shocked me that seeing someone else touching him had unsettled me so much.

I found a window seat in a coffee shop nearby, hoping a dose of caffeine would restore my sanity. A flashing sign on the other side of the street was reminding shoppers that there were only four more days until Christmas. A woman traipsed past with her small daughter clinging to her hand, and my thoughts cleared instantly. There was no time for self-pity; my private life was unimportant, compared to finding Ella Williams. I leafed through the notes I'd made during the briefing, and decided to visit the Foundling Museum, where Sarah Robinson's body had been found.

I headed outside and trudged through the snow, into the

back streets of Bloomsbury. I'd always planned to explore London's literary district, but never found time to visit. The area still had a Dickensian feel, with handsome nineteenth-century townhouses clustered on both sides of the street. It would make the perfect set for *Oliver*. All it needed was a little more grime, some gas lamps and horse-drawn carriages.

The Foundling Museum was hidden on a narrow turning off Hunter Street. The crime scene had already been cleared away, and I stood on the forecourt, trying to picture the killer calmly depositing a child's body there, in the middle of the night. The Regency building was long and austere, with dozens of sash windows, dark grey bricks and a colonnaded front door. It had a direct view across Coram Fields, which local kids used as a football pitch in the summer. The square of parkland was empty now, apart from a few abandoned snowmen. When I walked inside, the interior was even grander than the facade, with panelled walls and chequered floor tiles. A sign explained that the Foundling Hospital had become London's first home for abandoned infants in the 1740s.

I was about to walk into the main hall when a tall, well-groomed man approached me. A silk handkerchief peeped from the pocket of his blazer, gold buttons gleaming. His face was so heavily lined that I assumed he must have been sixty at least, but his hair was dark brown, without a strand of grey. The badge on his lapel announced that he was a museum volunteer and his name was Brian Knowles.

'Have you been here before?' He gave a welcoming smile.

'Never.'

'Would you like a tour?'

I accepted his offer, but would have preferred to wander around on my own. Knowles had an unctuous manner, gazing down at me as though I was visiting royalty. But if I was lucky he might shed light on the reason why the killer was fascinated by the place, and it was obvious he took his role seriously. He launched into a history lecture before we reached the first exhibit.

'The Foundling Hospital was London's first orphanage. It cared for thousands of starving children over two centuries, but even more were turned away, because places were limited.'

The man spoke in a reverent tone, but it was doubtful that benevolence had made Louis Kinsella become a trustee. A row of small white pinafores and nightdresses hung from hooks in the main hall, replicas of the uniforms the foundlings wore two hundred years ago. The children's misery at being parted from their mothers must have seeped into the building's DNA, and Kinsella would have sensed it. The starched uniforms had probably inspired him to dress his victims in white.

'How long have you been a volunteer, Brian?' I asked as we climbed the stairs.

'Almost as long as I can remember,' he said, smiling widely, and I caught myself wondering if his teeth were real or false. 'I'm the archivist here, and a lot of local organisations visit us, so I'm always on the phone, arranging things.'

The first-floor exhibits were even more distressing than the uniforms. Glass cabinets were filled with the tokens mothers left with their children: brooches, scraps of fabric, and a few tarnished thimbles.

'These were used to identify the foundlings, on the rare occasions when parents came back to claim them. But disease and poverty meant that very few children ever went home,' Knowles explained.

I stared at the rows of tokens, neatly labelled and dated. There were buttons, matchboxes, and pincushions, but the one that touched me most deeply was a scrap of red fabric, cut in the shape of a heart. Every mother must have dreamed that her luck would change, and one day she could return to collect her child. I felt sure the killer had stood exactly where I was standing now. But the token he'd sent Kinsella had a different meaning. There was no tenderness in his gift – it was nothing more than a trophy, proof that a child had died.

'Tragic, aren't they?' Knowles was standing a little too close. 'Would you like to see the top floor?'

'I'm afraid I'll have to come back another day.'

He looked disappointed, but accompanied me downstairs, pointing out drawings of the foundlings displayed in the stairwell. When we reached the exit he pulled a camera from his pocket.

'Could I take your photo? I keep a record of visitors for our newsletter.' He took the snap before I had time to reply. 'Can you tell me your name and occupation too?'

'Alice Quentin, I'm a psychologist.'

'Fascinating,' Knowles murmured. 'An expert on the dark corners of our minds.'

There was something so creepy about him that I felt desperate to get away. 'Could I ask one more question?'

'Of course, anything at all.'

'Louis Kinsella was a trustee here, wasn't he? Did your paths ever cross?'

His unnaturally white smile vanished. 'That monster almost got this place closed down, and now his ghost has come back to haunt us.'

Knowles's manner had changed completely. His extravagant courtesy had been replaced by suspicion, so I thanked him and said goodbye. So many things about the man had struck a false note, including his dyed hair and veneered teeth. But maybe he'd formed the same impression of me. For all he knew I could be a journalist, looking for the inside story on one of London's grisliest crime locations.

* * *

I found myself thinking about Burns on the way back to Charndale. The train took forty-five minutes, rattling through the suburbs, then crossing miles of dark fields. The idea of his new relationship still smarted, but I forced myself to leave a business-like message on his phone, apologising for my quick departure. There was no way I could reveal my feelings. I knew how he'd react – comfort was Burns's speciality. He'd pat me on the shoulder, then lend me a hankie to weep into.

The cottage was freezing when I got back. The temperature had fallen even lower, so I laid a fire, then went outside to collect more logs. There were new footsteps on the snow and I felt a surge of panic. I collected a torch to look at them more closely. A fresh set of boot prints formed a necklace around the house. Someone had circled it, peering through every window. It crossed my mind to call the police, but they would think I was crazy to bother them with something so insubstantial. Surely there had to be a legitimate reason? If someone wanted to burgle the place they'd have done it by now, because it had stood empty all day. It was probably the letting agent, wanting to speak to me about my request to get the heating fixed.

When I got back inside I tried to quell my anxiety. I'd been afraid too many times in the last few years, and I was determined not to let fear dominate me again. I peered into the fridge, but my appetite had gone. The prospect of waiting an hour for the fire to warm the living room did nothing to improve my morale, so I made a snap decision to go out, hoping that the pub's hectic atmosphere would stop me thinking about Burns. I pulled on my boots and padded coat and set off, shining my torch on the icy ground. When I reached the end of the lane I looked back at the cottage. The downstairs lights glowed like beacons, warding off would-be thieves.

The Rookery was quieter than normal. I'd hoped to see

Judith but there was no sign of her, so I sat at the bar and studied the menu. Someone appeared beside me before I'd made my choice. It was Tom Jensen, and he was standing so close I could almost taste the cold air trapped in his clothes.

'Great minds think alike,' he said. 'I couldn't face cooking.'

'What do you recommend?'

'Nothing. Eating here's an act of desperation.'

I ordered pasta and a glass of wine, and Tom sat opposite me at a table by the window. Clearly we were sharing dinner, whether I liked it or not. I watched him take off his coat. He was wearing jeans and a black T-shirt, and he had a muscular tennis player's build, hard ridges of muscle standing out on his forearms. His good looks were undeniable but he was tough company. Long silences didn't concern him, and he made no attempt to fill the gaps between statements. Whenever conversation flagged he sat back and observed me. His interest only flickered into life when I mentioned my running.

'You finished a marathon?' he sounded incredulous. 'In what time?'

'Four hours thirty-nine minutes.'

His gaze skimmed across my body. 'Not bad. Do you still train?'

'Not much since the freeze started. I'm going stir crazy.'

'You should come to my lunchtime sessions. They're staff only.'

I shook my head. 'Treadmills don't do it for me. I need to smell the tarmac.'

Jensen ate the rest of his meal in silence. I couldn't work out whether my company bored him or the poor cuisine had spoiled his mood. The experience made me wish I was more like Lola. She'd have relished an impromptu dinner date with a gorgeous stranger, whether or not he chose to speak.

'What were you doing in London anyway?' he asked.

'Working for the police.'

'Really? Doing what?'

He studied my face closely while I told him about interviewing Kinsella, and my visit to the Foundling Museum. When he finally started to talk, he asked so many questions it felt like an onslaught, so I retaliated.

'Judith gave me some advice. She said it was a bad idea to mention God to you.'

His eyes snapped open. 'Mention anything you like. I'm a confirmed atheist, that's all.'

'I envy your certainty. I think having a faith would be comforting, but church services leave me cold. Everyone else looks so devout, but when I close my eyes there's nothing there.'

'That's how I feel these days.'

'But you were a believer once?'

'A long time ago.' His shoulders tensed and I wondered why the subject made him defensive. Maybe I'd met my match: someone else who hated anyone poking around in his private life.

'I think I'll get a coffee,' I said.

'That would be a mistake.'

'Really?'

'It's undrinkable.' He pointed at the window. 'See that building, set back from the road?'

'The old school house?'

'My flat's on the top floor, and I've got a brand-new Gaggia.'

I paused for a microsecond. 'What are we waiting for?'

The cold was breathtaking as we crossed the road, and I followed him up the steps. Jensen helped me out of my coat once we got inside, his hands skimming my arms. His living room reminded me of my flat in Providence Square: white walls, bleached floorboards, and very few personal items on

62

display. The decor told me nothing about his personality, but his bookshelves were more helpful. His choice of literature seemed unlikely for someone who made a living from the body beautiful. The shelves groaned with novels by Goethe, Stendhal, and Zola, and three different versions of the Bible. I wanted to ask why a committed atheist needed so many copies of the good book, but his reaction earlier had shown that questions were foolhardy. He sat beside me on the sofa, so close that our elbows were touching.

'How did your chat with Kinsella go?' he asked.

'It wasn't exactly a chat. He didn't say a word.'

'After what happened to Jon, I was concerned.'

'Don't worry. I can take care of myself.'

'Is that why I found you freezing to death in the car park?' He studied my eyes and then my mouth, eyelashes so pale they looked like they'd been dipped in frost. 'You know, I wanted to invite you here that night.'

'Why didn't you?'

He gave a slow shrug. 'You didn't need a stranger hassling you on your first day. Would you like another drink?'

'Not yet, thanks.'

'You'd better choose your entertainment then.'

'What are the options?'

'Depends what you feel like.' He reached across and pushed a loose strand of hair back from my face. 'We could talk some more, or drink another coffee, or we could go to bed.'

I choked back a laugh. 'Are you serious?'

'Absolutely. But I have to be honest, I'm not looking for complications.'

'Neither am I.'

He didn't bother to reply. He was too busy tracing the outline of my mouth with his index finger, and I knew exactly what was on offer: a straightforward one-night stand, with no intimacy whatsoever. My brain was advising me to say no. He was too predatory and Burns was taking up too much space in my head, but my body had already decided.

'I'll go for the third option,' I replied.

It was easy after that. The conversation stopped, and he kissed me instead. My head spun when he finally drew back. His bedroom was as sparsely decorated as the rest of his flat, but I didn't care, because I was too busy watching him undress. Ropes of muscle were stretched taut across his chest and abdomen. I was so mesmerised that I forgot to be scared, even though it had been two years since I'd slept with anyone. Maybe that's because the contract was so simple. Nothing emotional was on offer, so I only had myself to consider. And he was intent on giving me pleasure. The first time was over a little too fast, but the second was incredible. It had been so long since anyone had touched me that my skin felt sensitised, every inch gradually catching fire. I had to press my mouth against his shoulder when I came, to stifle my screams. His performance was the opposite of mine, far more controlled and watchful. I got the sense that he was grading me out of ten, but at least he seemed to relax afterwards, lounging back against the pillows.

'Was that better than staying home with your ghosts?' he asked.

'Definitely.'

He smiled then turned away to sleep, and I lay there watching the ceiling. My body hummed with contentment, but my mind was refusing to shut down. Something about Tom refused to make sense. Why was a man who was so great in bed in full-scale retreat from intimacy? I thought about the foundlings, then Suzanne Williams, burdened by too much grief, and Burns, in bed with his new girlfriend. Tom was already asleep, so I pulled my phone from the pocket of my jeans and took a photo of him for memory's sake, then set the alarm for five o'clock. I couldn't face the ice-cold cottage yet, but I wanted to be gone by sunrise. Tom had made it abundantly clear that he was the kind of man who preferred to wake up alone.

IO

Gorski was the first person I saw at the Laurels the next day. He was clutching an outsized mug of coffee and I felt like advising him to detox – caffeine would make his temper even harder to control.

'My office now, please, Dr Quentin.' He strode down the corridor at his usual racing trot, and when he closed the door his expression was even more outraged than normal. 'I'm not comfortable with you interviewing Kinsella. You must have heard what happened to the last researcher who worked with him.'

'But you gave the police your consent.'

'If you get out of your depth, the press will be all over us.'

'I don't have a choice. The Met think Sarah Robinson's killer knows him; they're insisting on another interview.'

'And you think you've got special powers, do you? After years of saying nothing, he'll just open his mouth and confess.' Gorski's accent grew broader with every sentence, as if he might revert to his native Polish.

'What are you trying to say, Dr Gorski?'

He slammed his hand on the desk. 'You don't realise how dangerous Kinsella is. Even his silence could leave you traumatised.'

'Are you suggesting I sit back and do nothing?'

Luckily someone opened the door. When Judith's calm face appeared, I could have kissed her.

'Is everything okay?' she asked.

Gorski shut his eyes, clearly sick of looking at me. 'I've warned Dr Quentin that she's putting herself at risk. If anything goes wrong, she should remember that. You are my witness.'

'I'm supervising her, Aleks. That's what we agreed, isn't it?'

'Someone has to keep these people safe,' he muttered.

'I'll make sure nothing happens. Come on, Alice. We can talk outside.'

Gorski turned away abruptly, as if we'd ceased to exist, but the exchange had shaken me. The man seemed barely in control of his rage, as if anyone who countered him was in danger, but the source of his anger mystified me. He seemed to resent the idea of anyone trying to access Kinsella's secrets. Judith stood there, wearing a concerned smile.

'Don't take it to heart, Aleks is under a lot of pressure,' she said. 'By the way, Kinsella gave this to Garfield. I have to meet my trainee now, but if you want company when you read it, come and see me later.'

She passed me an envelope then set off for her meeting before I could thank her. My name was scrawled on the paper in jagged black copperplate, and a knot of tension twisted in my stomach, as though a set of poor exam results was hidden inside. When I got back to my office I took a deep breath and opened it.

Dear Alice,

I saw you from my window the day you arrived, picking your way across the ice like a ballerina. I noticed how small your waist is, the black buttons on your red coat, and the way your hair falls precisely to your shoulder. People assume that because I'm often silent, I no longer see or hear, but the opposite is true. I know everything about this place. I could tell you the history of each brick.

I have a strong suspicion about who may be carrying out these attacks. If I'm correct, the killer is more astute than either of us, with good reasons to continue. The killer understands that taking a child's life is sacred. Killing a child is not like killing an adult. No matter how much pain rains down on them, they never expect to die. The last expression on a child's face is always disbelief.

If we meet again, I promise to talk instead of scribble. And I hope you'll permit an old man like me to offer a compliment. You have the most extraordinary eyes – such a wonderful transparent green.

Yours,
Louis Kinsella

Pins and needles pricked the palms of my hands. I'd never been more horrified by a compliment in my life. On a rational level, there was nothing to fear – Kinsella couldn't lay a finger on me. But I knew too much about his crimes. I'd read Alan Nash's book and remembered what he'd done to those girls in the flat he'd customised, the bridesmaids' costumes he dressed them in before he strangled them. And now it was me, featuring in his fantasies. At five foot nothing, weighing a fraction over seven stone, I was probably the closest thing to a child that he'd seen in two decades. I stared at his signature again. A graphologist would have had a field day, studying the horizontal line of his name. It looked like a heartbeat flatlining. I dropped the letter on my desk, reluctant to touch it again. Perhaps Gorski was right. I was already out of my depth, sailing into something too complex to understand.

The phone on my desk jangled and Burns started babbling immediately, as though we'd been interrupted mid-conversation. 'You won't believe this, Alice. Our man took a black cab to the Foundling Museum. A cabbie dropped a bloke with a big cardboard box on Hunter Street around three a.m. His face was hidden by his hat and scarf, so the driver didn't get much of an ID.'

I tried to picture the killer calmly sitting on the back seat of a taxi with a child's body balanced on his knees. 'He's fearless, isn't he? That's what worries me.'

'Has Kinsella started talking?'

'Not exactly. He sent me a letter instead.'

Burns gave a low whistle when I read out the message. 'You're already his favourite girl.'

'He could be lying about knowing the killer. Manipulation's the only power he's got left.' I stared out of the window at the roof of the infirmary, slates glittering like wet steel. 'I'd like to see Kinsella's ex-wife.'

Burns sounded surprised. 'She's changed her identity. You won't get much of a welcome.'

'I'm not expecting one. But she might have something I can use to prise him open.'

'Leave it with me.'

I said goodbye and wondered how Burns would react if he knew about my reckless night with Tom Jensen. He'd probably stand there, rubbing the back of his neck like he always did when he was lost for words.

At five o'clock I locked my cubbyhole, then headed for the car park. I couldn't resist peering through the window as I walked past the gym. Jensen had his back to me, watching an inmate perform sit-ups. It looked like he'd been working out too, blond hair slick with sweat. I still had no idea why he worked at Northwood when he could have made a fortune as a personal trainer. There had to be a reason why he was making life hard for himself. Sleeping with him had restored my confidence, but although I felt curious about him, there was no flicker of emotion. It had been an act of mutual convenience, not the start of an affair.

Snowflakes whirled in a vortex in front of my headlights as I drove down the exit road. I've always loved snow. I could stand by the window for hours, watching it thicken, but driving through it is another proposition. My hands tensed around the wheel when I arrived in Charndale. The car slalomed across the road, executing a perfect 360-degree turn, coming to rest bumper to bumper with a stationary BMW. The near miss made my heart thump a quickstep rhythm at the base of my throat. Luckily no one else was crazy enough to venture out in the middle of a snowstorm.

Lola phoned as soon as I'd finished dinner. Her voice sounded even more upbeat than usual. She comes from a long line of theatricals, and Christmas with the Tremaines always involves high excitement and endless games of charades.

'What are you up to?' she asked.

'Not much. I just lit the fire. How's the Greek God?'

'Preening himself. He's got a part as a nurse in *Holby*.'

'That's brilliant!' Neal was thirteen years younger than Lola. Normally he played schoolboy roles or wayward undergraduates. 'Have you heard from Will lately?'

'Last week. He's still at that hostel in Brighton; he sounds happy enough.'

I gritted my teeth. It was a relief to know my brother was okay, but I wished he'd call me occasionally, instead of my best friend.

'You're still coming for Christmas, aren't you?' she asked.

'I can't, Lo. I've got to work.'

It wasn't strictly true. But drifting from party to party, then fighting Neal's cat for space on their sofa didn't appeal. I wanted to test my nerve and see if I could handle a Christmas

70

alone. There was a dramatic pause at the end of the line while the idea sank in.

'What about your presents?' Lola sounded like a disappointed five-year-old.

'I'll come the day after Boxing Day, I promise.'

'That'll have to do, I suppose.'

When I put the phone down I felt a pang of guilt, remembering the first gift she ever gave me when we were twelve years old: a huge box of make-up from Woolworths. It kept us entertained for days. We spent most of the Christmas holiday attempting to make ourselves look like movie stars.

I was in bed when a text arrived from Burns. Kinsella's ex-wife had changed her name to Lauren French, and she'd agreed to see me, after some strong persuasion. I dropped my phone back onto the bedside table. Burns might have a new girlfriend, but his habit of working past midnight was still firmly in place. The wind picked up as I tried to sleep. It made an odd, howling sound in the chimney, the windowpanes rattling in their frames like teeth chattering. No wonder the locals believed the cottage was haunted. The place was full of inexplicable sounds.

I I

The man's footfall crunches across the gravel, and the fear gnawing in her stomach grows even sharper. She never knows what to expect. He can be angry or laughing, or he leaves her alone, until the light fades from the crack in the door. Her smile makes him treat her better. Yesterday he brought gifts: two bananas, a bottle of water, and a dry blanket. The fruit made her stomach hurt, each gulp sticking in her throat. Already she's hungry again, but at least she has the blanket. It makes the chill less raw, the thick wool locking warmth close to her skin. She forces herself to beam at him when the metal door swings open.

'Still awake, Ella?' His eyes are invisible, his knitted hat pulled low over his forehead.

'I've been waiting for you.'

'You little flirt.' The man's laughing now, lips peeled back to reveal his straight white teeth. His laughter is more scary than his frown. 'I've got a treat lined up for you. I don't want you getting bored. Do you fancy coming out for a drive?'

'Yes, please.' Ella doesn't care where he takes her. Anything's better than being locked up alone in the metal box.

'Come on then, let's be having you.'

She tries to make her body relax as he reaches for her. If she screams or tries to run, he'll lash out, so she takes a deep breath then steps into his arms. It's the opposite of the way her grand-dad holds her, a quick hug before she goes to bed. The man throws her across his shoulder, blood rushing to her head. His torch trails a thin yellow line across the snow. The blanket falls to the ground but she doesn't let herself cry out.

The back door of the van is already open, the darkness inside waiting to swallow her.

'Can't I go in front with you?' Ella's shoulder hits the door as he pushes her in.

'What did we agree?' The man's eyes are round and black, like holes drilled into the ground. A scream rises again in Ella's throat, but she manages to silence it.

'You make the rules.'

'And never ask me for things. Remember that. People have ordered me around all my life. I don't have to take it from you.'

She kneels by the window as the van pulls away, rubbing her bruises. Streetlamps, trees, and unfamiliar buildings slip past as she stares through the dirty glass. After a long time the van pulls up behind a row of houses and the man shuts the driver's door softly behind him. At first Ella wonders why he's standing in the shadows, staring at the lighted windows. Soon the lights go out, one by one, but the man carries on standing there, gazing into the darkness.

12

The Laurels was like a ghost town when I arrived on Saturday. Most of the prisoners were confined to their rooms, because so many guards were on Christmas leave. The only sounds I could hear were the hum of a generator and cars churning up grit on the approach road. I logged onto my computer and opened Louis Kinsella's file again, looking for proof that Nash's theory about the killer was correct. Nash was convinced that he had to be an intimate contact from Kinsella's past, but the impact might have been momentary – a chance meeting that triggered an obsession.

Kinsella's crime file was longer than *War and Peace*, a catalogue of some of the worst acts of sexual sadism ever committed, yet his childhood and adolescence gave no hint of what was to come. His early years were a roll call of academic success. He'd won prizes at his public school, then studied history at Oxford. His tutors assumed that his rejection of a college fellowship to become a primary school teacher in London's inner city was due to youthful idealism, but his profession had given him the perfect cover for his paedophilia. After his murder trial, dozens of former pupils testified that they had been molested. The extreme violence only began in the Nineties, after he became a headmaster – Kinsella had been biding his time. He rented a flat in Camden, less than a mile from his house in Islington, then soundproofed every room and rigged a network of cameras.

A row of pictures confronted me. The girls he'd abducted were between the ages of eight and eleven, but there was no common denominator; they had different builds and came from a mix of races. Some beamed confidently at the camera, while others were too shy to smile. Their post-mortem pictures showed a different species. The faces were unrecognisable, deep wounds ruining their eyes. Kinsella had been questioned repeatedly about whether the girls were alive when they were blinded, but he refused to speak about the pain he inflicted on his victims. The coroner's report stated that most of them were subjected to days of torture before they died.

A dull wave of nausea welled in my chest and when I closed the file, someone had appeared in the doorway. It was the IT guru, Chris Steadman. He still looked like he'd been burning the candle at both ends, shadows hollowing his cheeks. Even his peroxide hair was more unkempt than before, long strands flopping in his eyes.

'Is your computer behaving itself?'

'Pretty well thanks, Chris. Shouldn't you be on holiday?'

'No such luck. I work shifts, right through the year,' he said, transferring his toolkit from one hand to the other. 'I'm having a party on Boxing Day – you'd be welcome.'

'I think I'll be in London.'

'That's a pity.' He pulled some Post-it notes from his pocket then leant over and stuck one on my desk. 'Here's my address, if you change your mind.' He gave an awkward smile then slipped away.

I made myself reopen Kinsella's file and study it for another hour. By mid-morning a headache was throbbing at the base of my skull. Either I was tired, or the horror of his crimes was taking its toll. I grabbed my coat and hurried back to reception. Burns's text had promised a car at eleven o'clock to take me to see Kinsella's ex-wife, but it didn't arrive until quarter past. The driver was called Reg and he was close to retirement age. I got the sense he would have preferred to be at home, eating mince pies and knocking back sherry.

'The roads are a nightmare,' he grumbled.

'How long will it take to get to Windsor?'

'An hour, with luck.'

Reg didn't bother to make conversation, which left me free to admire the view as we drove east. The fields were a clear, bluish white, almost matching the sky. Snow had converted the landscape into a blank canvas, with rows of stick-like trees marking boundaries between farms. I concentrated on the questions I needed to ask Lauren French, aware that the police's focus had been on culpability and involvement when Kinsella was arrested. She was bound to clam up if I revisited old ground, but I needed to discover the location of his Achilles heel.

It struck me as odd that she'd moved from London to the same county as her ex-husband's jail, even though she never visited him. In her shoes I'd have relocated to the Outer Hebrides. But Windsor seemed the ideal place to reinvent yourself. The whole town was ridiculously picturesque – full of cobbled walkways, and timber-clad medieval buildings. I caught a glimpse of the castle as we crossed the river. It looked like a fairy-tale illustration had been drawn on the sky, battlements outlined in the lightest graphite.

After a few minutes, Reg pulled up at the end of a street lined with small Georgian terraces. 'You'd better walk from here,' he said. 'The boss says the lady doesn't want police cars outside her house.'

I thanked him and set off in search of number twelve, already curious about the meeting. It would make me the envy of every tabloid journalist in the land. When Kinsella was charged, the papers had vied for an exclusive, trying to uncover whether she'd harboured any suspicions about her husband's crimes, yet she'd always refused.

Lauren French's front door was a vivid red, but her appearance was much less colourful, her outfit a tasteful blend of grey and black. She ushered me into her living room, which gave no indication that Christmas was only two days away. A large Chinese vase dominated the mantelpiece and a wooden crucifix hung above the bookcase. I gazed around while she was in the kitchen making coffee, but no family photos were on display.

When Lauren reappeared, I wondered whether she'd had plastic surgery. The mousy, thin-faced creature who'd cowered in front of the cameras seventeen years ago had been replaced by someone else. Her hair was two shades darker, and her face had filled out, her pallor masked by skilfully applied make-up. Only her expression had remained the same. It was so tense that she seemed to be preparing herself for the next attack.

'Did DCI Burns explain the reason for my visit?' I asked.

'To talk about Louis, of course. I refuse, normally. The press hounding me is the reason I left London.'

'But he told you what's happened?'

A flare of anger lit her face. 'The police only contact me when they want help. They didn't care when someone punched me outside the courtroom. Why on earth would I know about the missing girls? I haven't seen Louis since he was sentenced.' Her hands clutched together, trembling in her lap.

'I'm sorry, I know how difficult this must be for you, but the killer seems to be an expert on Louis's crimes. Anything you can remember will help us.' My apology cooled the temperature of our conversation slightly, some of the tension easing from Lauren's face. 'Do you mind me asking you how old you were when you met Louis?'

'Sixteen. He was almost twice my age.'

'Where did you meet?'

'At church, believe it or not.'

I smiled at her. 'Of course I believe it. Why wouldn't I?'

'Everyone called me a liar after the trial, but I told the truth. There were no signs. He was romantic, idealistic even, right till the end. He never forgot our anniversary. When we met, Louis wanted to do something good in his career, make his mark on the world. That's why I fell for him.' Lauren's expression was fervent, as though she was intent on changing my point of view.

'Can you tell me anything about the people Louis socialised with, before his arrest?'

Her lips formed a grim smile. 'He didn't have time for a social life. He ran the church choir, fundraised for a local charity, and helped the Foundling Museum.'

'Do you know why he volunteered at the museum?'

'I remember him saying that the place was special because it saved so many children's lives. People don't understand how caring he was, before the illness took hold.' Her voice tailed away. The irony of Kinsella's admiration for an organisation that cared for vulnerable children seemed to hit her with full force.

'Was he close to many colleagues at school?'

'Not really. His staff admired him, but he didn't have favourites.' She frowned in concentration. 'The caretaker Roy Layton put him on a pedestal. Louis said he felt sorry for him, he was such a loner. He came to the house almost every week, and they'd sit in his study, talking for hours. Louis told me he was persuading him to go to college. He said Roy was wasted in his job.'

'How long did Layton's visits go on?'

'It's hard to remember. About a year, I think. He'd come for dinner and stay all evening.'

'And there was no one else?'

'I don't think so.'

'Do you mind me asking whether your marriage was happy, before Louis's arrest?'

'Very happy. No one was more shocked than me.' Lauren's mouth trembled. 'Louis is the best communicator I've ever met. He could persuade anyone to do anything. I didn't have a clue about life until I met him.'

'I'm sure you had your own views, even at sixteen.'

She shook her head firmly. 'I came from a big family, and my parents were strict. We couldn't speak out of turn. I had to do as I was told.'

An elderly black and white cat appeared and settled at her feet, and I wondered how much comfort her new life contained. Meeting people would be a constant risk. Her fake identity couldn't shield her forever, and exposure would be dangerous. Some of the victims' families believed that she knew about her husband's attacks and should have been thrown in jail too. I swallowed a deep breath. The house seemed to lack oxygen; it was like a cocoon, vacuum-sealed to keep intrusion at bay.

'How long ago did you and Louis separate, Mrs French?'

Her face tensed. 'We're not divorced, I just changed my name after the trial. I'm Catholic, you see. It would be wrong to get an annulment without telling him face to face.' She looked down at her hands. 'It's partly my fault he lost his way, because our plans didn't work out.'

'What plans were those?'

Her eyes glistened. 'We kept trying IVF in the early days, but it came to nothing.'

'Surely you don't blame yourself?' I tried to keep the incredulity out of my voice.

For a moment she was too distressed to reply. 'There must

79

have been a trigger for what he did. He was in pieces when they told us it wouldn't work. There's always a cause, isn't there?'

'Not with this kind of illness. Psychosis can make people commit terrible crimes without any reason at all.' Lauren stared at me, glassy-eyed, as if she was having trouble focusing. 'Would you be prepared to visit Louis to help the investigation?'

A spasm of anxiety crossed her face. 'I've driven past Northwood hundreds of times, but I can't make myself go in.'

'I can understand that. Thanks for your help today.' I nodded and rose to my feet, but her eyes searched my face anxiously.

'Would it help the missing girl if I saw him?'

'I can't be certain, but it might do.'

Her gaze dropped to the floor. 'I'd have to think about it.'

My thoughts spun when she closed the door. Lauren still seemed gripped by regret, even though she'd done the world a favour by failing to bear Kinsella's children. Her statements explained why she'd chosen to live so close to Northwood. On some level she still saw herself as his wife, and the reason why Kinsella had chosen a juvenile bride was obvious. At sixteen she would have been easy to control, conditioned to obey her parents' commands without question. She still seemed to be in his grip. All the different terms for brainwashing slipped through my head: thought change; mind control; coercive persuasion.

I called Burns as soon as I got back to the police van. In the background I could make out the hum of the incident room – raised voices and a cacophony of phones.

'It's like it happened yesterday. She hasn't seen him in seventeen years, but she's still scared to criticise him.'

'Did she talk about people he knew?' Burns asked.

80

'She struggled with names, but she said he ran the local choir, and volunteered at the Foundling Museum most Saturdays – some evenings, too. The school caretaker was one of his closest contacts.'

'You sound distracted, Alice. Are you okay?'

'There's something odd about her. People don't often feel that depth of connection after so long apart. He must have controlled her completely.'

'Maybe she's just lonely.'

'It's more than that. It's like she wants to appease him, even now.' I stared out of the window as a scattering of snow drifted past. 'I should come with you tomorrow to see the caretaker.'

Burns sounded relieved as he said goodbye. Maybe no one else was crazy enough to volunteer to work on Christmas Eve. I watched the outline of Windsor Castle grow smaller through the rear window, and thought about Lauren French, still defending her husband's reputation. Her mindset fascinated me. If my husband turned out to be a murderous paedophile, I'd have invested in some intensive psychotherapy, then ditched my religious principles and filed for a speedy divorce.

13

I had to race through Covent Garden on Christmas Eve, because lateness would have resulted in an all-out war. The pavements were clogged with tourists queuing for lunch, weighed down by shopping bags, so I trotted along the road instead. My mother had booked a table at an eye-wateringly expensive French restaurant on Garrick Street, and the maître d' led me through the packed dining hall. She was alone at a table by the window. Even from behind, she was instantly recognisable – grey hair drawn into a chignon above the straight vertical line of her back. It was impossible to imagine her permitting herself to slouch.

'You're awfully flushed, darling. Is something wrong?' She kissed the air above my cheek, making me wish I'd stopped to fix my make-up.

'The train was late, I had to run.'

My mother has always believed in keeping up appearances; neatly combed hair and fresh lipstick are the sticking plasters that prevent the world from falling apart.

I studied the menu and saw that it was identical to the previous year. We'd been following the same ritual for so many Christmases, I could have placed my order blind-folded. Two Martini cocktails arrived at the table as soon as I sat down.

'How's the new job?' she asked.

'Interesting. But it's a steep learning curve.'

My mother's grey eyes assessed me coolly. 'I can't imagine what possessed you, Alice. Those men are monsters.'

'It's only for six months, Mum. Guy's was getting too comfortable.'

'What's wrong with comfort, for goodness' sake?'

Fortunately the waiter arrived before a row could get under-way. She ordered her favourite meal: lobster bisque followed by Dover sole, while I chose the full Christmas blow-out.

'How's your brother these days?' She took a minute sip from her Martini.

'Okay, I think. Still in Brighton, as far as I know.'

My mother pursed her lips silently. She had decided years ago that Will was my responsibility, blaming me for all his mishaps. 'And what about Lola?'

'She's on cloud nine. Her and Neal have found a flat in Borough.'

'They've bought somewhere?'

'You're joking. Banks don't give mortgages to actors.'

She gave me a meaningful look. 'At least she's found someone.'

I decided to ignore every brickbat. By now I should have been immune: she always found something to criticise, from my haircut and clothes to my work ethic and lifestyle. On a rational level I knew that she was hypercritical because her own mother had been exactly the same, but that didn't make it any easier to swallow. She explained what she'd been up to while we ate our starters. Her schedule hadn't changed since she retired: flower arranging at church, visits to galleries and lectures, and one day a week volunteering for Help the Homeless. I watched her as she spoke. Her appearance was a triumph of skilful make-up and expensive clothes. She still wore her wedding ring, even though my father died years ago. But when I looked at her hands more closely, I noticed

83

something unexpected. They were trembling so hard that drops of orange liquid splashed back into the bowl when she lifted her soup spoon.

'Are you okay, Mum? Your hands are shaking.'

'It's nothing. Tiredness, probably.'

'But you're getting it checked out?'

'Of course. I've made an appointment.'

'I'll come with you, if you like.'

She looked exasperated. 'Don't be ridiculous, Alice. I've been overdoing it, that's all. I'm taking a holiday after Christmas.'

'With Sheila?'

'On my own this time. I'm going on a cruise. It starts in Cyprus, crosses the Med, then through the Red Sea to the Indian Ocean.'

I tried to disguise my amazement. Normally my mother took short holidays on the Greek islands with a friend from the library. She'd never mentioned a burning desire to circum-navigate the world.

'That sounds wonderful. How long will you be gone?'

'Three months.'

I watched her as she described each destination. The tremor was still there, and I flicked through a list of potential illnesses: a brain tumour, Parkinson's, multiple sclerosis. Until that moment I'd assumed that we had forever to fix our relationship. I'd made an effort to see her more often, hoping we'd reach a point where we could talk honestly, instead of our endless bick-ering. As a child I'd been convinced she was superhuman. No matter how hard my father hit her, she always got out of bed the next morning, styled her hair and dragged herself to work. The idea that she might be ill made my own hands unsteady as I lifted my glass. But she was avoiding the subject, picking at her meal, keeping the conversation inside safe limits.

My mother produced a thin package from her handbag as soon as we'd finished our main courses. Part of our Christmas routine involved exchanging presents while we waited for dessert. I watched her unwrap my gift: a charcoal grey scarf from Liberty's, with a simple Art Deco design.

'It's beautiful, darling.' She looked stunned that I'd chosen something so tasteful. 'Try not to be angry when you open yours.'

'That sounds ominous.'

I tore the wrapping paper and drew out a large gold envelope. It looked like the ones TV presenters use to announce Oscar nominees. I expected a voucher for a health spa, or some theatre tickets. But when I studied the company logo, I realised she had bought me a year's membership of a dating agency in Knightsbridge called Introductions Unlimited. I scanned the brochure quickly, trying not to look appalled. The pictures showed couples beaming adoringly at each other. All of the men looked athletic and confident, and the women's smiles must have required countless trips to Harley Street. When I reached the last page, I couldn't believe my eyes. My mother had left the receipt in the envelope – she was so desperate to find me a suitable husband that she'd parted with two and a half thousand pounds.

'This is too much, Mum. I can't accept it.'

'Nonsense. For the right person, it's worth every penny.'

I put down the envelope in a state of amazement. I'd never seen my mother cry, but her eyes were brimming. She must have spent days locating an agency that specialised in well-heeled stockbrokers. She blinked rapidly then looked me in the eye.

'You could still find someone special, Alice, if you'd only start looking.'

I wanted to tell her not to worry. My friends and my job

were enough to satisfy me, but she was too distressed to talk. When I touched her hand it was trembling, like a butterfly struggling to get away.

I spent the next hour in a frenzy of shopping. Retail therapy doesn't usually work for me, but it took the edge off my anxiety about my mother. I found the ideal dress for Lola in a vintage clothes shop, a cashmere scarf for Will, and some shocking pink coral earrings for my friend Yvette. At three o'clock I slogged through the crowds to Tottenham Court Road, catching a northbound Tube to meet Burns. His Audi was parked opposite the station, and a jolt of attraction hit me when I saw him, like an unexpected punch. I had to blink hard to ignore it.

'Has Alan agreed I can help interview Layton?' I asked.

'Of course. He wants you doing the legwork, then he'll swoop in when we start arresting suspects and collect the kudos.'

'And you're letting him get away with it?'

Burns rolled his eyes. 'The guy's spending Christmas with the commissioner, Alice. He's godfather to the top man's kids.'

There was no sense in labouring the point; his irritation with the situation was obvious. My main concern was that evidence could be lost in the yawning procedural gap between Nash and myself. I'd submitted a crime analysis report and entered the locations of all four abductions into the Home Office mapping software to create a geo-profile, but so far Alan had contributed nothing to the investigation apart from his eminence.

'Have you been investigating the staff at Northwood?' I asked.

'Not yet. The searches for the first two girls were local, and the leads in Sarah and Ella's cases centre round Camden.'

I stared at him. 'But the link to Kinsella's obvious, isn't it? It's likely to be someone who's spent time with him.'

'Northwood staff all have enhanced security, don't they?'

'That only picks up people with previous offences.'

Burns gave a brisk nod. 'I'll put it on my list.'

'What do you know about Roy Layton?' I asked.

'He's been asking too many questions. When my team searched the school, he was all over them.'

'That could just be natural curiosity.'

Burns frowned. 'There's nothing natural about him. He gave us permission to check his computers yesterday. I bet he thought he'd done a good job of cleaning the hard drive, but there are images of young girls on one of them.'

'Child porn?'

'The violent kind. The Sex Crime Unit's looking at it now. You can assess him, then he'll be taken to the station. I've got a warrant for a full search.'

'Is there anything else?'

'He's been caretaker at the school for thirty years, single, no previous convictions. I thought he seemed okay at first, but Tania reckons he's an oddball.'

Burns glowed slightly at the mention of his girlfriend, and I turned my attention to the council houses outside the window. Miles of Scandinavian forest must have been decimated to provide Christmas trees for so many front rooms. News footage of Louis Kinsella being led from St Augustine's flashed through my memory as we arrived at the schoolhouse, which was classic, red-brick Victorian. A hundred years ago, boys and girls would have been corralled through different entrances every morning when the bell rang. I peered into a small classroom. The walls were freshly painted, miniature chairs and tables in a range of primary colours, as if the place was determined to banish its dark reputation.

Police officers were swarming round the caretaker's house. It was a dilapidated building just behind the school, with tiles slipping from the roof, and a view of the playground. Yards of yellow crime-scene tape circled the perimeter, and a gang of SOCOs were erecting a tent over a white Luton van parked on the drive. There was a sour tang of damp when I followed Burns into the hallway, strips of woodchip paper peeling from the walls. The carpet pattern had been stamped into non-existence years ago. I fished in my bag for a notebook and a psychological assessment form. I'd filled them out so often that I knew the categories by heart: state of mind, evasiveness, and propensity for violence, with a sub-section for observations about whether the interviewee was lying or concealing information.

Roy Layton looked around fifty-five, but the years hadn't been kind. He was huddled over a two-bar heater, hands clasped over a sizeable beer belly. Buttons were missing from his brown cardigan and, apart from a ruff of grey hair above his ears, narrow as a monk's tonsure, he was completely bald. When we walked into the room he looked in my direction, but full eye contact was impossible. One of his pupils lit on my face, while the other scanned the ceiling for cracks. Burns loitered by the door, close enough to eavesdrop, but not to interrupt.

'Hello, Mr Layton, my name's Alice,' I said. 'Do you mind if I sit down?'

'You're the first to ask. The rest just barge in, without a by-your-leave.'

'Can I ask you a few questions?'

Layton's good eye assessed me nervously. 'It's a free world.'

The man's shoulders were hunched round his ears, but under his truculence I could sense his anxiety. His home, reputation, and livelihood could vanish in a blink.

'Can you tell me about your time here, at St Augustine's?'

I kept my head down and scribbled a few words on the back of my form. People are always more forthcoming when you're submissive. It interested me that Layton was manifesting the full range of anxiety gestures, tugging at his sparse hair, crossing and uncrossing his legs.

'Nine head teachers have come and gone in my time. The new one said she'd get this place done up, but it never happened.'

'You were the last person to see Ella Williams, weren't you?' I asked.

'So they say. I've been kicking myself – I spotted her through the kitchen window, I should have waited with her till her granddad came.'

'How did you know he'd pick her up?'

'I see the cars arrive every day. Are you having any luck finding her?'

'There are some strong leads.'

'But nothing definite?' His good eye fixed me with an intent stare while the other spun in its socket.

'Let's concentrate on the questions I need to ask you, Mr Layton. Can you tell me if you ever invite the schoolchildren into your home?'

His cheeks reddened. 'What do you mean? I've been CRB checked, you know.'

'Of course, but the police will search your house very thoroughly today. It's best to tell us now if Ella ever came here.'

'Never.' He shook his head vehemently. 'Sometimes I open the back of the van and let them play in there. That's as close as they get.'

'What made you choose this job?'

'Variety, I suppose. I'm a jack of all trades – a bit of maintenance work, some painting and decorating.' His voice faded into silence, as if he'd lost the gist of his argument.

89

'Did you know Louis Kinsella well?'

His face clouded. 'I know it's terrible, what he did, but it was right out of the blue. He did more for this school than anyone. He's the only one who treated me like an equal.'

The caretaker grew more confident as he spoke, and I saw Burns shifting in his seat. I waited a moment before asking the next question.

'The police have found some pictures of children on your computer, Mr Layton. Can you explain that for me?'

His good eye fixed me with an outraged stare, while the other whirled like a marble being sucked down a drain. 'You lot have got filthy minds. That's a second-hand computer. If you've found something dodgy, it wasn't me that put it there. This is a witch-hunt.'

Burns rose to his feet. 'Keep your voice down, Mr Layton. You can explain at the station.'

The playground outside looked identical to the one behind the primary school I'd attended, with a basketball hoop, swings, and a climbing frame loaded with snow. Burns peered over my shoulder as I scanned my notes.

'He's tense, and socially inept,' I said. 'And he's displaying a high level of anxiety in his patterns of speech and body language.'

'The bloke's pretty fond of Kinsella, isn't he?'

'It could be Kinsella's charisma he remembers, not the violence, but you're right to investigate him. I know he ticks all the clichéd boxes, a lonely misfit who prefers kids to adults, but stereotypes exist for a reason. Most paedophiles take a defensive stance at first interview stage.'

Burns looked satisfied. 'I'll see him again as soon as I get to the station.'

'Try and find out more about his relationship with Kinsella.'

Twenty yards away, Layton was waiting outside his house,

and I felt a twitch of sympathy, even though there was a possibility he was the killer. People must have shunned him for years. Mothers would drag their kids across the road, simply because of his appearance. His walk was shambling and he was wearing a duffel coat that looked twenty years old, faded trousers a few inches too short.

'I'll fax my report to you.'

Burns glanced down at me. 'How are you spending Christmas, Alice?'

'Doing as little as possible.'

'Lucky you. My place'll be mayhem.'

A half-smile appeared on his face. I could picture Tania wrapping his gift, then she'd arrive at his flat wearing something glossy to dazzle his kids.

'Can I give you a lift?' he asked.

'No, thanks. I need the fresh air.'

I'd expected the school to be in darkness as I walked past, but the art room was brightly lit. A pretty middle-aged black woman was loading packages into a cardboard box on one of the tables. She hurried to the fire exit when she caught sight of me through the window. Her hair was cropped short, revealing strong cheekbones.

'Can I help you?' she asked.

'I'm working on the police search for Ella Williams. My name's Alice Quentin.' I dug my ID card out of my pocket and showed it to her. 'I wasn't expecting to find anyone here on Christmas Eve.'

'I'm Ella's teacher, Lynette Milsom.' She took a step backwards to let me in. 'I just came to collect my grandson's presents; he always finds things I hide at home.'

I noticed a pile of paintings stacked on a table nearby. 'Did Ella's form do those?'

'Would you like to see them?'

'If you don't mind.'

She spread the papers out, taking care not to damage them. 'They were drawing outside last term.' Lynette gazed at the images, then shook her head. 'Ella's suffered too much already. I always tell myself not to have favourites, but she's the smartest kid I've ever taught. Her SATs scores are unbelievable.'

She seemed to be holding herself together by the skin of her teeth, staring down at the kids' pictures. Most of them featured skyscrapers and double-deckers, a few stick-limbed families beside garish houses with tumbledown roofs. But one of the paintings was in a league of its own. A sombre grey building filled the page, and I felt sure I'd seen the place before. It looked like the ideal residence for a family of ghosts.

'Is this Ella's?'

Lynette nodded. 'She drew it after our trip to the Foundling Museum.'

I held her gaze. It seemed an odd coincidence that children from Kinsella's old school were still visiting his favourite museum. 'Did the kids go there recently?'

'We always take them in September.' She gave a narrow smile. 'The head wants them to realise how lucky they are, but the trip affected Ella most of all.'

'How do you mean?'

The teacher's gaze made me feel like I'd missed something obvious. 'Because she's today's equivalent of a foundling, isn't she? Her father abandoned her, then her mother died.'

I studied the painting more closely. The place looked even more haunting than in real life, its windows grimed with shadows.

'I don't know what I'll say to her friends when term starts,' Lynette said quietly.

'Ella could be back by then.'

Her smile faded as she shuffled the children's paintings

back into a pile. When I looked out of the window, Roy Layton was being driven away, shielding his face with his hand. I left Mrs Milsom tidying feverishly, as though her life depended on an immaculate classroom.

It was already dark as I walked down the street in Ella Williams's footsteps. There was no one around, and curtains were already closing, Christmas lights glittered over people's front doors. It still seemed incredible that a child had been seized from the heart of the city, less than a hundred metres from her school.

14

It's been days since Ella ate anything; the hunger has become a dull pain that never stops. The man hasn't been back since he took her out in the van, and the box has felt smaller since then, stale air smothering her.

'Do you know what day it is, Ella?' the man asks when he unlocks the door.

'I can't remember.'

'Christmas Eve, silly girl.'

The torchlight settles on her face and she stretches her lips wider. Instinct tells her to shield her eyes from the dazzling light, but it's safest not to move a muscle. His shadow looms behind the bright wall of light. It's impossible to guess whether he's pleased or angry. Her hands are so cold, they can no longer move, fingers brittle as icicles. Maybe he'll put her in the van again, and drive around for hours. That would be better than staying inside the box; at least then she could watch the world passing, instead of staring at the dark. Tears seep from the corners of her eyes, but her smile doesn't falter.

'I've got you a present,' the man says.

'Have you?' Ella tries to sound pleased, but she's shivering so hard that her voice quakes when she speaks.

'Come here, I'll show you.'

He lifts her over his shoulder, and her arms flail, head lolling like a rag doll. The ache in her stomach is so intense that she wants to pound his back with her fists.

'Close your eyes,' he snaps. 'No peeking until I say.'

A door creaks open and Ella feels herself being lowered to the ground. She keeps her eyelids tightly shut, waiting for permission.

'Now you can look.'

The strip-light overhead makes her blink. She's standing inside a tiny room, with bare bricks and a stained mattress. There's a plate of food on a small table, sandwiches and a muffin, still wrapped in its plastic bag. Warm air gushes from a heater on the floor, touching her feet like a blessing.

'Do you like it?' the man asks.

For once her smile is genuine. 'It's perfect.'

'I hope you know how lucky you are. No one gave me presents when I was a kid.' The muscles in his face contort, as if he can't decide whether to laugh or cry.

'Poor you,' Ella says quietly. 'You must have been lonely.'

'You don't know the half of it.' His eyes crawl across her face. 'Remember, this is just for tonight. One foot wrong and you're back outside. Understand?'

'I'll be good, I promise.'

Her mouth's watering. She's longing to grab food from the plate, but the man's still standing there.

'Don't I get a kiss, princess?'

A wave of nausea rises in Ella's throat, but she forces herself to walk towards him, arms outstretched.

15

Loneliness and being alone are two different things. At least that's what I told myself when I woke on Christmas morning in an empty bed. The central heating was making ominous clattering sounds, and the air in my bedroom felt icy. So far the cottage had resisted every attempt to raise its temperature, but when I pulled back the curtains, I stopped caring. Edgemoor Woods had turned into the perfect Christmas card, the sky an empty shimmer of blue, lines of fresh snow balanced on the branches of conifer trees.

I hunted for my trainers in the bottom of the wardrobe, then stepped out into the silence. The city's roar had been second nature until now – ringtones and juggernauts, music blaring from open windows. But out here, there were no distractions. All I could hear was a hushing sound as the snow compacted under each footfall. I followed a bridleway at the end of the lane and set off through the trees. The rest of the village must have been sleeping, because even the hardiest dog walkers were absent. The woods were empty as I followed the track beside a frozen stream. After a fortnight without exercise, my hamstrings burned, reminding me that I should have warmed up more thoroughly before I set off.

The woods seemed to go on forever, the path unreeling like a spool of film, with no sign of a house or another human being. After twenty minutes I stopped to rest, my breath turning the air smoky and blurring my vision. I was about to turn back when a crackling sound came from behind me, but there was no one in sight. Maybe a branch had fallen under the weight of snow. The sound came again soon after, and this time it was nearer, twigs snapping under someone's feet. I didn't stop to investigate, setting off along the track at full pelt, white branches spinning past. I was convinced someone was floundering after me, a shadow moving between the trees. My imagination was so overheated that steam must have been coming out of my ears. My heart was still pounding when I reached the lane, but my panic was dwindling, because there was no sign of anyone. If I had been right, the person following me had veered away when we approached the road, but it was more likely I'd imagined the whole thing. I wondered why I'd let a few unexpected sounds get me so spooked. It was probably just another health freak taking an early walk to offset the Christmas excess. My nerves must be raw because there had been so much pressure recently. I felt embarrassed about racing through the woods as if I was starring in *The Blair Witch Project*, but at least my body was glowing from the exercise.

I stood under the shower afterwards, deciding how to spend the rest of the day. It was a choice between typing up notes about the treatment regime at Northwood, or relaxing on the settee watching reruns of *Harry Potter*. The doorbell rang before I could make up my mind. I hunted for a towel to wrap round my wet hair before running downstairs, but when I peered through the window, the porch was empty. A man was standing by the gate, back turned, peering into the depths of his rucksack. I yanked the door open, because the set of his shoulders and his dark blond hair revealed who it was instantly.

'Will!'

My brother swung round to face me. He looked almost his old self – tall and rangy, with no evidence of his injuries apart from a slight limp. Only his expression was different. Behind his sky blue stare, it was impossible to tell what he was thinking. The change unsettled me. I'd grown used to reading his body language, figuring out whether it was safe to approach.

'Happy Christmas, Al.'

His face stretched into a grin and I pulled the door wider so he could drop his rucksack in the hall. This version of my brother was clean-shaven and calmer than before, wearing trainers that looked fresh from the box. Six months ago he'd been a shambling mess, struggling through the days in my flat, dragging himself to Narcotics Anonymous meetings.

'It's great to see you,' I said. 'It really is.'

I tried not to look at him directly because eye contact always made him panic, but he pulled me into his arms. It was the first hug he'd given me in years. The rough fabric of his coat grazed my cheek like sandpaper, but I didn't care; I could have stood there all day. When he released me, the remote look was back in his eye.

'Have you had breakfast?' I asked.

'Not yet.'

'My fridge isn't very festive, I'm afraid.'

He rolled his eyes, but carried on smiling. 'I didn't come here for turkey and all the trimmings.'

'Thank God for that.'

My brother walked ahead of me into the kitchen and peered into the cupboards.

'I'll make something, if you want.' His words were delivered cautiously, as if he was selecting them from a dictionary before he spoke.

'Brilliant. I'll light the fire.'

My heart raced as I walked into the living room. In the three months since I last clapped eyes on him he'd metamorphosed into someone else. He still looked like Will, but he had different boundaries. He could meet my eye and cope with being touched. When I returned to the kitchen he was busy chopping mushrooms. There was something unfamiliar about his gestures. He had always been a fidget, completing every action at lightning speed, but now he was methodical, dicing ham into chunks of exactly the same size.

'What have you been up to?'

'Not much.' He gave a brief smile. 'Living the life of Riley.'

I asked a few more questions, but his answers were either jokey or monosyllabic. All I could discover was that he'd hitch-hiked from Brighton the night before and waited in a bus shelter for the sun to rise. He wouldn't explain why he hadn't called to let me know he was coming. I could tell he had no intention of describing his new life, so I stopped probing and blathered about myself instead. He looked intrigued when I explained about my research, and the psychopaths at Northwood, minimising all the dangers.

'You're not still doing police work, are you?' Will put down his knife and turned to face me.

'Not as much as before.'

A deep frown appeared on his face. 'It's wrong for you, Al. You should tell them where to go.'

I bit my tongue. There was no point in explaining that I did it to help the victims, not myself. But I knew why he wanted me to quit forensic work. Two years ago he'd been caught in the crossfire during an investigation and ended up with compound fractures in both legs. He carried on preparing the meal, searching methodically through the cupboards for extra ingredients. After half an hour he'd created the perfect break-fast: French toast, omelettes with Parma ham, and mushrooms oozing with butter.

'Delicious,' I told him.

Will didn't bother to reply, too focused on his meal,

shovelling food into his mouth convulsively. I wondered how long it had been since he'd eaten. He'd lost his skeletal look, but his face was still dominated by his sharp cheekbones. I was longing to know about his new life, but I was scared one more direct question would send him running for the door. Eventually the silence calmed him, and he volunteered snippets of information. He was gradually putting down roots. A housing project in Brighton had given him a room, and he'd found a job washing up in a pub in the centre of town.

'It faces the sea. I can watch the tide come in while I work.'

'Sounds like you've landed on your feet.'

I should have been more congratulatory about his first job in years, but the gap between then and now had engulfed me. I remembered tagging behind him at parties, girls chucking themselves at him from every corner of the room. His friends said he had the world at his feet. But he'd ended up in a halfway house, earning a pittance.

When he finished eating Will pushed back his chair and went into the living room, stretching out on the floor in front of the fire.

'You can rest here,' I said, offering him the settee.

'I'm fine.' He turned away and fell asleep almost instantly, his head cradled on his arms.

I curled up in the armchair and read a magazine, while Will shifted uncomfortably in his sleep. He must have been exhausted because he didn't wake again until that afternoon, and he seemed startled when he finally came round. I watched him reach into his pocket and pull out a strip of tablets. He swallowed a couple then buried them again. For once they looked like prescription drugs instead of the type you buy on street corners. He was finally taking his chlorpromazine, and I felt like hugging him, because medication was his best chance of recovery. But I wondered how much he'd lost in the process. Patients who took anti-psychotic drugs often complained that their lives became monotone. Things lost their glitter without the manic highs and lows.

When he swung round in my direction, his face was tense with strain, and I guessed that his anxiety levels were soaring. The medication should have been taken hours before. A year ago I would have backed away and waited for him to calm down, but this time I stayed put. He stared at me, his jaw tightly clenched.

'There's something wrong with this place, Al. Can't you feel it?'

'I like it here.'

'There was a face in that mirror just now. It was horrible.'

The looking glass held a reflection of the empty window, nothing visible outside except a grey patch of sky.

'Maybe you dreamed it,' I said, smiling at him. 'I haven't seen any ghosts yet.' My brother gazed at the fire, thin hands clasped around his knees. 'I almost forgot, I've got a present for you.'

I ran upstairs, and the sound of his footsteps in the living room drifted after me while I hunted for wrapping paper. His present looked beautiful by the time I'd finished, decorated with a plume of ribbon. I checked the spare room before going back down. It was small but cosy, with fresh linen on the bed. Hopefully he'd be comfortable there.

The living room was empty when I went back downstairs, so I searched for him in the kitchen. My heart sank when I saw that the fridge door was ajar. The only items missing were a pint of milk and a block of cheese. I wished he'd taken more. A blast of freezing air gusted from the hallway. The front door hung open and Will's sleeping bag and rucksack had disappeared. I rushed outside, but there was no sign of him. All I could see was the empty lane and my breath condensing in front of me. I stood there in foot-deep snow, clutching a Christmas present for someone who'd run away without even saying goodbye.

16

I fell asleep worrying about Will, and my nightmares took a long time to clear the next morning. A young girl was trapped inside a block of ice, screaming for help, fingernails scratching at the frozen water. Kicking and beating the ice made no difference; the solid wall of cold refused to break. All I could do was hurl myself at it, like the inmate I'd seen, bouncing from the walls of his padded cell. None of my efforts worked – the child was fading, her pale blue mouth gasping for air.

I launched myself out of bed as fast as possible, shivering in the cold. The boiler was groaning like a man in his death throes so I went downstairs to investigate. When I fiddled with the temperature dial, the pilot light went out and refused to reignite. I swore loudly to myself. The cottage seemed determined to make life difficult. The prospect of a freezing cold shower didn't entice me, so I packed soap and a towel into my gym bag before phoning the letting agent. Muzak blared in my ear, then an automated message informed me that the office was shut until New Year's Day.

I slammed the door hard on my way out, then drove to Northwood, with the temperature dial stuck on -5°C. One of the security guards gave a grudging smile as she nodded me through the turnstiles. Now that I had a valid ID card, I could have carried a chainsaw into the building without anyone turning a hair.

I picked up a newspaper on my way through the day room.

The photo on the front page was of Suzanne Williams clutching her grandfather's arm, so frail that a breeze would carry her away. The picture had been taken inside a church, hundreds of people packing the aisles, and I hoped the service had given them comfort. The memory of Suzanne's fingernails cutting my palm as she begged me to find her sister had stayed with me. No wonder she was clinging to her grandfather as if he was the only solid fact left in her universe. If Ella wasn't brought home soon, the psychological damage would be irreversible.

Louis Kinsella's letter lay in my in-tray, exactly where I'd left it. I pulled the paper from the envelope and studied it again: 'The killer is more astute than either of us, with good reasons to continue.' I let the sheet drop back onto my desk. The list of questions I needed to ask was as long as my arm, even though the chance of a straight reply from Kinsella was negligible. The prospect of seeing him made my skin crawl, but the photo of Suzanne was forcing me to try again.

Garfield Ellis was making himself a drink when I found him in the staff common room. The tension in his face suggested that he struggled to switch off, the pressure of his job trapped deep inside his skin. But even on a bad day he had the kind of physical presence that's hard to ignore; over six feet tall, muscular as a bodybuilder. His expression lightened for a moment when he saw me.

'Like one?' He held up the coffee jar for me to inspect.

'Thanks, I could use some caffeine.'

'How was your Christmas?' His voice sounded deeper than before; a rich baritone ideal for TV voiceovers, advertising chocolates and liqueurs.

'Quiet. How about you?'

'It was crazy. Fourteen of us crammed into the house – my kids screaming the place down.'

'Sounds like hard work.' I smiled in sympathy. 'Can I ask you a favour?'

'Fire away.'

'I need to see Kinsella.'

'Today?' His eyebrows shot up.

'You don't think he'll agree?'

'Of course he will. Seeing you was the highlight of his week. But you'll need Gorski's permission, won't you?'

I shook my head. 'He knows I have to see Kinsella on police business.'

'You want me to bring him to the therapy room?'

'Can you keep him there for ten minutes? I want to see his cell.'

Garfield looked uncomfortable. 'You'll get me fired. Only prison officers are authorised for cell searches.'

'It's not a search, just a quick visit.'

'No one's meant to see Kinsella without the boss's permission.'

I wondered why he was so afraid. Gorski's bullying seemed to have infected every corner of the Laurels. Maybe he had a history of firing anyone who stepped out of line.

'I'll take the blame if anything goes wrong, I promise.'

He walked away slowly, shoulders down, as if he'd completed a marathon.

There was no sign of Gorski when I went to inform him about the meeting. His assistant said that he was still on leave, which surprised me. It took a massive leap of imagination to picture him settling down with his family to watch *It's a Wonderful Life*.

I climbed six flights of stairs to the top floor where the long-term inmates were housed, pausing to take in the view. The hospital site was crammed inside a thick perimeter wall with only a hair's breadth between buildings, like a medieval city, the grey roof of the infirmary slick with ice. After a minute's wait, the guard pressed a touchpad and a sheet of reinforced glass slid back to admit me.

No one had warned me about the noise. A voice from a cell close by was wailing at ten decibels, while another chanted curses in an endless loop. The warden was relaxing in his chair, immune to the racket. He gave a mock-salute then returned to the sports pages of *The Sun*, and I glanced through the observation hatches as I walked down the corridor. Each cell was arranged differently. Some inmates had displayed drawings and posters above their beds, while others had left their walls completely blank. A face behind one of the hatches snarled like a caged animal, grey hair twisted into ragged dreadlocks. The noise level was increasing, the whole floor pulsing with knowledge that a woman had entered their domain. I felt thankful that the doors were made of four-inch-thick galvanised steel.

The guard unlocked Louis Kinsella's cell reluctantly, complaining that I should have brought a signed authorisation form from Gorski. The small room was immaculate. Black-and-white pictures of buildings were displayed on the facing wall, and when I looked more closely there was a cluster of London landmarks: Monument, the British Museum, statues in St Paul's Close. The only items on his desk were a laptop and some notebooks arranged in a neat pile. But it was the view from his window that interested me. From this vantage point he could see the approach road; he had probably watched Tom helping me jump-start my car. No one could arrive or leave without his sharp gaze monitoring them. As I turned away the wailing resumed, followed by fists thumping the wall, and I realised why Kinsella made his sojourns to the library. At least they guaranteed him a few hours' peace. My gaze landed on the largest photo on his wall. It was a view of the Foundling Hospital, placed directly opposite his bed. Its colonnaded entrance would be the last thing he saw before he fell asleep.

Kinsella's appearance was as pristine as his cell when I arrived at the therapy room. He was freshly shaven, and from a distance he could have been my father's body double, dressed neatly for a day at the tax office. Only the look in his eye was different. My father was easily distracted, always forgetting the names of people he'd met. But Kinsella's gaze was alert to every detail, lingering on the emerald green silk scarf around my throat. Garfield had already secured him in his chair, the other wrist still handcuffed to his own. I wondered how many hours each day the two men spent in close proximity. Perhaps the enforced intimacy explained why the nurse seemed overloaded. I shunted the envelope I'd been clutching across the desk towards Kinsella.

'I'm afraid this didn't help me. The police want concrete proof that you know who's abducting the girls. They won't let me see you again unless you give solid information. And you promised to speak this time, instead of writing notes.'

His fountain pen flew across the page of his notebook, which Garfield passed to me. *I asked for a private meeting, Dr Quentin. Under those conditions, we can begin.*

'Garfield, could you wait outside while I talk to Mr Kinsella?'

The nurse grumbled about security protocols and being unable to guarantee my safety, but eventually he produced another set of handcuffs, so both of Kinsella's wrists were locked to the arms of his chair.

The energy in the room changed the moment Kinsella and I were alone. My pulse quickened as he prepared himself to speak. For an irrational moment I expected my father's voice to emerge from his mouth, still loaded with anger and disappointment, but his tone startled me. It was slightly dry from disuse, far more cultured than my father's. It had the cool intellectual certainty of a scientist explaining a complex process to a layman, and that's what chilled me. He could have convinced anyone that he was right. He sounded calmer and more rational than I did, perfectly in command of his actions.

'It disappoints me that you think I'd waste your time. In my situation, there's nothing to be gained from lying. Pretending to know the killer won't improve anything.'

'But it's getting you attention. Maybe you think it'll raise your chance of going back to jail.'

His almond-shaped eyes scanned my body as I crossed my arms, and I couldn't help remembering the parade of girls he'd dragged into his car. His gaze was so intrusive it felt like he was undressing me.

'I'm not naive, Alice. I know my campaign's unlikely to succeed. But if we become friends, I'll help you in return. It would be a welcome break from listening to the nurses' tedious gossip.' His hawkish smile flashed on for a moment. 'How much do you know about me?'

'I've seen your crime file. And I was still at school during your trial – it made compulsive viewing.'

The smile reignited. 'Hopeless misrepresentation by the courts of law. How old were you when I was arrested?'

'Sixteen.'

'Young enough to be intrigued.'

I nodded. 'The line between right and wrong is more hazy at that age. You're still deciding.'

'But now your moral code's set in stone, is it?' He looked amused.

My discomfort was growing. Somehow he'd derailed the conversation, and now he was trying to flirt with me. I forced myself to hold his gaze. 'I read *The Kill Principle* years ago. It was a set book on my Masters course.'

He gave a dismissive frown. 'It's pure fabrication. That book reveals nothing about me.'

'I visited one of your favourite places recently. The Foundling Museum – it's a real monument to Victorian misery, isn't it?'

'You're quite wrong. The orphanage was built for salvation: that's why the original trustees poured money into the place.'

His eyes glowered behind his half-moon spectacles, the muscles in his jaw starting to tense, and I couldn't summon a reply. Either Kinsella's illness included a spectacular lack of insight or he was being ironic. Very few child murderers spend their time championing an organisation that saved children's lives. Thankfully Garfield and the guard were still stationed by the observation hatch, ready to intervene if his temper flared.

'How long have you known the man who killed the three girls, Mr Kinsella?'

He blinked rapidly. 'What makes you think it's a man?'

'Are you telling me it's a woman?'

'I said in my letter that this is guesswork. I could be entirely wrong.'

'But if it's who you think it is, how long have you known each other?'

'Around twenty-four years.'

'Can you give me more details?'

'Only if you answer a question for me.' Kinsella leant forwards in his chair and I could see the surface of his skin. It had a grey sheen, slightly powdery, as though he was covered by a layer of dust.

'That depends on what you want to ask.'

'When you were sixteen years old, were you excited by my crimes?'

'Excited's not the right word. Horrified, or fascinated, maybe.'

His odd smile flickered back into life. 'That doesn't explain why I frighten you so much.'

'I'm a realist. You don't scare me while you're padlocked to a chair, but I'd put another bolt on my door if you ever broke out.'

A loud noise escaped from his mouth, somewhere between a groan and a laugh, as if I'd told the best joke in years. When he spoke again his voice was a dry whisper, forcing me to edge closer to him. Less than two feet of clean air separated us and I could smell his hair oil. It had a sour undercurrent, like citrus fruit picked too early.

'I hope you're listening, because I never repeat myself. The killer will take the next girl on the twenty-eighth of December. He will keep her for two days. Tell Detective Burns to look further north this time, and remember, Ella's been in his care a long time. He'll tire of her soon. Old toys lose their glitter.'

I was too shocked to reply, and Kinsella had transferred his interest to something else. His eyes narrowed to slits as he stared at the floor.

'What size shoes do you wear, Alice?'

'Three,' I replied without thinking.

'Child-sized,' he whispered.

The smallness of my feet had made Kinsella's day. The smile on his face widened into a rapturous grin.

17

Garfield was still tense when we walked back to my office. He was the opposite of the other psychiatric nurses I knew, who had witnessed enough distress to develop a thick skin. Despite his hulking stature, there was something vulnerable about him. He seemed terrified that the director would hear about my meeting with Kinsella, and he would receive the blame. Apparently Gorski took a dim view of people who broke his rules, but it still seemed odd that he provoked such fear. Garfield only calmed down when he'd got all his worries off his chest.

'Doesn't Kinsella's company get to you?' I asked.

'Not any more. I'm used to him by now.'

I wasn't fully convinced; his heavy walk made him seem loaded with burdens. 'How come you're his designated nurse?'

'I volunteered for the job. I thought it would be a new challenge.'

'You must have the patience of a saint.'

'Believe me, I'm definitely a sinner.' He laughed briefly, then his expression darkened. 'Louis likes a sparring partner. But it's water off a duck's back with me. Judith's the same – that's why he respects her.'

It surprised me that he considered Judith tough. She seemed to rely heavily on her wall of thank-you notes, pale with tiredness at the end of every day. Garfield's demeanour changed as he headed back to the day room. His walk had regained its swagger, as though he was unwilling to expose his frailties.

I left a voicemail for Burns when I unlocked my office, passing on Kinsella's cryptic remarks. The next hour was spent chasing central heating engineers. I lost track of how many begging messages I left, imploring them to call me back. Through the barred window in my office, the infirmary roof glinted in the last rays of sun. Gathering shadows made the buildings look bleaker than before, but at least my next call to Burns finally reached him.

'Did you get my message?'

'Slow down, Alice. I've been in a press briefing.' Burns sounded like he'd emerged from a long hibernation. I explained Kinsella's claims, and when Burns spoke again his voice was a low mumble. 'So he's known the killer twenty-four years, and the next abduction might be on Saturday. Except the whole thing could be nonsense.'

'Kinsella doesn't get any visitors, Don. Can you imagine how lonely that is? He knows he won't see me again if he lies.'

'But how would they communicate? Kinsella isn't exactly a free agent, is he?'

'He could be talking to someone in here.'

'Like I said, the staff at Northwood are CRB checked to stage two. There's no one with a criminal record.' The tetchiness in his voice forced me to drop the issue.

'How did the interview with Roy Layton go?'

Burns sighed loudly. 'He's got himself a smart solicitor. She insisted we let him go, pending charges, because the house search found nothing. The lab's still checking out his van and Hancock's taken boxes of stuff from his place to sample. We're keeping him under surveillance.' There was a ponderous silence before he said goodbye.

The last thing I saw before I left the office was Chris Steadman's address, still stuck to my desk on a yellow Post-it note: 21 Edgemoor Road. It had been weeks since I let my hair down, but my meeting with Kinsella had dampened my party spirit. The idea of facing a room full of strangers felt exhausting. I dropped the scrap of paper into the bin and immersed myself in diagnostic reports, keen to catch up on my research, because working for Burns had consumed most of my time.

Back at the cottage that evening, I trudged outside to collect more logs. There was no sign of footprints, which filled me with relief. My would-be burglar must have switched his attention to another property. I ate a hasty microwave meal straight from the container, standing in front of the fire. Afterwards I needed a glass of wine to wash away the salt and E numbers, then I settled down to study psychiatric profile reports on inmates at the Laurels. I don't know how long I'd been reading when something moved at the edge of my line of vision. When I looked again the room was empty, and I chided myself for being so jumpy that even a flickering light bulb could spook me. But next time I looked up, someone was outside, peering through the gap in the curtains. A kick of adrenaline brought me to my feet. The face belonged to Tom Jensen, and it flashed through my head that he might be responsible for the footprints, but the idea seemed ridiculous. My heart was still pounding as I opened the front door.

'You scared the life out of me.'

'It's your own fault. The doorbell's not working.'

I got the sense that he would have marched straight past me, even if I'd blocked his way. I caught a trace of his smell as he stepped inside, a whiff of pine forests and freezing cold air.

He looked irritatingly perfect, ash-blond hair spilling across his forehead.

'Do you want a drink?'

He shook his head. 'The party's already started. Come on, we should get moving.'

'I wasn't planning on going.'

'You'd rather stay here with your ghosts?'

'I'm not dressed.'

'You look fine to me.'

He was leaning against the wall, surveying me, and I felt irritated that he'd just assumed I'd have nothing better to do.

'Wait there,' I said.

I swapped my jeans for a short knitted dress and knee-high boots. My hair was beginning to curl, so I pulled it into a ponytail, then drew on a line of dark pink lipstick and hurried back to the living room. My papers from the investigation were stacked on the table, but Tom was standing by the fire, leafing through the pages of a Karin Alvtegen novel I'd left on the coffee table.

'Pulp fiction.' He sounded mildly disgusted.

'It's brilliant, actually. Reading foreign books satisfies my wanderlust; I never get time for holidays.'

A slow smile appeared on his face. 'You'll need one after the Laurels.'

The cold was breathtaking when we got outside, and I remembered that personal conversation wasn't Tom's forte. Eye contact ceased when I asked how he'd spent Christmas Day.

'I saw friends, drank too much. You know how it goes.'

'You didn't visit your family?'

He shook his head but didn't reply. His expression revealed that he had no intention of opening up, so I focused on tramping through the snow. After a few minutes he asked what I'd been up to, so I told him about Will's ultra-brief visit, and his inability to stay still. Tom came to a halt under a streetlight and gazed down at me.

'That can't be easy for him. I was like that for a while.'

The chill sliced through the fabric of my coat. 'How far is Chris's place?'

'We're already here.'

He pointed at a neat row of detached modern houses, each identical to its neighbour, with garages set back from the road. A beautiful vintage motorbike was parked on the drive outside number twenty-one. It made me wonder why Chris had left it in the open, when it deserved to be protected under lock and key. Music was flooding through the open front door, and most of Northwood's workforce seemed to be packed into the hall-way. We left our coats in a side room and squeezed through the crowd. It was only ten o'clock but people were already dancing to old-style pop music in the lounge; two nurses were reeling drunk, propping each other up in the corner. It struck me again that Northwood's staff were a community of oddballs. Wallflowers were standing by themselves, swaying to the music, failing to interact with the other guests. An outsider could be forgiven for thinking that it was a boisterous Christmas party for psychiatric patients, not mental health professionals.

I bumped into Pru in the kitchen when I went looking for a drink. She was setting out bottles of wine and cans of beer, her movements so tentative she seemed to be longing for invisibility. Her curtain of blonde curls almost hid her birth-mark, and I noticed that she was concealing her figure too, an outsized black shirt and faded jeans drowning her curves. The shrink in me wanted to tell her to get cognitive behavioural therapy to improve her self-esteem. When I said hello she gave me the terrified look of a child being forced to converse with an adult she'd never met before.

'Do you live in Charndale too?' I asked.

'Not far off. My place is in the next village.' She studied me from the corner of her eye. 'How's your research going?'

'Okay, thanks, except I keep getting distracted. What about you? Do you find enough time for your own work?'

'Not lately. The phone rings and my concentration's in bits.'

'What kind of paintings do you make?'

'They're hard to describe. I've never had an exhibition.'

'I wanted to ask how you find working with Kinsella. You have one-to-one sessions with him, don't you?'

Pru's shoulders stiffened. 'Not often. He came twice a week for a while, then he started going to the library instead. I haven't seen him for a month or two.'

'Does he speak to you much?'

She stared at me directly for the first time. 'Only when he's got something to say.'

I might have imagined it, but I thought she seemed angry. She helped herself to a can of beer, then walked away, as though mentioning Kinsella had upset her. She disappeared into the living room, leaving me to open a new bottle of wine. Chris appeared at my shoulder as I poured myself a glass. He looked more relaxed now that he was liberated from his work uniform. His bleached hair was carefully spiked, a few rips in his skinny black jeans.

'You made it,' he said, grinning.

'That's a great bike you've got outside.'

'She's a Triumph seven-fifty. I'll give you a spin some time.'

From anyone else the statement would have been a come-on, but his face was as guileless as a child sharing a new toy. I still couldn't guess his age – it could have been anywhere between twenty and thirty-five. The network of thin scars across his cheekbone was more noticeable up close. Maybe his passion for motorbikes had resulted in an accident, but the

116

scars had faded to pale threads, as though he'd carried them for years. We chatted for a few minutes then he left me to go and welcome more guests. When I caught sight of him again, Pru had him cornered in the hallway, talking to him intently. For once she seemed unaware of her disfigurement, standing so close that he looked uncomfortable, his back pressed against the wall.

Tom was in the living room, flirting with a gorgeous dark-haired girl. Clearly now that we'd arrived, it was every man for himself, and it was a relief not to feel jealous. Being forced to watch Burns smooching with Tania would have been another matter. I swallowed a mouthful of wine and looked for some-one else to talk to. Judith appeared before I could take another gulp. I was so glad to see a familiar face that I felt like hugging her. She looked stunning in a silver dress, smoky lines around her eyes making them even dreamier than normal. She turned to whisper something in my ear.

'Relax, Alice; switch off your inner shrink. Why aren't you dancing?'

I couldn't help smiling. Most mental health workers have the same attitude to parties: you're torn between the impulse to cut loose, or to sit back and psychoanalyse. I gazed around the room. The siege mentality was obvious; people had rushed here when their shifts ended, desperate to let off steam. I drained my wine glass then abandoned it on a coffee table.

'Go on then, I'm persuaded.'

The music was cheesy but great to dance to – a mix of vintage disco, house and Motown. Judith seemed to be in a world of her own, moving easily to a great song by To Be Frank, and I noticed that she had caught someone's eye. Garfield was standing in the corner, his eyes glued to her. There was a camera in his hands, as though he was waiting for the perfect shot, but Judith seemed oblivious. After we'd danced ourselves breathless, we flopped into some empty chairs.

'That's better. I need to sweat Christmas Day out of my system,' Judith said, laughing.

'It wasn't much fun?'

'With the kids away, it felt like the house was swallowing me alive.' She put her head on one side. 'I saw you and Tom arriving together.'

'It's nothing. He's moved on to pastures new.'

'Maybe that's just as well. You know he's trouble, don't you? I shouldn't say that, because he's a friend. But in romance terms, he's a disaster.'

'How do you mean?'

'He's got so much baggage, most people would collapse under the weight.'

I wanted to ask what she meant, but her expression suggested that she had nothing more to say, so I changed the subject.

'Pru seems keen on our host, doesn't she?'

She looked sympathetic. 'Poor thing. She's so good at her job and her paintings are amazing, but she's barking up the wrong tree. Chris has a new girlfriend in London who he's crazy about.'

Judith was on her feet again, and by now I was drunk enough to have a good time. I spent the rest of the evening chatting to people and dancing whenever a song I liked came on, my worries fading into the background. It was one o'clock by the time I noticed Chris collecting empty beer cans and the crowd beginning to thin.

There was no sign of Tom or the pretty brunette when I stumbled out to find my coat. He was probably making coffee for her, or maybe he'd skipped that stage in his routine and taken her straight to bed. I stood in the porch, but the cold was so bitter that I delved into my bag, trying to find my gloves. My eyes slowly adjusted to the dark and something glinted on the other side of the street; a sparkle of metal reflecting from a streetlight. I saw the silhouette of a couple, embracing in an alleyway. They must have believed that the shadows were deep enough to hide them, but I recognised Garfield's hulking shoulders instantly. It took me a moment to figure out who he was kissing. Then I realised it was Judith, the light catching on her silver bangles. Braving the cold showed how keen they were to keep their relationship secret, but it was their body language that interested me. They were so deeply entwined that a bomb explosion would fail to disturb them. Their kiss seemed to last forever, as though releasing each other was unthinkable. I felt a pang of envy, then turned up the collar of my coat, and launched myself into the cold.

I thought about Judith and Garfield as I walked home. She lived alone, but he was married with a young family, and she'd struck me as too wise to look for complications. The stress of working at Northwood made unlikely alliances spring up everywhere. Pru was the one I felt sorry for. She seemed like a child trapped in an adult's body, obsessed by her flaws and looking for affection where none was available.

When I reached the Rookery I set off down the unlit lane, dreading the prospect of wading through snow. I'd only been going a few minutes when I heard someone floundering behind me in the darkness. When I spun round, Tom was standing there.

'Why do you keep doing that?' I snapped.

'What?' He'd come to a standstill but it was too dark to see his expression.

'Scaring the shit out of me.'

'It's not intentional. Maybe you're too sensitive.'

'Sensitive? People normally say I'm hard as nails. You haven't got a clue about me, have you?'

'Guilty as charged.' He held up his hands in submission. 'I got bored, so I waited at home till you walked past. It's your turn to make coffee.'

'You're out of luck. I haven't got a machine.'

'It's too late for caffeine anyway.' The starlight reflecting in his eyes made him look more mercurial than ever.

I should have sent him away, but the Northwood virus had affected me too. I was thinking with my body, not my head. When I fumbled with my key in the lock, he was so close behind me that his breath warmed the back of my neck.

The fire's embers were still glowing so I piled more logs onto the grate, then he pulled me towards him, and for once I let myself stop thinking. I decided to be thankful for small mercies. A spectacularly handsome man was standing in my front room, taking off his clothes. When he leant down to kiss me, I realised I was a long way from sober. Closing my eyes made the world spin, so I kept them open. Up close his surliness was easier to ignore. All I had to concentrate on was his poreless skin and his intent stare. I kissed him back without worrying about the consequences. The sex was better this time, even though my hipbones took the impact of the hard floor. He communicated better with his body than words, every action precise and confident, like a gymnast completing a routine, but there was something mechanical about his performance. I made the mistake of looking into his eyes when he came: they carried no emotion whatsoever, except desire. If I hadn't been available, the brunette at the party would have suited him just as well. He seemed to approach sex like a workout – it improved your health, and quenched an appetite that the gym couldn't satisfy.

I half expected him to leave as soon as we'd finished, but he lay next to me on the sofa, the strain easing from his face. I had to remind myself not to stare. He looked like a photo-montage of an ideal man, with golden hair sprinkled across his chest and well-honed muscles, perfectly adapted for hunting in woodlands or swimming through fjords.

'Go on then, tell me your story, Alice.' He leant towards me, head propped on his hand.

'Another time. I'm half asleep.'

'But I don't know anything about you.'

'You don't need to. We're not getting involved, remember?'

'I'm intrigued, that's all.'

I rolled my eyes. 'I grew up in south London. One brilliant brother who crashed and burned. Father dead, mother alive. I studied hard, became a shrink, and hey presto, I'm here with you.'

'That's your entire autobiography?'

'It's more than most people get.'

He dropped a kiss on my shoulder. 'Give me more details.'

'Why?' I frowned at him. 'This is meant to be fun, isn't it? You never talk about your past because it makes you uncomfortable, so I don't pry.'

The mocking smile slipped from his face and he kissed me again. He was so good looking it was impossible not to respond as his knee pressed between my thighs, forcing my legs apart. This time there was no foreplay. He didn't break eye contact for a second when he pushed inside me, and I couldn't guess whether he was angry or just determined to watch me lose control. I tried to stay silent but it was impossible – I didn't yell the house down when I came, but I made enough noise to unsettle the ghosts.

Afterwards I fell into a deep sleep on the sofa, my body shocked by so much pleasure. When I woke up again, light was seeping through the curtains, and it was cold enough to make me shiver. I assumed Tom had gone home, but when I opened my eyes he was sitting at the table, fully dressed, flicking through my papers, and I tried not to move. If he thought I was asleep it would be easier to observe him. After a few minutes he turned his attention to my books, reading titles from the spines. He picked up a photo of Lola and me from the mantelpiece and studied it carefully, without making a sound. It felt like a spy had broken in while I slept, and now he was searching my house for something incriminating. When he slipped out of the room I half expected to hear him climb the stairs, to complete his inventory, but after a few seconds the front door clicked shut. All he had left behind was a blast of freezing-cold air.

18

There's a two-inch gap under the door, and in the morning light Ella can see a patch of wasteland. The snow is piled high, like icing on a birthday cake, and the metal box where he kept her stands beside a solid wooden fence. The box is bright red, with writing on the side, and rust flaking from the doors. It's the kind that lorries haul, keeping their secrets hidden inside.

She stands up again and scans the room. Every mark on the wall is familiar; it's been two days since the man left her here. She's terrified that he'll forget about her, leave her with nothing to eat or drink. Tears prick the backs of her eyes, so she forces herself to concentrate on playing a game. She counts the objects in the room: one mattress, two blankets, a chair with broken spindles, a loo that doesn't flush, and a ceiling light that never switches off. Warm air spills from the heater at her feet, and in the corner there's a pile of old newspapers and a cardboard box full of rubbish: a broken radio and a dartboard with no darts. The radio clatters when she picks it up, pieces loose inside the casing. She presses her ear to the plastic shell, and the hiss sounds like the sea. It reminds her of caravan holidays in Whitstable before her mum got sick, and Suzanne on the beach, throwing pebbles at the waves. She closes her eyes and concentrates as hard as she can. Maybe her sister will pick up her messages, like telepathy in Doctor Who.

The door swings open before Ella can rearrange her features and make herself look glad. The man's carrying a shopping bag and it's tempting to run past him, but the fence is too high to climb.

'Been waiting for me, princess?'

'Of course.' She stretches her lips even wider.

'You're better than the last one. The miserable little cow cried all day.'

Ella has to stop herself asking where Sarah's gone, because that would make him angry. 'Where've you been?' she says quietly. 'I miss you when you're not here.'

'I work miles away, but I'd rather be here with you. Look, I brought you these.' The man unloads a can of Coke and a chocolate bar from a plastic bag. Ella's mouth waters. The hunger pains are so sharp, anything would do.

'Thanks.'

'And here's something special.'

The man reaches into the other bag and pulls out a package. It's gift-wrapped in bright red paper. The man grins as he hands it to her. 'Open it, if you like.'

She tears back the paper and a piece of cloth drops into her lap. The white material is almost see-through, a dozen tiny buttons running from collar to hem. The dress is identical to the one Sarah wore.

'Put it on for me, princess.'

'Why do I have to wear it?'

'Because you're a foundling. I'm the one who takes care of you now.'

Ella's smile falters. She hates the dress. It's thin and papery as an old lady's nightie, but there's no choice. The man is standing there, waiting for her to turn into someone else.

19

The day after Boxing Day I caught the train to London to stay with Lola and Neal. Their flat was a five-minute walk from my place on Providence Square, and returning to the bustle and noise of the city felt like a homecoming, even though I could only stay a few days. I took a step back to admire Lola's apartment block. It was an upmarket ware-house conversion on Morocco Street, the bricks scrubbed to their original primrose yellow, every flat furnished with a steel balcony. A few months ago she'd been living in a grotty bedsit over an off-licence on Borough High Street. I couldn't help smiling to myself: Lola was the consummate survivor. Not only had she bagged a toy boy, she'd also found herself the perfect home.

Lola flung her arms round me when I arrived, as if I'd been away for years, travelling dangerous seas. She held me at arm's length, checking for signs of damage.

'Come in and get warm.' She galloped down the hall like an excitable red setter.

A transformation had taken place since my last visit. I'd helped her and Neal move in a month ago, when the flat was a blur of lacklustre walls and kitchen units, the air smelling of decay and stale food. All the rooms had been decorated since then, and the lounge was the *pièce de résistance*. Only thespians could cope with so much drama – emerald-green walls, and swathes of velvet hanging from the curtain poles, as though

Kenneth Branagh might step out at any minute to deliver a soliloquy.

'It's gorgeous,' I murmured.

She beamed at me. 'You wouldn't believe how much paint I got in my hair.'

The flat had been furnished with very little money but plenty of style. Lola had ransacked her parents' loft and haunted auction rooms for weeks. The place fitted her personality perfectly – a combination of wild flamboyance and a modicum of good sense. She left me reclining on an antique chaise longue while she prepared lunch, the radio blaring through the open doorway. The one o'clock news was announcing record low temperatures and more snowstorms; travellers were advised to stay at home. Outside the window, the sky was a solid bank of grey.

Lola kept me entertained throughout our meal, regaling me with stories about her teaching job at the Riverside Theatre and Neal's acting triumphs. I didn't have to speak at all, enjoying her nonstop flow of stories and impersonations. Eventually she asked about life at Northwood.

'How are the psychos treating you?'

'They're quite a bunch. One man's been inside longer than we've been alive.'

'What did he do?'

'He lured vagrants into his basement, then killed them. About two dozen, all told.'

Lola winced. 'Jesus. You have to work with someone like that?'

'Not yet. He stays in his cell most days; the guards have got him on suicide watch. If you make eye contact, he thinks you're after his soul.'

'God, I wouldn't touch it with a bargepole. His soul must be black and shrivelled as a walnut.'

'The Laurels wouldn't suit you, Lo. One guy killed every member of his family, then went out for fish and chips.'

She gaped at me. 'What's the attraction? Why go near people like that?'

I could have attempted a flippant answer, but she'd have spotted the lie instantly. 'They come from a different universe. When you meet them, they're terrifying and fascinating at the same time, and there's some amazing research going on at Northwood. Neuroscientists are close to finding a cure for violent psychopathy. Imagine how great it would be if we could delete it from our gene pool.'

'I still think you should let some other poor sod do the dirty work.' Lola hurried away to fetch dessert, and came back clutching a coffee jug and a plate of macaroons. Her skin was more flawless than ever, auburn hair gleaming with health.

'You look amazing. What have you done to yourself?'

'You won't believe it, Al.' She fell silent for a minute, building a dramatic pause. 'I'm eleven weeks pregnant.'

'That explains why you're glowing from head to toe.' I leant over and squeezed her hand.

'I've only told Mum and Dad. We're waiting till the first scan before we blab to everyone else.' Her smile widened by another inch. 'It was Neal's idea; he thinks we should have three at least. We want you and Will to be godparents.'

'Really? Are you sure?'

'Of course. Will's getting better all the time, he'll be perfect.'

'I'd love to. But I'm not the best nappy changer.'

I couldn't guess how my brother would respond. Lola had adored him since we were at school, but his godparenting style would be unconventional. He'd teach the child to believe in ghosts, and that clouds contain messages about your future. Only Lola was sweet enough to believe he'd be a good mentor for her child. When I looked at her again she was observing me closely, and I could guess her next question.

'What about blokes, Al? There must be some interesting ones at Northwood, apart from mass murderers.'

'Not really.' I took another bite of my macaroon. 'These are great, by the way.'

'Tell me, or I'll give you a Chinese burn.'

'Okay, okay.' I dug my phone out of my bag and showed her my photo of Tom asleep in his bed. 'It's purely recreational. He's a gym instructor and he's a bit of an iceberg.'

'Recreational's better than nothing. The man's beyond gorgeous.'

'I prefer someone else, but he's spoken for.'

'Married?'

'No, but he's definitely seeing someone.'

Lola raised her palms to the ceiling. 'All's fair in love and war.'

I pictured Tania's reaction if I tried to poach Burns from her grasp – she'd rip me to shreds with her immaculate talons. I put down my coffee cup and checked my watch; four hours had evaporated into thin air.

'I have to go out for a bit, Lo.' I made my excuses and promised to return in time for her dinner party.

London had a distinctly post-Christmas air as I walked to the Tube. A church bell was tolling above the drone of traffic, slightly off key, as if pollution had dulled its purity. I felt compelled to do something to help the investigation. Ella Williams had turned into an obsession; the portrait photos that filled the tabloids floated in front of me whenever I tried to relax. And Lola's news had wrong-footed me too. She'd make a brilliant, doting mother, but her relationship with Neal was six months old. All I could do was cross my fingers.

Blackened snow was heaped on the pavement when I

128

reached Russell Square, stained by smog and the footsteps of pedestrians. It was a different substance from the immaculate flakes that glittered on my windowpanes in Charndale. The temperature was plummeting, but I needed to see the Foundling Hospital again. I knew I'd missed something. The place had haunted me since Sarah Robinson's cardboard coffin had been left there like a macabre sacrifice, her body dressed in the foundlings' night-time uniform. It was clear that other people felt the same. Dozens of cards had been tied to the railings, and a sea of flowers, cards and cuddly toys had flowed across the pavement since my first visit.

The museum was still open when I arrived, but it didn't surprise me that the ground floor was almost empty. Any rational human being would be curled up at home watching *The Polar Express* instead of visiting the city's most disturbing museum. It was a relief not to bump into Brian Knowles, the volunteer who had given me a tour. Being alone made it easier to concentrate on the photo displays. The pictures were more than a century old, faded to a dull tobacco. Children's faces peered out through the brown haze. They were packed into a classroom, straight-backed and attentive, aware that the cane would be administered if they misbehaved. Another picture showed a long line of foundlings being marched across Coram Fields, for their daily exercise, the girls' pinafores streaming in the breeze. Their faces all looked the same, thinned by a legacy of hunger and anxiety.

I bypassed the first level and headed for the top floor. The gallery was filled with information about the hospital's founders. I was gazing at a portrait of the composer Handel, when someone tapped me on the shoulder and my heart sank. Brian Knowles was towering over me, beaming, as if we were old friends. He seemed to have forgotten the suspicion he'd shown the last time we met.

'Back so soon, Dr Quentin? You're my first visitor today. I've been stuck on this floor all afternoon.'

I tried to muster some sympathy, but felt like asking why he spent so much time locked inside a museum, memorising the names of every visitor. Maybe it was his loneliness that drove him out of the house. There was something unnerving about his immaculate appearance; hair so slick it looked like it had been coated with dark brown Shellac. He launched into a lecture before I could get away.

'Let me show you the portrait of our founder, Captain Thomas Coram.' He led me to a picture of a portly eighteenth-century gentleman in a powdered wig, with weather-beaten skin. 'When he retired from seafaring, he gave his riches to the city's poor. He was the Bill Gates of his day; his wealthy friends all supported London's first orphanage, and the charity was a favourite of King George II. Charles Dickens later gave generous amounts of time and money too, even though he had ten children of his own.'

Knowles's eyes glittered and I wondered why the place excited his passion. After listening for another ten minutes, I was an expert on Victorian philanthropy, but no closer to understanding why the killer had abandoned a child's body on the forecourt outside. Maybe he'd done it purely to impress Kinsella. When Brian finally stopped talking, he peered down at me expectantly, as though he hoped I would sign up as a full-time volunteer.

'Would you like to see our archive?' he asked. 'We keep all the original documents there.'

'Thank you,' I said, smiling.

He led me into a large, windowless office. The walls were lined with manila folders, carefully named and dated. 'We've got records of every single foundling from the 1850s onwards,' he said proudly. 'I spend a lot of time here; I'm writing a book about the place.'

The air smelled of dust, old paper, and obsession. It made me desperate to get outside into natural light, but Knowles looked regretful when I said goodbye. He peered down at my face, as though he was imprinting my features on his memory, and it was a relief to leave him fussing over his exhibits.

I spotted a stack of information sheets on the first floor, and when I scanned a paragraph about the hospital's history, my jaw dropped. Brian hadn't told me about the hospital's terrifying mortality rates. In the eighteenth century, seventy-five per cent of the foundlings died within months of arriving, from typhoid and scarlet fever. They were already sick when their mothers gave them up, and there were no antibiotics to treat them. When I reached the bottom of the page, the story grew even darker. Women had paid runners to bring their children to the Foundling Hospital, but hundreds never arrived. The infants were murdered, and their bodies sold to teaching hospitals for students to dissect. I shuddered as a vital fact slipped into place. Kinsella was bound to be an expert on the history of the place, the dead children fascinating him more than the living. That was why he gazed at the building every night before he went to sleep.

The dimly lit rooms were starting to feel airless, and I was in a hurry to leave, but I did a double take when I reached the exhibition hall. Someone familiar was standing by the window, his white hair unmistakeable. Tom Jensen was staring into one of the glass cabinets. He was so absorbed that he stood motionless, gazing at the tokens that had been left with the abandoned children. It took me a while to decide whether to say hello or sprint for the exit. He looked startled when I walked up to him, then his face relaxed into a smile.

'Alice, what are you doing here?'

'I could ask the same question.'

'I've been wondering about this place ever since you told me about it.'

'So you braved the big freeze and hopped on a train?'

He nodded. 'I'm meeting friends later, so I thought I'd do a tour. I've been to the British Museum too.' His gaze returned to the display of keepsakes. 'This place is amazing, isn't it?'

'Amazing's not the right word. I'd say sad or creepy.' When I looked at him again, a question slipped from my mouth before I could edit it. 'Why did you go through my things, Tom? I saw you looking through my papers at the cottage.'

He didn't even blink. 'I told you, I was curious. You never tell me about yourself.'

'All you had to do was ask.'

'That wouldn't help.' His smile wavered. 'You're worse than me at personal detail.'

'I'd better go. I should be at a dinner party.'

'Lucky you. I've got two hours to kill.'

I'm not sure why I let him tag along to Lola's. Maybe it was the shock of finding him in a foreign environment, or because sleeping with him was still fresh in my mind. Either way, he was in no hurry to leave. He took forever to examine a pair of child-sized gloves, pressed behind a layer of glass.

When we got outside, I realised I'd made a mistake. He strolled beside me wearing his enigmatic smile, and it seemed strange that he'd travelled through snow just to drink with friends and visit a museum. I picked up my pace as I marched down Coram Street. Until now the contract between us had been perfectly clear: sex with no questions asked. It irritated me that he seemed to be shifting the goalposts. No matter how gorgeous he was, I didn't need someone riffling through my belongings whenever I closed my eyes.

The look on Lola's face was priceless when she opened the door. I could tell she wanted to harangue me for being late, but Tom's good looks sent her charm mechanism into over-drive. She had managed to squeeze a dozen people round her dinner table, an array of school friends and actors, chatting at high volume. And away from the pressures of Northwood, Tom turned into someone far more sociable. He'd certainly piqued Lola's interest. She spent the next hour observing him from the corner of her eye.

Neal waited until everyone fell silent to make an announce-ment, tapping his wine glass with the tines of his fork.

'A toast please, everyone. After months of begging, Lola has finally agreed to be my wife.'

There was a collective hush, followed by loud cheers. Lola looked ridiculously glamorous as usual, dark red curls clipped back from her face, wearing the vintage dress I'd bought her in Covent Garden. The only sour expression in the room belonged to her drama-school friend Craig. Their relationship fluctuated between passionate commitment and disapproval. Craig had been uncertain about Neal from the start, but tonight their ages were immaterial. The couple looked like the definition of happiness – she was a young thirty-three and he was a wise twenty. I'd have staked large sums of money on their plans succeeding.

Tom announced that he had to leave before the main course was served.

'Stay,' Lola purred. 'Alice will sulk if you go.'

He gave an apologetic smile. 'I wish I could.'

His kiss goodbye felt cool as dry ice on my cheek. I heard Lola chatting to him courteously in the hallway, but she looked unsettled when she returned.

'Watch out, Al,' she whispered. 'If you can't melt him, no one can.'

I soon forgot her comment as the evening went on and Tom slipped from my mind. I was sandwiched between a beautiful

French actress and a mime artist, who entertained me with funny anecdotes. Fortunately no one asked me what I did for a living. Confessing that I worked with the criminally insane might have put a dampener on things. The rest of the party passed in a blur. I vaguely remember charades and spin the bottle, then a procession of people hugging me goodbye. After they'd gone I stood beside Lola at the sink, drying the glasses she handed me.

'Do you ever feel out of your depth?' I asked.

'All the time.' Lola's cat-like eyes peered at me, then she draped her arm round my shoulder. 'You can always come home, Al, if the psychos are getting to you.'

I squeezed her hand. 'I'll be fine in the morning. Go to bed. Let me finish this.'

She gave a grateful smile then raced away to join the Greek God.

When I settled down in the lounge, they were still cooing to each other in the bedroom next door, the rise and fall of their voices lulling me to sleep. But I woke before dawn, desperate for a glass of water. The chaise longue might have been the last word in elegance, but it was as hard as granite, and a car engine was revving at full throttle on the street outside. I stared at the digital clock on the table, its numbers glowing red in the dark. It was four a.m. and Kinsella's predicted date had arrived. If he was telling the truth, another girl would be taken today. I closed my eyes and tried to get comfortable, but shifting my pillows had no effect. Sleep eluded me for the rest of the night.

20

I made the call at ten the next morning. My mother sounded outraged when she picked up the phone, as though her worst enemy was bombarding her with nuisance calls.

'Alice, this is a surprise.'

'It shouldn't be. I left two messages, but you never got back to me.'

'I do have a life, you know. Things have been busy.'

'I know, Mum. I'm just checking how you are.'

'Fine, darling, absolutely fine. Why wouldn't I be?' The quake in her voice was still there, pulsing behind her rage.

'I'd like to come with you to your hospital appointment.'

'Don't worry about it, Alice. You've got your own life to lead.'

'Then let me drive you to the airport instead.'

'Don't be ridiculous. There's no need.' Her tone was cooler than antifreeze.

'I want to, Mum. Text me the date and I'll pick you up.'

My mother gave no indication that she planned to accept my offer, changing the subject abruptly to a concert she'd heard at Blackheath Halls.

'Fauré's *Requiem*. It was extraordinary, I cried from start to finish.'

Despite my mother's pathological reluctance to reveal her emotions, she could weep like Niagara Falls to a stirring piece of music, and it irritated me that the older I grew, the more her traits became my own. If she was unwell, no one would ever know. She'd dealt with enough pain already – marriage to a violent alcoholic, then Will's illness. Independence had been her best coping mechanism; she'd pulled up the drawbridge so nothing could hurt her again. I pictured her standing on the deck of a huge ship, surrounded by families and couples, completely alone.

Lola insisted on dragging me to the shops that morning. The first thing I saw when we emerged from the Tube at Oxford Circus was a massive billboard, announcing that it was 28 December, the first day of the sales. A jolt of frustration passed through me – even though Burns had been chasing every lead, Ella Williams was still missing, and another girl could be gone by the end of the day. Lola was too focused on searching for maternity clothes to notice my state of mind. It felt bizarre to watch her selecting leggings with elasticated waistbands while she was still so willowy. The idea of her pushing a pram hadn't registered yet. Lola had always been joyfully irresponsible, but now she was trying on tops designed to accommodate her growing belly. I watched her admiring herself in a blue dress, patting her tiny bump, as if she was longing for it to grow. She grinned at me in the mirror.

'It'll be fine, Al. Trust me.'

'Sorry, I'm miles away.'

'Thinking about the wolfish new boyfriend?'

'Wolfish?'

'God, yes. He looks like he can't decide whether to ravish you or eat you alive.'

'Just as well it's going nowhere.'

Lola giggled. 'Pity. He's sexy as hell, isn't he?'

By one o'clock I was sick of queues and crowded dressing rooms. We ate a stylish but overpriced lunch at an Italian café on Chandos Street, then I left her to gloat over her bargains.

★ ★ ★

A crowd of journalists was camped outside the police station when I reached Pancras Way. Their faces were gloomier than the weather, as though waiting for a scoop was the toughest job in the world. There was no sign of Burns when I reached his office. Tania was gathering folders from his desk, black hair shimmering like it had been airbrushed. She gave me a nod of greeting then paused on her way out, clutching a stack of files. Her stare was sharp enough to spot a lie from a hundred miles.

'Can I ask you something?' she said.

'Of course.'

'What's your opinion of Alan Nash?'

I tried to gather my thoughts. 'He's been top dog for too long. He's still got a brilliant mind, but his approach is old-fashioned and he makes mistakes. Not that he'd ever admit it.'

'It's not just me then.' Her guard slipped for a nanosecond. 'I've never felt more patronised in my whole life.'

The idea of Nash putting her down surprised me; Tania looked capable of felling him with a single well-aimed punch. I felt an unexpected flicker of liking for her.

'Do you need a hand with those?' I nodded at the folders she was carrying.

'Thanks, I'm not going far. My room's across the way.'

Tania's office didn't match her polished image. A dozen plastic boxes were stacked against the wall, her desk littered with discarded papers. A look of embarrassment appeared on her face.

'There's been no time to unpack. The investigation kicked off the day after I arrived.'

I noticed a picture of a smiling dark-haired girl propped beside her phone. 'She's a beauty,' I commented.

For once Tania's face relaxed. 'My daughter, Sinéad. She's a nightmare most of the time – eleven going on twenty-one.'

I realised that having a daughter exactly the same age as the victims must be making the case even harder for her. Tania looked as though she was about to confide something, but the moment passed, leaving me with a sense of confusion. Until now she'd been easy to dislike – Burns's glossy, hard-as-nails new girlfriend – but now she'd revealed her human side. And she had far more in common with him than I did. They were both single parents, holding down the toughest jobs imaginable. It crossed my mind that maybe I should be grown-up about it and try to be happy for them.

Burns was back in his room when I arrived, his arms folded, triumph all over his face.

'What's happened?' I asked.

'We've arrested Roy Layton.'

'I thought he wasn't a suspect any more.'

'He wasn't, until the lab found Ella Williams's hair on a blanket in his van. I'm interviewing him now, you can do the assessment.'

'That's Alan's territory, Don. He wants to observe every major interview, remember?'

Burns shook his head. 'He's briefing the commissioner. I can't wait for him.'

'On your head be it,' I muttered.

We stopped in the incident room so I could collect an assessment form from Nash's table. It interested me that he'd set up his stall in the centre of the room, as if he was the lynchpin of the operation, but there was no time to admire his empire. Burns was already racing down the corridor.

We waited for Layton to be brought from the holding cells. The interview room seemed to be doubling as a store cupboard; a table in the corner was loaded with objects, hidden under a dustsheet. Burns's tension was beginning to show, his wide shoulders growing more hunched by the minute.

'At least no one's reported another abduction,' he said.

The clock on the wall showed that it was only five o'clock. If Kinsella was telling the truth, the killer had seven more hours to snatch his next victim. I kept my thoughts to myself, rather than adding to Burns's stress.

When the door swung open, a young officer led Roy Layton into the room. The caretaker looked more unkempt than ever, and he ticked all the tabloids' boxes for the textbook paedophile. Dark stains were splashed across his worn-out jacket, his ruff of hair projecting from his skull at right angles. Even his solicitor was keeping her distance. The well-dressed middle-aged woman had positioned her chair several feet away, as though poor grooming might be infectious. I watched Layton's reaction when the interview started. His good eye stared ahead, while the other spun in chaotic circles. He went on the offensive before Burns could begin, pointing an accusatory finger at him.

'You lot have made my life hell. I've had every kind of abuse since you took me in – hate mail and phone calls, dog shit through the letterbox.' Layton's hands twitched convulsively in his lap, and for the first time I could imagine his anger translating into violence.

Burns's face was impassive. 'Remind me how you spent the evening of the fourteenth of December please, Mr Layton.'

'Watching TV, like I said. I never went out.'

'Except your van was caught on film, heading down Sternfield Road.'

The caretaker blinked rapidly. 'I probably went out for petrol.'

'You said you stayed in, now I hear you went for a spin. Which one is it?'

'What are you accusing me of?' Layton's mouth gagged open.

'You were the last person to see Ella Williams, the day she was taken. What do you think I'm accusing you of?'

'I never touched her.'

'So why have I got forensic evidence that she was in the back of your van?'

Layton's mouth flapped open. 'I told you, the kids play there sometimes. They wanted to make a den, so I let them go in one playtime, a few weeks ago.'

The solicitor leant across to her client. 'Don't reply, Mr Layton. Say "no comment", if you prefer. Remember, there's no legally confirmed evidence against you.'

Burns ignored her pointedly. 'You were close to Louis Kinsella when he ran St Augustine's, weren't you, Roy?'

'He was my boss, that's all.'

'The kind of boss you have dinner with every week.'

'I couldn't exactly say no, could I? I still don't get why I'm here.'

'I'll show you.' Burns pulled back the dustsheet from the table, revealing a yellowing IBM computer. 'You recognise this, don't you? You let us remove it from your loft.'

The caretaker's gaze dropped swiftly to the floor. 'The school was chucking it out, I haven't used it in years.'

'I'm not surprised. It's a 1995 model, a museum piece these days. But the school's records match the serial number with Kinsella's name. The boss gave you this, didn't he?'

'Like I said, it was being chucked out.' The muscles in Layton's face tightened, lips pressed to a thin line.

'You did a lousy job of deleting the pictures, Roy. I bet he took them himself then scanned them onto the hard drive. Pretty inventive – he had his own gallery of violent child porn, way before the internet arrived. Kinsella showed you every picture, didn't he? You'd better tell me about your friendship with him.' Burns leant across the table like a drunk goading a bartender.

'You're threatening my client,' the solicitor snapped.

'That was a request, not a threat.'

Layton looked panicked. 'Kinsella sent me on a training course; he reckoned I should become a teacher. That's when it started.'

'What did you talk about?' Burns asked.

'I just listened most of the time. He was the smartest person I'd met – it was like he was educating me.'

The solicitor opened her mouth to speak, but a fierce look from Burns silenced her.

'You're saying he brainwashed you?'

'It wasn't like that. You're twisting my words.'

'Tell me what Kinsella said.'

'Normal stuff at first, about his childhood, how he started teaching and so on. Then it changed. I dreaded going there, but I couldn't say no. He showed me these pictures of kids with black marks where their eyes should have been. He'd crossed them out with a pen. He said that young girls can wrap you round their little fingers. They're more sexual than women. It's in their eyes when they flirt with you. He thought they deserved to suffer.' Layton came to a halt, like he'd suddenly run out of steam.

'Did he ask you to carry on if he ever got caught?'

'He mentioned something, but I refused, point-blank.'

'Is that right?'

'My brain doesn't work like that. I always said no.'

'Too much of a hero to get involved, were you?'

'I stored his computer as a favour, that's all. I'd never hurt anyone.'

Burns studied his notes. 'But we already know you've got a bad memory. Last time you said you couldn't remember what you were up to the nights Kylie Walsh and Emma Lawrence were abducted. Maybe your memory's let you down again; you can't remember putting Ella in the back of your van.'

'You're placing my client under unreasonable pressure,' Layton's solicitor snapped.

'All right,' Burns said, sighing loudly. 'We'll talk again later, Roy.'

The caretaker looked exhausted as he was led away, eyes wet with tears, which wasn't surprising. No matter what he'd done, his boss's secrets had been lodged in his head for twenty years.

'Self-pitying toe-rag. He wants sympathy for being Kinsella's little friend.' Burns's eyes darkened. 'I can't believe he's acting the victim.'

A muscle was working overtime in his jaw and I knew better than to advise him to calm down. If Layton was involved, Kinsella was to blame. The caretaker was another of his victims, dragged along in the wake of a stronger personality. Without Kinsella's influence, he would never have found the confidence to abduct a child.

'What do you think of him?' Burns asked.

'He's showing the typical signs a violent personality manifests when it's cornered: evasiveness, accusation, strident denial. But it's odd that he's got no history of child abuse. Most violent paedophiles start grooming kids in their teens. If it's him, he's either concealed his abuse so far, or he's a long way from the stereotype. Isolation would make him vulnerable to Kinsella's brainwashing. If his boss was his only social contact, every message would carry extra value.'

'He's staying here till after Kinsella's deadline. Hancock's lot are going over his house again with a toothcomb. We're checking everywhere he's been for forensic evidence. There's every chance he's got Ella in a lock-up somewhere, with a freezer in the corner.' Burns's state of mind seemed to have improved. The thought of tearing Layton's home apart brick by brick had restored his inner calm.

'How are you getting on with checking the Northwood staff for connections with Kinsella?' I asked.

'No overlaps so far. We're checking people from his church too.'

Tania strode into the room and asked for Burns's help, and he followed her without a backward look. I managed to ignore the pang of jealousy that threatened to knock me sideways and stayed focused on the job in hand.

I went to Burns's room to complete my assessment report after the interview. It took over an hour, because each sentence had to hold water in court if Layton was prosecuted. I had to decide whether or not he was capable of killing the girls, and it took me a long time to weigh the evidence. In psychological terms, his loneliness made him the ideal target for Kinsella's recruitment campaign. His social confidence had crumbled as soon as he started to justify his past, and his body language had been inconsistent too. Plenty of indicators suggested that he was either in a state of heightened anxiety, or he'd lied when he protested his innocence. In my final statement I concluded that he was a credible suspect.

Snow was still falling outside Burns's window. The cars parked on the street looked like they'd been sprayed with shaving foam, six inches of perfect whiteness balanced on every roof. When the door clicked open, I thought Burns had returned to collect my report, but Alan Nash stood there, glowering at me.

'Lucky someone's got time to daydream,' he sneered.

'I've been working for hours, Alan.'

I could judge his anger from the depth of his frown. 'Burns tells me you witnessed an interview.'

'He instructed me, I had no choice.'

'Why didn't you ask my permission first? I told you I would assess the suspects. You're jeopardising this investigation.'

'I followed procedure to the letter.' I thrust the report at him. 'If you're not happy, ask any question you like.'

Nash's small eyes were glazed with fury. Maybe I was the first person to face him down. 'This is gross unprofessionalism, Alice. What's wrong? Can't you cope with playing second fiddle?'

'Burns is the investigating officer. I take my instructions from him.'

'We'll see about that.'

The door closed with a resounding slam, and I knew that Nash would report my insubordination to his seniors immediately. His anger must concern his book deal – he could no longer claim sole knowledge of the investigation. If Layton did turn out to be the killer, he'd missed his big opportunity. It occurred to me that it might be safer to defer to his seniority, but I've always hated servitude. Hopefully he wouldn't get me removed from the case, because I was fully committed. I knew that Ella Williams might be past saving, but that didn't stop her appearing in front of me whenever I closed my eyes.

21

Ella's asleep when he comes back, her mouth parched with thirst. She's jolted out of her dream by the man's arms scooping her from the mattress. His face is so close she can see his eyes glistening.

'We're going for a ride,' the man hisses. 'Now keep your mouth shut.'

He sounds angrier than before, so she stays silent as he stumbles through the snow, the night air chilling her to the bone. He wrenches the back door of the van open and pushes her inside.

'I'm warning you, don't try anything stupid,' he snaps.

The man's different tonight. Words spill from his mouth like water gushing, and the door swings shut before Ella can reply. Then the van bumps across the rutted ground. She peers out of the window at rows of offices, every tree and postbox blanched by snow. Her jaw aches as she yawns, almost too tired to keep her eyes open, but it's important to stay awake. Maybe he's taking her home. She can picture Suzanne's face when the door flies open, and the thought makes her heart squirm inside her chest.

The van's travelling too fast, wheels skidding on every corner. It passes a parade of shops and an old man limping towards a bus shelter. His eyes stay glued to the pavement even though she waves frantically; he's too busy trying not to fall. The van is making its way along back streets, past ranks of unlit windows.

Ella's hands press hard against the glass. Surely someone will see her? But people are in bed, comfortable and warm, only a few metres away.

The van pulls up behind the same row of houses where the man parked before. Ella watches him pick his way down a narrow alley. He climbs the steps to the back door of one of the houses, then levers a window open and slips inside. The buildings are so near and yet so far. If she could open the door, it would take moments to hide in one of the gardens. Frustration makes her cover her face with the palms of her hands, trying hard not to cry.

When her eyes open again, the man's returning, carrying something in his arms, and when the door opens she takes her chance. Ella darts past him, screaming at the top of her voice. A light flicks on in the nearest house, but her foot catches on a tree root, sending her sprawling on the frozen ground. The man hovers over her, fist raised. The look on his face is so angry that her scream hardens into silence. He shoves her back into the van. But this time he doesn't care about the damage, releasing a punch that makes her ribs burn.

'Ungrateful little bitch.' His voice is hoarse with anger.

He throws the sack onto the metal floor, then the door slams again. Every breath hurts so much, Ella doesn't care what's inside, until the hessian starts to twitch. She can hear an odd mewing sound, and when she pulls back the fabric, a child stares at her, too terrified to scream. Her face is dark-skinned and delicate. She looks about five or six years old, and for a few seconds the pain in Ella's chest disappears.

'It's okay,' she whispers. 'I'll look after you.'

22

Lola's clock told me that it was two a.m. when my phone rang. I forced myself awake. Burns's Anglo-Scottish voice was mumbling too quietly for me to hear.

'Another one's been taken, hasn't she?' I asked.

'I'm going there now. I can pick you up.'

I gave him Lola's address and rushed to get dressed. The streets outside looked so clean and blameless, it was hard to believe that something evil had happened just a few miles away. Burns's car skidded as he pulled up, and he was too busy dealing with the road conditions to make conversation, but I gathered details from the radio blaring on his dashboard. The girl had been abducted from Kentish Town and dozens of officers were searching for an unmarked van.

The first person I saw when we reach̶s on the snow, so was an Indian woman standing ̶ ̶tatue. She was wearing unnaturally still that she lancock's team was busy rushing ̶ecting her feet except a pair a thin cotton tu̶ ̶d she seemed to have been forgotten. of bedr̶ ̶ ̶, but she took a long time to notice me. i̶ I'll wait for her out here.' Her voice was quiet but deter- ̶g indoors.'

Can you tell me what happened?'

The woman turned to face me, blank-eyed as a sleepwalker, her words spilling out on a wave of panic. 'Something woke me around midnight, a noise from the street, but I went back to sleep. Amita's bed was empty when I woke again.'

'What's your name?' I asked.

'Usha.'

'And Amita's your daughter?'

She nodded. 'I adopted her two years ago.'

'Does she have contact with her birth parents?'

'They gave her up because of her diabetes,' Usha said, shivering. 'They couldn't afford medication. That's why I brought her back with me from India.'

'Why don't we go inside?'

'I told you, I'm not moving till she comes home.'

I asked one of the SOCOs for a blanket and she didn't even flinch when I draped it round her shoulders. She was too busy staring at the road.

When I looked back at the house, Burns was standing face to face with Tania, oblivious to everyone around them. She was thin as a mannequin in her expensive coat, and she seemed to be giving him a piece of her mind. I focused on Usha, still waiting beside me, refusing to move. The family liaison officer would need strong powers of persuasion to coax the poor woman back into the warm.

From a distance the house looked as though it had been refurbished recently, windows and doors glossy with fresh Victorian terrace, windows and such a smart building would neighbourhood a flat in the steps, hoping for a glimpse million. I headed for SOCOs were dusting a ground-fl bedroom. Two wide open, pale curtains flapping in t oth hung herself up to her full height and blocked the

'There's nothing to see, Alice. You can stay oth hung

Her expression hovered somewhere between dis w

anger. She barged past before I could reply, so I p

through the window into the child's bedroom. It was the picture of innocence. Daisies had been stencilled on the pale pink walls, a family of rag dolls clustered at the foot of the girl's bed. Her duvet had been flung back, as though she'd jumped out of bed in a hurry, keen to start the day. The only sign of an intruder was the splintered wood where he'd jemmied the window.

Burns reappeared, with his phone clamped to his ear. He didn't bother to look at me when he finally spoke. 'I'm going to the station. The press are waiting for me.'

I didn't envy him as I climbed into the passenger seat. The papers were already in a feeding frenzy. Their view seemed to be that losing one child was a misfortune, but more was a travesty. Now that a fifth girl was missing, they would be baying for a scapegoat. Their flashbulbs would catch every twitch of Burns's discomfort when he made the announcement. I caught sight of Usha as his car pulled away, still rooted to the spot, gazing blankly at the road.

'Tania's in a hell of a state,' he said. 'There's no point talking to her when she's like that.'

I got the sense that he was apologising on his girlfriend's behalf, and I didn't bother to reply. The only thing that mattered was tracking down the child. After a few minutes I changed the subject.

'You're still holding Layton, aren't you?'

Burns's jaw tightened as he nodded. 'For all we know there are two maniacs out there, stealing little girls.'

'But the number of child abductions by strangers in the UK is fewer than ten a year. It's more likely that Kinsella's telling the truth. He found a partner in crime two decades ago and pre-planned the whole thing.'

'If it's the same killer, he met his deadline with a few seconds to spare. Amita was taken just before midnight.'

I met his eyes. 'Layton told us Kinsella tried to brainwash him, but we don't know how many more people he worked on. Prisoners he met, acquaintances, relatives.'

'His family have all disowned him, except his wife,' Burns said.

'They would say that, wouldn't they? Specially if they're still following his instructions.'

'Is brainwashing people really that simple?'

'It's easier than you'd imagine. Think about how cults operate. The leader has to be a charismatic and brilliant communicator like Kinsella. Then all it takes is time and conviction. Once your followers are loyal, you just keep ramming your messages home. A weak personality can be persuaded to do anything.'

Burns was too preoccupied to reply. A crowd of photographers pressed forwards as we reached the police station, and he positioned himself by the doors, flanked by two press officers. There was complete silence when he began to speak, apart from a stutter of apertures.

'A five-year-old girl, Amita Dhaliwal, was reported missing from her home in north London at three a.m. this morning. We need to find her urgently. It's possible that she's being held by the same person who abducted Ella Williams. We want to hear from anyone who saw an unlicensed white van in the Caledonian Road area, in the early hours of this morning. Any information you give could help us find Amita.'

A few journalists called out to him, but Burns held up his hand. 'There'll be another briefing later today.'

The crowd gave a collective groan. My old nemesis, Dean Simons, was loitering at the back, the gutter press's worst offender. But the injunctions I'd taken out must have worked their magic, because he kept his distance as I headed inside.

The staff in the incident room looked shell-shocked. A row

of expressionless faces were manning the phones, a few more tapping information into computers, the rest huddled in groups, waiting for instructions. News of the girl's abduction seemed to be the last straw, while the investigation staggered from bad to worse. An image of Amita Dhaliwal had already been pasted to the wall. It was a passport photo that had been enlarged to poster size, flashlight bleaching her skin to a washed-out grey, and it was easy to see how young she was, her cheeks plump with puppy fat. She was giving the camera a trusting smile.

I was still studying the girl's face when Alan Nash swept into the incident room, and rushed past without acknowledging me. I focused on my notes for the team meeting. The girls' home lives had begun to interest me – none of them was being raised in a conventional nuclear family. Maybe the killer had planned their abductions systematically, choosing which victims to target. I felt certain that he was following Louis Kinsella's instructions to the letter, terrified of upsetting the master.

The briefing started as soon as Pete Hancock returned from the crime scene. He looked as taciturn as ever, taking his place in the front row without greeting anyone. Tania stood beside Burns with a pained expression on her face, as though she was desperate to go home. An audience of at least forty was packed into the incident room when the briefing started, and Burns's Scottish accent had broadened by a few degrees. His expression suggested that his smile had deserted him permanently.

'Amita Dhaliwal was taken from her bed in the middle of last night. She's small for her age, and in poor health. The adoptive mother, Usha, is an accountant, raising the girl on her own. She says Amita's diabetic. Without medication, she'll slip into a coma inside forty-eight hours.'

The room fell silent. It didn't take genius to guess that

everyone was imagining what the mother was going through. Soon Burns was issuing orders for house-to-house, checking CCTV cameras, and discovering whether there had been previous attempts to break in to the flat. Once duties were assigned to each team, he called for everyone's attention again.

'Louis Kinsella warned us this abduction would happen. He predicted the date, and he said that the location would be further north than the others. Tomorrow a team of you are going to Northwood. The directors have given us permission to set up a mobile incident room there, so we can find out what else he knows.'

Alan Nash walked slowly to the front of the crowd, savouring the attention, and I watched in fascination. Charismatics often commit unspeakable actions, yet they can still light up a room. He made a steadying gesture with his hand and everyone fell silent.

'Kinsella holds the key to these crimes, but so far we've failed to interview him correctly, and some of you have voiced your concerns. I can reassure you that from now on, I'll be leading the psychological work at Northwood.' Nash's eyes were black and glistening, willing me to challenge him. 'I promise to work round the clock to discover what he knows.'

At first I was too shocked to react, but then it sank in. Nash had gone out of his way to humiliate me. He was treating me like an incompetent novice, not a consultant psychologist who'd been practising for years. I felt like walking out immediately, but it wasn't an option. I'd given Suzanne Williams my word that I'd find her sister, and I couldn't let her down. I stared at Burns but failed to catch his eye. Maybe he agreed that I'd mishandled Kinsella and delayed the investigation. I sat there in silence, willing myself to keep calm.

23

The girl keeps screaming for her mother. Nothing seems to comfort her, and her face and hair are soaked with tears, fists flying in Ella's direction, as though she's to blame. All Ella can do is wait for the girl to finish yelling.

'It's okay,' she murmurs. 'We'll get out of here, I promise.'

At last the girl falls silent and sits down abruptly. Her head lolls forward, revealing her face for the first time. She's as small as the girls in kindergarten, wearing red pyjamas covered in teddy bears, the sleeves edged with braid. The girl yawns widely, tears still seeping from her eyes.

'What are you called?' she asks quietly. The girl meets her eye for the first time, but doesn't say a word. 'My name's Ella.'

'Amita,' the girl whispers. 'Please, let me go home. I want my mum.'

'He'll let us out soon, Amita. I know he will.' Ella covers the girl's bare foot with her hand. Her skin's so cold, it's like picking stones from a winter beach. 'Come here,' she says, holding out her arms.

Amita doesn't move at first, but slowly she crawls over and rests her head on Ella's shoulder. Her shivering is so intense that Ella wishes she had more to give than her warmth. The girl smells of home – the scent of bath-times, soap and clean clothes. After a few minutes she falls asleep, her head a heavy weight against Ella's chest, but she doesn't move her, hoping that rest will calm her down.

The man comes back before dawn, his boots making a shushing sound on the wet snow. Ella tightens her grip round Amita's shoulder and she stirs in her sleep. Lamplight wakes her as it spills into the van, and her scream is deafening. The man's face is furious.

'Can't you shut her up?'

'I'm trying.' Ella does her best to smile. 'I'm sorry about before.'

The man stares straight through her, then throws a parcel into the van.

'Get her into this,' he snaps. 'I'll sort you out later.'

Ella reaches into the plastic bag and pulls out a piece of material. This time the white dress is tiny, as though it had been made for a doll. The man's footsteps stamp away along the concrete path, and the girl's screams soften into dull moans as Ella whispers to her.

'Put this on, Amita. Then we can be twins, can't we?'

24

The first thing I saw at the Laurels next morning was Usha Dhaliwal's face. The eight a.m. news was blaring into the empty day room, and I paused to watch the bulletin. Shock had leached the colour from Usha's skin, and the coat shrouding her shoulders looked far too big. One of the uniforms must have given her his jacket, then positioned her in front of the camera without helping her prepare. Her face contorted as she gazed at the camera, and the pitch of her voice was higher than before, rising with despair.

'You can't do this. Give her back, whoever you are. You have to understand that my daughter's ill. She needs insulin. Let her go, please. She needs medical care.'

Her eyes screwed shut and someone put an arm around her, but the cameras carried on rolling as she wept. I jabbed the power button on the TV, and for once the day room fell silent. All of the victims' families must be gripped by exactly the same sense of horror, but the case was making no progress, and I was partly to blame.

Burns was the last person I wanted to see when I got to my office. It looked like someone had parked an Easter Island statue in the middle of the corridor, huge and immovable. The ability to stay still was one of his best professional skills. I'd seen him play dead during interviews, so completely immobile that it looked as if he was starting to petrify. Faced with so much blank passivity, his suspects had no choice but to talk.

'I owe you an apology,' he said quietly. Burns didn't seem to notice how minute the room was. There was less than a foot of clear air between us. I could have reached across and slapped his face with no effort at all.

'You let him walk all over me, Don. Nash hasn't lifted a finger since the investigation started. He's just swanning about, waiting to collect the glory. You can apologise till you're blue in the face, it won't change a thing.'

He looked embarrassed. 'Nash has got serious connections, Alice.'

'So he's a mason and he hangs out with the big boys. Why should I care?'

'We need to back down gracefully.'

I stared at him open-mouthed. Burns's interpretation of a graceful climb-down was my idea of a cowardly retreat, but there was no point in arguing, if the deal was done. 'What have you agreed?'

'I still want you involved,' he said quickly. 'The incident room's being set up in the Campbell Building, so we can be near Kinsella. Nash is seeing him today. I'd like you to observe the interview.'

'Kinsella will only talk to me.'

'He's sent a note to Dr Gorski, saying he wants to see Nash.'

'That's just a game. He hasn't forgiven Nash for writing *The Kill Principle* without his permission.' I felt like refusing to help. Without me to rely on, Nash would be exposed as hopelessly out of date. But it wasn't a competition – all that mattered was bringing the two girls home alive. 'All right, Don. I'm not thrilled, but I'll play the game. Let me know when you need me.'

He left straight away, clearly amazed to avoid another row, and when I looked out of the window Alan Nash was arriving with his entourage. Tania was striding across the ice in her spiked heels, clutching a box of papers. Three uniforms were scanning the rooftops, as if they were checking for snipers. As they reached the entrance to the Laurels, Gorski appeared, and I raced out of the office, fascinated to see the two super-egos collide.

The two men were so busy squaring up to each other that they didn't notice me loitering in the corridor. Gorski had a six-inch height advantage, and he looked as hostile as ever. Clearly it wasn't just me he objected to – even eminent professors received the same cold shoulder.

'I hope you'll follow safety protocols while you're in my department, Professor. You know the violence Kinsella is capable of.'

He gave a curt nod. 'It's good of you to brave the cold to welcome me, Dr Gorski.'

The professor swept past like he had no time to waste. His victorious smile indicated that he'd toppled an emperor from his throne, and Gorski muttered a string of Polish expletives. If we'd been on better terms I'd have bought him a coffee as a consolation prize. His irritation was still visible when he turned to me.

'I believe you're observing my parole board, Dr Quentin.'

'Thanks, I'd like to see your release procedures in action.'

'Follow me then. We're about to start.'

Gorski was silent as we walked to the boardroom. As usual I had to trot to keep up with his hectic pace, and it was obvious he was in no mood to talk. The other members of the board had already gathered in the meeting room. Judith smiled at me across a sea of papers, and I recognised two consultant psychiatrists from the Maudsley, and the head of clinical psychology from Rampton. Two parole requests were being considered at the meeting. One inmate was asking for a prison transfer, and the second was hoping for unconditional release.

When the first inmate arrived, I could tell his chances were slim. He'd been sentenced for assault eight years before, after knifing a man outside a nightclub in Sunderland, and he'd never expressed remorse. His schizophrenia had been diagnosed by a prison psychiatrist. He was fidgeting in his chair, scratching his face with talon-like fingernails. His hair was so lank, it couldn't have been washed for weeks.

'Tell us why you should return to prison, Neil,' Gorski asked.

'I don't belong here,' he snapped. 'My daughter shouldn't have to visit her dad in a nuthouse. Plenty of blokes in prison have done worse than me.'

'There's a note on your file, saying you've been threatening your guards. Can you tell us about that?'

The man's fists clenched in his lap. 'They've got it in for me, the whole lot of them.'

It took less than five minutes for the board to agree unanimously to reject his parole application. It would be considered again a year later, if he agreed to attend counselling sessions, and took a different course of anti-psychotics.

The next case was more complex. The man's name was Jamie, and he looked nervous when he arrived, eyes darting round the room, looking for sympathy. He'd been at the Laurels for five years, following two violent rapes. According to his notes he'd made significant progress. He was in therapy with Judith and seemed to be serious about tackling his issues; he had also elected to take medication to suppress his sex drive. The man answered each question calmly and thoughtfully.

'Do you still have violent sexual fantasies?' one of the consultants asked.

'Not for a year or more. I've learned to stop the thoughts as soon as they arrive,' he replied.

Judith tried to persuade the board that he was contrite and safe for release, but his application was rejected on the grounds that his violence could return if he was left unsupervised.

I flicked through my papers as they closed the meeting. Only one parole application from the Laurels had been granted in the last two years: an inmate had been released into the care of Brixton Prison to complete his life sentence. The company of crooks must have seemed preferable to the lunatic howls on the sixth floor, even though his living conditions would be far worse.

Judith approached me when the room emptied. She was wearing her usual array of jewellery, wrists burdened by bracelets that could double as handcuffs. I remembered how she'd looked at Chris Steadman's party, wrapped around Garfield Ellis like clinging ivy.

'Do you fancy a drink tonight?' she asked.

'God, yes. I could use one right now.'

We agreed to meet at the Rookery later and I felt glad to have bumped into her for two reasons. I was curious about her secret relationship, and the pub's noise would help me forget about Alan Nash.

A message had arrived from Burns when I got back to my office, inviting me to observe Kinsella's interview. I gritted my teeth as I put on my coat, knowing that Nash would be overjoyed that I'd been relegated to the sidelines. The air was so cold that it felt like stepping into a giant freezer, and I crossed the quadrangle at my quickest pace. The Met had been given a palatial interview suite on the Campbell Building's second floor. It had its own observation room, normally used by psychology trainees watching their supervisors carrying out assessments. The professor's voice greeted me when I arrived, ringing with false goodwill.

'No hard feelings, I hope, Alice?'

I took care not to blink. 'None at all, Alan.'

'Good.' His bouffant hair quivered when he nodded. 'We all want the same thing, don't we? And Kinsella and I are old acquaintances.'

I tried not to ill-wish him as he walked into the interview suite. When I gazed through the door, every surface seemed to be fashioned from glass, and two chairs faced each other, either side of a thick transparent screen. Clearly Nash wanted Kinsella's secrets, but had no intention of breathing the same air.

Burns was waiting in the observation room and I sat down beside him, forcing myself to concentrate on the task in hand.

'There's someone you should talk to,' I said. 'Brian Knowles has been a volunteer at the Foundling Museum for decades. He could tell you who Kinsella was close to when he was there.'

A light flashed on behind Burns's eyes as he scribbled the name in his notebook, then I turned away to look through the observation window. Nash's back was turned to us, and he seemed to be completing elaborate preparation rituals. He kept squaring his shoulders, and picking invisible threads from his jacket. When Burns's phone rang a second later, he listened to the message then groaned loudly.

'Kinsella says he's ill. He won't leave his cell.'

My panic rose even higher. Nothing would give the headmaster more pleasure than seizing power: gloating over the fact that the police were under his control, while the girls' suffering increased every day. If she was still alive, Ella must be hypothermic, and Amita was in danger of lapsing into a coma. Only Nash was oblivious to Kinsella's act of manipulation. The professor was still sitting in his glass box, waiting for his nemesis, sublimely confident that he would be the hero of the hour.

25

Judith seemed gripped by anxiety when we met at the Rookery that evening. She took a deep breath, as if she was planning to dive under water for a long time.

'No one else saw me with Garfield, did they?'

'I don't think so.'

'Thank God for that. It's such a mess, Alice. Not long ago I was married and everything was normal.'

'But something happened?'

'My husband said I was a workaholic, but that was just an excuse. He'd already met someone.'

'How long have you and Garfield been seeing each other?'

'Two years. He's so paranoid about his wife finding out, I can't even phone him. Sometimes I think he'll crack under the strain – he's terrified of losing his kids.'

'But you're in love with him?' Judith didn't need to reply, her eyes glistening. 'I'm sorry,' I murmured. 'It sounds painful.'

Being a psychologist had stopped me making judgements about other people's love lives. I'd watched my clients suffer every emotional extreme for the sake of romance, from incest and desertion, to neglect and suicide. By comparison, Judith's fling with Garfield was a drop in the ocean.

'When the kids are older, he says we can live together,' she whispered.

Judith was dry-eyed and calm again, and I wondered if she genuinely believed his promises. Apparently Garfield's wife was a churchgoer with strong views on separation. She believed that people who deserted their children should be denied access, and the idea of losing his three daughters was more than he could bear.

'Everyone knows everyone at work,' Judith said. 'If word got out, she'd know in minutes. The place is full of Chinese whispers.'

I wondered if the stress of Judith's job had triggered the affair. Some people might argue that Kinsella had brought them together; she and Garfield had spent more time alone with him than anyone else at Northwood. When I looked around the pub, the place was heaving, the usual crowd of bedlam refuseniks milling by the bar, and it seemed like a good time to change the subject.

'Do you know Pru Fielding well?' I asked. The art therapist had stuck in my mind since Chris Steadman's party; it's an occupational hazard to worry about people who seem to be in psychological pain.

'Not really, she's a bit of a loner. We went for a drink before Christmas, and she let out a few secrets. I don't think she's ever had a serious relationship. Her crush on Chris seems to have started as soon as she got here.'

'She's liked him for two years?'

'Unrequited, sadly. Pity, isn't it?' Judith glanced at me. 'What have you been up to anyway? I hear the police are talking to Louis again.'

'Except he's not playing ball.'

A frown appeared on Judith's face. 'I'm not surprised – Alan Nash is Louis's worst enemy. When he first arrived, Nash paid regular visits. He promised him a prison transfer, but never followed through. I think he was just collecting details for his book.'

My thoughts slotted into place. The reason Nash wanted to

see Kinsella again was crystal clear. In his sequel to *The Kill Principle*, he could cast himself as the genius of forensic psychology. The only problem was that Kinsella despised him, and had nothing to gain from compliance.

'Did Kinsella make progress during your therapy sessions with him?' I asked.

Judith shook her head. 'He was unreachable. The only reason he came was to gain support for a return to prison, but I refused.'

'You think he'd hurt people there?'

She nodded vigorously. 'Violence and killing are the only things that make him feel alive.'

'But he never spoke about his crimes?'

'I steered him away from it. We focused on his childhood mainly: he was exiled to a boarding school in Kent when he was seven. His parents sent postcards from exotic countries while he got beaten up.'

'It sounds like you pity him.'

'Sympathy and understanding are different, aren't they? There's no justification for what he did, but his childhood gives it a context.' Judith's expression was so sombre, it looked like she'd witnessed every type of human suffering. But after a few seconds her face brightened again. 'Look who's arrived.'

Chris Steadman had walked into the bar, with Tom a few yards behind.

'Are those two close?' I asked.

'God, yes. The lost boys. They're thick as thieves.'

They were queuing shoulder to shoulder for drinks, and Tom was chatting animatedly for once. From a distance the two men looked like brothers. It was only when I studied them more closely that the differences were obvious. Tom was the picture of health, but Chris was skinny rather than slim, his peroxide hair an artificial copy of his friend's.

'An odd couple, aren't they?' Judith commented. 'Chris is happy-go-lucky, but poor Tom's a victim of his past. The only thing they've got in common is their IQ.'

'What do you mean?'

'They're both super-bright. Chris was a star student on his Masters course and Tom won a scholarship to Oxford. Don't be fooled by the physique – the guy's as sharp as they come.' She observed my stunned expression from the corner of her eye. 'Are you still seeing each other?'

'Not any more, relationships aren't my strong point. But how did Tom end up running the gym if he's such an intellectual?'

She gave an enigmatic smile. 'Ask him yourself. I'm not sharing any more secrets tonight.'

Judith carried on drinking whisky long after I switched to mineral water, and we stayed in the pub until closing time. It was clear that her relationship with Garfield gave her more pain than pleasure. At eleven o'clock I was relieved when she called a taxi, instead of trying to drive home. Her words were slurred when she leant down to kiss me goodbye.

'Thanks for listening, Alice. One day I'll return the favour.'

Through the window I watched her totter across the icy pavement to the waiting taxi. I finished my drink and steeled myself to go back into the cold. I was pleased to have avoided an awkward encounter with Tom, even though I couldn't help feeling intrigued by the mysteries that surrounded him. But when I reached the porch, he was standing directly in front of me, putting on his coat, blocking my escape route.

'I'd hate to think you were following me.' A slow grin dawned on his face. He seemed to be waiting for me to collapse into his arms.

'Maybe it's the other way round. You turn up everywhere I go.'

'It's just lucky timing.' His hand settled on my waist. 'Why don't you come back to mine?'

His offer was incredibly tempting. Even if it meant nothing, sleeping with him would wipe my mind clean as a new blackboard.

'I'd better not. Tomorrow's a busy day.'

'Another time then.'

When he kissed me I almost changed my mind. It took the entire walk back to the cottage to steady myself. Affairs seemed to be blossoming in every department at Northwood, people snatching at happiness to neutralise the madness and despair. I made myself concentrate on the patterns my torch made as I trudged down the lane, light bouncing across icy tyre tracks. When I reached the cottage there were new footprints in the snow. Someone had stamped all the way to the front door, then disappeared round the side of the house. I came to a halt, too frightened to move. The prints could have been there since that morning, because there had been no fresh snow all day. My pulse ticked faster at the base of my throat. Maybe Tom had come looking for me earlier that evening. When I got inside I paced from room to room, checking the locks on every window. Paranoid ideas kept intruding into my thoughts. The cause was probably completely innocent, but the idea that my visitor might be hiding somewhere in the dark garden refused to go away.

26

Amita's head rests heavily on Ella's knees. She looks like an angel in her white dress, but she's refusing to surface, even though morning light is flowing through the crack in the door. It shows how pale she is, her brown skin turning grey. The man's scraping around outside, but still she won't open her eyes. She mutters a few words when she hears her name, then sinks back into her dreams. The man's eyes are hidden behind thick sunglasses, and his scowl is frightening.

'What's wrong with her?' He's blocking the sunlight, staring down at the girl.

'She just needs more sleep.' Ella stretches her face into a hopeful smile, but this time it doesn't work.

The man shifts from foot to foot, his eyes burning through the thin cotton of her dress. It's a relief when he returns his attention to Amita. Her eyes are still closed, thin arms covered in goose bumps. The man lifts her hair from her face so he can see her more clearly, then his gaze settles on Ella, his fingers curling into fists.

'Which one do I choose?' He whispers the words to himself and suddenly his movements speed up, like a cartoon on fast-forward. He grabs Ella's wrists, then he's dragging her through the snow.

'Forgive me. I'm sorry.'

He keeps repeating the words under his breath as he strides towards the big house. Ella's hip catches on something sharp, her legs kicking against the cold, but she can't shake free. He doesn't even react when she screams. It's like she's already ceased to exist.

27

Press vans were clustered outside Northwood on New Year's Eve. A gang of photographers surrounded my car as I waited at the barrier, their long lenses making me yearn for tinted windows. Their presence didn't surprise me. One of the tabloids was promising fifty grand to anyone with information about the missing girls, while the rest of the country collapsed into panic. News bulletins kept reporting that parents were becoming paranoid, keeping their daughters locked inside, even though security had failed to help Amita.

The red light was flashing on my phone in the broom cupboard. But before I could check the messages, I noticed an envelope lying on the floor. The copperplate handwriting was instantly recognisable, each letter racing to its destination. Kinsella must have used Garfield as his messenger. I perched on the edge of my desk to read it.

Dear Alice,

I see you sometimes from my window, scurrying like a lost mouse. You'll grow smaller than your namesake if you carry on sipping from the wrong bottle.

I have some new information. The next girl will be delivered tomorrow, and this time, much closer to home. Everything's running smoothly in all bar one respect. But I mustn't grumble. It's an imperfect world, and there's already so much to celebrate.

Would you do me a favour? Tell your Scottish friend that I've changed my mind. You are the one I'll talk to, no one else. Professor Nash can return to his vulgar yellow-brick palace with its dreary, mock-Rococo garden. I look forward to seeing you this morning.

Affectionately,

Louis

I shoved the paper back in its envelope and set off for the Campbell Building without bothering to listen to my messages. The makeshift incident room was a hive of activity, and several dozen officers were busy inside. The note Kinsella had sent me earlier was clipped to an evidence board, beside a map marking the Foundling Hospital, and the sites of the abductions. I noticed Chris running a cable along a wall, hooking up some new computers. He looked more tense than normal, probably because he had enough work to do without the additional responsibility of sorting out the Met's IT.

Burns was working in an anteroom, crouched over a table that looked much too small for him, Alan Nash and Tania standing by the door. The professor recoiled when he saw me, as though he'd swallowed something sour.

'I think you should read this,' I said, dropping Kinsella's letter on the table.

Tania peered over Burns's shoulder as he read it. She looked awkward as she passed it to Nash. Maybe the insult about his home embarrassed her, but he seemed amused.

'My garden was featured in the *Sunday Times* recently. Kinsella's probably seething with jealousy.'

Tania shook her head. 'He predicted that Amita would be taken, and now he says one of the girls will be found tonight. We have to take this seriously, don't we?'

'It's likely she's dead already. We know he kept the first two

170

in the deep freeze until he was ready to let them go,' Nash said.

Burns gave a reluctant nod. 'We've been searching waste ground inside his catchment. A man was seen dropping a cardboard box into Wenlock Basin, near where Kinsella used to live. A dive team are dragging the canal today.'

'You won't find anything. He leaves them where they'll be easy to see,' I said firmly. 'We have to assume they're still alive until he sends the next token to Kinsella.'

Nash looked contemptuous. 'We mustn't pander to his demands. It's best if I conduct the interview, despite what he says. Could you give me a hand, Tania?'

Burns remained hunched at his table after they left. He carried on staring at the letter, chin propped in his hands, mumbling quietly to himself.

'The *Alice in Wonderland* connection isn't surprising.'

'What do you mean?'

'Sorry, I was thinking aloud. I just meant you're blonde and very petite, aren't you? Like the girl in the story.'

I gritted my teeth, and didn't reply. People had been commenting on my size since I was five years old: school nurses advising me to eat more, kids in the playground calling me shrimp. The last thing I needed was Burns telling me I looked like a child.

He gave a sheepish smile, then launched into a description of the team's work since Amita went missing, as if he'd suddenly recalled that I was an adult after all. Usha Dhaliwal's family, friends, and colleagues at her accountancy firm had all been interviewed, and it was clear that the girl's abduction had been meticulously planned. The unmarked white van had only been caught once on CCTV.

'He knows north London inside out. Ether he's a local boy, or he memorised his route through the back streets.'

'Have you spoken to Brian Knowles yet?' I asked.

Burns's eyebrows rose. 'I ran his name through the box. The bloke's darker than you thought. He's avoided the sex offenders' register by the skin of his teeth. He was cautioned last year for loitering by a kids' playground. Uniforms have been to his flat twice in the last few days, but he's never there. It looks like he knew Kinsella well; Knowles used to be secretary to the trustees.'

The information took time to register. I had assumed that Brian Knowles was creepy but harmless, devoted to a good cause. His interest in the museum seemed more sinister than I'd realised.

Burns checked his watch. 'Kinsella's being brought over now, and you'll be the one doing the interview, not Nash.'

I waited in the observation room while he delivered the bad news. The professor was already facing the blank wall of glass, the room so brightly lit he seemed to be dissolving into whiteness. I watched the two men communicate but couldn't hear their words. Nash's arms flailed in protest, miming his displeasure. After a few seconds he exited the suite wearing an outraged expression.

In an ideal world I'd have fled the building too, but Kinsella was just arriving. His appearance was as irreproachable as ever, immaculately groomed, his half-moon spectacles poised on the tip of his nose. He still looked uncomfortably like my father. But this time his gaze was less benevolent, so focused it would scorch any surface it touched. It made me grateful for the inch of reinforced glass that protected me.

'Thanks for coming, Mr Kinsella.' The quake in my voice annoyed me – he was bound to capitalise on any sign of weakness.

'You know I enjoy our meetings, Alice. You're a sight for sore eyes.'

'Can you tell me what you miss most from the outside world?'

His eyebrows shot up. 'Everything. The freedom to follow my destiny, art galleries, good French food.'

'But you feel better now someone's finishing what you started?'

His hawkish smile widened. 'Do you really have time for small talk, Alice?'

'If you help us prevent another death, I can arrange a visit to one of those exhibitions you miss so much.'

He looked amused. 'In a charabanc, with five burly guards? Not really my style. But we can trade facts if you like, a truth for a truth.'

'If I can go first.'

'It's my turn – you've already asked a question.' He leant forwards until his forehead almost touched the glass, voice falling to a whisper. 'Who do I remind you of?'

'No one. I've seen so many pictures, in books and on TV, it feels like I know you.'

'You're lying, Alice. Remember those little girls, all alone in the dark.'

'You remind me of my father.' My heart thumped unevenly. 'Now tell me where they're being kept.'

'Near St Augustine's, but he's moving closer all the time. Did you love your dad, Alice?'

'Be more specific please, Mr Kinsella. What part of London are you talking about?'

'Did you love him?'

'Yes.'

'But he frightened you?'

I shook my head. 'Tell me the killer's name.'

'I'd rather hear about your father. He sounds much more intriguing.'

'Tell me his name.'

He gave an exaggerated yawn. 'My original theory may be wrong. It could be one of many. I was evangelical in those days, and they all got the same instructions.' His eyes bored into me. 'Tell me why your father scared you.'

'He was unpredictable, kind then cruel.' I returned his stare. 'Who are your disciples, Mr Kinsella?' He sank back into his chair, a sheen of perspiration covering his face, as though the effort of crawling under my skin had exhausted him. 'I met your friend Brian Knowles at the Foundling Museum. He's very devoted to the place, isn't he?'

Kinsella's eyes glittered. 'Dear old Brian. I wondered how long you'd take to catch up with him. He's a collector, you know. Ask him about it some time, I'm sure he'd love to tell you. But that's enough for today. I hope we'll meet again soon.'

His smile faded to nothing, and his skin grew even whiter. He made an odd gesture, a cross between a genuflection and a bow, before the guards led him away.

Burns looked concerned when I reached the observation room. 'There's more blood in a stone,' he muttered. 'Are you okay?'

'I'll survive.'

'You did well. He's starting to trust you.'

'It's just cat and mouse, nothing tangible.'

My legs were starting to feel weak. I couldn't explain what had upset me most: memories of my father resurfacing, or the way Kinsella had assaulted me with his eyes.

28

Burns must have seen the colour draining from my face because he pulled up a chair. 'Take a seat, Alice.'

'I'm okay, Don. It's not the best way to spend New Year's Eve, but I'll survive.'

He studied my face for a moment. 'Kinsella's mate Brian is at home now. Do you want to assess him for me? We could debrief in the car.'

'Give me a minute to collect my things.' Part of me questioned my sanity as I trotted down the stairs. I'd been working nonstop through the Christmas break, but slowing down wasn't an option until Ella and Amita were found.

I caught sight of Kinsella when I left the Campbell Building. Garfield was taking him back to the Laurels, with two security guards trailing behind. From a distance I could see Kinsella's lips moving rapidly. The two men were deep in conversation, which didn't match his reputation for silence. They were too far away for me to hear, but I made a mental note to ask Garfield what Kinsella had been saying next time we met.

I grabbed my briefcase from the broom cupboard before meeting Burns by the reception block. The sky was still leaden with snow, steam rising from the bonnet of his Audi into the freezing air.

'Where does Knowles live?' I asked.

'Hammersmith. We'll be there in an hour.'

'Go on then, tell me how's it's been going.'

A muscle ticked in his jaw. 'The team's done thousands of hours of overtime – scouring Kinsella's haunts, interviewing staff he worked with, the vicar and choir members, the Foundling Museum's trustees. We've re-interviewed all the relatives and contacts for each victim. It feels like I've spoken to every man, woman and child in north London.'

'What about the prisons where he did time?'

'He spent most of his stretch in solitary confinement, for his own protection. Hundreds of ex-cons have been checked out, with no links so far.'

I stared out of the window at the passing houses, every lawn a pristine expanse of white. 'It's odd that none of the girls come from a conventional family. They were all fostered, adopted, or being cared for by someone other than their biological parents.'

'And you think that's relevant?'

'Maybe he sees them as foundlings. In his eyes they're abandoned children, waiting for mercy, or to be cleansed from the streets.'

'But how would he know that before he takes them?'

'The abductions might not be random. Maybe he's got hold of records from somewhere.'

He looked uncertain. 'School registers, or medical files.'

'That's possible, but the foundling link's too strong to ignore. He's getting a kick out of dressing them up like Victorian orphans. The staging's for him, as well as Kinsella.'

Burns lapsed into silence, as though his mind was refusing to process any more theories. I stayed quiet and focused on the view outside as we headed east into the city.

Brentford Shopping Centre was lit up like a Christmas tree, as though the retailers were determined to milk a profit from the last dregs of festive good cheer. I waited until we reached Chiswick's expensive suburbs before asking another question.

'Do you know much about Brian Knowles?' I asked.

'He's sixty-two, widowed in his late forties, worked as a surveyor till he retired. He's been a volunteer at the Foundling Hospital since Kinsella's days. One of the trustees said they got on well, but no one mentioned it at the trial. He's got a clean record, apart from that caution for loitering by the playground in Richmond Park.'

We were pulling up outside a mansion block in Hammersmith, not far from the theatre where Lola worked. Each of the tall Georgian buildings fronting the river was worth millions, which meant that Brian Knowles must be extremely wealthy. It made me wonder whether his money was begged, borrowed, or stolen.

A squad car was parked on the double yellow line outside a block called Wentworth House. It was smaller than some of the others, but beautifully maintained. I waited in the car while Burns spoke to the two uniforms, then followed him up the stairs. The large building had been subdivided into at least a dozen dwellings. Knowles's flat was on the top floor and the climb explained why he was fit enough to march up the stairs at the museum. Burns was panting when we reached the landing.

'Let's hope it's worth the hike,' he muttered as he pressed the doorbell.

Knowles was still wearing his yachting blazer. It looked like he'd chosen Pierce Brosnan as style guru, his dyed hair carefully combed. When he caught sight of me his carefully prepared smile froze.

'What are you doing here, Alice?'

'I'm helping the investigation into the missing girls, Mr Knowles.'

'So you lied about being a psychologist. I thought you had a genuine interest in the museum, but you were just spying on me.'

I shook my head. 'Not at all. Everything you said was helpful.'

Knowles's expression was grudging as he admitted us to his flat, and it soon became obvious that he had traded space for a glamorous postcode. The place was minute, with a dining table wedged beside the sofa in his living room. But the view gave a touch of grandeur, showing the broad sweep of the river, surging east towards Hammersmith Bridge. Knowles stood by the window, eyeing us with suspicion.

'What do you want exactly? I told the other officers that I don't own a vehicle, and I was visiting a friend in Kensington when that poor child was taken.' Knowles touched the sharp pleat in his trousers, nipping the fabric tightly between his finger and thumb.

'I'd like to know more about your time at the Foundling Museum, Mr Knowles. You described Louis Kinsella as a monster, but he speaks of you as a friend.'

He adjusted his hair nervously. 'I thought he was an ally, that's why I was so disgusted. It's easy to be clever with hindsight, but at the time he was a pillar of the community, the headmaster of an outstanding school. We shared a passion for the place.'

'He told me you're a collector, Mr Knowles.' I glanced around the room, but all I could see were antique vases, bookshelves stacked with local histories, and two Constable landscapes on the walls. 'Do you mind telling us what you collect?'

'I gather information. I've interviewed dozens of former foundlings; many are in their seventies and eighties. You could call it my life's work.' He pointed at a pile of folders stacked at the end of his table, at least a foot thick.

'Do you mind if I take a look?' I asked.

'Be my guest. I've got nothing to hide.'

Burns carried on talking to Knowles while I flicked through one of the folders, which contained dozens of interview transcripts. Underneath it was a plastic wallet marked 'Newsletter,' with a sheet of photos tucked inside. I did a double take when I saw my own picture, gazing unsmiling at the camera, with my name and occupation written underneath. Knowles had been very industrious, taking snaps of dozens of museum visitors, including schoolchildren, each one carefully labelled. Beneath that lay a copy of the previous month's newsletter from the Foundling Museum, the back page packed with faces that all looked as startled as mine. I returned to the armchair beside Burns.

'You seem fascinated by the orphans, Mr Knowles,' I commented. 'Do you mind me asking why?'

'The museum's our best source of history about their lives.' Knowles's lips parted in a tense smile. 'And I believe in its values. Children should be safeguarded, shouldn't they? Their innocence is sacred.'

'I can see that you hold children in very high regard.'

His face quivered as he spoke. 'That's why it disgusts me that we can't even admire them any more. If you so much as look at a child, they want you behind bars. They don't understand that if you're elderly and alone, it's uplifting to watch children happily playing together.'

Knowles's hands shook with outrage as Burns asked him question after question. He said that he had been travelling to Kensington by Tube at the time of Ella Williams's abduction, returning late that evening. He described himself as a gentleman of leisure, but his flat held little evidence of a man at ease. There was no TV, and the appliances in his kitchenette must have been there since the Eighties, holes worn through the lino by the sink. When we said goodbye, I caught only a fleeting glimpse of his unnaturally white smile before the door closed abruptly. Burns didn't say a word until we got back to the car.

'He's copying Kinsella, but without the bloodshed,' I commented. 'Collecting children's life stories and keeping them for himself. He's just a voyeur; he likes to watch children in the park, take photos of them at the museum. That's how he gets his thrills.'

'I'll check the CCTV at Hammersmith Tube, see if his story stacks up.'

'I'm sure it's not him, Don. Voyeurism's a passive condition normally; it's rare for it to escalate into this kind of violence.'

Burns met my eye. 'He may not be the killer, but you wouldn't want him for a babysitter, would you?'

The drive back took an extra half-hour thanks to a juggernaut jackknifing on the M4. Burns drove in an absorbed silence. I could almost hear his brain chunking through the information like a calculator working at full strength.

'Want to get a meal at the hotel?' he finally asked when we reached Charndale.

'I should probably go home.'

The Met team was staying at a hotel I passed on my way to work. Charndale Manor was a stately home that had fallen on hard times, with huge windows and decaying plasterwork, but I had no intention of spending the last few hours of New Year's Eve playing gooseberry among all that faded grandeur.

'Let's have a drink instead,' he insisted.

Burns pulled up outside the Rookery before I could argue. As usual the bar was packed with all the Northwood regulars, flirting and drowning their sorrows. He left me at a corner table then went outside to answer a call on his mobile, and I couldn't resist sifting through my notes. The more time I spent with Kinsella, the more certain I felt that anyone he'd met was in danger of succumbing to his messages, including Brian Knowles. I'd felt the draw myself. He had the negative magnetism of a whirlpool, pulling people towards him with the sole aim of destroying them.

Burns reappeared as I was poring over the updated HOLMES report he'd given me earlier. He was wearing his off-kilter smile, and I had to remind myself that we were spending time together for business, not pleasure.

'What are you drinking, Alice?'

'Pineapple juice, please.'

He rolled his eyes. 'Very festive.'

I watched him cut a swathe through the crowd, a foot taller and wider than the men around him. He didn't have to wait long to get served; the barmaid ignored the queue and poured his drinks instantly. When I looked up again, I spotted Garfield through the crowd. He was sitting by himself with two empty glasses at his elbow. His body language looked despairing, as though an invisible weight rested on his shoulders. I wondered if constant contact with Kinsella was making him depressed.

I felt a twitch of discomfort as Burns returned with our drinks. Tom had arrived, and he was watching me without a trace of a smile. He stared at Burns, then turned his head away and joined Garfield at his table.

'The connection has to be Northwood,' I said.

'What makes you so sure?'

'There's got to be a link between the Foundling Museum and Northwood. The killer knows all about Kinsella's obsession with the orphans. He understands subtle things about his style too; I'm sure it's a staff member.'

'You seriously think some doctor or nurse is abducting little girls, torturing them, then dumping their bodies in the snow?' He stifled a laugh. 'I thought mental health professionals were vetted before being let loose on patients.'

'And we're trained to resist manipulation, but Kinsella's different. Last year he reduced an experienced therapist to a breakdown. He's an expert, and he's got all the time in the world to indulge his passion for hurting people.'

'But no one spends time alone with him, do they?'

'Only a handful. I can give you a list tomorrow.'

Burns nodded, then gazed at me intently. 'Is there anyone else you think we should look at?'

'His wife still worries me. She wasn't much more than a child when they met, and she still can't acknowledge his crimes. How much do you think she knew at the time?'

'It's hard to tell. Kinsella protected her during his trial; he said he'd never told her a thing.'

'But she could have been his sounding board.' From the corner of my eye I saw Tom shooting me an angry look as he left the bar.

'Who is that bloke?' Burns asked. 'He's been giving you the evil eye all night.'

'A colleague from the Laurels. He runs the gym.'

'Looks like he needs to burn off some stress himself. What's his name?'

'Tom Jensen.'

Burns repeated his name silently, like he was committing it to memory, then concentrated on me again. 'How are you coping, anyway?'

'What do you mean?'

'Not everyone could handle talking to a freak like Kinsella.'

'I'm used to psychopaths, Don. I've worked with them for years.'

'You'd let me know if it gets too much?'

'I've been through worse.'

He held my gaze. 'I know. That's what worries me.'

Part of me felt like leaving before he dredged up the cases we'd worked on in the past, but instinct was telling me to stay. Sitting beside him gave me more comfort than sleeping with Tom had ever done. There was something reassuring about his scale, so monumental that only a natural disaster could knock him down.

'It's late,' I said. 'I'd better get home.'

We stood together on the pavement, Burns's shoulders blocking the streetlight.

'Let me give you a lift.'

'It's okay, I could use the exercise.'

He took a step closer. 'You'd better kiss me now then.'

'Sorry?'

'It's what people do on Hogmanay. It's a custom.'

I stood my ground, but the temptation to hurl myself at him was almost overwhelming. 'You're too early, Don. It's only half past eleven.'

'Pity.' He gave a rueful smile then slowly walked away.

Across the street, the lights were burning in Tom's flat, and I was struggling to think straight. Burns's request for a kiss was only a joke, but it had increased my confusion. I tried to wipe it from my mind as I trudged down the lane.

When I got back to the cottage, a minor miracle had occurred. The letting agent had finally responded to my phone messages. Someone had fitted a new lock – a heavy-duty mortise that had been left on the latch, the key posted through the door. When I tested it, the mechanism gave a satisfying click. It would be impossible to break, and sleep would come more easily now that the place was secure.

I peered out through the kitchen window at Edgemoor Woods. It was starting to snow, coin-sized flakes gluing themselves to the windowpane. That morning's meeting with Kinsella was still distracting me, and the frustration of making such slow progress was giving me indigestion. It felt like a pint of concrete was hardening behind my breastbone.

I'd silenced my worries about Burns, but the buzz of anxiety about the missing girls never left me. Even though it was past midnight, I sat down at the living-room table and started to write a list of those staff at the Laurels who worked one to one with Kinsella. I would need to check the contact sheet, but there had been individual meetings with Gorski and Judith. Garfield spent hours ferrying him round the building, Pru worked in the art studio with him, and Tom supervised him in the gym. But surely none of them was capable of killing children under the guise of caring for the mentally ill?

My phone woke me just after one a.m. I was slumped over the table, my cheek pillowed by my writing pad.

'Happy New Year!' Lola sounded effervescent as usual, as though she'd been sipping champagne through a straw.

'And to you, Lo. I hope you haven't been drinking.'

'Just cranberry juice, more's the pity. Where are you?'

'At home, by the fire.'

'We're in Trafalgar Square. You should be here, Al. There are loads of snoggable blokes.' Klaxons screeched in the background and off-key voices singing 'Auld Lang Syne'. 'Someone wants to talk to you, hang on.'

I expected to hear Neal, but the voice that greeted me was deeper and more gravelly.

'Will, this is a surprise.'

'I thought you'd be here. You're always with Lo for New Year.'

I couldn't explain that I was testing my independence, and giving her some space with her new man. Tinny music echoed in the background, followed by a loud caw of laughter.

'I hope it's a great year for you, sweetheart.'

When he spoke again, his tone sounded urgent. 'You should leave that house, Al. There are bad spirits in every room.'

'You think so?'

'Seriously. Find yourself somewhere else.'

After another blast of hardcore disco, the line cut out, and I scanned the lounge. It was shabby but comfortable, firelight landing on the worn-out furniture. If ghosts existed, they were busy haunting someone else tonight.

I was about to collect a glass of water when an unexpected sound came from upstairs, an odd, fizzing noise. The lights flickered then failed completely. Darkness pressed in on me, so suffocating that I could hardly breathe, and my mind flooded with panic. The new lock on my door meant nothing. Someone could have jemmied a window and hidden themselves upstairs. I listened for sounds, but all I could hear was my own frantic breathing. I fumbled my way to the mantelpiece for a candle and matches, but it took all my courage to leave the room. The candlelight wasn't helping. Shadows flickered across the ceiling, until the room seemed to be full of spirits.

I forced myself to climb the stairs, ears straining for sounds. It took forever to find the circuit box, but once I'd replaced the blown fuse, the lights blinked on immediately. My heart battered the wall of my chest, until I heard the grumble of a van's engine starting up in the distance. I don't know why the noise calmed me. Maybe it was just a reminder that there were real human beings out there, going home from New Year parties, while I grappled with my ghosts.

29

'No arguments, all right?' the man hisses.

Ella nods silently, too frightened to reply.

'Get in the front seat, and stay under the covers so no one sees you.'

The man drops a rough woollen blanket over her, and she takes care to keep still. Once the van begins to move, she shifts the fabric slightly, so she can glimpse through the window. Soon the city is replaced by villages and country lanes. Ella reaches down to see if the door's still locked, but the handle won't budge. She wants to pull back the blanket and ask the man about Amita, but he'll hit her if she speaks again. All she can do is stare through the narrow gap at the cottages slipping by. Soon the heat from the radiator sends her to sleep, and the next time she wakes, they're driving through woodlands, snow piled high on the sidings.

The van finally stops by an embankment, covered with trees. She hears the man get out, and pulls the blanket down a few inches. He stands in the headlights' beams, with a cardboard box balanced in his arms. The man's holding it so carefully, the contents must be fragile. He waits there without moving for a long time. Ella watches him lay the box at the foot of a tree, and when he returns to the driver's seat, he seems upset. The man puts the key in the ignition, then sits there, staring through the dark window. After a few minutes she remembers what her granddad says when she has bad dreams, and reaches out to touch his sleeve.

'You'll feel better when morning comes.'

She expects the man to be angry that she's pulled down the blanket, but he doesn't make a sound. His head bows over his knees, like he's saying a prayer. He takes a minute to recover then turns to look at her.

'I'm better than this, Ella. I'm doing what he wants because I owe him everything. I hate it, but I can't refuse. Do you understand?'

The man's voice is so fierce, she's too scared to reply. The only thing she can do to calm him is reach out and touch his hand.

30

The sky was a bright, deceptive blue when I peered out of the window on New Year's Day. Apart from the fresh fall of snow, it was a perfect counterfeit of a midsummer day. I took a sip of orange juice, but my appetite still hadn't returned. I was forcing down a piece of toast when my mobile rang. Burns sounded like he'd sprinted up a long flight of steps.

'We found her.' The bleakness of his tone warned me that he'd discovered a body, not a living child.

'In Camden?'

'She's in Edgemoor Woods. You know where that is, don't you?'

I stared at the snow-covered trees in disbelief. 'I certainly do.'

'Follow the path from Charndale till you reach the bridge.'

I locked the door and set off at a jog, turning left down the bridleway I'd taken on Christmas Eve, when I'd been convinced someone was chasing me. It looked like a battalion had marched through the woods, the snow trodden to polished ice, twigs stamped into fragments.

Burns was standing beside Pete Hancock; he was so much taller that it looked as if he was explaining something to a child. Hancock scribbled my name on his list, and I put on the Tyvek suit and plastic shoes he handed me before crossing the cordon.

'Are you ready to see her?' Burns asked.

His face was expressionless with shock as he led me deeper into the woods. A brown cardboard box lay at the foot of a tree, and part of me wanted to run back to the cottage. Children's bodies are always the worst. They linger in your nightmares for weeks. I wanted to ask which girl had been found, but my tongue had stuck to the roof of my mouth. A photographer was blocking our way, his flashgun releasing flares of yellow light into the thick shadows between the trees. Burns motioned for him to leave and, when I looked down, I saw that the girl inside the box was Amita Dhaliwal. She was barely recognisable, her black hair a mess of tangles, pinched face disfigured by bruises. I closed my eyes and thought of Usha standing in the cold, waiting for her adopted daughter to come home.

'When was she found?'

'Six this morning,' Burns replied. 'A woman was running with her dog.'

I knelt down to look more closely. This time the killer had taken less care. The cardboard coffin was too small for the child's body, her knees cramped against her chest. But the white dress was identical to Sarah Robinson's, a row of pearl-ised buttons running down from the collar. Judging by the wounds on her arms and face, she'd suffered more than the first victims. He was gaining confidence; if the series contin-ued, his violence would escalate further.

'Why here?' I mumbled to myself.

'Good question. He's fifty miles west of his catchment.'

I stood up, wiping the snow from my knees. 'It's a tribute, isn't it? The woods border Northwood's grounds. He's left her on Kinsella's doorstep.'

It struck me that the child had been placed close to my home too. The roof of the cottage was visible above the line of trees and I was about to point it out to Burns, but he was star-ing at the snowy ground like he wished it would swallow him.

'What happens now?' I asked.

'Tania drives to London to inform the mother, the girl's body goes to the mortuary, and I get hung out to dry.'

Burns left me standing there while he supervised the team of SOCOs. Soon half a dozen officers in white suits were crawling across the ground, performing a fingertip search. I made myself look down at Amita's body one last time, and I had to swallow hard to suppress my nausea when I saw the ring of bruises around her neck. The bastard had stood over this child, fingers tightening round her throat, intent on watching her die. My hands balled into fists as I turned away.

When Burns drove me back to Northwood, it was obvious from the throng of press vans that the discovery had been leaked. A photographer sprawled across the bonnet of the car, taking snaps with a heavy-duty Nikon, his triumphant smile reflecting the fee he'd receive. The girls' disappearances were still the country's biggest news item, all the papers crammed with possible sightings. Every crank in the land was claiming to have seen Ella or Amita since they'd been taken.

'Fucking vampires,' Burns grumbled to himself.

It was unusual to hear him swear. In the old days he turned the air blue on a regular basis, but now he seemed determined to set a good example, and I wondered how he kept a lid on his stress. Someone yelled a question so loudly that we could hear it though the closed windows.

'How do you feel about another girl dying on your watch, DCI Burns?'

He stared ahead fixedly as we drove into the car park, hands clenched round the wheel, and I knew better than to attempt conversation.

The incident room smelled of anxiety and stale cigarette smoke. More staff had been drafted in from London, and spooky shots of Edgemoor Woods were already plastered across the evidence boards. The photos showed SOCOs in their white suits, flitting like spectres between the trees. Pictures of Amita in her disposable coffin were pinned beside ones of her beaming at the camera, exuberantly alive. Death had caught her by surprise. Her brown eyes looked startled, and I hoped someone would show enough decency to close them before her mother arrived.

Alan Nash glowered from the other side of the room, surrounded by young detectives who were vying to refill his coffee cup and polish his ego. When I looked up again, Burns looked more truculent than ever, preparing to address the crowd. Frustration had made his tone harsh and accusatory.

'This is where you lot live from now on. If we don't find Ella Williams soon, she'll end up in a box, just like Amita, and all of us will have failed. Every villager in Charndale needs a doorstep interview – you can bet your life someone saw that van arrive in the middle of the night.' His eyes blazed as he scanned the room. 'The girl's been gone twelve days. If Ella's still alive, she must think the whole world's forgotten her.'

The tension in the room increased as he gave his update. The Sex Crimes Unit had checked the offenders' register: over three hundred ex-cons with records of crimes against children had been accounted for. Only fifteen had passed through Wakefield Prison or the Laurels during Kinsella's stretch, and they all had alibis. Every member of staff at St Augustine's had been investigated too, but so far only Roy Layton had been arrested. He had been ruled out of the investigation because he was in custody when Amita was abducted. Several teachers had confirmed his story that he'd allowed pupils to play in the back of his van, which explained the presence of Ella's DNA. But he was still off work, facing a criminal prosecution for owning child pornography.

'The getaway van's still a mystery,' Burns continued. 'The

CCTV's being checked, but so far no unmarked vans came down the M4 yesterday. He could be using fake plates, or he took an indirect route. The camera on the main road through the village didn't clock him, so he could be back in London by now.' Burns hit a key on the laptop beside him and a photo of a child's white dress appeared on the wall.

'Sarah Robinson was found in this, and it looks like Amita's is identical. But there's a difference from the dresses that Kinsella's victims wore. He got a seamstress to make them; he said they were angel costumes for his school's nativity play, but these ones have been mass produced. You can buy them from any branch of John Lewis. It's a nightdress from their Victorian range, for girls aged five to thirteen. Small altera-tions have been made by hand – cutting out the labels and changing the collar from square to round, so they look like the ones the original foundlings wore. He's done his best, but his sewing's pretty crude.'

'What are you saying, boss?' A voice piped up out of nowhere.

Burns frowned. 'He's planned ahead. John Lewis sells thou-sands of these every year, which makes traceability a nightmare. We're looking at their credit card transactions, but chances are he's paying cash, and buying each one from a different store. Then he takes them home and customises them. Either he's making the alterations himself, or he's got someone untrained giving him a hand.'

There was silence as the information sank in. The idea of a serial killer patiently adjusting a child's nightdress with needle and thread was hard to absorb. This man, or woman, went against every known stereotype. Child killers normally murder their victims straight after raping them. But this one was the soul of patience. He'd waited nineteen days for Sarah Robinson to die of natural causes, and Ella might be suffering the same fate, the long delay adding to his sadistic pleasure. So far only Amita had died within hours of being captured.

The team melted away as soon as the meeting ended. Some officers were heading back to London to brief the team at King's Cross, and others were returning to the woods. The rest would search Charndale, street by street. The incident room emptied, apart from half a dozen detectives staring at computer screens. Burns beckoned me over to Alan Nash's table.

'We need to agree a strategy,' he said quietly.

Without his disciples, Nash looked diminished, an old man in need of a rest. 'I'm prepared to let bygones be bygones and interview Kinsella this afternoon.'

'Thanks for the offer, Alan, but he'll only speak to Alice.'

Nash's mouth flapped open but no sound emerged. The prospect of another tête-à-tête with Kinsella made the hairs rise on the back of my neck, but I kept my expression neutral and focused on my report. I'd tried every possible technique to work out where the killer lived: crime linkage, data analysis and geo-profiling. I'd used the latest Home Office software to map the co-ordinates of each crime scene. All five girls had been abducted inside a one-mile radius, but the team had searched the streets I'd highlighted and found nothing. Now the parameters would have to be redrawn. The killer had extended his boundary by fifty miles. Nash looked as frustrated as I felt.

'Kinsella told me in his original confession that someone would finish what he started,' he said, frowning. 'It's obvious that he trained someone before he was caught. Why aren't you looking harder at his old contacts?'

'Believe me, we are, Alan,' said Burns.

'I think we should increase the focus on the staff here at Northwood. He obviously knows this area, because he found the ideal spot to leave Amita's body,' I said. 'But the foundlings are at the heart of it. I'm sure the museum's part of his motivation. The killer's choosing girls he sees as orphans, which makes me wonder if he's an orphan too.'

Nash pursed his lips. 'Or the abductions could be opportunistic; he's just seizing them where he can. The white dresses and the girl's body at the museum are a tribute to Kinsella, nothing more.'

'But why would he go to the trouble of altering the costumes himself?' I asked. 'The foundlings must have a personal meaning.'

The two men wore very different expressions. Burns looked open to persuasion, but Nash's eyes were glazed with contempt. We could have stayed in deadlock for hours, but thankfully a young officer arrived. He was panting, as though he'd sprinted a hundred metres.

'This just arrived, sir,' he told Burns.

The white envelope had been sent first class from central London, addressed to Mr Louis Kinsella. I watched Burns shake the contents into an evidence bag. There was nothing inside apart from a scrap of cotton, two inches wide, containing a small red button. It was a direct copy of the tokens I'd seen at the Foundling Hospital, and when I looked more closely, the button was embossed with a teddy bear's face. All three of us stared at it in silence. The gift was as wide as my palm, and it had clearly been a labour of love. Someone had hemmed the pale pink fabric with dozens of minute stitches, and the shape of the token revealed the killer's feelings for Kinsella. It was a perfect, neat-edged heart.

31

Kinsella refused to meet me until five o'clock, so I had time to prepare myself. I let my gaze wander around the interview room to keep my mind occupied. Red security lights flashed above the doorway, a plastic chair behind the glass boundary, like a throne waiting for a king's arrival. The space was so pristine it could have doubled as an operating theatre, and even the smell was the same – disinfectant and anxiety. Hopefully the glass wall would prevent Kinsella from scenting my fear. The stakes had risen even higher since Amita had been found. The wire inside my blouse felt cold against my skin, and the recorder must have been picking up my rapid breathing and the judder of my heartbeat, Burns and his team listening to my discomfort.

Garfield led Kinsella to his chair then retreated. The headmaster wore the smug look my father adopted when he won an argument, flushed with pleasure at grinding his opponent's ideas into the dust. As usual his wrists lay handcuffed in his lap.

'I heard the news, Alice,' he said. 'My follower's showing extraordinary tenacity, isn't he? I thought they'd forget the rules I gave them, but so far not one's been broken.'

'The rules?'

He gave a nonchalant shrug. 'Call them guidelines, or a manifesto, if you prefer. It's amazing how many people love to follow orders. What about you? Do you enjoy being told what to do?'

'Only by people I respect. If not, I refuse point-blank.'

Kinsella gave a yelp of laughter. 'Your rebellious spirit is nearly as strong as mine, Alice.'

I pulled the token from its envelope. 'This arrived from London today to let you know about Amita Dhaliwhal. Either he killed her yesterday, or he sent it ahead of time, knowing that she'd be dead when it arrived.'

'Superb organisational skills.' He watched me expectantly as I pushed the scrap of material through the hatch in the glass screen. When it fell into his palm, it balanced there like a piece of gold leaf, the button glittering under the lights.

'You asked for a keepsake every time, didn't you?'

His expression remained neutral as he stared at the scrap of cotton, before lowering it gently into the hatch. 'Thank you for letting me see it. No one else in this place has an ounce of courtesy.'

'I need more details, Mr Kinsella. If you won't tell me the killer's name, you could at least say where he lives.'

'Poor Alice, always so keen to save everyone.' He leant forwards in his chair, until I could see the grey sheen of his five-o'clock shadow. 'Why don't you use those exquisite eyes of yours? It's at the centre of the whole affair. If you can't see where the girls were kept, you've got the wrong map.'

His disturbing grin flickered for a second, then the headmaster rose to his feet and nodded at Garfield to lead him away. I found myself gritting my teeth, and it was fortunate that the glass screen was in place – for his protection, not mine. Kinsella had got everything he wanted from our meeting, and his stare had been so intrusive it felt like he had X-ray vision. He'd seized the opportunity to make us all look like fools, because he was the only one who understood the rules of the game.

When the room emptied I turned to face the observation

window. All I could see was an expanse of opaque grey glass, but Burns was sure to be watching. I raised the palms of my hands in a gesture of apology. My relationship with Kinsella felt like a tennis match with a far stronger opponent, but the consequence of losing would be far worse than missing out on a trophy, and it was clear that I was already two sets down.

Kinsella's words rang in my ears when I returned to the incident room and studied the crime scene map, each one marked with a red drawing pin. I was still standing there, glassy-eyed, searching for a pattern between the dots of colour, when Tania sashayed across the room. Her expression hovered somewhere between professionalism and hostility.

'Burns said you'd give us a list of staff who see Kinsella one-to-one.'

'I'll finish it now.'

She turned on her heel and left me to it. The next hour was spent studying the staff rosters I'd collected from the HR department. They showed that Garfield saw more of Kinsella than anyone else. As his designated nurse, he was responsible for conducting him from his cell to the refectory, to meetings and therapy sessions. A physio treated Kinsella for back pain, and he had individual art and gym sessions to prevent other inmates from attacking him. At least one security guard always stayed in the room, but there would still be plenty of opportunities for whispered conversations. Half a dozen psychiatrists and psychologists had worked with him at Northwood, including Alan Nash, Gorski, Judith Miller, and a Jon Evans. I racked my brains to remember the name. I'd met so many new people at the Laurels that my memory was stretched to capacity. Then it came to me. He was the guy who'd worked with Kinsella the year before, the one who'd had a breakdown.

Finally I added the names of the security men who regularly guarded him, then went looking for Tania.

I found her in one of the anterooms, absorbed in a phone conversation, but she nodded a curt thank-you as I handed over the sheet of paper. It felt like a spectacular act of disloyalty to include Judith and Tom's names on a list of potential suspects, but I was sure that the killer had fallen under Kinsella's influence. Anyone who spent time inside his orbit was in danger of succumbing to his control.

By now it was seven o'clock and I was in need of a meal, but Kinsella's message still troubled me. He might have been lying about the map holding the key to the killer's address, but his expression had been unusually serious. He enjoyed the chase most when I was right behind him – it felt like he was offering me the chance to catch up. I opened my laptop and clicked on the map I'd created. It's a known fact that serial killers worked outwards from an axis, with their own home at the epicentre. Until Amita's body was found fifty miles from his patch, the killer had been working inside a tight radius. I stared at the screen again: three streets on the outskirts of Camden Town were flashing in traffic-light red. I was still hunched over the computer when Burns appeared in front of me.

'Found something?' he asked.

'You're sure that Willis Road, Orchard Row and Inkerman Street were all searched?'

Burns studied the map. 'We went through that area like a dose of salts.'

'I'd still like to take a look tomorrow.'

He stared down at me. 'You'd travel there, to look at streets we've already checked?'

'I'll be in London anyway.'

'I can meet you at midday. I've got to see the commissioner.'

Burns was gone before I could explain that there was no need. I was perfectly capable of exploring the neighbourhood on my own. I knew my hunch was unlikely to lead to anything, but Kinsella had planted a seed of doubt that would blossom into rampant anxiety if I ignored it.

32

It feels like days since the man locked her in the back of the van. Ella's back aches, and there's nothing here, except a bucket and a roll of toilet paper, and some torn overalls the man has abandoned. She's so hungry that her stomach hurts, her ribs covered only by a thin layer of skin.

When the door finally opens again, the light hurts her eyes, and the man's wearing his black coat, beaming at her. He helps her climb out into a small garage. The walls squeeze the sides of the van so tightly, there's hardly enough space to walk past. At the end of the garage she spots a large chest freezer and a pile of cardboard boxes – ten or twelve narrow cylinders, stacked inside each other. Ella wants to know what the boxes are for, but some instinct prevents her from asking. She remembers the man standing in the woods with a package balanced in his arms. His hand squeezes her shoulder as he leads her inside. The kitchen looks so like home that tears prick the backs of her eyes. Granddad's kettle is made of the same dull silver, and she can almost smell the smoke that trails after him wherever he goes. The man's grip is tight enough to leave a bruise as he pulls her down a narrow stairway.

'Like it down here, Ella?'

She forces the smile back onto her face. The room is tiny, with a window that's too high to see through, and it stinks of damp. Circles of mould stain the white paint. There's a narrow bed pushed against the wall, a small table and a chair with a broken back. Splinters needle her skin when she sits on it, waiting for him to leave. His woollen hat's so low over his forehead that his eyes are barely visible. But if she had to guess, the look he's giving her seems to be an apology. Boys give each other that stare in the playground when someone gets hurt in a game of tag, laughter draining away like a cup emptying.

Something odd is happening to the man's face. His cheeks twitch like he's trying not laugh. But when Ella looks again, tears are dropping from his eyes. Her gaze switches to the open door. If she had enough strength she'd push past him, but she can hardly stand. The man's head rests on her shoulder as he gulps out some words.

'I can't do it any more. They're bound to find us, and it's wrong, what I'm doing. The nightmares are killing me.'

'Can't your family help you?'

'I've got no one.' The man's voice is scratchy with tears.

'You've got me, haven't you?'

'And you'll never leave?'

'Never.' Ella shakes her head slowly. 'But I want to know why you chose me.'

'Because we're the same, you and me. We've lost everything, that's why we understand each other.' His stubble grazes her palm as he pulls away, but at least he's calmer. He drops a kiss on her hand then rises to his feet. 'You know you're my princess, don't you?'

She forces herself to smile, then the man steps out of the room. When he returns, he's carrying a plateful of food. A sandwich wrapped in clingfilm, fruit and a chocolate bar.

'All my favourites,' she whispers.

His eyes flick across her face as she eats. She's so scared he'll take the food away again, that she gulps down mouthfuls too fast, even though his gaze disturbs her. He seems to be counting each bite, keeping track of everything she owes.

33

The drive to London next morning took longer than I expected, the snow still causing traffic problems. My mother had been incommunicado for days, but she'd sent a text the night before reminding me to be on time. Snow fine as grit fell against the windscreen, but at least concentrating on the road helped me escape the pressures of the case for a few hours. It was seven fifteen by the time I reached Blackheath, and the view plunged me back into childhood memories. My eyes wandered across the heath land; a mile of pure whiteness, rolling away towards Greenwich Park. On a rational level I could see how beautiful it was – a pristine piece of countryside trapped inside the city limits. There's no explaining why it scared me so much. The landscape sent my internal clock spinning into reverse, as if my childhood might rise up from the ground and claim me again.

My mother was standing outside her apartment building on Wemyss Road, beside two huge suitcases. She was wearing a smart navy-blue coat and an outraged frown.

'You're twenty minutes late, Alice. Why didn't you call?'

I wrenched open the boot of my car. 'Then I'd have been even later.'

'I should have called a taxi.'

'Relax, Mum. You'll catch your plane, I promise. We can chat on the way.'

My mother's expression made it clear that chatting wasn't

an option. Her lips were so tightly pursed, it looked like they'd been sealed with superglue. After we'd been underway twenty minutes she seemed calmer, but her tremor was still in evidence, her hands jittering in her lap.

'How's the new job going?' she asked.

I considered telling her everything was fine, but I was too tired to lie. 'It's tougher than I imagined. In fact, it's the hardest thing I've ever done. Sometimes it's so upsetting, it makes me want to quit and do something normal like everyone else.'

My mother gaped at me. 'Goodness, Alice. That's the first time you've admitted to a weakness since you broke your arm at primary school.'

'I wonder where I get that from?'

A brief smile crossed her face. 'Have you been on any dates yet?'

'I will soon, I promise.'

My admission of vulnerability seemed to help, because she talked without pause for the next half-hour. Her voice was almost the same as normal, a slight quake making the words vibrate like notes from a cello. She told me about the cities on her cruise itinerary, and the lectures she could attend on-board. By the time we reached Gatwick, I was an expert on cruise ship etiquette and sites of interest in Dubrovnik and Marrakesh. My mother saved her bombshell until I'd unloaded her luggage onto the trolley at Gatwick.

'It's Parkinson's, by the way.'

'Sorry?'

'The neurologist says it's stage two. There's not much they can do, except monitor it.'

'How long have you known?'

'A few weeks. I didn't want to spoil your Christmas.'

I couldn't find a suitable reply, so I hugged her instead. It had been years since we'd embraced and I could feel how thin she was, the tremor running through her like a pulse. After a few seconds she patted my back firmly and withdrew.

'Don't, Alice,' she said quietly. 'There's no need to fuss.'

My mother has never believed in fussing, her feelings so firmly battened down, you could mistake her for an automaton. But I felt like making one on her behalf. If I'd lived with a man who beat me black and blue, then found myself gripped by a disease like Parkinson's, I'd have kicked every hard object in sight. But an emotional outburst would have been more than she could bear.

We set off together across the concourse and waited in silence to check in her baggage. She had two hours to wait for her flight to Cyprus.

'Shall we have a coffee?' I asked.

'No, darling, you've wasted enough time. I'll go to duty free and buy some sunglasses.'

'Enjoy it, Mum. Text me when you're on the boat.'

She kissed me on the cheek; when I glanced back, she was walking alone through the gateway, surrounded by families and couples walking arm in arm. From a distance she looked the same as ever, straight-backed and invincible.

The tears hit me when I reached my car. I don't know whether I was crying for my mother, the lost girls, or the knowledge that I was failing every day, but I bawled nonstop for twenty minutes. I remembered the symptoms of Parkinson's from my days as a medical student: muscle weakness, speech loss, paralysis. I was so deeply preoccupied on the way back that I hardly noticed the route as I cut north through the suburbs to Camden.

Burns was standing by his car looking disgruntled. The area seemed an unlikely spot for a serial killer's lair – Inkerman Street contained a row of prosperous 1930s semis, front doors glossy with Farrow & Ball.

'Are you all right?' he asked, gazing down at me.

'Fine thanks, why?'

'You don't look yourself.'

On the rare occasions when I cry, my nose glows like a Belisha beacon, eyes blurry and red-rimmed. Even though I must have looked like a train wreck, the urge to seek his comfort was almost irresistible.

'I've had some bad news, but I'm okay. Have you looked around yet?'

Burns shook his head. 'I brought the write-up from the house-to-house.' He pulled a computer printout from his pocket. 'Every address was checked, plus gardens, garages and sheds. Are you sure you're okay to do this?'

'Of course.'

I was beginning to feel foolish for wasting his time. We were standing at the centre of the killer's territory, but there was nothing here apart from a line of suburban homes that had all been checked. Willis Road was exactly the same. I was about to apologise when I came to a standstill on Orchard Row. The houses on the right-hand side had been demolished. Ten-foot hoardings lined the pavement, advertising a new housing development. Outsized photos of families sitting in show-home kitchens beamed at us as we walked past.

'There's nothing behind there.' Burns studied the printout again. 'Berkshire Estates have owned the site for eighteen months. Their building plans are on hold because of the downturn.'

'Did the search team go inside?'

He shook his head. 'The manager said it's patrolled regularly.'

We paused by a set of wooden gates, but it was impossible to see inside. 'It looks like someone's changed the padlock,' I said.

Burns turned the shiny new lock over in his hand and sighed loudly. It made a poor match for the rusty chain that held the bolt in place. 'Stay there, Alice. I'll take a look.'

He stepped onto the frame then swung himself over; but at five foot nothing, it was a harder climb for me. There was an ominous tearing sound as my coat snagged on a splinter. Burns looked unimpressed when I landed beside him on the icy concrete.

'What part of "stay there" do you not understand?'

I ignored him and gazed around the site. It was empty apart from a ruined two-storey building, with a few small outbuildings. There were no clues to explain what it had been used for originally, but I guessed it had been part of a Victorian hospital. The structure looked ready to collapse before the wrecking ball attacked it, glass missing from the windows, and holes gaping in the roof.

I left Burns peering through the doorway and skirted round the side of the building. There was a trail of indentations in the snow, and even though they had been buried by a fresh covering, it looked as if footprints were hidden underneath, and my pulse quickened. My eyes caught on a red metal container by the boundary wall, the doors hanging open. A powerful stench hit me when I peered inside. Soiled tissue paper littered the floor; there was a sodden blanket, and two buckets in the corner, reeking of urine and excrement. Maybe I imagined it, but another smell seemed to linger there: the sharp tang of adrenaline and fear.

'It's here, Don, quick,' I yelled.

I heard his footsteps, then a quick indrawn breath and he was on his mobile, calling for backup. The container explained why Sarah and Amita's skin had been grimed with rust. Flakes of orange metal were peeling from the walls, and I wondered how the girls had coped. Claustrophobia and terror would have overwhelmed me in minutes. I stared into the bleak interior and tried to imagine Ella cowering there. Then my eyes fell on a piece of cloth. It was almost unrecognisable; the cotton must have been white originally, but now it was pockmarked by dark brown stains. A foundling dress lay abandoned on the container's floor.

34

I was numb with tiredness by the time I got home. I'd escaped lightly because Burns had stayed at Orchard Row to deal with the influx of SOCOs, still fuming that the search team had taken the site manager at his word. He would probably be there all night while Pete Hancock's team searched for anything that held the killer's DNA. I sat by the unlit fire listening to owls dive-bombing the house, screeching at the top of their voices. I was about to go to bed when a text arrived on my phone. My mother had sent a picture of her cabin. I felt a twinge of jealousy. It looked so luxurious, I wished I could teleport myself there, and sit by her panoramic window for a few days watching the sea. It seemed like a good sign that she could muster enough energy to complain – apparently the ship was overcrowded, and the food plentiful but unimaginative.

When I finally crawled into bed, sleep dropped over me like a blackout curtain. But a few hours later, something roused me. I heard an unfamiliar noise, then slipped back into my dream. When it came again, it was much louder – a shattering sound, as if someone was hurling plates at the wall. My tiredness evaporated instantly, eyes straining in the dark. I crept out of bed in silence. From the window all I could see were acres of trees, their branches outlined in white. I was beginning to question my sanity. Maybe I'd imagined the whole thing – Will's bad spirits gate-crashing my dreams.

I was about to return to bed when there was a cracking noise, loud as a bullet, then a crescendo of glass shattering. I was too terrified to act rationally, dashing from room to room, hitting every light switch, hoping to fool the burglar into believing the house was full of people. The next sound was of footsteps floundering through the snow. But the road was deserted when I reached the front window. Whoever the intruder was, he must be hiding in the woods.

I pulled on my clothes and ran downstairs. The damage was obvious straight away. A brick lay in the middle of the hallway, a ragged hole through the glass pane in the front door. My heart juddered at the base of my throat. This time the burglar had meant business. He'd arrived in the middle of the night, intending to break in, and he'd almost succeeded. But the most frightening thing was that he knew there was little to steal, because he'd been here before, peering through the windows. It could only be me that he'd come for.

My hands shook as I phoned the police. I sat on the edge of the sofa, with an inch of brandy in a shot glass, but it failed to calm me. Louis Kinsella's face appeared every time I blinked. It felt as though he was the one terrorising me, even though he was locked behind a steel door. The hunch that he might be instructing someone at Northwood was getting stronger all the time. I kept busy until the police arrived, sweeping up broken glass, and tacking hardboard over the hole in the window. It was a relief when a squad car finally pulled up. A female copper and her elderly sidekick sat at the kitchen table. She was so young, it looked like she'd brought her dad along for the ride. He gave me an old-fashioned look when I explained about the footprints in the snow.

'The postman probably, trying to deliver a parcel. And Christmas is peak season for burglaries,' he said calmly. 'You should get an alarm.'

'I'm renting,' I replied.

His smile vanished, as if my temporary status explained everything. The young woman handed me the crime number on a slip of paper.

'You shouldn't be alone tonight,' she said. 'Can we give you a lift somewhere?'

'Yes, please.' The look on her face was so sympathetic I felt like advising her to become a social worker, before she grew as jaded as her sidekick.

At least I'd stopped shaking by the time we left, but my nerves were still jangling. It was unlikely that my would-be burglar was lurking in the woods, but I couldn't calm down. There was no one in sight as I looked out of the window of the squad car. The whole village seemed to be sleeping off the effects of a riotous New Year's party.

They dropped me outside the Rookery and I crossed the road to Tom's building with mixed feelings. I didn't feel comfortable about placing myself at his mercy, but the idea of bothering Burns at the hotel felt even worse. The main entrance was unlocked, so I let myself in. He arrived at the door to his flat wearing nothing except a pair of boxer shorts and a puzzled expression. His face was so inscrutable it was hard to know whether he was pleased or annoyed, but after a few seconds he stepped backwards to let me in.

'It's unbelievable,' he said. 'Nothing like that happens here.'

'There's a first time for everything.'

'And you say someone's been poking around?'

'Ever since I arrived.'

'Maybe you should find somewhere else to stay.'

I shook my head. 'I like the cottage. No one's going to scare me away.'

His cool gaze skimmed my face. 'Is this how you react to danger? Tough it out, and pretend it's not real?'

'What other choice is there?'

His hand rested on my shoulder for a second before he turned away, and I watched him moving round the kitchen, as he made me a drink. The physical facts were undeniable. His body was a thing of beauty, muscles taut across his back. The thing I needed most of all was a hug, but I stifled the impulse, knowing that we'd end up in bed. There was no point in complicating things – Burns was still stuck in my head like a bad tune.

'Who was that bloke you were with at the Rookery?' he asked.

'A colleague, from the Met. Why do you ask?'

'No reason.' He handed me a mug of tea and his expression softened. 'I never apologised properly for going through your things.'

'I wanted to understand why, that's all.'

'Every time I ask a question, you stonewall me, Alice. I've never met anyone more closed.'

My mouth flapped in outrage. 'You're not exactly open yourself.'

'At least I'm trying. Go on, ask any question you like.'

'Okay than,' I said, staring back at him. 'How do you get on with your family?'

I expected flippancy. I thought he'd say that his mother was overbearing, and his dad was lousy at golf, but his face was blank. 'That's hard to answer.'

'It can't be that difficult.'

'Believe me, it is.'

He looked so uncomfortable that I changed the subject. 'You don't seem like a fitness instructor to me. Judith said you went to Oxford.'

'Trust Jude to let that one slip.'

'You wanted to be an academic?'

'Do you really want an explanation? It's not that exciting.'

'It's okay. I won't flog your story to *HELLO!*, unless it's newsworthy.'

He put down his mug cautiously. 'I studied divinities. I was a believer back then, like I said, and I thought I had a calling.' He pulled a face, as though he'd told a lame joke. 'I worked as a priest for a few years but it didn't work out, so here I am, helping villains keep fit. A different kind of ministry.'

I gaped at him, shocked that I'd made so many wrong assumptions. 'What made you leave the church?'

He shook his head. 'That's enough revelations for one day.'

'Pity, it was just getting interesting. There was something else I wanted to ask. Does Kinsella talk to you when he's in the gym?'

'Occasionally, when he's running.'

'About his crimes?'

'He asks about my life. I guess he wants to hear about the world outside. Why do you ask?'

'I saw him talking to Garfield, nineteen to the dozen.'

'That's not surprising, is it? How would you cope with round-the-clock isolation?'

'Badly.'

He held my gaze. 'Feel free to come back if your door's not fixed tomorrow.'

'Thanks, but I'm sure it'll be okay.'

Tiredness was knocking me sideways, and Tom must have seen my adrenaline draining away, because his expression switched to concern. 'You should get some sleep.'

'I'll be fine on here.' I pointed at the settee.

Luckily he didn't try to change my mind. When he leant down to kiss me goodnight, my willpower faltered. It would have been easy to jump into his outsized bed, but I let him walk back into his bedroom alone. His revelation about having been a priest lingered in my head as he closed the door. It struck me as odd that his past was forbidden territory. I wanted to see him as a friend, because he and Judith were my only allies at Northwood, but the layer of secrets that surrounded him was too deep to penetrate.

I tiptoed round the room, scanning Tom's bookshelves. I had no intention of invading his privacy like he'd done when he riffled through my papers, but I couldn't suppress my curiosity. The rows of heavyweight novels on his shelves would have impressed a librarian: *Anna Karenina, Middlemarch, Mill on the Floss.* I couldn't have finished any of them – epics went beyond my concentration span. I was about to quit when I spotted a photo peeping from one of the books. I felt guilty for opening it but couldn't stop myself. The picture was fading, like a timeworn memory. It was a conventional portrait of a family enjoying their summer holiday. Tom stood on a beach, about twelve years old, beside a younger boy with the same lean build and white-blond hair. His parents looked relaxed and carefree. But Tom was wearing an expression I'd never seen before, beaming at the camera. There was no hint of the adult who'd become so adept at concealing his emotions. I tucked the picture back inside the book, then returned it to the shelf as a sound drifted through the wall. His footsteps were pacing the floor, as if he was completing one last workout before he went to bed.

I fell into a restless sleep on the settee. Maybe I imagined it, but I thought I heard Tom's footsteps again much later, but this time they were tapping past me to the door. I surfaced for a moment and looked for him, but the room was empty.

35

The urge to cry is overwhelming. Ella conjures memories of home to lull herself to sleep. She imagines walking in the park near her estate. Tomorrow Granddad will drive her to school and nothing will have changed: the teacher's smile will be as warm as ever. Friends will sit at the same tables, voices swarming around her like bees. But when she wakes, the man has returned, his face twitching with tension. He perches on the edge of the bed and her backbone presses against the wall.

'Did you miss me?' he asks.

'I always do.'

His fingers close around her wrist. 'Why do you think you're getting special treatment, princess?'

'I don't know.' She struggles to sit upright, as his grip tightens.

'Because you're my favourite, of course. But he's told me I've got to stick to the rules.' The man stares at the ground and a few tears drop onto the grey concrete.

'Maybe it's time to break them.'

His head switches violently from side to side. 'I can't, Ella. I promised to obey him.'

He gives a long sigh then pulls her against his chest. His smell is sour as vinegar, but she can't escape. He's holding her so tightly she can hardly breathe.

36

I planned to tell Burns about my break-in the next morning, but there was no sign of him. Alan Nash was skulking in the corner of the incident room, and the discovery of the container on Orchard Row was keeping the rest of the team fully occupied. Tania strode towards me through the crowd, dressed in an immaculate pencil skirt and midnight-blue satin blouse, as though it was her duty to bring glamour to the investigation.

'You're flavour of the month.' She gave a brief smile. 'The tyre tracks at Orchard Row show that he drove his van into the site plenty of times. The lab's doing tests now, but they think all four girls spent time in that container, and in an outbuilding. But there are no adult fingerprints so far.'

'He wore gloves the whole time?'

'It looks that way.' She turned towards me, eyebrows raised. 'What kind of freak leaves a kid in the freezing cold with nothing to eat?'

Tania was called away before I could reply, which was just as well, because there was no easy answer. Either the killer was psychotic, or so profoundly disturbed that a child's suffering didn't even register.

I spent the next few hours in the broom cupboard, trying to concentrate on my research, studying the centre's drug regimen and going through case notes. When the phone rang at one o'clock, it was Burns, summoning me to the sixth floor.

I had a sinking feeling as I climbed the stairs. I could guess what lay in store. Burns was waiting on the landing with two junior detectives and a WPC. I could have told him about my break-in, but it was obviously the wrong time. He must have been working round the clock, five-o'clock shadow so well established that it looked like he'd abandoned his razor.

'I need you to talk to Kinsella again,' he said quietly. 'He won't come to the interview room, but he'll see you in his cell.'

My spirits fell even further: Kinsella's control of the investigation was growing stronger every day. The WPC handed me a listening device and I pinned it inside my collar.

'He'll only talk if you're by yourself,' Burns said. 'But don't worry, nothing can happen. We're just a few feet away.'

His reassurance meant nothing when the glass security door slid back. This time the noise was even louder, screaming and catcalls emanating from every cell. The whole floor seemed to know about my visit. The swearing, wolf whistles and chanted curses were all for my benefit. Faces leered through the observation hatches as I passed down the corridor, frustration oozing through the walls. My heart pounded as I approached Kinsella's cell, and I wished I'd worn different clothes. Suddenly my knee-length dress felt ridiculously short.

Kinsella was handcuffed to the metal chair in his cell. I made a rapid calculation. The chair legs were bolted to the floor, but he could still lunge at me. Two feet of clear air between us was the minimum I needed to keep me safe. I tried to ignore the fact that he was wearing a grey plaid shirt, identical to the ones my father used to wear. The cacophony from the other cells was audible, despite the thickness of the door. I perched on the edge of his bed and tried to look composed.

'Forgive my surroundings, Alice,' Kinsella murmured. 'The unquiet souls never rest.'

'Is that how you see yourself too?'

'Of course. And you know what I mean, you're unquiet yourself.' The look on his face was a mixture of pity and frank sexual interest. Even though I knew what he was capable of, there was something so powerful in his gaze that it was hard not to respond.

'Maybe you'd feel calmer if you told me about the killer. Why not get it off your chest?'

'I'd rather discuss something of interest, Alice.'

'Like what?'

'You, of course. You still haven't told me about your father.'

'There's not much to tell. He worked for the tax office, had a working-class chip on his shoulder, and he was an alcoholic. Most of the time he was so wrapped up in himself, no one else got a look-in.'

His lips parted in mock sympathy. 'Frustrating, for a daddy's girl like you.'

I forced myself to smile. 'Thanks for leading me to Orchard Row. You were spot on, it was right at the centre of the map.'

'Sometimes you can't see the orchard for the trees.' He looked amused. 'What did you think of my friend's old stamping ground?'

'It's hard to imagine anyone living there. Most of the houses have been pulled down. Why don't you tell me his name?'

'Like I said, it could be one of many. It might be a woman, not a man.'

'You know exactly who he is.'

He rubbed his temple. 'These conversations tire me. I can see you again tomorrow morning but, before you go, tell me, how is Alan Nash?'

'The same as ever.'

'A pompous, overbearing windbag, who lies through his teeth?' His grin flicked on again. 'Don't let him upset you, Alice. I'm sure he'd love to put you down.'

'Tell me something useful, Mr Kinsella. Or I won't come back.'

'You drive a hard bargain.' He leant forwards in his chair, and I caught the sharp scent of his hair oil again, cloves mixed with underripe limes, as he hissed at me. 'The next victim will be taken on Monday. And this time, he'll put out her eyes.'

Kinsella's warped smile lingered as I walked away, and I was so incensed that the catcalls from the cells didn't bother me. Burns was standing on the other side of the security doors.

'We're pandering to him, Don,' I said. 'All he wants is attention.'

'At least he gave us the next deadline.'

'He said Orchard Row was the killer's old stamping ground. Find out what that building was used for, then check every human being who went through its doors.'

I ripped off the listening device and dropped it into his outstretched palm.

I still felt embarrassed about snapping at Burns when I bumped into Judith later in the staff common room. Her mass of thin silver bracelets clinked as she nursed her mug of tea.

'I heard about the girl in Edgemoor Woods. Isn't that near your cottage?' she said.

'Right by it, and someone chucked a brick through my door last night for good measure.'

She looked horrified. 'God, you poor thing. Come to mine later, I'll cook you dinner.'

'There's no need. Lightning never strikes twice, does it?' I wanted to reassure her, but the break-in felt like a warning. Even though I was determined not to be driven away, return-ing to the cottage frightened me.

'If you won't visit me, I'll come to yours.'

I considered putting up a fight, but Judith was wearing a look of fixed determination. I was beginning to realise that she had an iron will, despite her dreamy appearance. I had no choice but to give in gracefully.

It was dark by the time I got back to my cottage. The porch light showed that the glazier had replaced the damage with a pristine piece of security glass, then posted the extortionate bill through the door. I went back outside, tracing the edge of the house gingerly, my nerves still jangling. Last night's adventure had left me with a sense of unease, as though someone might still be watching me. I inspected the ground carefully with my torch, but there were no fresh prints and my confidence revived. There had been so much fear in the past, I was determined not to let it dominate my life again.

Judith's car arrived just after seven and when I pulled the door open she was carrying bags from the Chinese takeaway.

'You didn't need to bring supplies.'

'It's a bribe.' She looked over her shoulder. 'I've got someone with me.'

Garfield was unfolding himself from the passenger seat of her car, and I raised my hand in greeting. I couldn't help pitying them. So far I'd never fallen for a married man, and his act of betrayal clearly troubled him. Judith trailed after me into the kitchen.

'This place is a time capsule,' she said, gaping at the brown tiles and patterned lino. 'Pure Seventies kitsch.'

'It's peaceful, though. No noise, except the owls.'

'Doesn't the isolation bother you?'

'Only when someone breaks down my door.'

Most days the silence still felt like a blessing. The city's roar is a constant when you live in London. You fall asleep to the chatter of cars, and by morning it's overwhelming. Traffic screams in your face when you step outside. Sometimes it's invigorating, but on a bad day you feel like an actor, listening to an audience yell their disapproval.

We found Garfield watching the fire in the living room. His face was so drawn that I wondered if the combined stress of concealing his affair and daily contact with Kinsella was pushing him to the edge. But as soon as we began to eat, I stopped worrying about him. Chinese food has always been a vice of mine. The mix of sugar and additives always gets me. Who cares if it triggers a sodium headache next morning? The flavours make it all worthwhile.

'How did you end up at Northwood, Garfield?' I asked.

He gave a half-hearted grin. 'I must have committed a crime in a former life.'

'Come on, I'm in the mood for a life story.'

He gave a sheepish laugh. 'I grew up in Tottenham, on a rough estate. My school pushed me to become a doctor, but I missed the mark and ended up nursing instead. Northwood pays better than most hospitals, so I found a job, got married, had kids. Now there's no going back.'

'You'd prefer to live in London?'

His reply was instant. 'I'd go tomorrow, if I could.'

'Not without me, I hope.' Judith's face held a mixture of amusement and concern.

The meal gave me time to observe their relationship. The chemistry between couples always fascinates me: it's so fragile, capable of tipping out of control at any moment. Judith was doing most of the legwork, but Garfield's eyes rarely strayed from her face. His attention only flickered in my direction when I mentioned that I'd be interviewing Kinsella again in the morning.

'Is he really that choosy about who he speaks to?' I asked.

Judith put down her fork. 'Absolutely. He's ignored me for years.'

'But he trusts you, doesn't he, Garfield? I saw you talking outside the Campbell Building.'

His shoulder twitched as though I'd struck him, and the bitterness in his tone surprised me. 'Louis was delivering one of his monologues. I couldn't walk away.'

'But you wanted to?'

'God, yes. I normally filter them out; most of what he says is poison.'

'What was he telling you?'

'He was moaning about Alan Nash. He's not his biggest fan.'

'Kinsella must be feeling pretty smug right now. He's holding all the cards.'

Judith's eyes fixed on me. 'Ask about his wife. It's the one thing he can't stand.'

The conversation switched to lighter topics after that, and I felt grateful that they'd sacrificed a whole evening to keep me company. It interested me that Garfield seemed addicted to Judith's calmness; she used touch to reassure him constantly, bangles clattering as her hand settled on his arm. At midnight I insisted that they left. Judith was reluctant to go, but I could see how eager Garfield was to have her to himself.

'I'll be fine,' I said. 'The village is crawling with police.'

After they'd gone I went upstairs to draw the curtains, and Judith's car was still parked outside. The moonlight was so strong I could see her staring into Garfield's eyes, cupping his face in her hands. He was frozen, as if her voice had placed him completely under her control. It passed through my head that the pair had spent more time with Kinsella than anyone else at the Laurels. My flicker of suspicion died out immediately; it was impossible to believe they could harm anyone. I glanced down at the car again, but it was such a private moment that I drew the curtains and walked away. Moonlight was pouring into the back bedroom, a white glow hovering above Edgemoor Woods. But when I looked more closely, my eyes were playing tricks on me. The SOCOs must still be guarding the clearing where Amita's body had been found. Arc lights had illuminated the sky like a stadium at night, bright enough to cancel out the stars.

37

It's dawn when the door slams again, light ebbing through the tiny window. Ella's head swims, but she's stopped feeling afraid. Right now all she feels is rage. The man calls her princess, then refuses to give her food. It takes all her energy to smile when he pushes open the door, but she can see that he's on edge. His lips are set in a grimace, revealing his sharp white teeth.

'We can't go on like this, princess. We need to think of a way out.' His hands tap an urgent rhythm against his sides.

'Maybe we could run away.'

The man's hands freeze. 'You think so?'

'That's a way out, isn't it?'

'You're right, Ella. Soon I'll have to leave him behind.' A cloud of fear crosses his face.

'We've got each other, haven't we?'

The man kneels down in front of her. 'Sometimes I think I'm going crazy, Ella.'

'Of course you're not. We're going to be fine.'

She forces herself to look into his eyes, but there's nothing there. It's like staring into an empty tunnel that goes on for miles. The man squeezes her hand so tightly that her knuckles burn.

'You're all I need, princess. You know that, don't you?'

38

Chris Steadman was parking his motorbike when I arrived at Northwood the next day, and I couldn't help feeling envious. Driving down the West Coast of America on a powerful bike has always been one of my dreams. I'd even taken my proficiency test the year before, more in hope than expectation.

'She's perfect,' I said, gazing at his vintage Triumph.

'Take her for a spin sometime, if you like.'

He hugged his crash helmet against his chest and grinned at me while I thanked him for his generous offer. Studying or partying too hard had left him dishevelled, stubble covering his jaw and inch-long roots showing in his peroxide hair.

Chris's expression grew more serious as we walked to the reception block. 'Have you been okay since your break-in?'

I nodded. 'I like the place too much to leave, and the damage is fixed now.'

'Give me a shout if you need anything.'

He gave a mock salute then hurried away, leather jacket draped over his shoulder, like a would-be rock star. It interested me that he'd already heard about the brick-throwing incident. The Northwood grapevine seemed to have a life of its own.

Burns was waiting for me in the Campbell Building, eyes burning with anticipation. 'We found out about the building, Alice. It was a care home, for kids up to the age of twelve, called Orchard House, and guess who fundraised for them?'

'Kinsella?'

'Spot on. He was involved with them for years.'

'When did the place close?'

'Eight years ago. There was some kind of scandal.'

I stared at him as pieces of information slotted into place. 'Kinsella said the place was the killer's old stamping ground. Maybe he worked there before transferring here.'

'We're having trouble getting hold of employees' details. Most of the paper records were thrown away when the place closed,' Burns said, studying me intently. 'Kinsella's here already. He says he's got something to tell you.'

Butterflies rioted in my stomach as I walked to the interview suite, but Kinsella looked as cool as ever. He watched me approach from the other side of the glass screen, not moving a muscle. I could feel a dozen sets of eyes gazing down from the observation room too, and the pressure made the muscles in my throat constrict. If I didn't get under his guard soon, the consequences for Ella Williams would be fatal.

'Tell me more about the Foundling Museum, Mr Kinsella. Your wife says you volunteered there most Sundays.' The mention of Lauren made him flinch, and he seemed to slip back behind his wall of silence. 'I'll tell you my theory. I think you love the place because hundreds of children died there. The doctors tried hard, but many of the orphans were dying when they arrived, of diphtheria, rickets, and polio. The mortuary was piled high with infants' bodies. But why's your follower so fascinated by the foundlings? Did he work at the kids' home on Orchard Row?'

Kinsella's reply was little more than a whisper. 'Your theories are reductive, Alice. I thought you'd learned to avoid crude conclusions. How is my wife? Did she ask after me?'

'She wanted to know whether you'd expressed any remorse, nothing else.'

His face hardened again. Judith had been correct – his wife was his Achilles heel. Despite so many years of separation, her opinion still mattered. Maybe he'd believed that he could carry on as Jekyll and Hyde forever; the model husband who slaughtered children in his spare time.

'She said she'd visit if you co-operate,' I said. 'You told me you knew the killer twenty-four years ago. I need to know if that's true.'

Kinsella gave a grudging nod and his gaze flickered across my charcoal grey dress, to the coral necklace round my throat, assessing every detail. The glass screen allowed him to study every inch of me.

'Are you listening, Mr Kinsella? Roy Layton and your wife both say you could persuade anyone to do anything. And that's what you've done, isn't it? You've brainwashed some-body into doing your work. There's a man out there who thinks he's ceased to exist; he's just an extension of you.'

He leant forwards, revealing the white line of his parting, straight as a surgical incision. 'These interviews exhaust me, especially when the cameras are rolling. But if you answer a question for me with complete honesty, I may help you.'

My heart rate doubled. 'Anything you like.'

His face pressed close to the glass, until I could see his pallor, sweat glistening on his upper lip. 'Were you in love with your father, Alice?'

A muscle twitched in my stomach. 'I spent most of my childhood loathing him.'

'Hate and love are so close, aren't they? Sometimes it's hard to tell them apart.'

'Tell me what you know about the killer.'

'Between you and me, I find it touching that he remembers the rules, after all these years. I think he plans to follow them indefinitely.' His eyes glittered with amusement and I wished the glass wall would dissolve, so I could administer the thumbscrews myself.

'If you want your wife to visit, write down every name, date and address you can remember. But one more question, before you go. Why did you choose silence for so long when it limits your power?'

He said nothing for several minutes, and the room filled with the hum of air conditioning, as his eyes burned scorch marks through my dress. 'Emerson was right about silence, Alice. If we listen to it carefully, we can hear the whispers of the gods.'

He pressed his index finger against his lips, as if he was counselling me to hold my tongue, and I stared back at him, unblinking. If deities existed, their message for Kinsella would concern damnation and nothing else.

Burns was replaying the interview when I found him in the observation room. I caught sight of myself on the screen, thin and insignificant in my high-necked dress. He looked up for a moment, then carried on scanning the film.

'All you have to do is keep going, Alice. He's in the palm of your hand.'

'I wish I had your confidence.' The thought of being Kinsella's favourite made me feel queasy.

'Someone called the helpline last night. An old woman saw a van in the woods, with a young girl in the passenger seat, but she couldn't describe the driver. I'm off to see her now.'

I could tell that he was pinning his hopes on the old woman providing useful information, and I didn't have the heart to remind him that most callers were unreliable. Too many murder investigations are derailed by lonely fantasists, longing for attention.

'Did you hear that someone broke into my place, the night after Amita's body was found?' I said.

He swung round to face me. 'Why didn't you say?'

'I tried but you were too busy. I reported it to the local force and got myself a new mortice lock.'

He opened his mouth to speak again, but his phone rang and he gave an apologetic look, before turning away to answer it.

I was so busy planning how to get under Kinsella's defences that I didn't notice Tom until we almost collided on the path outside. The high heels of my boots skidded on the ice, and he put out a hand to steady me.

'Your head's in the clouds,' he said.

'It feels like it's about to burst. I need to speak to someone who knows Kinsella, inside and out.'

'I know the right person. I'll come round later.' He was so sure-footed as he marched away that the ice didn't slow him down, even though it was slick as well-oiled glass.

I spent the rest of the day concentrating on my research. I'd promised a preliminary report to Northwood's governors, but my analysis had hardly begun. I studied the list of mental conditions suffered by inmates at the Laurels: affective disorders, schizophrenia, DSPD. The saddest case was a fifty-eight-year-old with hebephrenia, who'd spent forty years at Northwood, because he'd attacked a neighbour with a crowbar after persistent bullying. The victim only sustained minor injuries, but the inmate was still judged too dangerous for release. I shook my head in disbelief as I read his notes. Hebephrenia is the cruellest mental disease in the whole repertoire. It sends time into reverse before the victim reaches adolescence. People start to regress in their teens, becoming children again, locked inside adult bodies, and in some cases they retain enough awareness to understand the cruelty of their situation. The man's file showed a parade of annual photos and his pudding-basin hair gradually turned grey, but his confused expression had stayed the same for forty years. There were probably plenty more inmates at the Laurels who would be better suited to community care than a lifetime of incarceration. At five o'clock I jabbed the off button on my computer and pulled on my coat.

It was a relief to return to the cottage. I'd got into the habit of leaving the downstairs lights burning each morning when I left for work. No doubt it was costing a fortune, but it made me feel better. Fixing my eyes on the glowing windows made the freezing walk from the main road easier to bear. The place gave its usual shabby welcome when I opened the door, as though I was visiting an ancient relative who'd stopped decorating generations ago.

Tom's car arrived at seven. When I peered through the curtains, his expression was impenetrable, and I couldn't work out why he'd decided to help. He was so resolutely private that connecting with people seemed to distress him.

I studied Tom's profile as he steered his Jeep over the drifts of snow. He looked like the archetypal action hero. It was easier to imagine him enduring an Arctic mission than wasting energy in a gym. Once we'd cleared the lane, the car swung left onto the main road.

'Where are we heading?' I asked.

'We're going to Sedgefield, to see Jon Evans. It's half an hour from here.'

The name was still fresh in my mind; it had been on the list of people who'd worked with Kinsella at the Laurels. 'The therapist who had a breakdown,' I confirmed.

'That's him.' Tom kept his eyes fixed on the road. 'He was a gym user, so I got to know him pretty well. He's staying at his mother's place. I've seen him a few times since he left, and he says he's happy to talk to you.'

I looked out at the dark woodland, a sprinkling of houses peeping through the trees. It seemed strange that Evans had lived with his mother for more than a year. Maybe his breakdown had been so radical that he couldn't cope alone. I distracted myself by examining the contents of Tom's glove compartment. There was nothing there apart from a pair of leather gloves and his iPod. I scrolled down his list of albums. One or two of the artists were familiar, like Matthew P and Chase and Status, but most had complicated European names. I listened to a couple of tracks and the music was orchestral, sombre cellos carrying the melody. It provided another reason to be friends, not lovers. The beauty would soon wear off if I heard it regularly, revealing the sadness lurking underneath.

When we arrived at Sedgefield the neighbourhood was much more prosperous than Charndale. Handsome eight-eenth-century homes were clustered around a green, and in June the village would transform into the archetypal picture-postcard. Evans's house had a peaked roof, gabled windows, and a Hansel and Gretel atmosphere; the kind of place where nothing could go wrong.

The man who answered the doorbell was thin to the point of emaciation. The hallway was too shadowy to see his face clearly, but he looked around fifty years old, and his eyes were open a fraction too wide. He reached out to shake our hands.

'Good to see you again, Tom.' The spooked look disap-peared when the man smiled, but returned the instant he relaxed. 'And you must be Alice. Come on in.'

Under the bright lights in the kitchen, his frailty was obvi-ous. His red hair was cut as short as a conscript's, and from the side he looked thin enough to slip through a letterbox. I tried not to stare as he busied himself making drinks.

'How've you been doing?' Tom asked.

'There are good days and bad.' Evans sat down opposite me. 'Tom tells me you're working with Kinsella.'

'I'm following in your footsteps. They've given me your old office too.'

'I don't envy you; the job was desolate. Or maybe it was fine, and I was the desolate one.' He gave a gentle smile, and I wondered how many jokes he cracked at his own expense.

'Can you tell me about your time at the Laurels?'

'Why I cracked up, you mean?' His gaze settled on the wall behind me. 'I'd just got divorced, incipient depression, pressure of work. Plenty of reasons that don't include Kinsella.'

'But some that do?'

'Of course. He sent letters every day. According to him, we were kindred souls.' His dark eyes widened again and his thousand-mile stare reminded me of the faces of veterans returning from battle zones.

'Don't do this if it's too much, Jon.'

'It's probably therapeutic,' he said, blinking rapidly. 'I'd been commissioned to write a clinical study, and Kinsella co-operated at first, then he fell silent. He said he'd write down answers to my questions, but his letters never addressed them. He described killing his victims, over and over, in unbelievable detail.'

'Did he say that his campaign would start again?'

Evans nodded vigorously. 'He called it the reawakening. His followers were out there, primed to kill on his behalf, using his set of rules. He never said who they were; I thought it was just a fantasy.'

'Did he ever try and justify himself?'

'Never. He thinks his world-view is correct, it's the rest of us who're blind. He made the same three points over and over: young girls are innately evil, they're tainted before they're born, you can see it in their eyes.'

His face wore a stunned expression, as if a barrage of memories was hitting him with full force, and I could see why he'd broken down. Kinsella had twisted his love of killing into a warped narrative of blame. Reading about his delusions could send anyone with a depressive tendency over the edge. I was about to ask another question when an elderly woman appeared in the doorway. She made a beeline for Jon and settled her hand on his shoulder.

'That's enough, darling. You mustn't tire yourself.'

Evans looked irritated for a moment, like a teenager being told to turn his music down, then a wave of relief crossed his face. Thinking about Kinsella must have forced him back into territory he'd fought hard to escape. Jon's mother smiled politely as he led us back along the hallway, and I turned to him again as we stood in the porch.

'Can I ask where the letters are now, Jon?'

He nodded. 'Judith kept them when I left.'

The idea refused to sink in. Judith's consulting room felt like an oasis of calm, yet an archive of the world's sickest correspondence was stored there. The thought stayed with me as we said goodbye. It seemed unbelievable that I'd asked her for help in understanding Kinsella's mindset, yet she'd never mentioned his letters. The openness that I'd admired in her might be nothing more than an act. What reason could she possibly have for hiding Kinsella's sick messages from the world?

39

Tom's mood had darkened when we got into his car.

'Jon's lucky to have a mother like that,' he commented. 'She's so supportive.'

'Isn't your mother the same?'

'She died when I was thirteen.'

'I'm sorry, that must have been terrible.'

He stared at the dark road as if he was searching for something. When he spoke again his voice was almost too low to hear. 'There was a plane crash in Germany, in the Nineties. Did you hear about it?'

'I don't think so.'

'It was flying from London to Hamburg. I was on a football scholarship in Germany that summer. My mother was collecting me. She wanted to see the Black Forest before we flew home.'

'She was by herself?'

'My father and brother were with her. No one survived.'

I was too stunned to reply. I pictured the photo of his perfect blond family, all gone in an instant. Patients had described horrifying losses in the safety of my consulting room, but rarely on that scale. It explained why he kept their picture hidden inside a novel, so no one could pry. His hands twitched on the steering wheel.

'Why don't you pull over?' I said.

'There's no need.'

'Do it anyway, Tom, just for a minute.'

He stopped on the hard shoulder and I waited in silence. It was a technique I'd used for years. Once a revelation begins, all you need do is sit still and let it finish. His voice was a quiet monotone, as though he was reporting someone else's tragedy.

'The metal was torn in pieces like paper, a crater on the beach where the fire took hold. The investigators said the impact was so quick, no one would have suffered. The pilots ditched on purpose to avoid the town.'

'What happened after that?'

'My grandparents raised me in London. It was a struggle for them; they weren't the most demonstrative people in the world. After the funerals, they hardly ever talked about what happened.'

'And they took you to church?'

He shook his head. 'They were atheists. I went by myself, but it started to feel hollow after I became a priest.'

'Do you want to tell me about your family?'

'It's too long ago,' he murmured. 'I can't remember.'

It was obvious that he was lying. He must remember them every day, blasts of unresolved grief hitting him from all sides. At least his coping mechanisms would help: constant exercise, one-night stands, the adrenaline rush of working in a danger-ous environment. The story explained his fear of intimacy – no one ever got close enough to pry, his survivor guilt shap-ing every nightmare. I wanted to ask whether he'd received counselling at the time, but the question would have sounded patronising. When I touched his shoulder he jumped, as though he'd received a hundred volts. I'd forgotten that he could only accept intimacy that he initiated himself.

I still felt shaken when we set off, but at least Tom was less morose. Maybe it had done him good to open up.

'What did you think of Jon?' he asked.

'It's like he's spent too long staring at the sun.'

He choked out a laugh. 'Kinsella isn't exactly sunny, Alice.'

'You're right. It's more like peering into a black hole.' I looked across at him. 'Did you know Judith had kept Kinsella's letters?'

Tom shook his head. 'If he sent me one, I'd use it for a bonfire.'

It was still early as we approached Charndale, but the houses were already sealed, curtains closed to lock out the cold. When we reached Ivy Cottage, Tom left the engine running, hands balanced on the wheel, like a taxi driver desperate for his next fare. It was so obvious that he wanted to be alone that I thanked him quickly and said goodbye. I watched his Jeep navigate back to the main road, snow flying as it piled through the drifts.

I made three calls as soon as I got back inside. My brother didn't pick up, so I left a message saying how much I missed him and that I planned to visit Brighton soon. Then I had a short, breezy chat with Lola. She told me that her waistline was already two inches bigger.

'No way, Lo, it's too early. You've been overdoing the chocolate.'

'I could ask someone else to be godmother, you know.'

'Too late. I've got a verbal contract.'

'So sue me,' she purred. 'When can I see that haunted house of yours?'

'Next week?'

'I'll text you a day. Night, night, sweetheart.'

There was no reply when I called my mother. She was probably in bed already, but I preferred to imagine her on deck, cocktail in hand, gazing at the sea.

The fire had almost expired, but I sat on the sofa and watched the cinders glowing in the grate. The evening had given me too much to consider. Jon Evans's discomfort was easiest to understand. His breakdown had robbed him of his job and left him dependent on his mother's protection. But Tom's revelation had caught me unawares. Maybe his grief was so unmediated that the smallest memory could open the floodgates. The thing that angered me most was Judith's secrecy.

There was no point in going to bed while my mind was still racing, so I dug out my research notes and started to work. It was a small consolation that I would be able to dazzle Northwood's governors with a polished presentation, even though my interviews with Kinsella were going nowhere fast.

40

Judith looked like the ideal therapist when I found her the next morning – relaxed but attentive, clear-sighted enough to spot any symptom. Patients would assume that her life was perfectly balanced. I noticed that the vantage point from the window of her consulting room was even better than Kinsella's, allowing her to monitor every arrival and departure at the Laurels.

'Are you okay? You look distracted.'

'I need your help, Judith.'

She closed the case file she'd been reading. 'Of course, fire away.'

'Why didn't you tell me you'd kept Kinsella's letters? You know I need to get inside how his mind works.'

Her serenity evaporated, bangles clicking frantically as her hands fluttered. 'I thought about destroying them, but Jon might need them some day, for his research.'

'That's not likely, is it? His contact with Kinsella triggered his breakdown.'

She shifted awkwardly in her chair. 'Alan Nash would get access if I put them in the archive. Kinsella wrote the letters as part of his treatment; we have a duty of care to keep them confidential.'

'You're trying to protect him?'

'It's my job to safeguard his rights, as I do every other inmate's at the Laurels.' The look on Judith's face set my alarm bells ringing. She had come out fighting to protect Kinsella, her softness replaced by ferocity, but maybe she would have done the same for any of her patients.

'Would you let me read the letters?'

She stood by her filing cabinet, arms folded. 'Why? They didn't do Jon much good, did they?'

'It might help the investigation.'

'And you won't tell anyone they're here?'

'I'll try. But if there's anything important, I'll have to share it.'

She gave a grudging nod, then unlocked one of her cupboards, revealing a plastic box, crammed with sheaves of white paper. The sight was daunting. Over the course of a year Kinsella had written the equivalent of several novels, his spiky handwriting zigzagging across hundreds of pages. Judith looked tense as I sorted through them.

'Can I take them to my office?'

'If you think they'll help.' She spoke again as I was about to leave, and it fascinated me that the harshness had left her voice. 'Do you want to meet for a drink later?'

'Can I call you? I don't know how long this'll take.'

The letters felt heavy in my arms as I walked away, and when I got back to the broom cupboard my breath quickened as I sifted through them. At first I felt squeamish about handling the pages, but soon I was too immersed to care. The dark complexity of his world fascinated me. Kinsella was so erudite that quotes from poetry and philosophy littered his stories. But the most disturbing thing was the breezy, matter-of-fact tone he used to describe his crimes.

I feel more alive while others are dying. I'm sure you've tasted that pleasure yourself, when you drive past an accident on the motorway or a friend describes the death of a relative.

*Someone has yielded their life, to allow you to glow more
brightly. Imagine the intensity of that feeling when you are
responsible for the killing. Birds of prey have no qualms about
attacking weaklings, and I follow the same principle. My
crimes have made me nine times stronger than before.*

The letters all contained the same mixture of fantasy and false
pride, and my brain was protesting about being force-fed
such vile information. A headache was pounding at the back
of my skull but I made myself open the next folder. I was so
deeply absorbed that I almost jumped out of my skin when
someone knocked on my door.

'Come in,' I called.

Tania Goddard stood there, frowning. The wide belt of her
suit cinched her figure into an enviable hourglass. 'I came
looking for you earlier.'

'I've been here all morning. Is Kinsella ready to see me?'

She shook her head. 'I've got some news about him.'

'Let me guess. He won't come out of his cell?'

'He's out of his cell all right.' Tania's eyes locked onto mine.
'He's had a cardiac arrest. The doctors say it's touch and go.'

41

'I've got a treat for you, Ella.'

The man's hand locks around hers as he leads her into the living room. Ella has to bite her lip to stop herself crying. There's a widescreen TV just like the one at home, a packet of biscuits on the coffee table. The room is empty and white-walled, long rows of books on the walls.

'Damn,' the man hisses under his breath. 'I forgot to buy milk.'

'Doesn't matter.'

'I wanted to make you hot chocolate.'

She touches the man's sleeve, but he's too agitated to notice, shifting his weight from foot to foot.

'The shop's only five minutes away.'

'That's okay,' she murmurs.

'You won't do anything daft, will you?'

'Course not,' Ella replies, smiling up at him.

Her heart pounds too quickly when the man leaves. She waits for his footsteps to crunch across the snow, then she flies around the room, twisting door handles, hunting for a phone. Her hands flap against the locked window, but there's nothing heavy enough to break the glass. Her chest aches as she slumps back onto the settee, but she feels better when the TV screen brightens. It's a relief to see different faces. She flicks through the channels until a blonde woman appears, her cheeks slick with make-up.

'And now a quick round-up of the news. Hopes are fading for Ella Williams, who's been missing for two weeks. The bodies of four young girls, abducted from the same part of London, have already been found, and the Metropolitan Police are increasing their search.'

Ella's breath forms a solid lump in her throat. Faces flash across the screen – two girls she doesn't recognise, then Sarah and Amita, and an Indian lady crying into her hands. Her thoughts are whirling. She's the only one left and, any day now, the man could change his mind. Her gaze jitters around the room and settles on a chest of drawers. There's nothing inside except tablecloths, reels of cotton, and a stack of photo albums. The man's footsteps are returning along the passageway, and it's only when she reaches the last drawer that something useful falls into her hands. A pair of kitchen scissors. The man's closer now, so she slips them inside her white dress.

'Mission accomplished,' he says, brandishing a carton of milk. 'Hot chocolate for my princess?'

'Yes, please.'

She gives her best smile and he disappears into the kitchen. The scissors are wedged tightly under her arm. The metal blades feel cold, the points snagging against her skin.

42

Tania marched beside me to the Campbell Building, the light already starting to fade. I tried to find out more about Kinsella's health since he'd been rushed to the infirmary, but she was rationing her words, her chic haircut glinting under the security lights. If I'd had to compare her to a substance, it would have been obsidian; the black gemstone favoured by Victorian widows, hard as granite and polished to a high glitter. It mystified me that she'd chosen someone as sensitive as Burns.

I followed her into an office on the second floor, detectives marching past us towards the incident room. Tania gazed at me as though I belonged to a different species.

'We need to improve your home security,' she said. 'Burns told me your place is near where Amita's body was found, and you've had a break-in recently. From tonight you're staying with us at the hotel.' Her face was hard with certainty, and I wanted to protest, but knew there was no point. It struck me again that she had many of the qualities I admired: resilience, style, and zero tolerance for bullshit.

I went straight to the infirmary after seeing Tania. The building was grey and imposing, two hundred years old, but the interior had been updated to the standards of a modern hospital. There were signs for pathology, physiotherapy, and a day centre for outpatient care. The registrar who met me at reception had a youthful face, but she was white-haired and slightly stooped, as though her job had aged her prematurely.

I explained that I was working with the police on Kinsella's case and she nodded calmly.

'He'll get the same care as the rest of my patients. If they're sick, I try and fix them, no matter what they've done.'

Her name badge told me she was called Moira, and her voice had a soft Irish lilt. I wondered how many rapists and mass murderers she'd rescued from the brink of death during her long career.

'Can you tell me what happened?'

'Louis was brought in with chest pain, extending through his jaw. His trace shows an irregular heartbeat. He may need an angiogram or bypass surgery at a specialist unit, but I can't move him.'

'No?'

'He's refusing treatment.' She gave me a searching look. 'The outside world must seem daunting after all this time.'

The theory struck me as unlikely. Kinsella had spent years campaigning to return to prison. He probably fantasised every day about Northwood's gates swinging open to release him.

'Can I see him?' I asked.

She led me upstairs, and I peered through the observation hatch into Kinsella's room. I did a double take when I saw Judith sitting by his bed. The rise and fall of her voice was musical and rhythmic. She seemed to be reading poetry from a book resting on her lap. The alarm bells I'd heard when she'd defended her reasons for keeping Kinsella's letters a secret were ringing even louder. Either she was closer to him than she'd claimed, or her supply of sympathy was never-ending.

It was doubtful that Kinsella knew he had a visitor. He looked years older, lines carved deeper into his skin, and he was hooked to a cardiogram. The numbers on the monitor were too distant to read, but the bleeps were erratic, the intervals between heartbeats much too quick. He seemed to be in a light sleep, eyelids fluttering, and his wrist was hand-cuffed to the metal bed-frame. Even in his weakened condition they were taking no chances.

I was surprised to find myself shaking. If Kinsella died, he would take his information about Ella Williams with him, but there was a more personal reason too. He looked like my father after his stroke. I'd found him lying on the kitchen floor when I got back from school, gasping for air. When he returned from hospital my mother employed a full-time nurse to feed and bathe him. She spent her evenings at her prayer group or at the theatre, while his wheelchair stayed in front of the TV, and he couldn't complain, because he'd lost the power of speech. It was the opposite of Kinsella's spells of silence, which only increased his strength – my father must have longed to scream his frustration at the world.

Moira reappeared as I headed for the exit. She spoke gently, as though I was a distressed relative. 'He'll recover, if he takes our help. But he's written a note asking not to be treated.'

'Is he allowed to refuse medication?'

'The governors say we'll have to intervene if his condition becomes critical.' She gave another gentle smile. 'At least he's popular. He's already had plenty of visitors.'

I checked the visitor log on my way out. The list of names started with Garfield Ellis, who'd rushed Kinsella to the infir-mary that afternoon, but some of the others surprised me. Gorski, Alan Nash, Tom and Pru, as well as Judith. The infir-mary's smell of sickness, damp woollen blankets and bleach seemed to cling to the air. Or maybe it was the memory of Kinsella that made me want to scrub my skin. I ducked into the nearest toilet and reached for the soap, but then an unex-pected sound came from one of the cubicles. A woman was crying bitterly, ragged breaths between each sob. I was drying my hands when Pru Fielding finally stepped out. She didn't see me at first, too busy wiping her eyes. The livid birthmark that covered half her face looked even darker, her eyes bloodshot, as though she'd been crying for hours.

'Are you okay?' I asked.

She looked startled. 'I didn't think anyone was here.'

'I've been to see Louis Kinsella. Is that why you came over too?'

She shook her head. 'A man from my art class has got pancreatic cancer, but he still likes to draw, so we meet here one-to-one.'

'Is that why you're upset?'

'He hasn't got long to go. God, this place is bleak, isn't it?'

Maybe it had only just dawned on her that most inmates at the Laurels would never be freed. Tears carried on leaking from Pru's eyes as she hid her scar behind a paper towel.

My mind was whirring as I crossed the hospital campus. It interested me that the staff at the Laurels felt so much compassion. All I'd taken from my meetings with Kinsella was a blast of pent-up fury, and the memory of his eyes crawling across my skin. Alan Nash's visit was easy to interpret. It was pure self-interest; a deathbed confession would increase his book sales out of sight. But I wondered what Tom had gained from sitting beside Kinsella's sickbed. Perhaps it was a hangover from his days as a priest – a need to comfort the afflicted, whatever their sins.

When I got back to the broom cupboard, I switched on my laptop and checked the encrypted files Burns had given me, containing the HR records of every staff member at the Laurels. Judith's CV showed that she had spent her career specialising in treating violent offenders, and she had excellent references from her previous employers. It seemed odd that she had started at Northwood in the same year Kinsella arrived, but I knew I was just being paranoid. There was nothing to indicate professional malpractice or over-involvement. If she had fallen under Kinsella's spell, surely she would have restarted his campaign years sooner? My main ally at Northwood seemed to be blameless. Relief washed over me as I got ready to leave.

The solemn policeman who'd driven me to Windsor to interview Kinsella's wife was waiting beside my car, his gloom heightened by the cold. 'DI Goddard sent me,' he said. 'You're to leave your car here, then she wants you to pack a bag and go straight to the hotel.'

I gritted my teeth. I'd accepted that I had to leave the cottage, but people's efforts to help have always irritated me – you could describe it as independence or the worst kind of stubbornness. I tried to be civil, but my tone of voice was a fraction too curt.

'It sounds like Tania's got my future all mapped out.'

Reg gave me a bored stare, but maybe I was doing him a disservice. For all I knew, he spent his idle moments contemplating the nature of existence. A few personal details leaked out on the drive to the cottage. He came from Muswell Hill, he supported Arsenal, and he'd spent thirty-two years in the Force.

'The job's changed out of sight,' he said. 'Too many chiefs, not enough Indians.'

'The NHS is the exactly same.'

Reg smiled briefly to himself, clearly pleased that we agreed about the decline of public services, and in the end I was grateful for his lift. There had been a fresh fall of snow, and the van passed down the lane with ease, saving me a hike through the cold. I scanned the path outside the cottage for fresh footprints but the snow was unmarked.

After I'd packed my holdall I stood by the bedroom window. The sky was perfectly clear. Miles of black velvet, littered with sequins. Perhaps it was the surfeit of beauty that triggered my anger. My work for the Met had taken over my life again. I should have refused to help Burns, then I could have completed my research in peace and spent my evenings stargazing, but now I was too deeply committed. My mind defaulted to Ella Williams whenever I relaxed. The only way to regain my freedom was to work nonstop until she was found. I took one last glance at the moon, haloed by a fuzz of brightness, then marched back downstairs.

'Ready when you are.' I left the hall light burning, even though it was unlikely to help. With a little determination, anyone could smash a window and step inside.

The drive to Charndale Manor took less than ten minutes, and I studied the building as Reg parked the car. The hotel was built on a grand scale, with floodlights picking out Gothic turrets and leaded windows. It would make the ideal venue for murder-mystery weekends, the guests competing to be Miss Marple or Hercule Poirot.

My room was on the second floor. The curtains had seen better days and cigarette burns were dotted across the carpet; a couple in the room next door were having a row, the wall reverberating with each insult. I dropped my bag on the bed and escaped downstairs.

'A double espresso, please,' I told the girl behind the bar.

It was ten o'clock but my chances of sleep were minimal until my neighbours calmed down. The best option was to load up on caffeine and get on with some work. The hotel bar was a cavernous tribute to Queen Victoria, mahogany-lined from floor to ceiling, wall lights struggling to penetrate the gloom. I recognised some faces from the incident room. Pete Hanson was killing time further down the bar, browsing through his newspaper, but I couldn't face making conversation. Luckily there was a private bar, which turned out to be small, empty and warm.

I felt better once I'd engaged my brain. Tania had given me a printout of the latest HOLMES report, detailing every contact and witness statement since the investigation began. My phone rang before I'd reached page six. I considered ignoring it, but it was Lola. We'd sworn never to blank each other when we were twelve years old and, given my current run of luck, I couldn't afford to jinx myself.

'Pregnant women need extra sleep,' I said. 'Why aren't you in bed?'

'I had my first scan today.'

The idea jumped like a needle on scratched vinyl. 'It still doesn't feel real, Lo.'

'I've got evidence. The baby's going to be a giant.'

'Text me the picture, can you?'

There was a pause before she spoke again. 'Is something wrong?' One of Lola's best skills is clairvoyance. She can mind-read from a thousand miles, so there's no point in keeping secrets.

'Not wrong exactly. My cottage is out of bounds, that's all.'

Lola listened to my explanation then tutted loudly. 'I'm still coming for the weekend.'

'That's not a great idea.'

'Of course it is. I'll stay at the hotel.'

There was no sense in arguing. Once Lola makes up her mind, she's an unstoppable force.

I put my phone on mute afterwards, espresso fizzing in my bloodstream as I scanned the printout. The Met team had certainly been busy. They'd spent the last week monitoring parks, playgrounds and routes used by the girls, and analysing hundreds of hours of CCTV. I studied the section that profiled the registered sex offenders who'd been interviewed. One of them had seemed like a contender, but the thread was dropped because his alibi was rock solid. I stared at the page until the script blurred. It was possible that the abductions had nothing to do with sex. The killer had simply targeted the most vulnerable children he could find: motherless, fostered, or adopted. In his eyes they were the poorest wretches in society. Maybe he believed that he was exterminating street urchins, or being cruel to be kind. So far there was no clue about how he had tapped into records of the children's home lives. One of the things that concerned me most was the length of time he had kept his first victims. The post-mortem report on Kylie Walsh showed that her body had lain in a freezer for weeks. Serial killers who retain the corpses of their victims tend to become addicted to killing. They're so friendless and isolated, they're reluctant to part with their victims, as though they were lovers or relatives.

Despite all the evidence, I still had a hunch that Ella Williams was alive. No token had arrived for Kinsella, and her teacher described her as the smartest kid she'd ever taught, dragged prematurely into the adult world when her mother died. If she'd found a way to play him, then all I had to do was work out her method. Ideas were shifting into place when I heard the door opening. Burns was standing there, clutching a shot glass in each hand.

'Pete said you were here, so I got you a nightcap.' He dropped onto the seat beside me. 'Do you always work this late?'

'Why? Do you always drink whisky at midnight?'

'Once in a blue moon.' His mouth twitched into a smile, and I tried to quell the surge of attraction that arrived whenever I saw him. 'What have you been looking at?'

'The people who're close to Kinsella: Pru Fielding, Tom

Jensen, Judith Miller and Garfield Ellis. And the records say that Aleks Gorski had solo meetings with him before his tribunal.'

'You seriously think the centre director's involved?'

I shrugged. 'It's got to be someone in a position of trust. He's spent plenty of time in Kinsella's company.'

'Run me through your suspects.'

'Pru Fielding's the most vulnerable, she's the art therapist at the Laurels. Tom Jensen runs the gym. He's a loner, with no family. Garfield's Kinsella's nurse and he sees more of him than anyone else. Judith Miller used to be his counsellor – she defends his rights a bit too strenuously.'

'I'll take a look at them.' Burns scribbled the names in his notebook.

'Did you find any more evidence at Orchard Row?'

'Nothing.' He gazed at his whisky, swirling in its glass. 'We've got DNA from all five girls, but not a trace of him, apart from the tracks of his van. It's like he lured them there, then disappeared into thin air, like the Pied Piper.'

I returned my attention to my pile of notes, and my thoughts finally clicked into place. 'That's it, Don. You've hit the nail on the head.'

'I'm not with you.'

'We've been looking in the wrong direction. Kinsella was the Pied Piper. This is about kids, not adults, and Ella's found the killer's Achilles heel. She's found a way to mother him.'

'How do you mean?'

'Ella's playing the adult role. It's someone who's never progressed beyond the emotional state of childhood. He was probably less than ten when he met Kinsella. Kids are more suggestible than adults – given enough time and effort, you can brainwash them to do anything.'

'Like child soldiers,' he murmured.

'Exactly. Train an eight-year-old to use a machete and he'll kill for you, without asking why.'

'So it's a pupil from St Augustine's, not a teacher.'

'Not necessarily. It could be a boy from his choir, or any child he saw regularly. That would make Judith and Garfield too old to be the killer, and put Tom and Pru in the right age bracket. Maybe other kids Kinsella groomed have followed him to Northwood as well.'

The familiar obsessive look was back on Burns's face. Any second now he'd be banging on people's doors, rousing his team from their well-earned sleep. Over his shoulder I saw Tania standing in the doorway and felt a pang of discomfort. Our body language must have looked incriminating; her boyfriend huddled beside me, sharing a nightcap. She shot me a look of pure loathing then turned away.

'There's Tania,' I said. 'You should go after her.'

'You're right, she needs to hear this. You're a wonder, Alice.' He leant towards me, face glowing with excitement, and it would have been easy to make a complete fool of myself, so I forced myself back onto my feet.

'I'll see you in the morning.'

I scooped up my papers and headed for the stairs. When I got to my room, my neighbours had resolved their argument. Rhythmic grunts emanated through the wall, accompanied by the squeal of bedsprings. I went into the bathroom and peeled off my clothes then turned the shower to full blast. I stood there until the water ran cold, letting the torrent drown every sound.

43

The scissors are hidden inside the base of the chair, but the man pushes the door open so fast, there's no time to grab them. A wild grin is spreading across his face.

'I've got something to show you upstairs.' The man steps closer, but Ella doesn't feel afraid. She's been scared for so long, her body has stopped reacting.

'No, I'm staying here.'

'What's wrong?' He kneels down, his eyes brimming with feelings she can't identify. 'Don't let me down, princess. Not now. Please.'

'Why can't you tell me your name?'

'I told you, it's against the rules.'

'The rules don't work any more. And I want my old clothes back, I'm sick of this dress.'

The man's eyes darken. 'You have to wear it, because you're an orphan, like me.'

'I'm not. I've got granddad and Suzanne.'

The punch arrives out of nowhere. His fist catches her shoulder and sends her tumbling to the floor, and this time the exhaustion's too great. Tears flood from her eyes before she can stop them.

'I'm sorry, princess. You scare me when you talk like that.' The man lifts her back onto the bed, then kneels in front of her, unable to meet her eye. 'Can you forgive me?'

'Of course.' Ella forces herself to reach out and touch his face.

Soon his smile reappears, his white teeth sharp as the blade of a kitchen knife. 'Come and see my surprise.'

Ella's eyes blink at the raw brightness of the strip-light in the kitchen. It's dark outside and the clock says that it's two fifteen. A piece of white fabric lies folded on the living-room table, beside a box of pins and a cotton reel.

'I've finished the collar, so it matches yours.'

The man holds up a new white dress for her to inspect, and Ella's heart rattles inside her chest.

'When's the next one coming?'

'Saturday. Kinsella's chosen a real beauty this time, Ella. You can see a photo if you like.'

Ella nods silently, unable to speak. The man passes her an envelope and a picture falls into her hands. There's a glimmer of blonde hair, shiny and golden like Sarah's, then she slides the girl's face back into the envelope to keep it safe.

44

Forty sets of eyes blinked at me the next morning. I'd been dreading the briefing, because too much caffeine, booze and adrenaline had kept me awake for hours, but Burns looked considerably fresher. Only the creases in his shirt made me wonder if he'd gone to bed at all. Alan Nash shot me a disdainful glare from the back of the room, so I smiled sweetly in reply. Extreme courtesy has always been my preferred antidote to bullying.

'Some of you are going back to London today with DI Goddard,' Burns told the packed room. 'I want you to trace every pupil who attended Kinsella's school during his time there, the kids from the home on Orchard Row, and the ones in his choir. We need to rule out any child who was in close contact with him. Do you want to give us some guidance, Alice?'

A sea of faces gawped at me. 'It's likely that Kinsella brainwashed one of the children he cared for. Up to the age of eight or nine, kids are like litmus paper. They struggle to sift right from wrong. They absorb everything we say. If the child is vulnerable, and the guidance comes from an authority figure, it can be hard to forget.'

One of Nash's followers threw a question from the back of the room. 'You reckon some bloke's waited twenty years to start killing just because Kinsella chatted to him at primary school?'

'It's possible. Children lay down their deepest memories between the ages of five and ten. If you show a child violent images, violence becomes normalised. History gives us plenty of examples: the Hitler Youth, African child soldiers, Chinese kids during the Cultural Revolution. We know Kinsella tried to brainwash adults like Roy Layton by showing them violent child porn. Maybe the kids in his care got the same treatment.'

Some of the faces winced. A few clearly thought I was a crackpot, leading their DCI astray, and it was a relief when Burns started talking again.

'The rest of you are staying here, following local leads. Kinsella's wife is visiting him this morning, and she'll be wearing a wire.' He came to a halt and frowned at his audience. 'If I hear about anyone giving this less than a hundred per cent, you'll be back in uniform quicker than I can say snow.'

Burns dismissed the room with a nod, his expression slowly reverting from thug to gentleman, and I set off to collect Lauren French from reception. It surprised me that she had agreed to risk her peace of mind after so many years, and the shrink in me was excited about witnessing her meeting with Kinsella.

From a distance Lauren looked perfectly in control, wearing muted but expensive clothes, chestnut hair neatly styled. But at close range her fear was visible. She must have spent hours applying lipstick, foundation and mascara, as though war paint was her only psychological protection. I reached out and touched her arm.

'Thanks for doing this, Lauren.'

Her face trembled when she smiled. 'The detective said it might be my last chance to say goodbye.' Her pace slowed as we crossed the quadrangle, the infirmary roof glittering in the distance.

'I know how tough this must be, but did Louis ever mention any special pupils at St Augustine's? Any favourites that kept cropping up?'

'I don't remember.' Her gaze stayed fixed on the icy pathway. 'It's so long ago, I'm sorry.'

'Just ask him who's carrying out the attacks. You don't have to spend long in there.'

She nodded but didn't reply. By the time we reached the infirmary, she was shaking like a leaf. When I led her to a bench she hunched forwards, eyes staring, like she was memorising the pattern on the lino.

'Take your time, Lauren. Wait here till you feel ready.'

'I'll never be ready.' Her eyes flashed like a warning light. 'I just want this over and done.'

A WPC fitted the listening device in the observation room next to Kinsella's, helping Lauren to clip the wire inside her blouse, but she still looked terrified. I heard her murmuring quietly, giving herself a final pep talk. She crossed herself before setting off, as though she was leading a crusade.

The monitor showed her entering Kinsella's room. The camera above Kinsella's bed showed his prone body, and the crown of his head. But it was Lauren's face as she saw her husband after so many years apart that interested me most. Her eyes stretched wide as she stared at him, like it was a sin to blink. She stood a few metres from the bed – clearly she had no intention of going within touching distance. Kinsella's whisper was too quiet for the microphones to catch, but Lauren's voice was perfectly audible. Tension had raised its pitch by half an octave.

'I thought I'd feel something, but I can't even remember why I married you,' she said. 'You only wanted me because I was still a child. A nice little trainee nurse to cover for you. I blamed myself for missing the signs, but you were so convincing, Louis. You should have been an actor.'

The wire picked up an odd, strangulated sound from Kinsella, somewhere between outrage and an appeal for help. His wife's voice grew even louder.

'Promise me you'll tell them what you know, Louis. You pretended to be a Catholic once. If you confess, I might even pray for you.'

'Piety doesn't impress me, Sonia. You knew exactly what I was doing. You guessed months before the trial. I could see it in your eyes. All that violence excited you, didn't it?'

'You know that's a lie. Why don't you tell me his name?'

'What makes you think it's a man?' Kinsella hissed. 'Your sex is capable of evils that men can only imagine.'

When she stood up to leave, her final gesture shocked me. She twisted her wedding ring from her finger and threw it onto the bed.

'My priest has agreed to annul our marriage. I just came to say goodbye, Louis.'

Lauren walked away without looking back. But her strength expired when she reached the corridor. She was trembling so badly she could hardly stand, so I got her a coffee from the vending machine and loaded it with sugar.

'I made a mess of that, didn't I?' she whispered.

'Not at all. You did exactly what I asked.'

Tears seeped from her eyes. 'His voice used to be the best thing about him. Is he really dying?'

'I don't know. He's stable at the moment, but he's refusing treatment.'

Lauren blotted her face, leaving a blur of mascara under each eye. 'I thought of something after your visit. Louis used to send me letters at the start. They were censored, but a few lines slipped through.'

'And they stuck in your mind?'

'He said the foundlings would come back, one by one. None of them would forget.'

'What do you think he meant?'

She shrugged her shoulders. 'No one uses the word "foundling" any more, do they? We call them orphans nowadays.'

'Did you keep the letters?'

Her face hardened. 'I tore most of them up without reading them.'

We walked back to reception together. I didn't envy her the return trip to Windsor, with only her cat waiting to comfort her. Even her make-up had let her down, foundation smeared across her collar. Hopefully her bravery would carry its own reward; facing her worst fears might lighten her burden.

Kinsella's letters were still waiting for me when I got back to my office. The room smelled of panic and stale coffee, and even though it was freezing outside, I flung the window open, and a blast of cold air hit the back of my neck as I studied them. It was easy to see why Lauren had thrown hers away. Anyone with a depressive tendency could be persuaded that evil existed everywhere you looked – even in the souls of children. I carried on reading for the rest of the day, Kinsella's mindset growing clearer with each letter. Female children harmed everyone in their orbit. The youngest and sweetest looking were the most evil. I tried to suppress my anger at the excuses he'd fabricated. The worst thing about his narrative was the rapture he felt when he committed the murders.

At five o'clock I shoved the letters back into the box, bile rising in my throat. My mind flooded with pictures of his victims' ruined faces, and I just managed to reach the toilets at the end of the corridor before spewing my last cup of coffee down the drain. Afterwards I splashed my face with cold water and avoided looking at myself. I caught a glimpse of a blonde-haired ghost in the mirror, eyes hollow from lack of sleep.

I went out to the car park to wait for Reg, hoping the cold would revive me. There was still no sign of a thaw. Security lights poured across half a kilometre of whiteness, picking out the razor wire fences in the distance, designed to contain the bravest escapees. I was so distracted that I didn't recognise the man's voice calling my name, until I saw Chris Steadman. His bleached hair was falling into his eyes, crash helmet cradled in the crook of his arm.

'You look thoughtful.'

'It's an act, Chris. My head's a vacuum.'

'I have days like that. The best cure is to jump on a motorbike and go like the clappers.'

'Sadly I don't have one.'

'Take mine.' He dangled his keys in front of me. 'You've passed your test, haven't you? And the roads have just been cleared.'

I don't know why I accepted the keys. Maybe it was because his grin was a direct challenge. He seemed certain I'd be too scared, so I walked over to the huge Triumph.

'Go to Charndale and back,' he said. 'And don't get done for speeding.'

I turned the starter key and the bike roared into life. When I rode towards the exit gates, I felt as if I was turning into someone else. Someone braver and more adventurous. Steadman's crash helmet smelled of hair gel and cigarettes as I raced through Charndale. The engine throbbed from a purr to a roar, and I didn't care about the chill slicing through my coat, or that my thin trousers would offer no protection if I crashed. It was tempting to chase down the motorway and never come back.

45

Ella stands by the bed, listening for sounds. The walls muffle every noise, but occasionally she hears a lorry grinding down the road, or the stop-start of a postman's van. She's waiting for the door to slam, letting her know the man's come back, but there's something else, so faint it could be imaginary. A woman's voice singing. At first Ella's too shocked to react, then she realises it's coming from close by. She fills her lungs with air and starts to scream. The sound bounces from the walls; when silence returns, the singing has stopped. Maybe the woman is phoning the police. Ella screams again, even louder this time, her whole body pulsing with energy. But the singing starts again. The woman has no idea that she's locked underground.

Desperation pushes her to take a risk. She lifts the chair cushion, fumbling for the scissors, then forces the blade into the keyhole and twists the handle. It refuses to budge, but she keeps trying. Just when she's ready to give up, the lock clicks open and she runs upstairs. There's no view through the kitchen window except the high wooden fence. The woman must be behind it, singing to herself. Ella screams until her throat is raw, but still no one comes. Her heart ticks too fast in her chest, like a clock that's overwound.

Ella attacks the back door lock with the blade, but this time the trick fails. The handle feels like it's been set in concrete. The man has hidden the key somewhere. She searches in every cupboard, then her eyes catch on a photo album, fat enough to hold hundreds of pictures. The first pages are filled with newspaper clippings, yellow with age. Someone has written the word KINSELLA at the top of the page. They all show the same man's face. His hair is short and neat, but his eyes are frightening. They stare across sharp cheekbones, black and penetrating. Then there are pictures of little girls in their white dresses, eyes closed. Ella recognises Sarah and Amita, then her own name printed at the top of the next page. There are enough pages to hold forty or fifty more girls.

A car door slams in the distance and Ella shoves the album back in the cupboard. She races downstairs and pulls the door shut, jiggling the blade frantically in the lock, until it clicks tight. Now there are no sounds at all. The only thing Ella can hear is her heartbeat, drumming with panic, refusing to slow down.

46

The wind roared under the visor of the crash helmet, freezing my grin into place, yet I'd never felt freer. Concentrating on the road had helped me forget about Kinsella's warped fantasies. Eventually I forced myself to do a U-turn, because Chris would be fretting about his pride and joy. I slowed down to a sensible speed, the engine humming softly.

Chris had turned up the collar of his leather jacket when I got back to the car park, blowing warm air onto his hands. When I finally handed over his keys, he seemed amused.

'That was amazing. I feel like a new woman.'

'Go for a burn whenever you like.'

'You're a trusting soul. I could sell her to the highest bidder.'

'I'll risk it.' His gaze lingered on my face. 'Listen, Alice, I've been meaning to say something, about Tom.'

'Have you?'

'People read him wrong. They think he's cold, but he isn't at all. If you give him another chance, you'll find out.'

I blinked at him in surprise. He didn't seem the type to offer relationship advice, but it was obvious he was being sincere. 'Did he ask you to say that?'

'God, no. He'd kill me if he knew I'd spoken to you.'

'Don't worry, I won't tell him.'

Chris gave an awkward grin then climbed onto his bike. I watched it speed along the exit road, and I found myself re-evaluating him. At first he'd seemed edgy, but he was just ultra-sensitive, attuned to every emotion in the room. And he'd ignited my sense of guilt about Tom. If he had feelings for me, I was in no position to return them. Desire seemed to be the only emotion we had in common.

'Have you finished playing Evel Knievel?' Reg looked furious as he walked towards me. 'I've been waiting ages. It's brass monkeys out here.'

'Sorry, Reg. That was the chance of a lifetime.'

He scowled. 'Don't talk to me about chances. I've had one hell of a day.'

'How come?'

'DI bloody Goddard chewed my head off on the way to the station. According to her, my driving's lousy, and so's my attitude.'

'Poor you.'

My sympathy was genuine. I was probably increasing Tania's rage. On top of working on a harrowing case, she thought I was after her boyfriend.

The press had multiplied when we reached the hotel. News vans from Sky and ITV were blocking the hotel entrance, a few hardy photographers braving the cold. Most of the journalists would be propping up the bar by now, trying to buy details from the team for the price of a drink. I thanked Reg for the lift then hurried upstairs.

At least my room felt peaceful. Either my neighbours had gone out for the evening, or the state of their relationship had worsened, and they were locked in a grim silence. I picked up the phone and ordered room service, then spread out my papers. A photo of Ella Williams slipped from my folder. She looked at me expectantly, and I studied her again. Her eyes shone with curiosity, and she seemed to be studying the cameraman, figuring out how he composed his shots.

'What's different about you?' I muttered. 'Why's he keeping you alive?'

I looked at the timeline for the investigation. Ella had been gone almost three weeks. If she was still alive, she must have realised that there was a frightened child locked inside the man who was terrorising her. I gazed down at the last date on my list. In forty-eight hours another child would be taken, and this time Kinsella had claimed that she would be blinded before she died.

When my meal arrived I was immersed in crime-scene analysis. The waiter made a production of unloading dishes from a silver tray, but the food hardly seemed worth it. The vegetarian lasagne had seen better days, cheese sauce congealed into tasteless lumps. But I was too hungry to complain, flicking through reports as I ate. I was still unclear why the killer had shifted so far west from his original patch, apart from a desire to place his tributes closer to Kinsella. Maybe he'd been unnerved by dozens of uniforms pounding the streets, from Euston to Kentish Town.

By ten o'clock my head was throbbing. I'd leafed through every page of the HOLMES printout, and picked over my notes about the Foundling Museum, but the information had stopped making sense. I hesitated for a moment before picking up my phone. Burns sounded like he'd spent the evening smoking cigars, his Scottish burr even more pronounced than usual.

'I need a drink, Don.'

'Downstairs is crawling with hacks. Come to 311.'

Burns's room was directly above mine, but considerably bigger, the sitting area furnished with leather sofas. I glanced around while he reached into the fridge, selecting miniatures. His room was the direct opposite of Tom's pristine flat. It could have doubled as an artwork by Tracey Emin, with his whole life on display. A framed photo of his boys on the cabinet, clothes spilling from his suitcase, a book about Jackson Pollock on his bedside table, and a half-eaten meal abandoned on a tray. His evening had obviously followed the same pattern as mine, except the papers on his coffee table were stacked even higher. When he sat beside me, it was there again – the physical draw I always struggled to pin down. It certainly wasn't inspired by his clothes. He was wearing a faded black T-shirt, worn-out jeans, and trainers that Tesco's flog for a fiver.

'I'm glad you rang,' he said. 'My brain's imploding.'

Burns rubbed the back of his neck with the palms of his hands, and it would have been the easiest thing in the world to touch him while his eyes were closed. I folded my arms tightly and made myself concentrate.

'I keep thinking about the foundlings,' I said. 'The links are everywhere. The victims' bodies are tagged, just like the mortuary assistants numbered the corpses at the Foundling Hospital. And Kinsella said the foundlings would come back to him.'

'If he thinks the foundlings are going to return from the grave, he's even sicker than we thought.' Burns met my eye. 'I'm afraid Alan Nash has got wind of those letters you've been reading. He's asking for access.'

'So he can write another book, to titillate the copycats?' I shook my head firmly. 'Have you found any Northwood staff with childhood links to Kinsella yet?'

'We're still having trouble getting records, but so far we haven't found anyone from St Augustine's or Orchard House. The whole thing's pretty hard to believe, Alice. All two and a half thousand staff have been vetted, they're all squeaky clean.'

I shook my head firmly. 'The only way Kinsella's disciples can come back is by visiting the hospital, or getting a job there.

The guy's obsessed, isn't he? A job in the same building as his hero would be his dream come true.'

'They'd be breathing the same air,' he murmured.

We batted theories back and forth for half an hour but didn't seem to be getting anywhere. The ringing of Burns's phone broke into our conversation and I realised suddenly that I would need some sleep before I could bring clarity to the proceedings. I waited to say goodnight, but he was too busy issuing complicated instructions into his mobile. He touched my shoulder in gratitude as I headed for the door. A mix of emotions was visible in his eyes: panic, guilt, and something too raw to identify. Disbelief, probably, that five girls had been stolen in front of his eyes.

When I got back to my room, his footsteps were still pounding the floorboards above me, and my phone was buzzing on the coffee table. The first message was from Tom – a terse invitation to go to a party on Monday night. The next was from my mother, describing that day's trip to a lace museum in Nicosia. The final text contained a miracle. Lola had sent the picture from her scan, and I stared at it for a long time. My godchild shimmered against the black background, a half-moon of tiny silver bones, preparing to take the world by storm.

47

My brother rang at noon the next day. I was in the broom cupboard, poring over the last of Kinsella's letters. At least the call gave me an excuse to ignore the piles of yellowing paper.

'How are you, sweetheart?'

'Not bad. I'm waiting for my bus.' Will's voice was lower than before, as though a weight was resting on his chest.

'What have you been up to?'

'The usual fun and games. Scrubbing floors, stacking the dishwasher.'

'At least you've got a sea view.'

He made a sound that was somewhere between a sob and a laugh. 'Listen, Al, are you still in that cottage?'

'Not at the moment. Why?'

'Promise me you won't go back. I saw a cloud yesterday, over the sea. It was by itself, and it blew apart. When I looked again, the sky was empty.' His voice was rising with panic.

'It's okay, Will. I'm fine, honestly. And you'll see me soon, won't you?'

It took forever to calm him down. I reminded him of the date when we'd agreed to meet at Brighton Pavilion to go for dinner, and his voice was steadier when we said goodbye. Outside my window it was snowing again, the flakes so fine and powdery that walking through it would be like facing a sandstorm.

I tried to concentrate again on Kinsella's letters; the last ones described the killings from start to finish. Each child had been given the chance to repent, but Kinsella was never satisfied. The victims went through hours of torture. One was beaten, cut, and abused over a whole weekend. Yet he claimed repeatedly that the foundlings would return; there would be a reawakening.

'It doesn't make sense,' I muttered to myself.

I stacked the letters in their box and locked my office. The engaged sign was displayed on Judith's door, so I waited in the corridor. Five minutes later, the Shenfield Strangler emerged, handcuffed to his guard. I couldn't help taking a deep breath. Kinsella's crimes paled into insignificance compared to his, and there was something startling about coming face to face with such a prolific killer. He was smaller than I'd imagined, too weak to strangle anyone now, his messy black hair shot through with grey. Only his fierce expression reminded me of the newspaper portraits from the day of his sentence. His eyes refused to yield even a glimmer of light.

It surprised me that Judith looked brighter than normal; forty-five minutes in the company of one of the most dangerous men alive hadn't dented her happiness. Either she'd learned to separate her emotions completely, or her endless well of sympathy never ran dry.

'You're a miracle, Judith. How do you keep going?'

Her eyes looked dreamier than ever. 'Garfield stayed at mine last night. I had him all to myself.'

'And you still haven't come down,' I said, returning her smile. 'I brought back the letters.'

'Did they help?'

'There's a lot of fantasy in there. Did Kinsella ever talk about the foundlings coming back in your therapy sessions?'

She shook her head. 'Most of the time he talked about the past, not the future. Who are the foundlings anyway?'

'It's a long story. I'll tell you another time.'

'Are you coming to mine on Monday? I'm throwing a birthday party for Tom.'

'I didn't know it was his birthday.'

'Trust him to be secretive. You'll come, won't you?'

'Of course.'

I watched her hide Kinsella's letters again in her cupboard. It still mystified me that she could live with a testimony of the worst kinds of human evil right beside her chair. The bangles on her wrist clattered merrily as she waved goodbye.

Alan Nash was the first person I saw in the Campbell Building. His tweed jacket and corduroys were more suited to the Chelsea Flower Show than a psychiatric hospital, but he made an effort to look welcoming.

'I was just on my way to see you, Alice.' His thousand-watt smile flashed on for a heartbeat.

'Then I saved you a journey.'

'I hear you've unearthed some of Kinsella's letters.'

'One or two. They're part of an archive.'

'How do I get access?' Pound signs were flashing in Nash's eyes. He'd be sitting on a goldmine if he could print original materials in his book.

'You'd need permission from Dr Gorski.'

Nash's face flushed with anger. I didn't know why I'd headed him off at the pass. Probably because the letters were so toxic. Why release them into the world, if the sole reason was to swell the professor's bank balance?

A rugby scrum of detectives had gathered around the coffee machine in the incident room and, when I looked more closely, Burns was at the centre, calm as the eye of a storm. One of the detectives gave me a knowing smile, which made me wonder if someone had seen me leaving his hotel room the night before. The intent look on Burns's face filled me with anxiety.

'Has something happened, Don?'

'Kinsella wants to clear his conscience,' he said.

'He hasn't got one. Deathbed confessions don't apply with psychopaths.'

'It's you he wants to see.'

My stomach churned like a concrete mixer grinding into action. Reading Kinsella's letters had revealed the full depravity of his world-view, and the idea of spending more time with my father's ghost was more than I could face.

48

Ella can't guess how much time has passed since the man brought food or water, but her mouth's so dry her tongue is starting to swell. Every day it's harder to believe that she'll escape. She used to imagine running down the street into Suzanne's arms, but now when she closes her eyes, all she sees is a wall of blackness. She's forgotten how to dream.

The man's footsteps stomp across the wooden floor and he's talking to himself again. Sometimes Ella pities him. He's like the boy in her class who wears the wrong clothes: the others avoid him, but she can see how much he needs a friend, someone to laugh at the same jokes. The key scratches in the lock and when the man walks in, he looks triumphant.

'What do you think of this, princess?'

The dress is balanced on the palms of his hands. Ella takes a step closer and studies his stitch-work on the collar, buttons shining like mother of pearl.

'It's perfect.' She reaches out to touch the material, but the man yanks it away.

'Don't,' he snaps. 'Your hands are filthy.'

'That's not my fault. You should let me use the bathroom.'

The man stares at her. 'You always take over, Ella. I don't know why I break the rules for you.'

'It's so beautiful, I wanted to hold it.'

He relaxes slightly. 'Sorry, I'm on edge, that's all.'

'Why do you make us wear white?'

'That's obvious, isn't it? White's the colour of purity. If you wear it long enough, your sins will be wiped away.'

'What sins?'

The man looks away. 'I've got to go to work now. But when I get back you can have a bath. All right?'

Ella makes herself kiss his outstretched hand and the man's face softens. He kneels down until their eyes are level.

'Don't worry about the new girl, princess. It'll always be you and me. No need to be jealous.' His stubble chafes her skin as he kisses her cheek, and his breath encloses her in a cloud of sour air.

49

Kinsella was white-faced, propped up his on pillows, but still capable of staring me down. His gaze was intense enough to etch a pattern on my skin.

'Thank you for indulging me, Alice.'

I mustered a smile. 'You didn't give me much choice, did you?'

'I'm sure you had the opportunity to refuse.' Kinsella's pallor made him look even more ghostly, every bone visible under his skin.

'Before you say anything, you know this room's wired for sound and vision, don't you?' I pointed at the tiny cameras hidden inside the light fitments.

'Honest to the last. It's an admirable quality.'

'I wouldn't lie to you about the state of play, Mr Kinsella.'

'Surely you can bring yourself to use my first name?' The ghost of a smile trembled on his lips.

'Tell me what you want, Louis.'

'I thought I'd better confess. My wife fears for my immortal soul.'

'You're not dying. The registrar thinks you've got angina; if you see a consultant, it's treatable.'

His eyes glittered with amusement. 'My illness can run its course, for all I care. But I'd like to impart a few home truths first.'

If Kinsella genuinely believed he was at death's door, the

prospect didn't seem to bother him. His wrist was still hand-cuffed to the metal bed frame but even that couldn't disturb his calm. His eyes burned when he spoke again.

'The killer's enjoying Ella's company so much that killing her will be more difficult for him in the long run. In every other respect he's following the rules, but I'm afraid he's formed the wrong impression about us.'

'In what way?'

'He knows about our meetings. It's a simple case of jealousy.'

Nausea welled at the back of my throat. If he was telling the truth, the killer was out there somewhere, seething with resentment about my intimacy with his guru. 'Is he still planning to take another girl tomorrow?'

Kinsella nodded, but his voice was losing strength. 'This time he'll stay in the delightful county of Berkshire.'

'How are you two communicating?'

'We don't need to. I taught him everything twenty years ago.'

'He works here, doesn't he? It's one of your pupils from St Augustine's.'

'Close, but not entirely accurate. You struggle to think laterally, don't you, Alice?' His smile widened. 'How are you enjoying your stay at Charndale Manor?'

'Tell me who he is, Louis.'

'Send Alan Nash tomorrow morning. I'll tell him the name, I feel I owe him a favour.'

'You brought me here to tell me absolutely nothing?'

'So much rage, Alice, and so near the surface.' His eyes narrowed as he observed me. 'Your father must have cut you to the quick.'

I resisted the impulse to slap his face. 'He hurt himself more.'

Kinsella's words rattled round my head as I left the room. My hands were shaking – with anger, not fear. Manipulation was his only reason for summoning me: he loved being the puppet master while Ella's life slipped away.

'Let me see the tape,' I snapped at Burns when I reached the observation room.

I've always hated watching myself, but this time it was essential, because I knew I'd missed something. Kinsella's enjoyment was evident as the film replayed. Getting a straight answer from a sadistic psychopath is a clinical impossibility, because lying only increases their pleasure. He might have been physically weakened, but all the intellectual power lay in his hands. My fists clenched as I listened to his voice.

'Water-boarding was invented for people like him,' Burns muttered.

'He knows I've moved to the hotel. Someone here must have told him.'

'Not necessarily. There's a TV in his room, and bulletins have been filmed there. He's probably seen you going in.'

I didn't reply, but I thought he was wrong. No one knew that I'd left the cottage apart from my contacts at Northwood. I tried to remember who I'd told. I'd let Gorski's office know. Apart from that, I'd only spoken to Judith, Garfield and Tom, but news seemed to spread around the hospital like wildfire.

Burns reached past me to turn off the computer, and something about his bulk made me want to touch him, in the same way that it's tempting to caress statues in museums. His scale was so monumental, it looked like he'd been chipped out of granite. 'You did what you could, Alice. He never had any intention of helping us.'

His statement finally explained why I was so attracted to him. It wasn't just his physical draw, although the depth of his gaze appealed to me, and the way he held himself. It was his capacity for fairness. I'd worked with Burns for three years and never heard him lie. I listened to him explain why the team was struggling to identify Northwood staff who'd lived at Orchard Row. Records only went back fifteen years and the local authority couldn't access their archives.

'So far there are no matches,' he said.

He looked so bleak that I could guess what he was thinking. Maybe Kinsella's claim that the foundlings would return to him like homing pigeons was pure fantasy. My theories might be responsible for wasting hundreds of hours of police time.

Alan Nash barged past as I left the room and I gritted my teeth. Someone must have told him about Kinsella's request for a meeting the next day, because he wore the smug look of an actor who's trumped an audition and stolen the lead role.

50

Bubble bath scents the air like candyfloss, and Ella's whole body aches to climb into the warmth. Her hands are grimed with dirt and so is her white dress, the collar turning grey. She wishes there was a lock on the bathroom door, because the man is moving around outside. It would be stupid to let herself relax. When the bath is half full, she climbs in without taking off the dress. The warmth soothes her skin and she sinks backwards, letting herself submerge. All she can hear is the song of the water, the man's footsteps drowned into silence. But when she opens her eyes again he's sitting there, on the edge of the bath.

'Enjoying yourself, princess?'

She stretches her lips into a smile, then starts to rub shampoo into her hair, but the man refuses to vanish.

'We need to talk,' he says. 'You know the new girl's coming tomorrow, don't you?'

Ella nods just once, keeping her mouth closed.

'There's no need to get upset. It won't change things between us.'

'But we're happy as we are.'

'I know.' The man's face looks strained. 'But I have to follow the rules. This is the last time, I promise. They'll find out about us after that.'

'What are we going to do?'

'We can get across to France – run away, like you said. You'd like that, wouldn't you?'

Ella forces herself to nod, but all she can see is her granddad and Suzanne waiting for her at home.

'From tomorrow you'll live up here with me until we leave.' The man's smile exposes the sharp points of his teeth. 'Listen, I have to go out soon. Give me your dress and I'll put it in the tumble-drier.'

Ella wants to refuse but the man is holding out his hands. The water splashes as she pulls the shift over her head, wet cotton pressing against her mouth, making her panic. She slips back under the suds as fast as she can, but the man's still standing there, his eyes round and glassy, holding her dress in his hands.

51

I stayed at the Laurels longer than I'd intended. The broom cupboard's stale air was preferable to the hotel's odour of furniture polish, desperation and burnt food. I spent half an hour scribbling down the names of everyone I'd met at Northwood. Logic told me that someone in my immediate circle had told Kinsella that I'd left the cottage, and if he could persuade them to share details about me, maybe they were following other instructions as well. The list turned out to be extensive. I was on first-name terms with psychiatric nurses, doctors, administrators, the regular drinkers at the Rookery, and half a dozen guards who monitored Kinsella whenever he left his cell. By seven I'd lost track of time, still gazing in disbelief at the names on my list. When the phone on my desk jangled into life, I almost jumped out of my skin.

'Where are you?' Reg sounded as irate as ever.

'Sorry, I'm on my way. Give me five minutes.'

He sighed deeply when I apologised, as though my failings were too numerous to mention. I piled my notes into my briefcase and set off at a brisk trot, excess adrenaline coursing through my system. In an ideal world I'd have gone for a run, releasing pent-up energy through the soles of my feet, but it was pitch dark and a foot of compacted snow covered the ground. The hotel offered even less chance of exercise, because the complex was hunkered beside a main road. I made a mental note to go to the gym the next morning. An hour on the treadmill would be better than nothing.

When I reached the car park, Reg fixed me with a disapproving stare.

'How was your day?' I asked.

Driving conditions had been atrocious, and he'd been ferrying people around without so much as a thank-you. On top of that, his other half kept phoning to ask when he'd be home.

'At least she misses you.'

'Don't bank on it,' he grumbled. 'All she wants is a lift to the shops.'

Reg took ten minutes to vent his spleen, which gave me the chance to look out of the window. Part of me wanted to escape when we passed through Charndale. No matter how many ghosts Will had seen at the cottage, a night alone by the fire still seemed appealing. When we reached the hotel I thanked Reg for the lift and he thawed for a moment.

'At least you've got manners, Alice. You're not going out again tonight, are you?'

'I don't think so.'

He breathed a sigh of relief. My nonexistent social life meant that he could spend his Friday night watching TV. He marched up the stairs with renewed energy, clearly looking forward to slouching on the sofa with a beer.

The bar was heaving with journalists and detectives, standing in cliques, women in the minority. The noise was almost as overwhelming as the testosterone, and it seemed understandable that alcoholism was rife in both professions. They did so much waiting around – in their shoes I'd have been guzzling beer by the litre too. I edged round the side of the crowd to the members' bar, desperate for a cup of coffee, but when I reached the entrance I heard Burns's low Scottish drawl. Through the crack in the door I saw him sitting beside Tania.

His arm was slung around her shoulders and her glossiness had vanished. She was weeping silently, rivulets of mascara coursing down her cheeks. My feet rooted themselves to the spot. He was murmuring something, doing his best to offer her comfort. Eventually I stumbled back to the main bar, the cacophony of voices even louder than before.

'Can I get you something?' The barmaid eyed me with concern.

'Double brandy, please.'

The raw alcohol scoured my throat, but it had the desired effect. A few minutes after knocking it back, I was comfortably numb.

I sat down on the bed when I got to my room. At least seeing Burns and Tania together had put an end to my fantasies. It was time to move on. The couple next door were yelling at each other like banshees, but it didn't seem to matter. I unloaded my briefcase onto the table, even though there was little more I could do for Ella Williams. I'd combed through every detail of the case and given the team my advice. Whether or not another girl was abducted lay beyond my control. I might as well try and relax for the evening.

My phone rang as I was choosing between *The Matrix Reloaded* and *Good Will Hunting* on the movie channels. Tom Jensen's voice sounded as cool as ever when he greeted me.

'What are you up to, Alice?'

'Not much, to be honest.'

'Me neither. Do you fancy a drink?'

'I was planning to vegetate.'

'Come to the Fox and Hounds instead, it's near your hotel.'

'Can you give me a lift back?'

'No problem.'

When he rang off I had mixed feelings. A few hours spent admiring his good looks would improve my mood, but the last thing I needed was more confusion. I changed into jeans and a black cashmere jumper and reached for my leather jacket. On the way out the mirror threw back a glimpse of a thin-faced twelve-year-old, drowning in clothes she'd stolen from her big sister.

Reg was furious when I called for a lift. He reminded me that I'd promised to stay indoors. He could catch pneumonia because of my last-minute arrangements. When we reached the pub he insisted on writing Tom's name, address and phone number in his notebook.

'Text me when you get back from your hot date,' he growled as I got out of the car.

Reg's transformation into the world's most conscientious father-figure set my teeth on edge. Something about being blonde and five foot nothing makes men assume you're in dire need of protection, and there's nothing you can do, except stand your ground.

Tom was queuing at the bar when I arrived; the pub had a different vibe from the Rookery. There was a murmur of conversation instead of a blaring jukebox and, judging by the Barbours and Wellingtons, the county set had arrived for the evening. A well-behaved red setter was guarding its owner at the end of the bar. Tom and I settled on a narrow bench, backs leaning against the wall. I'd chosen orange juice instead of wine, in an effort to keep my head clear.

'Work's taken over,' I said. 'It's like a tsunami.'

His pale eyes examined me. 'The police were crawling everywhere today. They even came to the gym.'

'Really?'

'They asked me about Kinsella, but there wasn't much I could say.' His fingers tapped out a rhythm on his beer glass. 'He's only spoken a few times. The last time he asked about my family.'

His statement tailed into thin air and I remembered his revelation about the plane crash. The vulnerability he'd shown didn't match his image. He'd have made an ideal action hero, his face raw-boned and immobile as Daniel Craig's. Endless sympathy after the air crash must have forced him to hide his weaknesses deep inside his skin.

'Let's not talk about work tonight,' I said.

'You want to make small talk? That's not like you.'

'It's legal, isn't it? Tell me about your favourite books.'

His knowledge of literature was encyclopaedic. It made me wish I'd brought a notebook, so I could make better choices next time I visited Waterstones.

'You're wasted in that gym,' I said.

'I don't agree. Exercise is the highlight of the week for most of them.'

A flicker of missionary zeal crossed his face, and we spent the next hour discussing our career paths. Mine was more straightforward: I'd started out training to be a medic, but the mind interested me far more than the body. His work had travelled in the opposite direction. He'd started out ministering to people's souls, and ended up helping them to improve their health. When I checked my watch again, it was almost eleven.

'They'll send out a search party if I don't get back soon.'

'There's something I wanted to say, Alice.' He was twisting his glass between his hands, as though he was reshaping it. 'Guess how many relationships I've had.'

'That's tricky. I'd say not that many, three or four long ones, maybe?'

'Wrong. The answer is zero.'

I stared back at him, open-mouthed. 'How come?'

'A couple lasted a few months, but that's my limit. I was just drifting along.'

He made it sound like he'd been floating in the dark with nothing to navigate by, and I knew how he felt. My longest relationship had lasted a year, which didn't fill me with pride. But I'd finally met my match – someone who feared commitment even more than me.

'You don't need to explain, Tom. Being friends suits me fine.'

'Does it?' A muscle in his jaw ticked with anger. 'It's not friendship I'm after any more. I thought we could take it slow and see where this takes us.'

I was starting to feel confused. A minute ago he was explaining that commitment was impossible, and now he was canvassing for a relationship. 'That's the opposite of what you said at the start. And we're too similar, aren't we?'

His eyes darkened to a glacial blue. 'So why did you sleep with me?'

'You persuaded me, remember? And I don't make a habit of it. The last time was two years ago.'

He slammed down his empty glass loudly enough to make the woman at the next table flinch. The drive back to the hotel was so tense, I felt glad it was only a short distance. When he pulled up in the car park, I was eager to escape, but he leant over and kissed me while I fumbled with the seatbelt, the pressure of his hand on my shoulder heavy enough to hurt. His anger was still visible when I pulled away. I felt a twinge of guilt for sleeping with him, but a relationship with someone so troubled would be impossible. It was a relief to watch his Jeep spin away across the rutted snow.

52

The sound of the man returning wakes her, and this time his footsteps sound different. Normally he moves slowly, but tonight his feet jitter like he's tap dancing. She pulls the covers over her head but the sound refuses to stop. The man crashes down the stairs and light needles through the blanket.

'Are you asleep, princess?' the man whispers. His hot breath travels across her cheek. He smells of beer, like granddad does when he comes back from the pub. Sweet as toffee apples and caramel, with something sour under the surface, like milk on the turn. 'I've got something to tell you.' He pushes her shoulder until she has no choice but to open her eyes.

'What is it?'

'I did a practice run, everything's sorted. It'll work perfectly tomorrow.'

'That's good.'

'I know how to pick her up without anyone seeing.'

'But I like having you to myself. We don't need anyone else.'

'It's not my choice, angel. I've got to do what he says, one last time. Then he's setting me free.'

'Is he?'

He nods excitedly. 'He says I can go wherever I want after that. My duties are finished.'

'Am I coming with you tomorrow?'

'Not this time, princess. Someone from work might see us;

you can wait for me here. I'll say goodbye to him, then I'll pick her up.'

It's his stare that frightens her, his eyes wide and comfortless. She resorts to the method that always works best, twisting her mouth into its biggest smile.

53

The dining hall was empty when I woke up. It was only half past six but I was hungry from skipping dinner the night before. I'd planned to order room service but my row with Tom had changed my mind – nothing kills your appetite faster than a dose of unadulterated guilt. I scanned the sea of white tablecloths, and spotted Tania in the far corner, which gave me a dilemma. I could snub her by choosing a different table, or join her for a full English. I helped myself to coffee, and when I turned round she gave a half-hearted wave. It wasn't exactly an invitation, but at least she'd acknowledged me. I poured another coffee and made my way over.

'Mind if I join you?'

'Be my guest.' She gave a thin smile as I placed the cup in front of her.

Tania's image was firmly back in place, even though it was the crack of dawn. She was wearing scarlet lipstick and an emerald green silk shirt. It made me wish we were on better terms so I could ask her where she bought her clothes.

'How's it going?' I asked.

'Too slow for my liking. I'm not even sure we're going in the right direction.'

I wondered why she'd been crying the night before. Maybe they were tears of frustration over all the blind alleys the investigation had chased down. When the waitress finally arrived, Tania ordered grapefruit juice and a bowl of skimmed milk porridge. She looked nauseous when I asked for a bacon sandwich.

'Sorry, are you vegetarian?'

She shook her head. 'My appetite's gone. A lot's riding on this case for me. There was an incident at Hammersmith last year; I had to make a sideways move.'

'Was it something serious?'

'I thought so. Being professionally undermined isn't my idea of fun.'

I gave her a sympathetic look and tried to regain my balance. Candour was the last thing I'd been expecting.

'Did you hear that Nash is seeing the headmaster at nine?' she asked.

'Good luck to him. Kinsella's enjoying himself too much to give away any secrets.'

She glanced at her watch. 'I hope you're wrong. The next deadline's almost here.'

'People must be keeping their daughters under lock and key.'

'Locks don't work on mine, my mum's keeping an eye on her.' Her phone buzzed loudly on the table. 'I'd better deal with this. Thanks for the coffee.'

Tania picked up her cup and marched away, leaving me none the wiser about what had upset her the night before. Perhaps it was nothing more than a dispute with Burns. I tucked into my unhealthy breakfast and tried not to think about it.

It was obvious that Reg was under the weather when I met him in the car park. Either he was nursing a hangover or he was still sulking about being dragged into the cold. He gave a grudging nod when we reached Northwood and I headed for the infirmary. Alan Nash was already there, preening himself in front of a group of sycophants.

'God's gift to humankind,' Tania whispered, rolling her eyes.

The last of my animosity went up in smoke. It wasn't her fault that she was having a relationship with someone I cared about. She busied herself with preparing for the interview, and she did it all with calm, professional grace. Even Alan Nash submitted to her instructions without criticism. I stared down at the monitors, which were still channelling pictures direct from Kinsella's room. Garfield was sitting at his bedside, eyes half closed, as though he was fighting to stay awake, while a drip fed clear liquid into Kinsella's arm. He must have agreed to take medication at last. Behind his half-moon glasses his gaze had regained its intensity.

I watched the professor adjusting his wire, as a whine of feedback buzzed through the speakers. Once the settings had been adjusted he gave a mock salute and left the room. Kinsella didn't move a muscle when Nash arrived. But, through the monitor, I saw his eyes keeping track of his visitor. My attention must have wandered, because everything had changed by the time I looked up from my notes. Tania's voice was rising to a shout.

'Someone get him out of there,' she yelled.

The computer screens didn't help, because the security guard's back had blocked my view. All I could see was Kinsella's hand clutching the air. A wailing sound came from the corridor, and when I got outside Alan Nash was on his knees, hands covering his face. Blood oozed between his fingers, and a nurse was leaning over him, checking his wounds. Moira came towards us at a brisk trot.

'Come on, Mr Nash. Let's get you to triage.'

He moaned softly into his cupped hands, and when I caught sight of his eye, shock brought me to a halt. His eyelid had been sliced in two. So much blood was gushing from the wound I couldn't tell how badly his eye was damaged. I felt a surge of sympathy, even though there was little I could do. I slipped back into the observation room and replayed the film. Every movement was so seamless, Kinsella must have visualised the scene a hundred times. His free hand ripped the needle from his arm and swiped it across Nash's face, a gout of blood spraying the air. Afterwards the headmaster gazed directly at the camera, completely at peace. The sharp lines of his bone structure made him look as otherworldly as a monk at prayer.

Burns's body language revealed that he already knew about the attack on Alan Nash. He was standing in the incident room, his mobile pressed to his ear, shoulders rigid with tension. He thrust a sheet of paper at me then turned away to finish his call. The page was blank, apart from two names printed in block capitals.

'Take a guess who they are.'

'I'm not a clairvoyant, Don. You'll have to enlighten me.'

'Northwood staff who went to St Augustine's or lived at Orchard Row. We're missing a few years' enrolments, but records came through for these two last night: a trainee chef and the art therapist you told me about.'

I studied the page again: Steve Higham and Prudence Fielding. I was so used to hearing her referred to as Pru that I'd forgotten it was an abbreviation.

'Pru Fielding went to Kinsella's school?'

Burns shook his head. 'The bloke went to St Augustine's but her record says she spent years at Orchard House. We can't track her down, it's her day off.'

I felt a kick of sympathy. Pru's birthmark was the least of her worries, compared to years of childhood neglect. 'Have you spoken to the chef?'

'Higham's in the meeting room now. Can you do an assessment? His boss says he's a bit of a loner.'

'You're worried about him?'

He nodded vigorously. 'The uniform who took his details says he can't remember where he was on the dates of the abductions.'

I rooted around in my briefcase for an EF1, the psychological assessment form that's used at first interview stage. The young man waiting in the interview room was staring fixedly at the window, as though he was guessing how many injuries he'd incur if he took a running jump. He looked about twenty-five, black hair tied in a thin ponytail, and he was wearing the checked trousers and jacket worn by professional chefs. It was hard to believe that he worked in a kitchen because he looked malnourished, a rash of acne on his cheeks and the pallor that comes from spending every waking moment indoors. Burns greeted him in a pleasant tone of voice.

'Thanks for coming by, Steve.'

'There's nothing wrong, is there?' Higham was fiddling with his ponytail, twisting it between his fingers.

'I don't think so. You're just helping us with our enquiries.'

He gave a nervous laugh. 'That's okay then. You had me worried.'

'When did you start working here?'

'Two years ago. I was cleaning at first, then they put me in the kitchen. I'm halfway through my training.' Higham's voice had the singsong quality of a child trying to explain something complicated.

'Your boss tells me you've asked for a transfer to the Laurels.'

'It's not just me. Everyone wants to go there.'

'Really? I'd pay good money to avoid those guys. How well did you know Mr Kinsella when you were at St Augustine's?'

He blinked rapidly. 'Not at all. I only saw him at assembly.'

'So it's just coincidence that you left London to work here, and you've been angling for a job in his building?'

Higham's small eyes bored into Burns's face. 'All the big names are over there, aren't they? I grew up seeing them on the news.'

'Your heroes are mass murderers?'

'They interest me, that's all. It's not a crime, is it?'

A minute's silence unfolded before Burns asked his next question. 'Have you got a girlfriend at the moment, Steve?'

'No, why?'

'What car do you drive?'

'I haven't got one. I get the bus.'

'But you used to drive a van to work.'

'It cost too much to run. I sold it last year.'

'You've got proof, have you?'

'The papers are somewhere at home.' His gaze trailed towards the window again.

'Listen, Steve, I'd like to do something called a warrantless search on your flat. Would you agree to that?'

'You want to go through my things?' His eyes widened in outrage.

'If you agree, you can sign a consent form for me now.'

'What's the alternative?'

'You wait here until I get a warrant, then I go ahead and do it anyway.'

A single expletive escaped from Higham's lips. 'And if I sign, I can go back to work?'

'Straight away, if you like.'

Higham fished in his pocket then dropped his keys on the table with a sullen frown. Burns gave a low whistle when the door shut behind him.

'Some people would describe that as coercion,' I said. But

he was already striding away to sort out the search, leaving me to scan my assessment form. Higham had manifested acute anxiety right from the start, his body language changing from open to defensive as soon as Kinsella's name was mentioned. Burns had good reason to be concerned.

'Are you coming with us?' Burns had reappeared with the senior SOCO in tow.

The drive to Steve Higham's address took twenty minutes. Pete Hancock sat in the passenger seat while Burns drove, leaving me free to watch the snowy fields slip by. Higham lived beside the main road to Reading. From a distance the tower blocks were no better than the grim municipal estates that had sprung up everywhere in the Sixties, but at least the planners had shown a touch of irony; the hulking blocks were named after spring flowers. Higham's rented apartment was on the eighth floor of Primrose House. The balconies that hung from the concrete monolith looked purely decorative, too frail to sustain more than a pot of geraniums.

The flat was unusually tidy for a bachelor pad. Every wall was drenched in magnolia paint, as though the landlord had seen too many episodes of *House Doctor* and opted for complete neutrality. From the bedroom doorway I noticed that Higham had even found time to make his bed that morning. Pete was sorting through his cabinets, drawer by drawer; when I tried to cross the threshold, he growled so loudly that I backed away.

The kitchen looked blameless too, washing up lying on the drainer, surfaces clean enough to shine. I found Burns in the living room, scanning Higham's DVD collection.

'There's enough porn here to keep him happy for months.' He brandished one of the cases at me. A model in a school-girl's outfit was straddling a chair, her pigtails tied with scarlet ribbons.

'She can't be sixteen.'

'This one's geriatric compared to the rest.' He carried on inspecting the shelves.

Higham's books revealed a different range of interests: Formula One, extreme sports and true crime. Books about the exploits of Doctor Crippen and Harold Shipman were sandwiched between *Surf Hawaii* and *Learning to Hang-glide*. When I reached the last shelf I spotted Alan Nash's book on Kinsella, *The Kill Principle*. When I handed it to Burns, his eyes glittered with relief.

'Unbelievable,' he murmured.

'But it's not evidence, is it? It's too good to be true: an isolated young man with poor social skills, obsessed by sex and violence. It's like he's staged it, to make himself seem like the perfect serial killer.'

Hancock appeared before he could reply, with a set of keys dangling from his hand. His black monobrow hovered half an inch above his eyes, making him look sterner than ever. 'These were in his cupboard, with an MOT certificate for a white Luton van. There's no evidence it's been sold.'

'That's good enough for me.' Burns shoved the book back onto the shelf.

'Do you want me to set up a cordon?' Hancock asked.

Burns's eyes were strained a little too wide. 'Leave everything be. He's coming back tonight, so we can keep watch. If it's him, he's only got till midnight to take the next girl.'

54

The man's left her upstairs with a list of things to do: wash the dishes, scrub the kitchen floor, clean the sink. But now the tasks are done, it's hard to settle, and he's hidden the remote control. Eventually she finds it in the kitchen, concealed behind a stack of bowls.

Ella keeps the volume low, knowing he'll be back any minute. She flicks past game shows and soap operas until the news channel appears. A dark-haired woman is wearing a serious expression. She explains that an oil spill in the North Sea is causing damage. Pictures of seagulls appear on the screen, feathers rigid with black glue. Tears cloud Ella's vision. She blinks hard to clear them, and when her eyes open again, her own face has filled the screen.

'The Metropolitan Police have issued another warning. Families across the UK are advised to take every precaution to keep children safe for the next twenty-four hours. Ella Williams is still missing, and her family has made another appeal.'

Her grandfather peers out from the screen. He's wearing his one smart jacket, hands shaking as he reads from a sheet of paper. There's a pleading sound in his voice, and she reaches out to touch him, but her fingers bounce from the cold glass, and her tears drip onto the white cotton of her dress. For once she doesn't care if the man finds her crying. She wishes she could kick through the brick wall, then run down the street, yelling for help.

A new sound starts in the distance. The woman is singing again, the tune bright and happy, like she's had a good day. Ella wipes her eyes then rushes to the window. She hammers her fists against the glass, until her wrists begin to bruise.

55

Information buzzed from the radio when we got back to the car.

'Tania says Pru Fielding's back at her house. We can go over there now.'

Burns's tone suggested that he would prefer to hunt for evidence that might hang Steve Higham out to dry. I'd seen that fervent look on his face before – he was convinced that he'd got his man.

'She's worth a visit, Don. Pru comes over as a troubled soul.'

He still looked unenthusiastic as we set off, but Hancock was oblivious, hunched over his folder, filling out a crime-scene report. My mind flitted across everything I'd seen. It was possible that Steve Higham was Kinsella's disciple, but his flat seemed too sanitised for a killer's lair. There was no evidence of a disordered mind, only of a lonely man's unfulfilled desires. When the SOCOs carried out a finger-tip search they might find a trace of proof, or a memento from one of the killings, but so far there was no certainty that he was the killer. He seemed to live through vicarious thrills – reading about villains and dangerous sports, but too fearful to put himself in danger. If Kinsella had selected him from the ranks of nine-year-old schoolboys, it would have been because he was unimaginative and eager to please. It would take hours of careful interviewing to discover whether Higham had been groomed. I closed my eyes and pictured Kinsella sitting by a computer with a small boy. The child's tolerance for violence would have grown day by day, as he was exposed to images that grew steadily more horrifying.

By now we were pulling up outside Pru Fielding's house. It was in the village next to Charndale, an old-fashioned bungalow, hidden behind a Leylandii hedge. Hancock stayed in the car while Burns and I walked towards the property. The garage doors were in need of paint, window-frames beginning to splinter.

I did a double take when the front door swung open. For a split second I thought that Pru's birthmark had vanished. Her blonde curls were swept into a ponytail and there was no sign of a blemish on her face, but when I looked again I realised that I was mistaken. This woman's eyes were a different shade of blue. She must have seen my confusion, because she gave a short laugh.

'You thought I was Pru, didn't you? I'm her sister, Denise. Come in, she's in her studio.'

I smiled in reply, but couldn't help wondering how Pru felt about her sister's attractiveness. She must have spent years resenting it. Burns followed me along the corridor, studying the oil paintings that lined the hall. I had no idea whether they showed any talent, but he lingered in front of each one, and I remembered his art school background before he joined the Met. The landscapes were depicted in muted browns and greys, hardly any sunlight filtering through the clouds.

'Beautiful,' Burns murmured. 'They're so atmospheric.'

Denise turned to him, smiling. 'Pru won prizes at art school, but she never exhibits. Her work's changed since she did these. You'll see for yourself.'

Pru's studio was in a large outbuilding in the back garden.

When Denise opened the door she swung round to face us, and I tried not to stare at the paintings that hung from the walls. Dozens of children stared out from each canvas, so real that you could see their freckles and gaps between their teeth. They frowned down at us, and some of their faces were daubed with scarlet paint, as though they were spattered with blood. It felt like we were surrounded by child warriors, each one primed to attack. I heard Burns swear under his breath.

Pru was wearing an apron to protect her clothes, blotches of colour spattered across her boots. Her curtain of hair almost concealed the dark stain that bisected her face.

'I'm sorry to disturb your work, Pru,' I said. 'We'd like to ask you some questions about Orchard House.'

Her eyes widened. 'Why? The place closed down years ago.'

'I know. But we need to find out if Louis Kinsella had contact with any of the children there.'

She dropped eye contact, her arms folded tightly across her chest, as if her whole body was in lockdown.

'If she won't tell you, I will.' Denise was still standing in the doorway.

She led us back into the house, and we sat around the kitchen table. Pru was still refusing to look up, but Denise seemed determined to set the record straight. 'Pru was twelve and I was thirteen when Mum had her breakdown. Kinsella had gone by the time we arrived at Orchard House, but we heard about him. The older kids were still in shock. He used to take them on outings; most of them couldn't believe what he'd done.'

'So you never met Kinsella when you lived there?' Burns asked.

Denise shook here head. 'We had other things to worry about. Do you know why the place closed down?'

'There was an abuse scandal, wasn't there?'

'It went on for years. Even senior staff were in on it: there was violence, bullying, sex. Me and Pru got off lightly, because we had each other, but we saw everything. The other kids had no one to protect them.'

Pru's silence continued. She was studying the splashes of paint on the backs of her hands.

'I'm so sorry,' I said quietly.

Denise gave a brief smile. 'There were plenty of apologies, when the story came out. They gave us twenty grand in compensation. That's how we raised our deposit for this place.'

'It's a joke,' Pru said bitterly. 'Money doesn't fix anything.'

I didn't reply. It's tempting to console the survivors of abuse, but it never works. The best thing you can do is help them learn how to console themselves.

'Why did you apply to work at the Laurels, Pru?' I asked.

Her voice faltered. 'I thought facing men like that would make me feel more confident.'

'I have to ask you this. Is anyone else from Orchard House working at the Laurels?'

Finally she looked up, eyes glazed. 'No one I recognise.'

Burns checked the sisters' alibis, then thanked them quietly and rose to his feet. He said very little as we walked away, but his expression was sombre. I'm not sure whether he was contemplating the years of abuse the two women had suffered, or how to nail Steve Higham.

'They arrived the year after Kinsella left Orchard House. There's nothing to link Pru to the girls' deaths.'

I thought about the warrior children in Pru's studio, prepared to fight anyone who came near. 'I think you're right, but I'll have to recommend she goes on sick leave until she's had a psychiatric assessment. Right now she's too vulnerable to work at the Laurels.'

Burns's eyes widened as he turned to me. 'It's hardly surprising. I wouldn't fancy those girls' nightmares, would you?'

56

It was five by the time I got back to the broom cupboard. I considered phoning Reg for a lift to the hotel, but decided to call at Judith's consulting room first. Her face lit up when she opened the door. She grabbed my wrist as though she had no intention of letting me go.

'You're in luck. I finally got my percolator fixed.' Her office still felt like an oasis. Even her plants were flourishing, a cheese plant's leaves brushing the ceiling.

'Did you hear about Alan Nash?' I asked.

'It shows you can't take chances, doesn't it? There are dozens of attacks here every year.' Her tone was matter of fact, as though vicious assaults were to be expected. 'How are you getting to mine tonight?'

I'd forgotten all about Tom's birthday party. After our row in the pub I was probably the last person he'd want to see.

'I'll have to cry off. Getting a lift back would be tricky.'

'Stay over. I've got plenty of room.'

'Are you sure?'

'Of course, you can help me get things ready.'

It was clear she wouldn't let me off the hook. When she described the catering arrangements, it sounded like she'd plundered Sainsbury's for their entire stock of party snacks.

'I'll need to call at the cottage for something to wear.'

She sprang to her feet immediately. 'Come on then, we'd better get moving.'

Judith's car turned out to be a substantial black Volvo, with a collection of bohemian scarves tangled on the back seat. I sent Reg a hurried text as she started the engine and got a terse reply, asking for Judith's address and phone number. I fired off another message then dropped the phone into my bag.

'How long do you have to stay at the hotel?' Judith asked.

'Until the investigation's over.'

'Poor thing.' She sounded as sympathetic as ever. 'At least you can let your hair down tonight.'

Snow was falling again as we drove, large flakes littering the windscreen, but my heart lifted when the cottage's silhouette appeared between the trees. The temperature inside was colder than before, and when I reached the ground-floor bathroom it was easy to see why. The window had been forced open, freezing air spilling through the gap. I held my breath and listened. The only sound was the drone of Judith's car revving on the drive. My intruder must have vanished a long time ago, but I was still shaking as I made my way upstairs. I paused in the bedroom to catch my breath. It looked as though nothing had been taken, my jewellery box still sitting on the dressing table. But part of me was afraid that he might still be lurking behind a closed door, so I flung a dress and some high heels into a bag and ran back downstairs. The living room looked untouched too. I went back to the bathroom and pulled the window shut. Judith was tooting her horn, eager to get home. Phoning the local police could wait until tomorrow. I reminded myself that – compared to Alan Nash's injuries – a break-in was nothing to complain about.

Judith talked about Garfield constantly on the way to her house, so keen to air her fears that I didn't mention the broken window or my visit to Pru's studio. She still seemed convinced he would leave his wife, her voice full of artificial brightness.

It would have been cruel to say that the odds were poor; her face lit up whenever she mentioned his name.

The snow had eased by the time we reached her house, and I realised why she missed her family. The place was a huge Georgian rectory, sandwiched between a graveyard and a church, ten minutes from the nearest village. It would have made a great boutique hotel, but it seemed like a daunting home for someone living alone.

'It's stunning, Judith.'

'You think so?' She wrinkled her nose. 'My husband had delusions of grandeur when we bought it. These days he shares a flat with his juvenile girlfriend.'

She raced around like a whirlwind when we got inside, tidying up and preparing food. Her flagstoned kitchen was so vast that I had to raise my voice to be heard on the other side of the room. We spent the next twenty minutes preparing the buffet, putting mini-quiches on plates, and scooping salads into bowls. Judging by the number of wine glasses she put out, she was expecting a small army.

'Let's get changed,' she said. 'Then we can chill before they get here.'

Judith's bohemian chic permeated the whole house. My room on the second floor had a lit-bateau bed and drawings of Indian gods and goddesses hanging from the walls. I admired them while I got ready. They were the opposite of Pru's warrior children, their faces so tranquil that nothing could dent their serenity, headdresses traced in gold. Judith was singing to herself in the room next door. It reminded me of my grandmother's favourite torch songs, Dusty Springfield or Billie Holiday, deliciously mournful. I inspected myself in the mirror and realised that my dark red dress needed an accessory.

I tapped on Judith's door then entered her room. It felt like

I was visiting an art museum, crammed with artefacts. Every surface was filled with Asian statuettes and carvings, and Judith was almost hidden among the furniture, finishing her eye make-up. She laughed when she saw me gazing around the room.

'Relics from too many holidays. I can never resist bringing something back.'

'It's like Aladdin's cave in here. Have you got a necklace I can borrow?'

'You came to the right place.' Her jewellery box was the size of a small trunk, bracelets and beads hanging from hooks on the lid. 'Take whatever you like.'

I chose a heavy silver choker that fitted snugly against my collarbone.

'It looks valuable. Are you sure you don't mind?'

'It's perfect for you.' Judith looked dreamier than ever, in a floaty pale grey dress, eyes outlined with kohl.

When we got back to the kitchen she poured me some wine and began to unwrap a large birthday cake.

'You've really gone to town,' I commented.

'Tom needs people to make a fuss of him.' She studied me carefully. 'Have you been seeing him?'

'Just as friends.'

'That's probably just as well. I think he finds relationships tough. He saw a nurse from work for a few months last year, but things got out of hand.'

'In what way?'

'I'm not sure. Rumours were flying everywhere, but I ignored them. The girl ended up leaving her job.'

I gulped down a mouthful of wine. The more I heard about Tom, the more it seemed I'd had a lucky escape.

57

Gorski arrived on the stroke of eight. He was clutching a bottle of wine, and he'd abandoned his suit in favour of jeans and a jacket. Only his sharp-toed shoes and forbidding expression were carried over from his daytime uniform. Judith scurried away to greet the next arrival when we reached the kitchen, and it was clear that I'd have to work hard to start a conversation.

'Do you live near here?' I asked.

'Pretty near, but my house is less palatial.' Gorski almost managed a smile. 'Do you see now why I warned you about the Laurels? What happened to your colleague today could happen to any of us.'

'Of course. It's the last place you can let down your guard.'

We made halting small talk for the next few minutes, but he seemed relieved when the room filled, because it allowed him to retreat into the shadows. Social gatherings seemed to cause him so much discomfort, I wondered why he'd bothered to come.

Tom arrived fashionably late with his sidekick in tow. Chris Steadman raised his hand in an awkward wave, and I felt certain that he knew about the argument at the pub. But at least the birthday boy looked more relaxed. He stood chatting to people on the opposite side of the kitchen. Most of the guests were from the Laurels, only a few from other parts of the hospital. As the conversation rose in volume I heard

Kinsella's name being mentioned repeatedly, everyone bursting with gossip about the extent of Alan Nash's injuries. He had been rushed to Reading Hospital for a corneal graft. It struck me that working at Northwood made people immune to the suffering of others, but maybe that was inevitable. Witnessing so many suicide attempts and brutal attacks would harden anyone after a while.

Judith seemed intent on being the perfect hostess, but even she couldn't keep Tom amused. He looked preoccupied while a gorgeous red-haired girl used every trick in the book to claim his attention. I helped myself to some pâté and got chatting to a woman who turned out to be a great storyteller. Her name was Michelle and she'd been a nurse at Northwood for over a decade, developing a repertoire of hospital humour. She told me about an inmate who had dangled another by his ankles from a fifth-floor window, and it didn't matter whether the incident was fact or fiction. She turned the incident into a comedy sketch; it was a relief to laugh helplessly at her jokes.

My phone buzzed as Judith was unloading desserts from the fridge, and I slipped out into the hallway. The latest message was from Burns, a cryptic 'so far so good', letting me know that Kinsella's warning had come to nothing. Lola had sent a text too, reminding me to meet her at Charndale Station the next afternoon, and I couldn't help smiling. Despite my warnings about the lacklustre hotel, she was still determined to visit.

When I got back to the kitchen, Tom was blowing out the candles on his cake. The redhead's simpering had gone into overdrive, but he seemed unaware of it. Part of his appeal lay in the fact that he rarely noticed people's admiration – all of his gestures were simple and matter of fact, and he never flaunted his good looks. I felt a tug of regret, but knew a relationship was a non-starter. We were far too similar and, unlike

Burns, he carried his feelings deep below the surface, burying his intellect in a job that never challenged him. There was a wistful expression on his face as he watched Judith cutting the cake. He must have longed for family parties as a teenager, his adolescence marred by loneliness. Any partner he chose would spend a lifetime compensating for all his losses.

People drifted into the living room when the food started to run out. The room looked like the interior of a shabby chic French hotel, sofas covered in delicate embroidered throws. Chris was kneeling by the sound system, preparing the sound-track for yet another Northwood party. By the time Judith reappeared, Emeli Sandé was purring quietly in the background.

'You're doing it again,' she whispered, 'observing people. Go and talk to Aleks, will you? He needs cheering up.'

Gorski was by himself, staring intently at a painting on the wall. He raised his eyebrows when he saw me approaching. 'Judith sent you, didn't she? That woman's biggest flaw is taking care of everyone but herself.'

'Isn't altruism meant to be a virtue?'

'Not when it takes over. Too much care for others is self-annihilating.'

'Spoken like a true shrink.' I grinned and raised my glass.

Eventually I coaxed a potted biography from him. He'd left Warsaw as a child, trained at Bart's in London, then worked his way through the ranks at Northwood.

'Why the Laurels? Your life would have been easier in general psychiatry.'

Gorski frowned. 'Because it's the last frontier. Nowhere else deals with such severe psychosis – everything we do is cutting edge.'

The frontier analogy rang true. Interviewing Kinsella was like interpreting a foreign language, a mile-wide gulf between us. When I looked up again, Judith was beckoning frantically, and I was about to make my excuses when Gorski spoke again. I'd never seen him smile before. His teeth were sharp-edged and unnaturally white, and there was something disturbing about the intensity of his stare.

'I made my mind up about you, by the way.'

'Sorry?' I gave him a confused smile.

'You're a lion tamer, obviously. I should have realised on day one.'

I remembered our first conversation and wanted to ask what he meant, but Judith was still trying to get my attention. The party was in full swing as I made my way over, the noise of people's chatter rising steadily. When I got closer her face was shining too brightly, like a light bulb just before it fails.

'Garfield's on his way here,' she said.

She sounded jubilant, and I felt a pang of sympathy for his wife, pining for him at home. But there was no time to worry, because things swung into fast forward. An influx of guests arrived from the late shift at Northwood, with offerings of beer. The knowledge that Garfield was on his way had released Judith's inner party animal. She circulated the room, chivvy-ing guests onto their feet. Soon people were dancing in front of the fire, and the atmosphere reminded me of the Rookery, with plenty of flirting and discreet joints being smoked in the porch. The redhead was still clinging to Tom's side, and I found myself dancing to my favourite singer, To Be Frank, while Michelle and another nurse performed a reel. Chris appeared beside us. His dancing style was chaotic, but he seemed to be enjoying himself, a broad grin plastered across his face.

'Where's the new girlfriend?' Michelle teased him.

'Coming over next weekend. She doesn't do parties, she's the studious type.'

'I haven't even met her yet.'

He let out a laugh. 'That's what scares me, Michelle. You'll eat her alive.'

A few songs later I caught sight of him on the other side of the room, but this time Pru Fielding was beside him. She must have arrived with the latecomers, and she was making up for lost time. She was fiddling with her hair nervously as she tried to monopolise Chris's attention. I felt a pang of guilt about my decision to recommend that she be given a psychiatric assessment, but I knew I'd made the right call. Someone that vulnerable shouldn't be surrounding herself with so much torment.

It was after midnight when Garfield finally arrived. Through the open doorway I saw Judith rush to him. The crowd was thinning and I wished I had a lift back to the hotel instead of cramping their style. Gorski was still in the kitchen, talking to a bearded man with an earnest expression, and my head was starting to throb.

'Come on everyone, a drink to welcome Garfield,' Judith insisted.

She looked so radiant, I didn't have the heart to say that I'd rather curl up in bed and let the party finish without me. But Garfield seemed in need of a pick-me-up, his wide shoulders hunched, as though the day's burdens still weighed on him. By now Tom was alone, studying the fire. He looked far too sober for someone celebrating a birthday. Judith insisted on refilling everyone's glasses, even though Chris was obviously over the limit. He was leaning heavily on the mantelpiece, as if he was willing himself to stay upright. When the toast finished, Gorski gave Judith a brisk kiss on the cheek, then strode towards the door. Moments later I heard his car engine choking into life outside.

I sat on the sofa nursing my untouched wine, with no

intention of drinking it. The room was already blurring at the edges – lamps and coffee tables swaying dizzily towards me. When I opened my eyes again, Tom was beside me, his pale gaze monitoring my face.

'Are you okay, Alice?'

'A bit tipsy, that's all.'

'More drunk than tipsy, I'd say.' A brief smile crossed his face. 'I can drive you to the hotel if you like.'

I didn't reply, because the room had stopped swaying and begun to spin, which seemed odd, because I'd paced myself all evening, drinking more water than wine. Garfield loomed over me, and I heard his smooth voice instructing someone to help carry me upstairs.

The rest of the evening was a blur. I remembered the humiliation of being laid on the divan, and Judith's voice echoing from the landing. Tom's face was the last thing I saw. He leant over me, and for some reason I felt afraid. Relief washed over me as soon as the door closed. The scent of lavender clung to the sheets as I struggled to get comfortable. I drifted in and out of sleep, wishing the furniture would stop shuffling across the floor. My mouth felt dry as sawdust, but I was too weak to go hunting for a glass of water. Someone else was restless too. Footsteps passed on the stairway, slow and quiet, determined not to wake the other guests. I buried my head in the pillow and forced my eyes to close.

58

When I woke again there was a freezing draught around my feet. My tongue rasped across the roof of my mouth, and the sheets were scratching my skin like sandpaper. An odd chemical taste hit the back of my throat, bitter as diesel. The bed was rocking violently from side to side, and a wave of panic hit me. I was no longer in Judith's guest room. I was lying on cold metal in the back of a van. It was rattling across the tarmac, streetlight falling through a smeared window. The most terrifying thing was that my limbs were refusing to follow instructions; I couldn't move a muscle. It was impossible to surface and I was so terrified that I lost control, a flood of urine gushing down my leg. When the van juddered to a halt my body slid sideways, head crashing against the wall.

The impact must have knocked me out, because my skull burned when I came round. My surroundings had changed again, and the panic rose even higher. Yellow light ebbed from a lamp behind me, the room almost as small as the broom cupboard. I tried to move but nothing happened. My hand remained flat on the mattress, heavy as lead. My eyes were all I could rely on as I dragged stale air into my lungs. The room was silent and windowless; nothing to explain where I was, or how I'd got there. All I knew for sure was that I was lying on a bed, staring at whitewashed brick walls, a patch of damp spreading across the ceiling. The air smelled of mushrooms and fresh sweat, and my skin felt like it was on fire, perspiration soaking through my dress.

Shock or exhaustion must have sent me back to sleep. It was the sound of a man's quiet voice that woke me; the room was empty but I could hear someone whispering. His tone was refined and courteous. It sounded like he was standing outside the door, trying to comfort me. I called out for help, but even my voice had stopped working. Sentences formed perfectly in my head, but the noise I produced was a raw moan, like an animal in pain. After a few minutes the man's voice grew louder. I could make out individual words, the sound tender and hypnotic, as though he was crooning a lullaby.

'I wish I could be with you, Alice, but let's not waste time on impossibilities. I'll explain what happens next. My helper will arrive soon, to set up a camera. He found your address book at your cottage, and the film will be sent to your mother and your brother. I knew this was your destiny the moment I looked into your eyes. Purity comes from despair, Alice. You will see a whole world of pain, before you find joy and release.'

My heart rate tripled, but I was too weak to scream. Every atom in my body fought to propel me to my feet, but I still couldn't move. The voice belonged to Louis Kinsella, and it was fixed on a permanent loop. All I could do was lie there, listening to him repeating my death sentence. I was so terrified that my eyes darted around the room, looking for distractions, and I caught sight of a row of images taped to the wall. Girls' faces blurred then came back into focus: Kylie, Emma, Sarah, and Ella. The last one was of me, staring back at the camera, resentful about having my image stolen. I knew immediately where the picture came from. It was the one Brian Knowles had insisted on taking when I visited the Foundling Museum.

59

Ella's locked in the attic. It's the first time she's stood inside a room like this, thin beams holding the roof in place, the window too high to see through. Early light drifts over the bare floorboards, and she stands in a patch of sun, letting it bathe her. It feels like months since she went outside. When she glances down again, her white dress looks even dirtier than before, the fabric blackened by dust.

The room is filled with tables, bookshelves, and crates. There's no escape route, and the handle on the trapdoor refuses to twist. She spots an air vent in one of the walls, a square piece of concrete punctured with holes. When she peers through she can see into another room. It must belong to the house next door. The vent shifts slightly as she pushes her finger into one of the holes, releasing a cloud of mortar. Ella wants to scream for help through the opening, but the man's feet are tapping on the steps of the ladder, so she waits by the trapdoor, preparing her smile.

'Get down here, Ella. I've got a job for you.' He's babbling so fast it's a struggle to understand. 'Listen, princess, we need to be quick. We can leave as soon as we're done here.'

'Did you catch the girl?'

The man ignores her question. 'I can't do it on my own. You've got to help me.'

'I'll do whatever you say.'

'I have to go out for an hour. You can clean her up in that time, can't you?'

'Of course.' She shows him her smile again.

He leads her to the kitchen and an unfamiliar voice echoes up the stairs, static hissing between the words. She wants to ask why he's left a radio playing, but the man pushes her through the door so forcefully that she lands on her knees. The key scrabbles in the lock as she recovers.

Her eyes struggle to adjust to the semi-darkness. A girl is lying in the middle of the mattress, blonde hair tangled across the pillow. It looks as if she's asleep, because she's so still, but her eyes are wide open. Ella's breath catches in her throat. This one is nothing like the others; lines of black eye make-up are smeared across her cheeks. The creature in the torn red dress is a woman, not a girl.

60

I didn't recognise her at first; her frizz of curls was all that remained from the photos on the news. Ella had lost her puppy fat, and her cheeks were pinched with hunger, round-framed glasses smeared with dirt. There was a look of fierce concentration on her face as she stared down at me. I opened my mouth, but nothing emerged except a rush of air. My thoughts were clearer than ice, even though speech had deserted me, and I knew I'd been poisoned. The toxin had brought on fever and paralysis, but left my thoughts intact. The panic in my chest was increasing by the minute. Feeling was returning to my hands and feet, but not movement, so I focused all my energy on trying to speak.

'I've been looking for you, Ella. My name's Alice.' My words were so slurred I was afraid she wouldn't hear, but she came nearer, listening intently. 'Your sister sends her love.'

I thought she might cry, but her self-control clicked back into place instantly. When she looked at me again it was like gazing into an old woman's eyes.

'He wants me to get you ready. This is your dress.' She pointed at a length of white cloth draped across the table and my heart pounded.

'He'll kill me if I wear it. You know that, don't you?'

She stood completely still. 'I have to do what he says.'

'Not any more. I'll take the blame, I promise. Do you know his name?'

'He won't tell me. It's against the rules.'

She looked so anxious that I tried to give her a reassuring smile, but even my facial muscles had stopped working. She looked deep in thought, weighing her loyalties.

'You've been so brave, Ella. But you'll have to be even braver now. Have you tried getting out of here?'

She gave a quick nod. 'The door opens sometimes, but the other locks don't work.'

'Try them all. Go upstairs and break a window. If you don't, he'll kill us both.'

'But I've got to stay with you.'

'Forget what he told you. When d'you think he'll be back?'

'Soon.'

'Suzanne's waiting for you, Ella. You have to do this.'

She vanished from my line of vision and at first I couldn't work out where she'd gone. Then I saw her attacking the lock with a pair of scissors, jaws clenched with determination. It seemed incredible that she was just ten years old.

'Keep going, sweetheart,' I hissed under my breath. 'You want to go home, don't you?'

Ella hesitated, then her thin fingers gripped the handle. She twisted the blade into the mechanism, again and again.

61

The door swings open suddenly, and she's on the threshold, unsure whether to stay or go. The man will be back any minute, and the woman on the bed is trying to speak. Her mouth trembles, like she's attempting to smile.

'Find a way out, Ella,' she whispers. The woman is in the same position, red dress torn to the waist, arms limp at her sides. It feels wrong to leave her, but her eyes are blazing.

The idea of home drives Ella upstairs. She gulps down a deep breath and tries to think clearly. Thumping her fists against the kitchen window has no effect – the glass doesn't even vibrate, so she runs to the next floor. The first room is empty apart from a bed and a wardrobe, the frosted glass window locked tight. Then she spots a bathroom with a small window set high in the wall. Ella stands on the cistern to reach it, and when the glass drops open, cold air breezes past her face, goose bumps rising on her forearms.

It's a sheer fifteen-foot drop to the snow-covered ground, but the woman's quiet voice echoes in her head. She pushes her shoulders through the narrow opening, and all she can see is whiteness, stretched out below like a carpet. She crouches on the sill, bare feet starting to freeze. The whine of a car engine passes and her heart ticks louder in her chest. She grips the window frame even tighter. It would be impossible to climb back inside, she hasn't got the strength.

The wind tugs at Ella's dress, trying to wrench her from the face of the building. Then she hears the sound she remembers: a voice singing, each note drifting on the breeze. She knows there's no other choice. Ella keeps her eyes wide open as she launches herself into the air, aiming for the deepest pile of snow.

62

Kinsella's voice seemed even louder after Ella left. There was a minute's reprieve between each message, and I tried to shut out his words, desperate for a sound from upstairs, but there was nothing except the rush of blood pounding in my ears. Either she'd escaped, or the killer had caught her red-handed. I couldn't believe that the man behind all this was Brian Knowles; he'd seemed like nothing more than a lonely fantasist with a creepy manner. I gritted my teeth and tried to lift my right arm above my head. My hand fluttered a few centimetres into the air then dropped down again.

My mind was working overtime. How had I ended up here? Last night I'd drunk no more than three glasses of wine, yet I'd fallen into a stupor. Someone had waited until the middle of the night before coming for me, strong enough to carry me downstairs to his van. The killer had to be someone I knew.

Suddenly the house fell silent. All I could hear was a car door slamming, and music playing in the distance – proof that the rest of the world was going about its business, while I waited for some freak to attack me. By now Kinsella's words were so deeply engrained that I could recite them: purity and despair, a whole world of pain. He was intent on breaking me, even in his absence. It was like Chinese water torture, droplets falling on your forehead, slowly driving you insane. My only defence was to stay calm, instead of melting into hysteria. I tried not to remember the pleasure on Kinsella's face when he warned me that the next victim would be blinded. I blocked out his words and pictured images from the past: kids I'd known at primary school; my father, relaxed and handsome, before the drink took hold; Lola taking her first bow.

A new sound filtered through the floorboards. Someone was walking around above my head, the footsteps much heavier than Ella's, and a jolt of panic travelled through me. The killer had returned and I still couldn't move a muscle. I gathered my strength to lift myself from the bed, but the effort overwhelmed me. The light faded from yellow to black as I lost consciousness.

63

Ella pitches forwards and pain sears through the heel of her foot. The low drone of the man's van is returning, but there's nowhere to run. He'll see her from the kitchen window. She searches the garden frantically, but the fences are too high. Then her eyes catch on a wheelie bin and she drags it to the boundary wall. The first time she falls backwards into the snow, but on the second attempt she manages to climb up onto the lid. Raw bricks graze her hands as she scrambles over the wall and drops to the ground.

At first she's too scared to move, because the man could be a few steps behind, but the singing is closer now. A radio's playing, the woman's voice following the tune. Ella can see her through the French windows, running a paint roller across a wall. The pain in her foot is growing worse, and it takes forever to wade through the snow. She smashes her hands against the glass, and when the girl turns round, Ella sees that she's not much older than Suzanne. The girl's roller drops to the floor, streaks of yellow paint splattering her clothes. Ella's breaths come in ragged spurts, waiting for the man to grab her from behind, and drag her back over the wall. The girl stares at her ragged dress, mouth open in amazement. She makes no attempt to open the door.

'Please, you have to help me,' Ella calls through the glass.

The girl still doesn't move, and part of Ella feels relieved. If she rushed over too quickly or tried to touch her, it would be more than she could bear. But she can't forget the woman in the torn dress, lying there, unable to move. Ella presses her hands against the glass, and when she looks over her shoulder, the red smear of her footprints is daubed on the snow.

64

The prickling feeling under my skin was still there when I came round. There was a loud rasping sound above my head, as if he was dragging something heavy across the floor. I could squeeze my fingers into fists, but that was the extent of it. I was locked inside a useless body, and the thing that scared me most was that Ella might already be dead. Her body could be lying in its cardboard coffin, and once he'd finished with her, I was next.

My mind spiralled around the killer's identity. A sea of faces swam at me, and all I could hear was a throng of voices, as though I was back in the Rookery. I could even smell the odour of beer and exhaustion. I remembered Garfield sitting opposite me at the pub. He was the closest person to Kinsella, and his mellow voice was the only relaxed thing about him, as though he carried secrets too important to share.

Kinsella's message was tattooed on my memory, even though the recording had stopped playing: soon his helper would arrive, and the film of my torture would be sent to my family. I screwed my eyes shut and tried not to imagine Will's reaction. Sweat poured from my skin; pent-up terror escaping through my pores. My mind flashed back to Gorski, his behaviour a master class in passive aggression. Then my thoughts scrambled into place. Maybe Tom was the person wandering around upstairs. All of his unresolved grief had flipped over into psychosis. He could have been lying when I saw him at the Foundling Museum; he'd pretended it was his first visit, but he might have gone there dozens of times.

Footsteps thundered down the stairs and I tried to prepare myself. My vision was still blurred, but I recognised Tom's white-blond hair immediately and shut my eyes, unwilling to meet his frost-coloured stare. But when I looked up again, the man leaning over me was Chris Steadman, peroxide hair sticking up in messy spikes. His eyes were stretched a centimetre too wide, muscles twitching like he'd overdosed on cocaine.

'Where's Ella?' he hissed.

'She escaped, Chris, the police are on their way. It's time to stop this.'

His jaw clenched as he stared at me. 'It's your fault Ella's gone. She wanted to stay with me.' He was already setting up the equipment, pointing a camera directly at my face. My only chance was to keep him talking.

'You could leave now, get a head start. How did Kinsella contact you, anyway?'

His hands shook with fury. 'My master key opens every door. We talk every day.'

'But you can't follow through, can you? He told you to mess up the girls' faces.'

'Shut up,' he muttered, colour draining from his cheeks. 'I promised to do this for him.'

'Without his blessing you'd be too weak to hurt anyone.'

He grabbed a knife from the floor. 'Carry on talking and I'll slit your throat.'

A green light flashed on the camera, and I made one last effort to move. My arm flopped onto the mattress, completely useless. But I forced myself to hold his gaze. Instinct told me that it would be hard to blind someone who was staring straight at you. I kept willing myself not to pass out as Kinsella's message rattled around my head: pain and release, purity and despair. There was no way to silence it, even though the tape had stopped. The kitchen knife in his hand was poised inches above my right eye, light glinting from the steel.

'I can help you, Chris. You don't have to do this.'

A flicker of doubt crossed his face, then the knife lurched towards me. There was a tearing sound as the blade sliced the fabric of my dress, snagging the skin on my breastbone. He started to force me into the foundling costume, yanking my rigid arms through the sleeves.

'It won't fit,' I hissed. 'I'm not a child.'

He paid no attention as the fabric tightened round my shoulders. He'd begun his killing ritual, eyes set in a hypnotic stare. It wouldn't matter how hard I screamed. Only Kinsella could reach him now.

'Ignore him,' I whispered. 'Don't let him control you.'

The knife flew at me again, grazing my scalp. There was a sickening noise as it carved into the pillow, and when I looked up again, he was weeping uncontrollably. It took a herculean effort, but I managed to reach out and touch his hand.

'I'll take care of you now, Chris. You're a foundling, aren't you? That's what this is about.' A muscle jumped in his cheek and I was terrified he'd attack me again. 'Where did your mother leave you?'

Tears spilled from his eyes. 'In a phone box when I was two days old; that's how I met Louis. He gave me extra lessons at Orchard House.'

'And he showed you his pictures.'

He nodded slowly. 'He made me feel special. That's why I followed him.'

'Did you stay at the home your whole childhood?'

'I was fostered, but the families always sent me back.'

'Because you cut yourself, didn't you?' I studied the thin

scars on his cheek. 'You hurt anything you could find: insects, animals, other kids. You wanted them to feel the same pain as you.'

A car was pulling up outside, then the loud slam of a door.

'They're here now, Chris. Go out the back way. Ella's waiting for you.'

'Do you think so?' Hope lit up his face.

'I'm sure of it.'

The tension in his face eased, and when I opened my eyes again, the room was empty.

65

Ella's sitting on the back seat of the patrol car, and at first the policewoman doesn't seem to be listening, then she leans closer and talks very slowly.

'It's all right, sweetheart. You're safe now, we'll take care of you.'

An ambulance pulls up on the other side of the road, blue lights whirring.

'I don't want to go to hospital,' Ella pleads, 'just take me home.'

'You'll be there soon, love, but you've hurt your foot, haven't you? The doctor can bandage it.'

Her hand reaches out, and Ella shrinks from her touch. It crosses her mind to open the door and run, but she knows she wouldn't get far. Blood from the cut on her heel has soaked through the towel the woman gave her, and suddenly it's hard to tell where the pain begins and ends. Ella's mind explodes with memories: Sarah lying on the metal floor, staring at invisible stars, Amita's head resting on her shoulder. All the empty smiles she gave, to stop the man hurting her. When the policewoman speaks again her voice is gentle.

'That's right, love. You have a good cry.'

Ella scrubs the tears away with the ball of her hand. 'Can I use your phone?'

The woman looks startled. 'Of course you can.'

When someone finally picks up, there's no sound at all, but

Ella knows who it is immediately. She recognises the pulse of her breathing.

'It's me, Suze.'

Suzanne makes a strange yelping noise, then Ella hears her screaming for granddad to come to the phone. When she closes her eyes, her breathing steadies. She can picture her sister in the hallway, pacing on the spot, clutching the receiver with both hands.

66

I was terrified that Steadman might come back to finish what he'd started. If he did, I wouldn't stand a prayer; I could still hardly move. When the police battered the door down I tried to yell for help, but they were with me in seconds. Burns arrived first, followed by Tania and three uniforms. The relief that washed through me was as potent as the anaesthetic still circulating round my veins.

'He went out the back, it's Chris Steadman. Check the house first.' My speech was breathless and too fast, but at least it had impact. The uniforms scattered immediately, racing up the stairs.

Burns looked horrified, and the reason was obvious. The nick from Steadman's knife had bled copiously, a six-inch circle of blood drenching my white foundling's dress. Tania leant down and squeezed my shoulder.

'Keep your eyes open, Alice. That's it, try and stay awake. The paramedics are on their way. Do you know what he's given you?'

'Some kind of muscle relaxant.'

She turned away, bawling commands into her phone. My head swam, as if my thoughts had been soaking too long in hot water. When Burns crouched beside me, the urge to touch him was stronger than ever. The shadows under his eyes looked like they'd been sketched with charcoal.

'You look terrible, Don. You should take better care of yourself.'

He choked out a laugh. 'Did that bastard hurt you?'

'He bottled out. You can watch the movie.' I gave a weak nod towards the camera.

'Jesus,' Burns muttered, rushing over to switch it off.

Elation was giving way to cold. Suddenly my feet felt icy, my whole body shaking as though I'd spent a night lying in the snow. The paramedics swaddled me in blankets but it made no difference. The ride to hospital felt like rattling around inside a fridge, an oxygen mask choking each breath.

A doctor confirmed that Chris had spiked my drinks at the party, then a nurse came and advised me to get some sleep, but the chance never arrived. When I opened my eyes again, the room smelled of smoke, and an old man was sitting beside my bed. Ella's grandfather looked older than before. The lines under his eyes were grooved more deeply, his skin grey as cigarette ash. Even his quiff was unravelling, but his expression was transformed. His eyes were bright as a child's.

'I had to come and thank you,' he said.

'There's no need. Ella's the hero. She got me out of there alive.'

His smile trembled. 'She's not saying much yet. The lass won't let anyone near except me and Suzanne.'

'Give her time. She's been incredibly brave.'

A deep frown appeared on his face. 'None of this should have happened to her.'

The old man's head bowed, as if his thoughts were too heavy to carry. I couldn't think of anything comforting to say, so I reached out to him. His skin felt dry and papery, and I don't know how long we sat there in silence, hands entwined, because I must have drifted back into sleep.

When I woke again, Mr Williams had been replaced by Judith. She gave me her calmest smile but I could tell she'd been crying.

'Your friend Lola's downstairs. She says she's not leaving till she can take you home.'

I smiled weakly and pitied the nurses. Lola's protests are always high volume, and she never backs down.

'I feel terrible, Alice. I couldn't even keep you safe in my own home.'

'It's not your fault.'

She shook her head. 'Of course it's my bloody fault.'

The next statement emerged from my mouth without any conscious thought. 'You should destroy Kinsella's letters, Judith. Put them through a shredder.'

'They're clinical evidence, Alice. Someone might want to study them one day.'

'Alan Nash will publish them when he recovers, and the victims' families will suffer all over again.'

She looked uncertain. 'Let's talk about it when you're better.'

'Does Kinsella know his plan backfired?'

Judith nodded. 'He hasn't got cardiac problems at all. Chris gave him amphetamines to make his heart race. He's still in the infirmary, refusing food. They'll have to intubate him if he keeps it up.'

I tried to imagine Kinsella's state of mind. From now on his privileges would end. There would be no more trips to the library to escape the barrage of noise, and all his opportunities to manipulate people would be removed. Without his *raison d'être*, it didn't surprise me that he wanted to die. Oddly enough, the idea didn't fill me with jubilation. Five girls had lost their lives because of his brainwashing, and there was no way of knowing how many more children he'd groomed. But at least Ella was safe; my promise to her sister had been fulfilled.

67

No one bothered me again until the next morning, which was just as well, because Steadman's poison had given me an appalling headache. I tried to tidy myself up, but combing my hair was a step too far. My scalp felt like it was being attacked by red-hot needles. Someone had made a mercy mission to the hotel – a fresh set of clothes lay on the chair, beside a bar of chocolate. The prospect of food tempted me, but I gave up after a couple of squares, because it tasted bitter instead of sweet. By the time Burns arrived I was fully dressed, although my hair was a mess of ugly tangles. He stood by the window blocking out the light.

'They say you can leave, provided you're supervised.'

'Who's supervising me?'

'Yours truly. I'll drive you to the hotel.'

'No way.' A stab of pain jerked through my temple. 'I'm going back to the cottage.'

'You're kidding. That place is in the middle of nowhere.'

'I'll get a taxi if need be, on my own.'

'God almighty,' he said, rolling his eyes. 'Stubborn as a mule.'

Burns didn't say much on the drive to Charndale, which gave me time to look through the window. Nothing seemed to be moving. The sky was still loaded with snow, and the landscape looked like it had been whitewashed, no fences visible between the fields.

'This place is freezing,' Burns grumbled, when we reached the cottage.

'Light the fire then. There's plenty of wood.'

The journey from the hospital had exhausted me. All I could do was sit and watch him struggle with the matches. When the fire finally lit, I could tell he was dying to ask questions, so I made a pre-emptive strike.

'Have you caught him yet?'

Burns's face darkened. 'He was spotted twice yesterday, on the M4, then we found his bike near Reading Station last night. He walked in front of an express train, killed outright.'

A picture of Chris appeared in front of me, smiling as he offered his keys on the palm of his hand. 'Did you know he was a foundling?'

'He changed his name by deed poll; he didn't like the one the nurses gave him when he was found. Apparently he was abused at Orchard House. The only thing he had to look forward to was Kinsella making a fuss of him.'

'Was he there when Pru and Denise arrived?'

'He'd already left. We found a load of stuff at his house this morning: he was on the Foundling Museum's mailing list, so he got Brian Knowles's newsletter every month. I bet he showed it to Kinsella, so he could choose the victims. And he'd hacked into the local authority's website, to get the girls' addresses and find out which ones were fostered or adopted. He had a load of foundling dresses at the house, and there's a chest freezer in the garage. Forensics think he kept the first girls' bodies there.'

I shook my head in disbelief. 'How did he get me out of Judith's?'

'After he spiked your drink, he waited till everyone was asleep then got on his motorbike and went back to Charndale to collect his van. He left Judith's door on the latch so he could get back inside. He must have carried you down to the van.'

'Is Ella okay?'

'She's talking more. The trauma counsellor's pleased, but she's refusing to be examined.'

'That's not surprising.'

'We still don't know if she was abused.'

'She was the only survivor, Don. There has to be a reason.'

'Let's hope we're wrong.' He kept his eyes fixed on the fire. 'She's got more guts than my whole team combined.'

'When can I visit her?'

'Next week probably. The counsellor says she needs time with her family, before she sees anyone else.'

Burns told me the whole story over the course of the day. Steadman's job as IT guru had given him the perfect camouflage. If he carried his toolkit he could access every room in the building. Staff assumed he was fixing something, because the IT system was always breaking down. His colleagues saw him as a hard worker, highly committed to his job, which left him free to roam the infirmary, stealing handfuls of drugs. All he had to do was re-programme the passwords on the electronic locks.

'Higham's been filling in some of the gaps,' Burns murmured. 'Apparently Kinsella told the boys he groomed to follow him, like the Pied Piper. Get as close as they could and wait for his instructions. Chris is the only one who actually followed through.'

I gazed back at him. 'He was hurting kids like himself, as an extension of his self-harm.'

Burns's frown deepened. 'It's the other kids from Orchard House and St Augustine's who worry me. We'll have to interview the ones who spent most time with Kinsella and see who needs counselling.'

By midday I was exhausted; either I was on information overload or the fire had hypnotised me. I was stretching out on the sofa when my mobile buzzed in my pocket – there were twenty-seven unanswered messages, and the most recent one was from my mother, updating me on her cruise. She was spending the next day in Athens, exploring the Acropolis. The fact that she was enjoying herself filled me with so much relief that I could have wept, but I closed my eyes and slept instead. The flames were low in the grate when I woke up. It was already getting dark outside and Burns was still there, feet resting on the fireguard.

'What time is it?' I asked, rubbing my eyes.

'Nearly five.'

'Shouldn't you go? You've been here all day. Tania'll be waiting for you.'

'She's in London dealing with the press.' He looked crestfallen.

'Have you two had a row?'

He stared at me round-eyed, then stifled a laugh. 'We're not a couple, Alice. She's been a mate for years; we were at Hendon together. She's had a lot of crap lately – her ex is suing for custody of their daughter.'

Something loosened in my chest, like a knot untying. That explained why Tania had been so tetchy. It had nothing to do with me or Burns; her life was coming apart at the seams. I felt stupid for assuming the worst and believing the rumours. I got up to look out of the window, stalling for time, but the sky gave me no help whatsoever. There was nothing there apart from a black expanse of cloud. Burns was on his feet too, standing behind me as though he expected me to fall. Maybe he felt the same, half tempted to bolt. I kept my back turned when I spoke again.

'Are you staying here tonight?'

'What do you think? I promised to supervise you for the next twenty-four hours.'

I turned to look at him. 'Didn't Lola offer?'

'I sent her packing. I said there'd be questions for you when you came round.'

'What questions?'

He took a step closer. 'They've slipped my mind.'

'Don't worry. I've got plenty of time.'

His shoulders looked wide enough to support small towns, and when the sound came from outside, he didn't even flinch. It was loud and high-pitched as a siren, an owl hovering above the house. The next call was quieter and more plaintive, but Burns's expression was unchanged. There was a mixture of shock and anticipation in his face as he gazed down at me.

EPILOGUE

I arrived at Judith's house clutching a bunch of flowers. She looked tired, but her smile was welcoming when she opened the door.

'It's not your birthday, is it?'

She shook her head. 'I've got a surprise for you.'

Her garden was a riot of spring flowers, spears of iris and gladioli standing tall under the trees. Two deckchairs stood beside a brazier, which was already crackling. It seemed odd because the afternoon was so warm.

'Are we having a barbecue?'

She shook her head. And when I looked again, a large plastic box caught my eye.

'Kinsella's letters,' I whispered.

'I told Alan Nash they were lost, but he's bound to come looking one day.'

'Let's get to work then.'

I threw the first handful of envelopes into the fire and watched the flames consume them, the paper dissolving into long orange flames. Judith didn't join in; she stood beside me, studying her phone.

'What are you doing?'

'Getting rid of Garfield's messages. He's moving back to London next week. If we're having a ceremonial burning, I should let him go too.'

I put my hand on her shoulder as she pressed the delete

button, and her face slowly brightened as the flames rose. We gathered batches of envelopes and hurled them into the brazier. Kinsella was still alive, locked in his cell at Northwood, but his words had become an inferno. A plume of black air sailed high above the roofline as his credo went up in smoke.

ACKNOWLEDGEMENTS

I would like to thank my agent Teresa Chris for her unstinting encouragement and Ruth Tross for being such a wise and insightful editor. Nick Sayers deserves to be mentioned here, because he continues to be the kindest man in publishing and the most convivial. Karen Geary and Rebecca Mundy are also due much gratitude for publicising my work so tirelessly. Many thanks are also due to Andrew Martin at Minotaur, Hope Dellon, Dave Pescod, Miranda Landgraf, Penny Hancock, Sophie Hannah and the 134 club for their readings and sound advice. The helpful staff of the Foundling Museum gave me invaluable guidance on the history of the Foundling Hospital and allowed me to trawl through their archive. Thanks to the media teams at Broadmoor and Rampton Hospitals for advice on protocols at high security units. Thanks as ever to DC Laura Shaw for her excellent guidance on police matters.

Note: most of the locations in this book are real, but many are imaginary. Apologies for changing some of London's geography and street names; my motive is always to tell the best possible story.

Alice Quentin will return in

RIVER OF SOULS

A year ago, Jude Shelley was attacked, thrown into the Thames and left for dead.

Now her family have asked Alice Quentin to re-examine the case. But the day she starts working, another body is found washed up.

He is only the first . . .

Turn the page to read an exclusive extract from Kate Rhodes' thrilling new book.

I

The Thames is preparing to race back to the sea, currents twisting like sinews of muscle. Endless rain has upset its smoothness, reflected lights scattering in a blur of silver. A man stands beside it, gazing across the water's moonlit surface, listening to the voices of the drowned. They whisper to him at night, begging to be remembered. It has taken him hours to walk here, reciting a litany of bridges: Lambeth, Vauxhall, Chelsea, Albert, Battersea. The journey has exhausted him, but the first soul is within reach. He senses it in his quickened breath and the excitement pulsing in his chest.

It's late when he finally enters the churchyard. Traffic hums on Battersea Church Road, and the gravestones jostle him, standing and falling like soldiers in a battle zone. He forces himself to concentrate before stepping over the threshold. There's a stink of incense and stale communion wine, lights bright enough to dazzle. He drops onto a pew at the back of the nave, lets his forehead rest on the balls of his hands until a man's voice addresses him.

'Evensong's over, I'm afraid. I'm just locking up.' An elderly priest, white-haired and pinch-faced, peers down at him. Only his eyes are memorable; cornflower blue, unblinking.

'I've seen you before, haven't I? You're soaked through. Come this way, my friend. There are towels in the vestry.'

Dust motes hang in the air. There's a moment's stillness before the hammer falls. The first blow strikes the priest's temple, his body crumpling. The river's instructions grow louder as the man drags his victim back through the church-yard to the water's edge. He has prepared for this moment, but it still fills him with horror. If he could choose he would walk away and let the priest recover, but the decision isn't his to make. The next stage must be accurate. There's a splinter-ing sound as the chisel enters the old man's skull, followed by a single loud scream. Now he must act fast so everything is complete before his spirit can escape. The priest is uncon-scious as the Stanley knife swipes along his brow then down his cheek. The blade makes cut after cut, slicing skin from bone. Nausea threatens to overwhelm him, but the man only has moments to complete the river's orders. His fingers trem-ble as he ties the talisman to his victim's wrist, binding the circle of antique glass tightly in place.

Fast-flowing currents tug at his clothes as he wades into the river. When he's waist deep, the tide seizes his victim from his arms, black robes fanning across the surface. The priest's lifeless body drifts east as his soul blends with the river. Tonight the man's duty is done. By morning the Thames will deliver the body to the correct destination, his secret washed clean. The man sinks to his knees, letting the black liquid close over him. Then he wades back to the shore and stands in the graveyard, staring again at the river while its lifeblood drips from his hands.

2

It was still raining when I reached St James's Park on Monday morning. The Thames Barrier had been raised for the third time that week. London's ancient drainage system was failing to cope, murky water bubbling up through the grates. It was tempting to catch the first bus home, but I'd been invited to meet the chief officer at the Forensic Psychology Unit of the Met, and I was intrigued. So I hurried on, with rain cascading from my umbrella.

The headquarters of the FPU was a discreet brown stone building on Dacre Street, four storeys high, a stone's throw from New Scotland Yard. The fact that there was no sign above the door seemed a wise move. Advertising the unit's purpose would make it a target for every psychotic villain the specialists tracked down. The building's interior felt equally anonymous; the foyer more like a dentist's waiting room than the UK's nerve centre for forensic psychology. It had white walls, a small reception desk, and coconut palms gathering dust either side of the door. The receptionist's smile was sympathetic, as though I'd checked in for an extraction.

'Professor Jenkins's office is on the top floor.'

I was looking forward to meeting Christine Jenkins. Her books on personality disorders had been set texts on my degree course, and the urgent tone of her assistant's phone message had sparked my curiosity. Photos of eminent psychologists lined the building's walls. Jean Piaget, Elizabeth Loftus and Carl Rogers studied me gravely as I climbed the stairs.

The professor's door was open when I arrived. She stood with her back to me by a large window, arms rigid at her sides as if she was marshalling her strength for a fight. She spun round immediately when I knocked: tall and slim, with cropped grey hair, wearing a smart suit. She greeted me with a formal smile.

'Thanks for braving the weather, Dr Quentin.'

'It's no problem. A bit of moisture never hurt anyone.'

'This is the wettest June on record – you must be an optimist.'

I returned her smile. 'Only until circumstances prove me wrong.'

She indicated for me to sit down. 'Do you remember an attack on a young woman called Jude Shelley last year?'

'Of course, the cabinet minister's daughter. The reports said she was in intensive care for weeks.'

Jenkins's smile vanished. 'Someone dragged her into a car after she left a party on Lower Thames Street. He drove a sharp implement into her skull, a screwdriver or a chisel, then slashed her face and threw her into the river. The girl was barely alive when she washed up by Southwark Bridge. She's been in hospital ever since.'

I winced. 'No one was implicated?'

'The MIT closed the case after six months – no credible suspects. Their investigation was flawed.'

'In what way?'

'Let's just say they weren't quite thorough enough.'

'And that's why I'm here?'

'The girl's started remembering details. Her mother's insisting the Met reopens the case.'

I held her gaze. 'Solving it would be a tall order, after letting it go cold for months.'

'We can't afford to fall out with Whitehall. The order's come from the commissioner himself.'

'He thinks the Shelleys would go to the press?'

The CO looked uncomfortable. 'This is about limiting damage to the Met's reputation. I'd like you to work on the case for six weeks, starting immediately. Support the family and look for new leads. If nothing comes to light, we'll close it down permanently.'

'That isn't possible, I'm afraid. I return to my hospital consultancy next month.'

'Your boss has given the go-ahead. He's prepared to release you.'

I leaned back in my chair. 'Why me? You've got a whole building full of consultants.'

'The girl's mother's read your book, *Understanding Violence*. She asked for you personally, and I think she's right. You're the best person for the job, Dr Quentin. You've got an excellent reputation.'

Despite her flattery, it irritated me that the decision had been removed from my hands. The CO was fixing me with an intent stare, and my chance of a holiday was slipping away, but I was already hooked. I wanted to know why the

Murder Investigation Team had marred their reputation over such an important case.

'When do I start?'

Jenkins looked relieved. 'This afternoon, if possible; the girl's mother wants to meet you. There's a desk for you on the first floor.'

'I'll need the crime file.'

'My assistant will bring it down. I appreciate you stepping in at such short notice; let me know how I can support you.' Her expression grew more serious as I prepared to leave. 'The problem with having a high profile is that people start requesting your help, Dr Quentin. You become a victim of your own success.'

The CO's comment baffled me. It sounded like she was reflecting on her own position, not mine. Her job as the leader of a national organisation placed her head well above the parapet, and the weight of public scrutiny seemed to be telling on her. She started checking her phone before I'd left the room, attention already shifting to her next urgent task.

The desk I'd been allocated was in an open-plan office at the end of a dark corridor. The room contained at least fifteen workstations, but it was almost empty, apart from a few bearded men who appeared completely immersed in their work. I realised that I'd been ambushed. Many psychologists waited their whole lives to be invited to work for the FPU, but this case was daunting. If no new evidence emerged, my next six weeks would be spent consoling a well-known politician and his distressed wife. Despite her promise of support, the CO seemed to expect me to work entirely on my own. There would be no assistant to fall back on as I ploughed through past evidence, and my new colleagues appeared too busy to acknowledge my existence. The elderly man hunched over the desk opposite gave a vacant smile when I introduced myself, then focused again on his computer, as if the prospect of small talk embarrassed him.

The CO's assistant delivered the crime file at half past ten. She looked glad to hand over the thick ream of paper, placing several kilos of confidential facts in my hands. The reports confirmed Christine Jenkins's damning assessment of the investigation. It had stalled soon after it began. Interviews with the Shelley family had been cursory, which convinced me that the senior investigating officer had worn kid gloves because of the minister's position. Under different circumstances, the police would have tested the relatives' alibis to destruction, aware that most violent crimes are carried out by family members, lovers or spouses. I flicked through the file with a growing sense of amazement: the investigators had taken the relatives' alibis almost entirely on trust. Timothy Shelley had claimed that he was with a colleague in Brighton, preparing for a political conference, when his daughter had been attacked. The girl's mother and older brother said they had spent the evening together at the family home. Closer attention had been paid to the victim's boyfriend at the time, Jamal Khan, and to a convicted killer called Shane Weldon, recently released from Brixton Prison for murdering a woman and casting her body into the Thames. The SIO had pursued both men doggedly, but found no forensic evidence linking them to the case. I scribbled their names in my notebook. My first priority would be to interview each family member to build a picture of the victim's social environment, before the profiling process could begin.

I was about to put the reports back when a manila envelope slipped from the folder. It was filled with photos. The first picture showed a tarnished triangle of metal, either copper or bronze, covered in a green patina. There was no information to explain where it had been found. The next photo was a portrait of Jude Shelley at around twenty years old. Her heart-shaped face wore a relaxed smile, light reflecting from her wide brown eyes. She looked pretty and untroubled, as though her life had been full of pleasures. The third image was harder to understand. A raw oval was attached to the same slim neck, but everything else had changed. There was nothing to guide my journey across the blur of exposed veins and bone. Most of the girl's face had been removed. Her lips had gone and so had her nose. One brown, lidless eye stared back at me, unable to close. Even though I'd counselled patients with life-changing disfigurements, I'd never seen such terrible injuries. I pushed the photo back into the envelope, then stared out of the window as the reality of my task hit home.

3

The crime file was locked inside my briefcase as the taxi edged through the Pimlico streets into a roar of traffic. The city seemed to be spinning out of control. I'd spent the last six months working at Northwood Psychiatric Hospital, deep in the Berkshire countryside, and London had shifted into fast-forward during my absence. Pedestrians marched along Grosvenor Row at breakneck speed, as though their existence depended on absolute punctuality. Half-built skyscrapers dominated the view south from the Embankment, the shell of Battersea Power Station still waiting to be transformed into an oasis of deluxe apartments. The riverside to the west was a sheer wall of glass. Factories and warehouses had been replaced by rows of transparent tower blocks. But the Shelleys' house was insulated from modern development, buried deep in the heart of Chelsea, the neighbourhood perfectly preserved for three hundred years. Georgian houses clustered around a garden square filled with rose-beds and cherry trees.

I wondered who owned the neighbouring houses as I sheltered from the rain in Heather Shelley's porch: fading rock stars, probably, and Russian oligarchs. It surprised me that Mrs Shelley opened the door herself rather than sending a housekeeper. She was in her forties, a blonde version of her daughter before the attack, with the same heart-shaped face, but the shadows under her eyes were too dark to conceal. She reached out and grasped my hand.

'Thanks so much for coming.'

There was a warm northern burr to Mrs Shelley's voice and I studied her again as she led me along the hallway. I'd seen her on the news when her husband was re-elected, an archetypal politician's wife, giving the camera a glacial smile. Today she seemed far more human. She wore jeans and a navy blue jumper, a small silver crucifix resting on her collarbone, suede boots even scruffier than mine.

While she made coffee, I glanced around her kitchen. It was large enough to house every state-of-the-art appliance under the sun. A framed photo hanging on the wall showed a family that looked immune to adversity. Heather and her husband sat in a sunlit garden with Jude and a dark-haired young man who I guessed was her brother. He was equally good-looking, but had a heavier build and darker skin tone, his smile more cautious. The Shelleys all looked glossy with health, relaxed in each other's company.

Heather sat opposite me at the table, picking at the skin around her nails. 'Where do you want me to start?'

I gave her a smile of encouragement. 'Wherever you like. I'll need to interview each of you, but perhaps you could begin with some family history. How did you meet your husband, for example?'

'Tim and I met at Oxford.' She swallowed a deep breath. 'I suppose we were chalk and cheese. He'd been to Eton, but my parents ran a greengrocer's in Leeds. I'd won a scholarship to study medicine.'

'Did you ever practise?'

'I never qualified. Tim's career took off, and I wanted to be at home with the kids. It was the logical choice.' Her voice was matter-of-fact, but I wondered whether she'd ever resented sacrificing her career.

'Your daughter studied law, didn't she?'

Her eyes suddenly filled with tears, voice catching as she spoke. 'She did a year of voluntary service in India after leaving school. It made her decide to specialise in human rights. Jude didn't deserve any of this; she wanted to make a difference. She had so many friends.' Her outburst petered into silence, and my sympathy doubled. One more piece of bad news would be enough to shatter her fragile coping mechanisms.

'Can you tell me why you wanted a forensic psychologist to work on your daughter's case?'

'We need someone who understands this kind of violence. The Met were hopeless. My husband insisted on the top people, but they went round in circles. They focused on Jude's boyfriend, but I was never convinced. I only met Jamal twice, but he seemed crazy about her.'

'Did Jude keep in contact with any other ex-boyfriends?'

'I don't think so, but I doubt she'd tell me. My daughter's always been a private person – losing her independence has been terrible for her. She's never been home since it happened.'

'What does your husband think about her case being reopened?'

Heather's expression hardened. 'Ask him yourself, if you can track him down.'

'His job must be very demanding.'

'It's his escape route; he buries his problems under a mound of work.'

Her openness shocked me. Within five minutes she had revealed the strain in her marriage to a total stranger. 'Is your daughter's health improving?'

Heather's gaze locked onto mine. 'Jude was on the waiting list for a face transplant, but she's too weak for such a huge operation now. Last week she spent twenty-four hours in intensive care. The only thing keeping her alive is the dream that her attacker will be caught. She's terrified he'll hurt someone else.'

'Your whole family must have been affected very deeply.'

'Our son's taken it worst. Guy had a breakdown afterwards. He only went back to art school at Easter; he's still very vulnerable.'

I scanned my notes. 'You and Guy were together the night of the attack, weren't you? Can you tell me what happened before the police called?'

Her shoulders tensed. 'Nothing unusual. I cooked him a meal around seven, but I was feeling under the weather. I had a bath and was in bed by nine. Guy decided to stay rather than go back to his flat, because Jude was coming over in the morning. They wanted to catch up.'

'Do you know how your son spent his evening?'

'He was working on an art project.'

'Would it be possible to speak to him?'

'Not today.' Her face clouded. 'Guy won't find this easy, I'll have to prepare him.'

'I'll keep the interview short, I promise. Was Jude living at home or in halls of residence when the attack happened?'

'She shared a flat with her friend Natalie, but she always came home for the holidays.' Her eyes were brimming again. 'We're all so worried. She's got an infection she can't shake off.'

'Maybe the case reopening will give her a boost.'

'That's what I'm praying for,' she agreed quietly.

'Could I see Jude's room while I'm here?'

Heather balked at the idea at first, but after some gentle persuasion she led me up to the top floor. She stayed outside on the landing, as though she was reluctant to invade her daughter's territory. The bedroom walls were a delicate shade of pink, a pin-board held Polaroid snaps of teenage faces in various stages of delight, bookshelves loaded with Stephenie Meyer and J. K. Rowling. I'd been expecting rows of heavyweight law journals, but the space was more suitable for a child than an undergraduate studying human rights. Even though the family must have cleared her apartment, no evidence of Jude's adult life was on display. The room felt like a monument to the pleasures of youth. Her wardrobe held an array of glitzy party dresses, hanging in perfect readiness, as if time might suddenly lurch backwards and render her whole again.

Heather's exhaustion was clear by the end of our meeting. She seemed so focused on her children's welfare that she had forgotten her own. I promised to report back as soon as I'd reviewed the evidence, but the hollows under her eyes looked even more pronounced as I prepared to leave.

'Would it be okay to visit Jude tomorrow morning?' I asked.

'I'd better come too. Meeting new people always upsets her.'

'It's probably best if we meet by ourselves the first time.'

Her smile vanished. 'My daughter's too ill for any kind of stress.'

'I realise that.' I touched her arm lightly. 'She'll have to meet me sooner or later, Heather. I won't stay long.'

Her lips trembled as she said goodbye, then the door gave an abrupt click as it shut behind me.